北京古籍叢書

[清]周家楣 [清]繆荃孫 編纂

光緒順天府志

左笑鴻 點校

第七册

圖書在版編目（CIP）數據

光緒順天府志. 第七册 /（清）周家楣，（清）繆荃孫編纂；左笑鴻點校. — 北京：北京出版社，2018. 2
（北京古籍叢書）
ISBN 978-7-200-13599-2

Ⅰ. ①光… Ⅱ. ①周… ②繆… ③左… Ⅲ. ①北京—地方志—清代 Ⅳ. ①K291

中國版本圖書館CIP數據核字（2017）第284876號

項目策劃：安　東　　項目統籌：許　可
責任編輯：喬天一　許　可　　責任印製：宋　超
裝幀設計：郭　宇

北京古籍叢書
光緒順天府志
第七册
［清］周家楣　［清］繆荃孫　編纂
左笑鴻　點校

出　版　北京出版集團公司
　　　　北京出版社
地　址　北京北三環中路六號
郵　編　一〇〇一二〇
網　址　www.bph.com.cn
總發行　北京出版集團公司
經　銷　新華書店
印　刷　北京京華虎彩印刷公司
開　本　八八〇毫米×一二三〇毫米　三十二
印　張　十五
字　數　二七二千字
版　次　二〇一八年二月第一版
印　次　二〇一八年二月第一次印刷

書號　ISBN 978-7-200-13599-2
定價　128.00圓

經政志一

官吏

德清傅雲龍纂　江陰繆荃孫覆輯

周官：御史掌贊書，數從政。鄭康成注，謂數其現在之官位。此志官制椎輪也。官儀簿狀，仿例踵起，矧秩先百郡，都邑翼翼，正佐相輔，廢置宜詳。東漢有幽州人士不得互相監臨制。今尹丞迴避直隸漢軍人員，其遺意也。員缺之名，始見於晉王藴傳。漢，縣萬户以上爲令，減萬户爲長，非今缺分繁簡之權輿乎？志官吏。

順治元年，京師置順天府尹，漢員一，秩正三品，養廉銀凡四百。時無兼尹。雍正元年，於部院尚書、侍郎内特簡大臣兼管府尹事。初無定員，今一。大清會典事例八十：兼管順天府府尹事務大臣，漢一人，於尚書、侍郎内特簡。又云：雍正元年，特簡大臣兼理府事。又養廉，順天府尹四百兩。歷代職官表：尹，漢人一人，正三品，順治元年定。雍正元年，以部院大臣兼管府事，由特簡，無定員。尹掌京畿治理，歷代職官表。以布治於四路，會典事例五十九。率二京縣，而頒其禁令，會典事例五十九。又云：京城内外民間干禁之事，由順天府率大興、宛平二縣，與步軍統領衙門五城示禁，犯者一體察拏。宣其條教。凡獄，大事以聞，小事決之。守土官之祀事，歲以時舉。壇、廟，備其犧牲，飭東安、房山、涿州、霸州辦五色土，供於太社。察京師糧銀價，月終而陳之。時雨雪，則以分寸聞。凡田户出納，以時勾稽，會直隸總督上要於户部。歷代職官表。給雇役、募役。行其施衈，如廣甯門外之普濟堂，廣渠門外之育嬰堂，詳廠局。皆府尹經理。自康熙六十有一年始。歲立春，迎春東郊，進春宫門，退而頒春於民間。耕耤則率耆老農夫以執事。鄉飲則孟春望、孟冬朔舉焉。會典事例五十九。鄉試則充監臨，凡考試，咸司供具。均詳典禮。四路捕盗官兵，皆察其功過，歲終彙咨兵部。五徒三流，刑部送府定地；五軍，兵部定地；以送於府而發配。據會典事例五十九、歷代職官表。其員缺，直隸人、漢軍並避。會典事例十八：乾隆三十八年，議准順天府府尹、府丞缺出，凡直隸人員，概行聲明扣除。嘉慶五年，奏准順天府府丞缺出，漢軍人員一體迴避。初，所屬同知、州、縣由直隸總督會列尹銜具題。會典事例五十九。嘉慶十八年十一月癸酉，定所屬州、縣官歸府尹考察、升調。東華續録。尹佐曰丞，漢員一，品正四，養廉二百有四十。歷代職官表：丞，漢人一人，正四品。初，兼提督學政銜，乾隆五十八年，銜省。會典事例十八：府丞一人，兼提督學政銜。乾隆五十八年，議准順天現設學政，府僅止申送所屬州縣童生，其入學仍歸學政辦理。又議准府丞無庸兼提督學政虚銜。掌分理學務，歲試、科試，則録其童生而送於學政，會典事例十八。又五十九：八旗及順天府四路州縣童生，由府丞府考，順天學政考取入學。以時教養其士。會典事例五十九。又云：正陽門外金臺書院，由府丞經理。初，止考二京縣童生，餘由四路同知考試。乾隆四十八年，府尹請將四路州縣府考改歸府丞專管。報可。據東華續録。鄉試則充提調。會典事例五十九、歷代職官表。耕耤則奉青箱以從。會典事例五十九。直隸、漢軍避缺如尹。詳上。治中，漢員一，品正五，養廉銀凡二百。初置員三，順治六年省二，會典事例十八。國初，治中三人，六年裁二人。又云：治中一人，漢員。又養廉，治中二百兩。分理户土等事，及鄉、會試之饔餼、製卷。據會典事例五十九。歷代職官表。乾隆六十年十月庚子，命直隸人迴避治中員缺。東華續録一百二十。通判，漢員一，正六品，養廉百有六十。會典事例十八。初置員三，順治六年省二。會典事例十八。國初，管糧通判一人，管馬政通判一人，管軍匠通判一人。順治六年，裁管馬政通判一人，管軍匠通判一人。掌京城各市牙儈之籍，而搉其常稅。鄉、會試則治其名簿。歷代職官表。會典事例五十九：通判分理詞訟、禮儀及一應雜事，於稿面書名畫押，呈兼尹，尹覈定。屬官則有經歷、照磨、司獄，並漢員一。歷代職官表：經歷司經歷，漢人一人；照磨漢人一人；司獄司司獄，漢人一人。經歷，品從七，養廉銀四十有五。歷代職官表：經歷，從七品。會典事例：養廉，經歷四十五兩。掌出納文移。會典事例五十九。照磨，品從九，歷代職官表。養廉銀三十三兩一錢一分四釐。會典事例。掌同經歷，鄉試則兼理號舍、繕册、彌封等事。據會典事例五十九。歷代職官表。司獄，品如照磨，歷代職官表：司獄，從九品。養廉三十一兩五錢一分，掌獄。會典事例。歷代職官表：司獄，掌刑部所送軍流徒罪人，收繫而發遣之。初，置順天巡撫一，治遵化州。時遵化，順天屬也。康熙元年廢。會典事例二十：順天，初年設順天巡撫一人，駐遵化州。十八年題准，直隸已設總督，其順天、保定兩巡撫應裁去一員。奉旨：順天巡撫著裁去，順天等處地方，著保定巡撫兼管。滿洲名臣傳二十一：順治十八年六月，聖祖仁皇帝御極，裁順天巡撫，以保定巡撫王登瀛兼理其事。按：順天巡撫非治今屬，僅於志言之，而表則否。又推官、知事、檢校、庫大使、崇文門大使、張家灣宣課司大使各一，康熙中廢。會典事例十八。國初，順天府設推官一人，知事一人，檢校一人，均漢員；庫大使一人，張家灣宣課司大使一人。康熙六年，裁推官、知事、檢校。三十九年，裁庫大使。四十年，裁張家灣宣課司大使。按歷代職官表十三：府知事正九品，宣課司大使從九品，府檢校、庫大使未入流。然則張家灣宣課司大使爲府屬，明矣。歷代職官表：崇文門大使一人，康熙四十年省。畿輔唐志：府陰陽學政術一員，州曰典科，縣曰訓科；府醫學政科一員，州曰典科，縣曰訓科；府僧綱司正、副都綱二員，州曰僧正，縣曰僧會；府道紀司正、副都紀二員，州曰道正，縣曰道會。又崇文門副使，漢員，後屬監督。會典十八：順天府設崇文門分司副使一人。歷代職官表：崇文門副使，漢人，一人，未入流。掌守崇文庫藏，員額順治元年定。按：副使今稱大使，隸監督。今領縣十九：大興、宛平、良鄉、固安、永清、東安、香河、三河、武清、寶坻、甯河、順義、密雲、懷柔、房山、文安、大城、保定、平谷；州五：通、昌平、涿、霸、薊。蓋定自乾隆八年也。初，三河、武清、寶坻隸通；順義、密雲、懷柔隸昌平；房山隸涿；文安、大城、保定隸霸；平谷隸薊。雍正六年，均改直隸順天府。九年，析寶坻，置甯河。又遵化自康熙十五年升州，屬府；乾隆八年升直隸州，隸布政。府屬州縣凡二十有四。書吏則府尹十有七，治中、通判各四，經歷、照磨各二，司獄一。會典事例百二十三：順天府堂房經承一人，本房經承一人，承發房經承二人，吏房經承二人，户房經承四人，禮房經承四人，兵房經承一人，刑房經承一人，工房經承一人，治中經承四人，督糧通判經承四人，經歷司經承二人，照磨所經承二人，司獄司經承一人。又百二十四：府尹書吏十有七人，府丞本設書吏，由府尹衙門派撥承辦。

大興、宛平，衝繁疲難，冊。知縣各掌其政令，與五城兵馬司分壤而治，歷代職官表。品正六；縣丞品正七；視外縣加一等。餘則同。今大興縣丞一，治禮賢；巡檢二，一、黃邨，一、采育；初，雍正七年置禮賢巡檢一，道光十九年移駐霸州信安鎮；據信安鎮冊。典史一；慶豐閘閘官一，初置天興閘官一，後廢；主簿一，順治三年廢；遞運所大使一，康熙三十八年廢。宛平縣丞三，一、京縣，一、永定河北下汛，一本係主簿，嘉慶十二年與元城縣丞對改，一、南岸頭工下汛；巡檢四：一、盧溝橋，嘉慶七年改石景山巡檢，後復故；一、齊家莊，一、龐各莊，初治王平口，一、石港口；典史一，初置主簿一，順治三年廢；雍正三年復，後又廢；奉宸苑柳邨閘官一，初，康熙四十七年置雷家閘閘官，後改柳邨；

又廣源閘閘官一，順治十三年廢。會典事例十八：初設大興、宛平二京縣知縣各一人，縣丞、典史各一人，大興慶豐閘閘官一人。康熙四十七年，設宛平縣屬雷家閘閘官一人。雍正四年，增宛平縣縣丞一人。又二十六：大興、宛平縣丞二人，大興縣禮賢、采育、黄郉，宛平縣盧溝橋、齊家莊、王平口、石港口巡檢各一人，宛平縣、石景山巡檢各一人。又二十八：嘉慶七年議准，順天宛平縣盧溝橋巡檢，改爲石景山巡檢。又二十七：雍正三年，議設直隸河官、宛平縣丞一人。歷代職官表：大興縣知縣一，正六品，宛平同。縣丞一，正七品；典史一，未入流；巡檢三，從九品；牐官一，未入流。宛平縣知縣一，縣丞二，主簿一，正九品，典史一，巡檢四，牐官一。知縣品秩服章視外縣加一等。畿輔安瀾志：北岸同知汛屬頭工下汛宛平縣縣丞一員，本係主簿，嘉慶十二年與元城縣縣丞對改。石景山同知汛屬宛平縣盧溝橋巡檢一員，嘉慶七年奏改兼河，隸石景山。畿輔唐志：大興縣采育巡檢一，雍正七年設；禮賢司巡檢一，雍正七年設；慶豐閘官一，天興閘官一。按天興閘官廢置不可考，今無。會典事例十八：初設大興、宛平主簿各一人，大興縣遞運所大使一人，宛平縣屬廣源閘閘官一人；順治三年裁大興、宛平主簿，十三年裁宛平縣廣源閘閘官，康熙三十八年裁大興遞運所大使。按歷代職官表：廣源牐牐官一人，順治十三年省，與會典異，今據會典。凡知州，品從五；州同從六，州判從七，吏目從九。知縣品正七，丞正八，主簿正九，典史、閘官未入流，巡檢則州縣屬皆從九品。據歷代職官表。今良鄉，要缺也，知縣一，縣丞三：一、駐縣；一、北岸二汛管河，本係主簿，嘉慶十二年與南七汛東安縣縣丞對改；一、管河，駐趙郉，初有管河主簿一，雍正四年置，後廢；大使一，亦廢；典史一。固安，要缺，知縣一，縣丞二，並管河，其一爲北岸四汛，本係主簿，嘉慶十二年，與正定縣縣丞對改，初置管河主簿一，順治三年省，雍正四年復置北四汛主簿一；典史一，大使一，順治初廢。永清，簡缺也，知縣一，縣丞二：一、南岸五汛，一、北岸五汛，本係主簿，嘉慶十二年，與南八工武清縣縣丞對改，初置管河主簿，後廢；典史一。東安，亦簡缺，知縣一，初置管河縣丞一，後廢；主簿三：一、北隄七汛，一、北隄八汛，一、北二下汛；典史一。香河，亦簡缺，知縣一，管河主簿一，康熙三十一年改自元城縣主簿；典史一。通州，最要也，知州一，領三河、寶坻、武清、漷，順治十六年併漷；雍正六年領縣三，直隸順天府；土壩管河州同一，州判二，並管河，一治漷；康熙三十四年置和合驛丞，雍正十一年兼巡檢，初置潞河驛丞一，康熙三十四年廢入和合驛，吏目、通流河閘官各一。初，漷縣置知縣一，典史一，順治十六年廢入通州。三河，要缺，知縣一，典史一。武清，要缺，知縣一，初隸通州，雍正三年改屬天津州，四年復隸通州，六年改直隸順天府。縣丞初四，今三：一、管河，治楊邨，一、永平河北頭工上汛，本係主簿，嘉慶十一年移自北九工，作爲上汛，又與玉田縣縣丞對改，一、北岸中汛；又耍兒渡縣丞一，已廢；主簿初三，今二：一、河西務，一、管河，治永定河，其一廢；巡檢二：一、河西務，一、楊邨，本爲驛丞，雍正十一年兼管河巡檢，初置河西驛丞一，後廢；典史一。寶坻，要缺，知縣一，初隸通州，雍正六年，改直隸順天府，九年，析置甯河，初置主簿一，後廢；典史一。甯河，雍正九年由梁城所千總改置，知縣一，中缺也；典史一，巡檢一，蘆臺大使一，初置主簿一，廢。昌平，要缺，知州一，初領順義、懷柔、密雲，雍正六年，所領縣直隸順天府；吏目一；初置州判一，後廢。順義，簡缺，知縣一，初隸昌平，雍正六年，直隸順天府；典史一。密雲，要缺，知縣一，初隸昌平，雍正六年，直隸順天府；石匣縣丞一，順治十六年省；初置驛丞一，康熙二十九年廢，三十三年改置石匣縣丞；古北口巡檢一，典史一。懷柔，中缺，知縣一，初隸昌平，雍正六年，直隸順天府；典史一。涿州，要缺，知州一，初領房山，雍正六年，改直隸順天府；北岸州同一，順治十六年廢，乾隆元年復，七年十一月又廢，道光二十六年調祁州州同駐四工，改爲北四工上汛州同，隸北岸同知；州判三：一、管河，一、北岸三工，管河本係巡檢，嘉慶十二年與薊州州判對改，一、糧捕水利；吏目一，初置管河吏目一，嘉慶七年改北岸三工管河巡檢，後廢；涿鹿，驛丞一，雍正五年廢。房山，中缺，知縣一，初隸涿，雍正六年，直隸順天府；縣丞、瓷家務巡檢、典史各一。霸州，中缺，知州一，初領文安、大城、保定，雍正六年，所領縣直隸順天府；州同一，乾隆三年設，歸三角淀通判轄，嘉慶五年，南岸頭工分爲上下汛，調霸州州同管理上汛，轄南岸同知，嘉慶五年移自州治；州判二：一、北岸六汛管河，本係巡檢，即改自吏目者，嘉慶十二年，與南九汛霸州州同對改；一、治三角淀，曰淀河州判，司三河垈船，隸三角淀通判，二十九年裁，垈船州判經理疏濬，三十八年設濬船分撥，三角淀船隻歸厥管理，四十六年，兼管南隄九工事務，四十九年裁，濬船仍歸疏濬，嘉慶十三年，改州判爲巡檢，即所謂霸水巡檢也；二十六年，改南六工下汛巡檢，道光十八年省；一、治信安鎮，吏目一，又清河吏目一，雍正四年置，嘉慶八年改爲巡檢。文安，中缺，知縣一，初隸霸，雍正六年，直隸順天府；主簿二：一、治蘇家橋，一、文大；典史一。大城，中缺，知縣一，初隸霸，雍正六年，直隸順天府；縣丞管河兼巡檢一，主簿一，順治二年廢；典史一。保定，簡缺，知縣一，初隸霸，雍正六年，直隸順天府；霸保管河主簿一，典史一。薊州，要缺，知州一，巡檢二：一、管河，一、治黃崖關之中營；乾隆元年，增吏目一；初置州判一，順治十六年廢，雍正四年復置，嘉慶六年，移駐大城，縣境河務交巡檢帶管。平谷，簡缺，知縣一，初隸薊州，雍正六年，直隸順天府；典史一。

會典事例二十五：順天西路廳屬涿州，東路廳屬通州、薊州，南路廳屬霸州，北路廳屬昌平州。知州各一人，吏目各一人。涿州、霸州，州判各一人。薊州州判、薊州州判各一人。又云：是年省直隸漷縣，入通州。又二十六：西路廳屬大興、宛平京縣二，良鄉、房山二縣，東路廳屬香河、三河、武清、寶坻、甯河五縣，南路廳屬固安、永清、東安、文安、大城、保定六縣，北路廳屬順義、密雲、懷柔、平谷四縣，知縣各一人，典史各一人。大興、宛平京縣縣丞二人。良鄉、密雲、房山，縣丞各一人。大興縣禮賢、采育、黃邨，宛平縣盧溝橋、齊家莊、王平口、石港口，武清縣河西務，密雲縣古北口巡檢，房山縣瓷家務巡檢各一人。宛平縣石景山管河兼地方巡檢一人。又二十七：康熙二十九年，裁密雲驛丞，改設密雲縣石匣縣丞一人；雍正三年，議設河官，宛平、良鄉、固安、永清、東安、武清六縣縣丞各一人，主簿一人，永定河道管轄。又二十五：雍正四年，增置河官，設涿州、霸州州判各一人，屬永定河道管轄。設薊州州判一人，屬通永道管轄。設霸州永清吏目一人，屬清河道管轄。乾隆元年，奏准薊州屬黃崖關之中營，添設巡檢一人；二年議准直隸通州管鹽州同巡查土壩地方，管糧州判巡查石壩地方，各分司漕務；又通州所屬普濟等閘官，止司啟閉，不能兼顧隄岸，添設通州吏目一人，專司河務，七年裁；涿州州同一人，霸州、清河，吏目一人。又二十八：乾隆二年，議准大興縣所屬慶豐等閘官，向止設有閘官一人，但司啟閉，不能兼顧隄岸，添設大興縣主簿一人，專管河務。又四十九：雍正元年，議准涿州州判、吏目，宛平縣管河縣丞、主簿，良鄉縣丞、主簿，固安縣丞、主簿，永清縣丞、主簿，東安縣丞、主簿，武清縣丞、主簿，河西務主簿，薊州州判，漷縣州判，分防楊邨縣丞，香河縣丞、主簿，武清縣丞，霸州州判、州同，保定縣主簿，寶坻縣主簿，大城縣丞，均係專管河務之員。乾隆元年，議准直隸沿河之良鄉、固安、永清、東安、通州、武清、寶坻、涿州、霸州、薊州等縣，亦照豫東、江南之例，於現任州縣内遴選保題調補；二十三年，議准直隸霸州等縣，改歸部選；大城縣改爲沿河要缺，在外揀選。乾隆二十四年，定通州土壩州同、石壩州判、文安縣主簿、甯河縣蘆臺巡檢，均爲管河要缺。三十八年，議定通州吏目、和合驛丞兼巡檢、武清縣典史、河西務巡檢、楊邨驛驛丞兼巡檢、寶坻縣典史、薊州吏目、中營巡檢、香河縣典史、良鄉縣縣丞、典史、涿州州判、吏目、霸州吏目、大城縣典史、固安縣典史、永清縣典史、東安縣典史，均以沿河註册，如有留心河務之員，遇有河汛員缺出，准其一體揀選陞調，所遺各缺，仍歸部選。嘉慶七年，議准順天宛平縣盧溝橋巡檢改爲石景山巡檢，專汛要缺。八年，議准涿州管河吏目改爲涿州北岸三工管河巡檢，霸州管河吏目改爲霸州北岸六工管河巡檢。良鄉陳志：順治元年，大使陳之贊。畿輔唐志：大興縣采育巡檢一員，雍正七年設；禮賢司巡檢一員，雍正七年設；慶豐閘官一員，天興閘官一員，良鄉縣管河縣丞一員，雍正四年設；固安縣管河主簿一員，永清縣管河主簿一員，東安縣管河主簿一員，香河縣管河主簿一員，通州和合驛丞一員，雍正十一年兼巡檢；武清縣河西務巡檢一員，河西驛丞一員，楊邨驛丞一員，雍正十一年兼巡檢；甯河縣主簿一員，蘆臺司巡檢一員，向屬寶坻，雍正十年改屬甯河；昌平州州判一員，密雲縣古北口巡檢一員，雍正十二年設，兼驛丞涿州吏目一員，管河吏目一員，霸州吏目三員，文安主簿一員，薊州州判一員。又云：通永道屬武清縣耍兒渡縣丞一員。按畿輔唐志，有與會典及今制異者，摘録參證。通州高志：潞河驛丞一，和合驛丞一。康熙三十四年以潞河驛併入和合驛。行水金鑑百六十六：康熙三十一年十二月，吏部議將元城縣主簿裁去，改爲香河縣管河主簿。又云：寶坻縣主簿一，專管河夫挑浚運河淤淺工程。雍正九年，部議署理直隸總督印務唐執玉疏稱：霸昌道屬寶坻縣之梁城所，請賜嘉名，以所治改爲縣治，將千總裁汰，添設知縣一員等語，應將梁城守禦所裁汰，改爲縣治，添設知縣一員。又疏稱：應設典史一員等語，亦准其添設。三月十九日內閣移縣名字樣：欽定甯河縣。甯河闞志：知縣一，典史一，巡檢一，蘆臺場大使一。密雲薛志：縣丞，順治十六年裁，康熙三十三年復，駐石匣。涿州吴志：州同，乾隆元年復設，七年十一月復裁。永定河朱志：道光二十六年，調祁州州同駐四工，改爲北四工上汛，涿州州同隸北岸同知。涿州吴志：涿鹿驛初設驛丞一，雍正五年裁。畿輔安瀾志：南岸頭工上汛霸州州同一員，嘉慶六年奏分上下兩汛，以霸州州同移駐北岸，同知頭工，上汛武清縣丞一員，下汛宛平縣縣丞一員。嘉慶十一年，以北九工武清縣主簿移駐北岸頭工，作爲上汛。十一年又改爲縣丞，與玉田縣縣丞對改。下汛本係主簿，十二年與元城縣縣丞對改。北岸頭工向止上下兩汛，後分三汛，中汛卽向時上汛。永定河李志：乾隆三年，添設霸州州同，歸三角淀通判管轄。嘉慶五年，南岸頭工分爲上下汛，調霸州州同管理上汛，隸南岸同知。按：畿輔安瀾志所謂三角淀巡檢一員，今稱霸水巡檢。永定河李志：乾隆三年，設淀河霸州州判，管理三河垡船，隸三角淀通判。二十九年裁，垡船州判經理疏濬。三十八年，設浚船分撥，三角淀船隻歸其管理。四十六年，兼管南隄九工事務。四十九年裁，浚船仍歸疏濬。嘉慶十二年，州判改爲巡檢。又云：北岸六工，霸州州判。又云：雍正四年，設霸州吏目。嘉慶八年，吏目改爲巡檢。十二年，巡檢改爲州判。文安楊志：主簿一，順治二年裁。康熙三十七年復設，專司管河。薊州沈志：州判順治年裁，雍正五年因河勢扼要，復設州判。乾隆元年，添設通判以董之。三十九年裁通判，改以驛丞歸知州。裁驛丞。嘉慶六年，將州判改駐大城，州境河務交巡檢管帶。養廉：則州五，銀各千兩。縣十九，大興、宛平、良鄉、永清、武清、寶坻各千；房山九百；文安、大城、固安、東安、香河、順義、懷柔、密雲、三河、甯河各八百；餘六百。州同六十；州判，涿州百，其餘各四十有五。縣丞，大興、宛平各四十有五；房山、良鄉各八十；其餘四十。吏目、倉大使，三十一兩五錢二分；主簿，三十五兩一錢一分二釐；巡檢，三十一兩五錢二分；典史數如吏目。据會典事例。吏則大興、宛平各十有四，良鄉十有二，固安十有三，永清十有六，東安、香河、通州、三河、武清各十有四，寶坻七，甯河十有二，昌平十有五，順義十有四，密雲十有二，懷柔十有一，涿州、房山各十有六，霸州十，文安十有四，大城、保定各十，薊州十有四，平谷九。會典事例百二十二：大興縣，承發經承四人，吏房經承四人，户房經承四人，禮房經承一人，庫房經承一人，兵房經承一人，刑房經承一人，工房經承三人，倉房經承一人，庫房經承一人，縣丞攢典一人，典史攢典一人。宛平縣，吏房經承二人，户房經承二人，禮房經承二人，兵房經承二人，刑房經承一人，工房經承二人，倉房經承一人，庫房經承一人，縣丞攢典一人，典史攢典一人。又百二十四：大興縣，典吏十有四人；縣丞，禮賢巡檢、采育巡檢、黃郉巡檢、典史攢典各一人。宛平縣，典吏十有四人，縣丞、齊家巡檢、盧溝巡檢、石港典史、柳郉閘官攢典各一人。通州，典吏十有四人，州同、州判、漷縣州判、吏目、和合驛丞、通流閘官攢典各一人。昌平州典吏十有五人，吏目攢典一人。涿州典吏十有六人，糧務州判、吏目攢典各一人。霸州，典吏十人，糧務廳吏目攢典各一人。薊州典吏十有四人，吏目、中營巡檢、管河巡檢、攢典各一人。良鄉縣典吏十有二人，縣丞，南岸管河縣丞，北岸管河縣丞，典史攢典各一人。固安縣，典吏十有三人，典史攢典一人。永清縣，典吏十有六人，典史攢典一人。東安縣，典吏十有四人，南隄七工主簿，北隄七工主簿，北隄八工主簿，典史攢典各一人。香河縣，典吏十有四人，典史攢典一人。三河縣，典吏十有四人，典史攢典一人。武清縣，典吏十有四人，楊郉縣丞、河西務巡檢、楊郉驛丞攢典各一人。寶坻縣，典吏七人，主簿、典史攢典各一人。甯河縣，典吏十有二人，盧臺巡檢、典史攢典各一人。順義縣，典吏十有四人，典史攢典一人。密雲縣，典吏十有二人，石匣縣丞、古北口巡檢、典史攢典各一人。懷柔縣，典吏十有一人，典史攢典一人。房山縣，典吏十有六人，縣丞、瓷家務典史攢典各一人。文安縣，典吏十有四人，主簿、典史攢典各一人。大城縣，典吏十人，縣丞、典史攢典各一人。保定縣，典吏十人，典史攢典一人。平谷縣，典吏九人，典史攢典一人。

道：秩正四品，定自乾隆十有八年。初制曰參政，曰副使，曰參議，曰僉事，以次爲差。歷代職官表：初設布政司左右參政、參議，曰守道；設按察使副使、僉事，曰巡道；後裁，設銜額無定，均視本職爲差，如由京堂等官補授者爲參政道，由掌印給事中、知府爲副使道，由科道爲參議道，由郎中、員外、主事、同知爲僉事道，守、巡皆同。參政道從三品，副使道正四品，參議道從四品，僉事道正五品。乾隆十八年，省去兼銜，俱改正四品。今順天府境道凡三：一、永定河道，雍正四年置，治固安，轄沿河州縣等官。會典事例二十二：雍正四年，議准直隸興修水利，永定河爲一局，裁原設分司，改設永定河道一人，駐劄固安，沿河州縣以下等官聽其管轄。先是，雍正九年置直隸副總河一，治固安縣，今爲永定河道，署即北岸分司舊署也。畿輔安瀾志：直隸正總河一員，雍正九年設。乾隆十四年，以總督兼之，公署在天津府。直隸副總督一員，雍正四年設，乾隆元年罷，公署在固安縣東門內，即永定河道署北岸分司舊署也，今仍爲道署。癸巳類稿：雍正九年，設北河副總河於固安。按：總河後設正，先備副，蓋其時爲直隸巡撫兼管河道之副也。南、北兩岸分司各一。康熙三十七年置，治固安縣。雍正元年，裁南岸分司，歸北岸分司；四年，遷爲永定河道。畿輔安瀾志：南、北兩岸分司各一員，康熙三十七年設，駐固安縣；又設分管南、北岸正副筆帖式各十八員。四十二年，裁分司一員，筆帖式九員。四十三年，仍增設正、副筆帖式各二十四員。四十五年，裁副筆帖式。雍正元年，裁南岸分司，歸北岸分司，並裁筆帖式八員。四年，陞爲永定河道，罷分司筆帖式。怡賢親王請設河道官員奏：直隸之河，宜分爲四局：永定河爲一局，應設道員一員，總理永定河舊有分司，及部發效力筆帖式，此等人員，既非地方專責，則於民事漠不相關，采買收授，未免胥役擾累，而該州縣於分司，體有尊卑，權無統轄，即分司實心任事，亦呼應不靈。請將永定河分司改爲河道，駐劄固安縣，總理永定河事務，其沿河州縣，各添州判、縣丞、主簿等官，以資分防，所有同知一員，照舊管理，將向來效力人員，一概發回。永定河道員，初兼按察使副使，或僉事銜，乾隆十八年罷兼銜，定爲正四品官。畿輔安瀾志。一、巡通州運河，永平、通、薊、遵等處屯田、海防、糧餉，管通惠河道，兵備道，治通州。初有密雲、薊州二兵備道，並順治初置。七年，省通州道。八年，改密雲道爲通密兵備道，治通。會典事例二十二：順治七年，裁直隸通州道一人。八年，改直隸密雲道爲通密道，駐通州。畿輔唐志：密雲兵備道，順治初設，駐密雲縣。七年，裁，併通州道。薊州兵備道，順治初設，駐薊州。按通州志：順治初設通州兵備道。七年，以密雲道來併，改爲通密兵備道。其改併年分，與畿輔唐志同，與會典異，今從會典。十四年，以薊州道來併，改爲通薊兵備道。康熙八年，以永平道來併，改爲通永道。畿輔唐志。會典事例二十二：康熙八年，通薊道舊轄州縣衛所，歸永平道統理，是爲通永道。雍正四年，改通永河道，兼理北運河，轄通判以下官。會典事例二十一：通永道一人，其北運河爲一局，將原設之分司撤去，令通永道就近兼理，管理通判以下等官，悉就統轄。其天津等道，既爲河道，專司河務，所屬州縣錢糧、刑名專務，應各歸該府考成，其通以下無知府之八州縣，仍令通永道兼管。畿輔唐志：通永道駐通州，轄順天府屬通州、三河、武清、寶坻、薊州、遵化、豐潤、玉田、梁城等九州縣所。康熙八年，改通永道兼轄永平一府。雍正四年，改通永道總理永定河一局，增局員共八員：北運河同知一員，北運河通判一員，武清縣耍兒渡縣丞一員，東楊邨主簿一員，薊州州判一員，灤州州判一員，玉田縣丞一員，豐潤主簿一員。十一年，復爲通永道，仍轄通、永等處，兼管河務。道光三十年，改兼兵備。會典事例二十二：十一年，復設直隸大名順德廣平兵備道一人，兼管河道工程。通、薊、遵化三州，三河、武清、甯河、寶坻四縣，歸通永道兼管。畿輔唐志：十一年，復爲通永道，仍轄通州、三河、武清、寶坻、薊州、遵化、甯河等七州縣，永平一府，兼管河務，仍駐通州。通州高志：道光三十年，改兼兵備，頒發通永河務兵備道關防。先是，密雲有驛傳道，康熙二十九年置，以理藩院司員掌之，治古北口，後廢。據密雲薛志。又云：兼理承德府屬鞍匠屯、紅旂營、中八里、汰坡賴邨、王家營驛站。又有兵備道，乾隆五年三月置，治古北口，亦廢。據東華續録。

一、巡霸昌道，兼屯田、驛傳、糧餉，治昌平。先是，霸州、昌平二兵備道，並順治初置，康熙元年併易州道入霸州道，爲霸易道。康熙八年，又併昌平道，是爲霸昌道，治昌平州。會典事例二十二：康熙元年，裁易州道，歸併霸州道兼理；改霸州道移駐蠡縣。八年，改直隸通薊道爲守道，總管錢糧；改霸道爲巡道，總管刑名，駐保定府；其霸易道舊轄順天府屬縣，歸昌密道總理。畿輔唐志：霸州兵備道，順治初設，駐霸州。康熙元年，以易州道來併，改爲霸易道，移駐蠡縣。七年，改併昌平道。昌平兵備道，順治初設，駐昌平州。七年裁，併霸易道。霸昌道本霸易、昌平二道，康熙七年，改併爲霸昌，駐昌平州。按：康熙間改霸昌道年分，畿輔志與會典異。雍正四年，因通永道改司河務，以其所轄州縣事歸霸昌道管轄。十一年復舊。會典事例二十二：雍正四年，議准順天府屬二十五州縣衛驛傳、糧餉，向係通永、霸昌二道分轄；嗣因直隸興舉水利，將通永道改爲河道，所司河務，多於水次辦理，從前一切職掌，未能兼顧，將通永道舊轄各州縣衞應行事，歸霸昌道管轄。畿輔唐志：霸昌道轄順天府屬大興、宛平、霸州、保定、文安、大城、涿州、房山、良鄉、固安、永清、東安、香河、昌平、順義、懷柔、密雲、平谷、延慶等十九州縣衞。雍正四年，通永道改爲河道，兼轄通、薊等九州縣。十一年，復歸通永道轄。初，通永道兼山東按察使銜，霸昌道兼山西按察使銜，雍正三年，改從直隸按察使銜，會典事例二十二：初，直隸不設臬司，設通永巡道兼山東按察使銜，霸昌道兼山西按察使銜。康熙八年，增直隸巡道一人，總理刑名。雍正二年，總理刑名巡道改爲按察使。三年，議准直隸通永、霸昌巡道，改從直隸按察使銜。養廉銀各三千。南、北岸分司外，詳上。又有通惠河分司，駐通州，後廢。行水金鑑百六十六：通惠河分司駐劄通州。順治初，差漢司官一員，三年更代。十二年，添差滿洲理事官一員、筆帖式一員，一年更代。十四年，裁滿官。三年更代六年裁。九年，復差滿官一員、筆帖式二員，三年更代。十年，裁筆帖式。十八年，照内外河差例，一年更代。二十年，仍改三年更代。二十三年，改令各部院衙門掣籤差遣。密雲户部分司，順治九年併入薊州。又工部分司，順治十六年置，康熙二年裁，六年復員，無常額，後廢。據密雲薛志。又云：滿、漢正、副各一員至三員，無常額，一年代，今裁。

同知：佐府之政治，品正五。據歷代職官表。順天四路廳捕盜同知四，養廉銀各千。歷代職官表：順天府屬縣，設東、西、南、北四路同知，以分領之，皆兼統於直隸總督。會典事例：養廉東、西、南、北四路同知，各一千兩。均要缺也。冊。所用關防，兼永平保定河間府等銜。乾隆二十四年，議更順天府某路刑錢捕盜同知關防，惟西路稽察水利工程，增水利二字。會典事例二十四：乾隆二十四年，議准順天府四路同知管理各州縣刑錢事務，與知府、直隸州同，而所用關防，兼永平保定河間府等銜，名實不稱，更換順天府某路刑錢捕盜同知關防，惟西路有稽察水利工程，增水利二字。通州高志：康熙二十六年，設東路捕盜永平府同知，駐通州。雍正六年，通、三、武、寶、薊、大、香、甯八州縣刑名由廳審轉通州，始隸通屬。乾隆十八年，八州縣錢穀亦由核轉，添設東路衙門倉書、户書各一。嗣因西路屬少，以大興錢穀歸西路核轉。大興刑名，附近邨莊仍屬東路。前用永平府東路捕盜同知關防，乾隆二十四年請頒順天府東路刑錢捕盜同知關防，二十六年十二月頒用。畿輔唐志：東路捕盜駐劄通州，永平府同知一；南路捕盜駐劄黃邨，河間府同知一；西路捕盜駐劄盧溝橋，保定府同知一；北路捕盜駐劄沙河，保定府同知一。東華續録：乾隆二十年十二月壬子，户部議准直隸總督方觀承奏，順天府屬東路同知所轄州縣，均隸通永道兼轄，惟大興、香河二縣隸霸昌道，道廳統轄不一，遇彙覈案件未便，請將大興縣歸西路同知專管，統隸霸昌道，香河縣歸東路同知專管，改隸通永道。從之。東路同知治通州，分轄通、薊、三河、武清、寶坻、甯河、香河，州縣凡七。南路同知治黄邨，分轄霸、保定、文安、固安、永清、東安、大城，州縣凡七。西路同知治盧溝橋，分轄大興、宛平、涿、良鄉、房山，州縣凡五。北路同知治沙河，分轄昌平、順義、懷柔、密雲、平谷，州縣凡五。其吏則東七，西、南各二，北八。會典事例百十四：東路捕盗同知典吏七人，南路西路捕盗同知典吏各二人，北路捕盗同知典吏八人。又同知治固安境者四：一、南岸，康熙四十三年置，雍正元年兼理北岸同知事，十一年復舊。畿輔安瀾志：南岸同知一員，康熙四十三年設，雍正元年兼理北岸同知事，十一年復舊，汛屬頭工。上汛，霸州州同一員，下汛，宛平縣丞一員。二工，良鄉縣縣丞一員。三工，涿州州判一員。四工，固安縣縣丞一員。五工，永清縣縣丞一員。六工，霸州州判一員。一、北岸，康熙四十年置，雍正元年裁歸南岸，十一年復舊。畿輔安瀾志：北岸同知一員，康熙四十年設，雍正元年裁，歸南岸，十二年復舊，汛屬頭工。上汛，武清縣縣丞一。中汛，武清縣縣丞一。下汛，宛平縣縣丞一。三工，涿州州判一。四工，固安縣縣丞一。五工，永清縣縣丞一。六工，霸州州判一。按畿輔唐志云：十一年復舊。養廉各八百。一、石景山，雍正九年置。畿輔安瀾志：石景山同知一員，向派部員經理，雍正九年改設，駐盧溝橋汛，屬宛平縣，盧溝橋巡檢一員，東岸第二十號盧溝橋南鴈翅起，至二十四號北岸頭工上汛交界止，又自西岸盧溝橋南鴈翅第一號起，至四十號南岸頭工上汛交界止，分隸經管。經制外委一員，東岸第一號北金溝起，至盧溝橋北鴈翅二十號止，又自西岸盧溝橋北鴈翅起，至英山嘴迆南止，分隸經管。按畿輔唐志云：石景山同知，雍正八年設。一、北運河，雍正四年置。據畿輔唐志。又治密雲古北口者一、康熙二十二年置。據密雲薛志。養廉各七百。

通判：則府通判而外有四：一、通永道屬倉場漕運河務，一、通州理事糧馬，並治通州，一、治三角淀，一、北運河，並治固安境。會典事例二十三：通永道屬河工通判二人。畿輔安瀾志：三角淀通判一員，雍正十二年設，專司疏濬。屬南隄七工東安縣主簿一員，八工武清縣主簿一員，九工霸州淀河巡檢一員，北隄七工東安縣主簿一員，八工東安縣主簿一員。畿輔唐志：雍正四年，增北運河通判一。養廉：通州通判八百，餘各六百兩。會典事例。初置楊邨通判一，康熙四十年廢。又雍正十二年，置薊州糧河通判一，後廢。會典事例二十二：康熙四十年，裁直隸楊邨通判一人。雍正十二年，又設直隸薊州糧河通判一人。甯河蘆臺通判一，道光二十三年移自天津糧捕水利通判。甯河關志：分治以來，未設是官，道光二十三年，始將天津都糧捕水利通判移駐蘆臺，誠以邑令鞭長莫及，分設一官治之。

通永道屬通州通濟庫大使一，霸昌道屬昌平州居庸關稅課大使一，品竝從九，會典事例二十二：通永道庫大使一人，霸昌道關大使一人。又二十五：雍正十三年又設昌平州稅大使一人。養廉各三十兩五錢二分。據會典事例。司獄則南、北、西三路各一，東無。冊。

提督學政：順天一，順治十年前爲監察御史。據畿輔唐志。康熙二十三年，定制順天學政以侍讀、侍講、諭德、洗馬等官簡用，掌學校考課黜陟之事，歷代職官表：掌學校生徒考課黜陟之事，歲科二試，巡屬進諸生，而掄文藝，程品行，升其賢能，斥其不率教者。初設各省督學道兼按察司僉事銜，以各部郎中由進士出身者徇資擢用。康熙二十三年，御史張集疏請慎選，會議停論俸補授之例。凡順天學政缺，以侍讀、侍講、諭德、洗馬等官簡用。嗣後由翰林科道出者爲學院，由院屬則爲學道。雍正四年，定制：督學皆爲學院，其部屬簡任，依出身甲第，加翰林院編修、檢討銜。會典事例十八：乾隆五十八年，議准府丞申送所屬諸童生，其入學仍歸學政辦理。又二十一：學政，順天一人。三年而代。歷代職官表。養廉銀四千兩。

順天府儒學教授，滿洲、漢員各一，品正七。訓導，滿洲一，品正七；漢員一，品正七。歷代職官表。會典事例二十一：滿洲教授順天一人，漢教授順天一人。養廉：教授四十有五，訓導四十。會典事例：養廉，順天府教授四十五兩，訓導四十兩。其吏，滿、漢各一。會典事例百二十四：順天府滿洲儒學經承一人，漢儒學經承一人。初設訓導六，順治三年省四。康熙四年省二。洎十五年，復設其一。舊有京衛武學漢教授一，訓導二，順治二年省。十五年，復設武學訓導一。雍正三年，改爲順天府武學。四年，廢武學滿教授、訓導各一，會典事例十八：初置順天府儒學，設教授一人，訓導六人；京衛武學設教授一人，訓導二人。順治二年，裁京衛武學訓導二人，裁儒學漢訓導四人。康熙四年，裁儒學漢訓導二人。十五年，復設儒學漢訓導一人，京衛武學訓導一人。雍正三年，改京衛武學爲順天府武學。四年，裁武學教授訓導官，改設儒學滿洲教授一人，滿訓導一人。歷代職官表：儒學教授，滿洲、漢人各一人，正七品；訓導，滿洲一人，正七品，漢人一人，從七品。掌八旗及京師黌序訓課之政。歷代職官表。凡州學正，品正八；縣教諭品如之；州縣訓導，品皆從八。歷代職官表：各州儒學學正正八品，各縣教諭正八品，州縣等訓導從八品。京縣無儒學，良鄉復設教諭一、訓導一。固安教諭一，復設訓導一。永清訓導二，其一復設。東安、香河、三河並復設教諭一、訓導一。通州學正一、訓導一，康熙六年，裁訓導。十六年，復設武清教諭一、訓導一。康熙三年，裁訓導。十九年，復設武清、寶坻、教諭一，復設訓導一。甯河教諭、訓導各一，並復設昌平州學正，復設訓導各一。順義訓導一。密雲復設教諭一、訓導一。懷柔訓導一。涿州學正，復設訓導各一。房山復設教諭一、訓導一。霸州學正一，訓導一。康熙年裁訓導後，復設文安教諭一、訓導二。順治二年、康熙十九年，復設訓導一。大城教諭一，復設訓導一。保定訓導一。薊州學正一，復設訓導一。平谷復設教諭一、訓導一。各掌其學校，例得用本省人，同府州者避。歷代職官表：儒學各掌其學校生徒訓迪之事，例用本省人。惟同府州者避不用。初，康熙三年裁各府州訓導。又大縣裁訓導，小縣裁教諭。十五年均復設。其後縣有析置者，則訓導每移置所析縣，而裁省之縣亦間存鄉校教諭或訓導焉。凡州五，縣十七，儒學攢典各一。會典事例百二十四：通州、昌平州、涿州、霸州、薊州、良鄉、固安、永清、東安、香河、三河、武清、寶坻、甯河、順義、密雲、懷柔、房山、文安、大城、保定、平谷，儒學攢典各一人。

華陽吴祖椿校

經政志二

歙鮑恩綬纂　江陰繆荃孫覆輯

倉儲

堯水，湯旱，天災靡常，所恃無恐，儲積是已。周官倉人遺人，其制渺不可追。漢耿壽昌之常平倉，隋長孫平之義倉，宋朱子之社倉，意美法良，嘉惠黔首。我朝雍正三年，令天下州縣建倉，五年，查舊廒修補。乾隆間，方恪敏公總督直隸，奏設義倉，擘畫精詳，超越前古；然迄今甫百餘年，而隸順天者，所存什不二三，其他常平等倉，亦率傾圮，振興而補綴之，其賢有司之責也。志倉儲。

大興縣：今無倉。采訪册。按畿輔義倉圖云：大興義倉七處：一、在禮賢村，一、在岳家莊，一、在邢各莊，一、在青雲莊，一、在采育村，一、在金盞村，一、在新堡。以上乾隆十餘年建，今久廢。乾隆十六年，直隸藩司頒義倉規條。出納積息，每年於青黄不接時，分半出借，定于三月下旬開倉，倉正、副核明某應借若干，具榜送官標發，貼倉門，願借者互保具領，自數斗至二石止，如已借常社倉穀，不准再借，一村無捐户者，不准借，願借雜糧者，聽。借穀限秋收十月内還倉；收成八分以上，加一收息；六七分免其加息，每斗加穀三合；五分以下緩至次年秋後，分别加免還倉。息穀以豐年之入，每百石收息十石，以一石爲倉正、副紙張飯食，一石爲倉穀折耗，一石爲鋪墊之資，其七石除動支倉穀工食外，存作修倉建廒之資，餘者積貯。州縣官每年十二月逐鄉同倉正、副盤查，取甘結，加印結，詳報道、府。倉正、副有侵混者，則嚴究之。遇歲荒，出穀碾米，附立粥廠，每日散一次，人給一籌，繳籌領粥，大口五合，小口二合，日煮米五石，可食大口千餘人。如義穀不繼，州縣勸富户認日煮賑，或一人兼認數日，或數人共認一日，先期揭示，某日某人煮賑，食者知感，施者不倦。遇凶荒，計户散穀，第上、中、下户，上户責償，中、下免。準穀之多少，以算户，視户之衆寡以貸穀，有田者來歲還倉，或寬期二年，均免息；無田者免償，則極次貧户，既皆得食，且一州邑之中，各倉並舉，數州邑之中，同時並舉，繼之以官賑，而民無外出者矣。每鄉穀數，在五百石以内者，立倉正一名，責其經管；一千石以上者，添倉副一名。令公舉端謹殷實之人充當，免差徭，選鄉耆，不用生監。許徑赴官署白事，不准胥役隔手，平時亦不准胥役至倉，經理勤妥者每歲正月傳集公堂，勞以酒食，鼓勵之。三年無誤，由州縣詳府、直隸州，給匾獎勵。六年詳布政司給匾。十年詳院給匾。徇私者革懲，侵蝕者治罪賠補。倉置夫二名，或一名，住倉看守，每名月給工食穀五斗。如不敷其食用，視歲入息多寡，隨宜酌增。

宛平縣：今無倉。采訪冊。按義倉圖云：宛平義倉八處：一、在太平莊，一、在龐各莊，一、在稻田村，一、在新莊，一、在磨石口，一、在二奇村，一、在平圓村，一、在東桃園，均乾隆十餘年建，今久廢。

良鄉縣：義倉一所，在城内，原存倉穀二十七石五斗，光緒八年，知縣謝偉勛稟准煮粥，並加給孤貧口糧，今無存穀。采訪冊。按良鄉新志云：預備倉在縣治東南，常平倉在羅府街，豐濟倉五里店，倉今俱廢。義倉圖云：良鄉義倉四處：一、在大十三里，一、在羊石村，一、在莊頭村，一、在黄新莊，皆乾隆十餘年建，今俱廢。

固安縣：常平倉本在縣治儀門外，二座，房各五間，大東前後二座，房各五間，俱康熙間知縣鄭善述建，今移在北大街東南向，房三間。道光七年，生員高際可勸捐穀石，紳民信其公正，樂於輸將。總督那彥成給睦義勸公扁額。咸豐三年，知縣吴燾重修。固安陳志。

按義倉圖云：固安義倉五處：一、在知子營，一、在大沙垡，一、在康家務，一、在公由村，一、在北十里堡，俱乾隆十餘年建，今俱廢。

永清縣：光緒五年，知縣張全鈺積穀二千二百二十二石，交各紳士領存，並無倉廒。采訪册。

按永清周志云：明洪武間，知縣盛本初創建倉廩。萬曆間，知縣劉希孔立常平倉，在縣署西南隅，移置東南隅，額貯穀一萬四千石。至乾隆十五年，知縣張士英建義倉四處：一、在趙百户營，生員田和年捐，一、在后奕，生員張士鐸捐，一、在北叉口，生員傅照等捐，一、在北大王莊，生員李成楷捐，崇文里人朱有勳捐粟四百石，賜八品服。今俱廢。

東安縣：永豐倉即常平倉。在城内東街，雍正十三年，以入官房地，改建大門一座，廒房二十八間，額貯穀一萬二千石。乾隆九年八月，奉文貯穀三萬石。現存廒房五間、倉門一間，儲穀二百十八石，餘俱坍塌。采訪册。按東安李志云：預備倉在縣治北街，廒共十一間。義倉在城内西街北後巷。義倉圖云：東安義倉六處：一、在惠家鋪，一、在挑河頭，一、在落垡，一、在伊家馬房，一、在楊税務，一、在舊州，均乾隆十餘年建，今俱廢。采訪册云：楊税務以上五區基址尚存，社倉無倉額，穀二百零九石四斗八升六合，借貯常平内，現亦無存。

香河縣：義倉三處：一、在本城，存穀七百零九石五斗，一、在梁家務，存穀一百七十一石，一、在謝家屯，存穀六十二石一斗，俱歸倉正、副監理。采訪冊。

積穀倉：光緒七年，知縣葉常芳共捐積穀二千石。分存渠口、謝屯、梁家務各義倉，並延福屯、北吴村、安頭屯、孫營莊、辛立屯等處民房，劉宋鋪房，河北屯、本城北彭務、香城廟宇等十三處，除分存義倉三處歸倉正、副經理外，其餘民房、鋪房、廟宇十處存穀，均係紳董經理。采訪冊。按香河劉志云：預備倉在縣治後，明萬曆間建，每年額報積穀四百石，係本縣自理，贖銀糴貯，院、道責成如數。常平倉亦在縣治後，穀無定額，例於鹽院差滿，扣贖銀十分之二糴買。義倉一，在察院對門，又有俸給倉。今俱廢。

通州：積穀新倉卽舊常平倉，本在南門内草廠胡同，康熙三十一年，知州王光謨建，積久坍廢。雍正九年，知州朱煌以天喜胡同何思恭入官房三十七間，詳准作倉，第非倉制，久亦坍塌。乾隆四十四年，知州高天鳳就舊址改建，共房六十六間，今盡圮，遺址存，南北長二十三丈五尺，東西寬六丈，南北至街，東西接民房。光緒五年，知州高建勳奉文積穀，捐存價銀六千兩内五千四百兩，發交當商具領，八釐生息，六百兩發交鹽商具領，一分生息；並捐本色穀三千八百二十三石零，分存城鄉村鎮空廟民房。九年，知州陳鏡清用常平倉舊基内修建新倉。采訪冊。按通州高志云：預備倉久廢。舊義倉在新城南門内，建廢失考，現存基址，東西長十五丈，南北寬十二丈，西北至街道，東南接民房。新義倉六處：一、在西集大寺，一、在任家莊，一、在永樂店，一、在牛堡屯，一、在楊家閘，一、在臺户莊，俱乾隆十七年知州唐倚衡建。三十五年，爲水沖坍，知州龍舜琴修理未竣。四十五年，被雨倒壞後，知州高天鳳興修。今俱廢。

武清縣：義倉一、在城内，一、在河西務，一、在蔡村，一、在楊村，一、在崔黄土，一、在石各村，均乾隆十餘年建。道光七年，知縣劉體仁重修，以原設上馬臺、北王平二處歸併楊村，以雙廟、北王村二處移建城隙。劉體仁倡勸捐修義倉題名記：原夫歲有豐歉，及荒而待賑，何如未荒而預備，此勸捐義穀所由來也。道光六年，奉文勸捐，業有成效，杜虧挪，防侵蝕，立法詳慎，務使其不耗於人；然而蓋藏不謹，則露屯者不免耗於天，潮聚者不免耗於地，前功猶盡棄耳。七年，復奉文倡捐修義倉，所以善貯儲也。查武邑舊設義倉九處，因年久坍塌無存，爰詳請裁併六處，擇爽塏之地，新建義倉三間，次第新修。因公項不敷，邑中紳耆集貲募化，以成義舉。茲於道光八年春季，將河泗村三處義倉先修葺完竣，庶乎蓋藏維謹，而經久之道，人得而持之矣。合將捐修義倉首事姓氏刊列於石，以彰衆紳耆從公好義，有開必先云爾。司事者：貢朝臣、羅景巖、李清安、李清吉、李清長、李清敏、李清揚、侯珣、侯世安。撥大士廟歸公田一千餘畝，設立義田，今無考。按武清蔡志云：預備倉在縣署大堂西，正倉、東倉、西倉、南倉各三間，康熙年間知縣章曾印重建，今亦廢。

三河縣：常平倉在城内北街，光緒七年，知縣何其翔捐廉重建。采訪冊。

義倉亦在北街，均何其翔重建，統由有司經理，並籌銀二百兩有奇，發典生息，爲歲時修葺之費。采訪冊。

積穀倉未建，光緒六年何其翔創辦，城廂四鄉捐穀六千七百四十六石八斗五升，分存各鄉富户及寬大寺宇，仍責成紳董隨時查核，以備荒年賑濟。采訪冊。按三河陳志云：預備倉在縣治西，軍儲倉草廠在縣治東。雍正八年，知縣唐續祖建天、地、人字瓦廒各六間。乾隆元年，又建裕字廒六間，恆字土廒三間，更房一間，大門一間。二十二年，知縣陳臬自行重修。二十四年，又修，並造豐字土廒二間。二十五年，又修義倉六處：一、在如口鎮，一、在高樓鎮，一、在段家嶺，一、在黄莊，一、在夏店鎮，一、在馬房鎮，乾隆十七年，知縣薛如春建，今俱廢。

寶坻縣：義倉一，在林亭鎮，今存。采訪冊。按寶坻洪志云：預備倉在縣治西南隅，常平倉在縣署東南隅，雍正十一年，知縣伍澤榮建，貯穀二萬九百二十一石四斗一升六合二抄六撮，米五百九十一石四斗三升四合五勺五抄九撮五圭。乾隆八年以後，知縣洪肇懋每於青黄不接之時，出陳減糶，按户多寡以補民食，秋成後如數收還不增。合社倉在縣西門內，明嘉靖三十三年，知縣劉廓建。胡與之仿古社倉記：余丁巳夏來令寶坻，過社倉而問焉，曰：此前令懷滄劉公所建也。公度地得西門內之街之北，爲倉若干間，門、堂、亭若干間，偪浴菜圃咸具。又措處得粟若干石，冀以時收斂，題曰仿古社倉。余以是知公此舉，爲政而凡有志於親民者，皆所當務也。未幾，邑有大水，禾黍不登，下民昏墊，壯者或散之四方，余乃營救荒之政，竭力撫綏。延及今春，民欲以社倉賑，且出陳易新，余爲申請上司。時有邊警，道牌取粟若干石，易鐵若干斤，用修武備。民曰：此民食也。余曰：武備修而後民食可保也，盍易諸！庠師弟子，廪餼久缺，欲借之若干石，民曰：此民食也。余曰：

先君子而後野人，禮也，盍先諸！二端之外，悉以散民，每一里，里書報户，每富户爲總領，給分衆户，要在户得糧，人人沾惠也。民曰：春省耕而補不足，秋省斂而助不給，此之謂也。民約秋收出息以償，秋果大熟。民曰：自十餘年無此豐收者。孟子曰：五穀熟而民人育。今驗之矣。及期，二尹張古柏、三尹張肖石開倉，按簿以斂，不踰旬，得粟若干石。民曰：是又可以備明年之賑矣。夫出於吾廪而入是倉，有二乎哉？倉卽吾之外廪也。昔者知散不知斂，散則喜，斂則戚，今知斂之爲散，而散當斂也。斂亦喜，散亦喜矣。其在茲乎！其在茲乎！余又稽弊，得縣庫青衣扛夫銀若干兩，料價銀若干兩，悉請上司糴粟若干石，增實社倉。民曰：不有創者，孰繼乎？不有繼者，創不已窮乎？允若茲，可謂善繼矣。余按：朱子社倉，乾道四年，請常米六百石，夏則受粟於倉，冬則出息以償，散斂十有四年，除六百還府，見儲米三千一百石，以爲社倉。以故一鄉四五百里，雖遇凶年，人不缺食。及淳熙八年，下其法行於諸路，繼自今以後，來令茲土者，知是之爲仁政，而親民者所當務也，人人加意焉，民永賴矣。是爲記。雍正十年，知縣廖翼、伍澤榮捐建四間，貯穀二十七石一斗一升九合四勺，高糧一百六十四石九斗七升。義倉圖云：寶坻義倉九處：一、在新集，一、在新開口，一、在口東，一、在新安鎮，一、在大口屯，一、在黑狼口，一、在八門城，一、在黃莊，一、在爾家莊，均乾隆十餘年知縣吴克明建，今俱廢。

甯河縣：常平倉在縣署大門内之西，豐字廒凡三間，常平額貯穀三千石。乾隆四十五年，貯穀九百八十四石四斗五合，貯米五千三百七十三石四斗三升四合一勺。節年民欠米六千二十七石三斗一升三合五勺。光緒五年，存米三百十一石九斗三升三合三勺，存高粱二百六十二石五斗。

社倉，乾隆三年後勸捐，未建廒，現存穀二十七石八斗三合五勺，寄常平倉豐字廒内。

義倉在縣署内，道光七年，知縣唐宗泰改建，現存米三百五十五石八斗八升六合六勺，高粱十五石六斗九升一合六勺。采訪冊。按甯河丁志云：常平倉：一、在縣署東角門，天字、地字廒，雍正十三年知縣沈濬建。一、在縣署大門西，元字、黄字廒，乾隆十二年，知縣鍾象山建。一、在縣署大堂西偏，宇字廒，又宙字、洪字廒，亦鍾象山建。二十七年，知縣徐堂修葺。四十二年，知縣闞廷牧重修，今廢。一、在縣署大堂前之西，慶字廒，道光七年，知縣唐宗泰重修，今坍塌不全。一、在縣署大門内之西，盈字廒，道光二十二年，知縣黄炳奎重修，今滲漏。義倉原設九處：一、在西關莊，一、在蘆臺，一、在軍糧城，均乾隆十六年知縣屠祖賚建。道光七年，知縣唐宗泰重修。一、在西雙莊，亦屠祖賚建。四十二年，闞廷牧重修，改在段家莊，日久坍塌，僅存基址。

昌平州：本城義倉在州署左，光緒九年，知縣宋文重建，存穀二百零八石，倉正、副各一名。

羊房義倉，存穀五百二十石三斗八升，借儲官廟。采訪冊。按昌平宋志云：預備倉舊有四：一在東，惠義鄉興壽里，一在南，仁和鄉豐贍里，一在西，信德鄉廣信里，一在北，潤濟鄉居安里；明景泰三年，移置州城西街路南，建官廳廒房數十間，并儲各衙門罰贖穀石及孤貧囚糧。奠靖所倉在鞏華城北門内，明萬曆元年建，設掌印千户、吏目、大使各一員；渤海所、黄花鎮、長峪城、鎮邊城、横嶺城、白羊口、石匣峪、延慶衞，前明俱有倉，各設掌印所官，大使掌之。居庸倉在城東門内，有吏書斗級，今廢。義倉圖云：昌平義倉六處：一、在高麗營，一、在沙河，一、在羊房，一、在桃林，一、在龍虎臺，一、在口頭村，均乾隆十餘年建，今俱廢。

順義縣：義倉在縣署西，存穀九百零三石。采訪册。按順義黄志云：舊署後二堂建倉三間，貯粟米；新署大門右，建倉五間，貯粟米。常平倉，在北街西小巷内，保順倉，康熙五十九年，知縣黄成章建。今俱廢。義倉圖云：順義義倉四處：一、在楊各莊，一、在李遂店，一、在南狼塚，一、在牛欄山，均乾隆十餘年建，亦廢。

密雲縣：龍慶倉在縣署南，明洪武十一年建，卽廢。康熙三十二年，直隸巡撫于成龍請重建，照舊制三間。三十三年，增十五間。五十四年，增五間。今爲運放旗營兵米之所。乾隆時撥八旗官兵二千餘駐防縣地，歲撥東漕三萬餘石，由縣赴通運倉散放。常平倉，一、在縣署南龍慶倉東，道光八年，知縣藍□建；咸豐八年，知縣王寅權重建。一、在石匣城内，明宏治十六年建，卽廢；道光八年，知縣藍□重建。采訪册。按密雲丁志云：預備倉在舊城，今廢。古北口倉在古北口城，明洪武十三年建，嘉靖乙未，主事鄭觀修。童承敘重修古北口倉記：燕以北皆崇山複嶺，緜亙虧蔽，爲中外界。守者因險要加斥堠焉，故代爲要塞重徼。明興，定鼎於燕地，故窮盧東西兩關，屹若門户，而古北口控兩關中，崕壁崎峭，道路扼隘，距都城不二百里，視前代尤要且重。國初，中山王因山而城，置帥列兵，其戍加嚴；復設倉貯粟，歲遣地官尚書出納之，而乘障守陴，常數千人，皆仰焉。故餽餉取給，士飽馬騰。後法制稍弛，倉廩多廢不治，於是儲積頗後，支放愆期，材官騎士有飢色矣。嘉靖甲午，主事鄭君奉命視密雲倉，首釐蠹弊，奸猾斂迹。乙未春，行邊至古北，顧其倉圮，謂將士曰：是地天險，而不爲軍需計，非人和也，吾其敢後？乃鳩工庀材，盡撤其舊而新之，前爲門，中爲堂，後爲廒，統若干楹，繚以周垣，制度宏敞加礱密矣。經始於春，迄工於夏，君復至而落成焉。出者、納者、輓輸者、告給者，無不稱便。邊徼亭障，隱然增氣動色矣。前秋官主事密雲祝君，樂其成也，走京師告史氏，敘曰：鄭君操約而才富，大司徒常器重之。是役也，土石則以營卒赴支，遞舁之材木，則市以羨粟，餽食則供以贖金，官不費而民不擾，可不謂才乎！史氏曰：豈惟才哉！自文皇帝時徙大甯，三衛當路以羈縻，置邊事不問；今君獨汲汲爲軍需計，其亦有深憂至謀，恆情所不及者乎！是可以知其誠矣。使君典兵樞，司邊鑰，必能長駕遠馭，以紓廟堂之憂，而余尤有望也。祝君曰：然，請記之。鄭君名觀，字汝中，河南光州人也。父選歷官知府，兄坤監察御史，蓋名家云。

康熙十五年，同知鄭富民重修。豬圈頭倉在羅鎮營，今廢。廣積倉在大水峪，廣有倉在曹家路，廣盈倉在石塘路，廣豐倉在白馬關，廣儲倉在牆子嶺，均明嘉靖時楊博建，今俱廢。義倉圖云：密雲義倉四處：一、在石匣城，一、在穆家峪，一、在南臺，一、在韓各莊，乾隆十餘年，知縣陳璋建，今俱廢。

懷柔縣：今無倉。按懷柔吴志云：預備倉在縣治大門内寅賓館東，廒二十間，今廢。廣濟倉在縣治前，明嘉靖時，召商糴買米豆，積貯於此，本縣城操軍糧亦在此支放。萬曆二年，知縣賈濬建曬米場一作廠。於縣治東，號房七。姜仲軾廣濟倉曬米場碣：懷倉故逼隘，漕粟至，則委之廛里若墉道，夫廛里墉道豈治粟之地哉？暴露積霖，彌日不休，粟浥腐不可食，主守者鬻及子女以償之，良可歎焉！不佞至自辛卯歲首，詢得之，然已屆漕期。壬辰春，乃謀諸賈侯，得邑之射圃，拓其基，計可攤粟者四百斛。不佞捐廩爲起廳事三楹，場舍四楹，門宇翼然，其庶乎無虞於粟至哉！是役也，肇於壬辰春三月，落成於夏五月，唯賈侯實作之，范尉亦與有力焉。縣堂東倉五間，儀門東倉、馬房後倉各三間，康熙二十九年，始收常平倉捐穀三千石，借各寺空屋堆貯。四十九年，又將本境皇莊之米交縣收貯，米日益多。五十三年，知縣吴景果建，今廢。義倉圖云：懷柔義倉四處：一、在王化莊，一、在流水莊，一、在孝德莊，一、在紙房莊，均乾隆十一年建，今亦廢。

涿州：常平東倉在州治南馬神廟，雍正九年，知州黄理中建，取州民舒清格入官房修改，共廒四十七間。十二年，知州梁萬稷添廒四間。道光十四年，知州趙庭椿修葺。光緒七年，知州查光泰捐修，積穀二千零七十石，紳董經理。采訪册。義倉在城内白塔寺，北廒三間，西廒三間，存穀六百石，同治涿州續志。光緒六年，知州查光泰修。采訪册。按涿州吴志云：常平西倉在州治西南館驛街，乾隆十二年，知州張志奇建，共廒二十七間。常盈倉在州治西南，廒六十九間。預備倉在智度寺東、二郎廟後，廒四十九間，今圮。有備倉在州治前，廒六間。陸樊倉未詳爲何倉。在州西三百五十里，今亦圮。義倉六處：一、在南皐店，一、在湖梁，一作胡梁。一、在普利莊，一作普立。一、在馬頭莊，一、在柳河營，一、在陶家屯，均乾隆十六年知縣李鍾俾建，今俱廢。

房山縣：義倉，一、在城内，一、在石梯村，一、在周口店，一、在吉陽村，均乾隆十餘年建。同治九年，縣丞湯釗監修。同治房山王志。按房山佟志云：預備倉在縣治，明嘉靖時知縣李琮積牛糧穀種四十餘石，散給貧民耕種，至秋加二利息，民便之；後增至一百餘石。陳庭訓、馬永年積紙贖穀，春給秋歛，一如前例。社倉在社學北，亦陳庭訓建，今俱廢。

義倉圖又有水峪村、河北村二處，今無考。

霸州：常平倉在州署儀門東，額設穀一萬六千石。采訪冊。按霸州周志云：預備倉在州署儀門西，今圮。義倉四處：一、在東關鄉，一、在煎茶鋪，一、在信安鎮，一、在南孟鎮，均乾隆十餘年建，今俱廢。

文安縣：今無倉。采訪冊。按文安楊志：有預備倉，堂東倉，西南倉，今俱廢。采訪冊云：常平倉在南大街、舊存倉穀二十五石五斗，經知縣潘履恆徵還。咸豐四年，出借王任捐穀六十八石三斗五升，均於同治六年知縣沈賡颺辦團借用。至九年，陰雨連旬，倉廒坍塌，今水旱連年，無款籌補。社倉在城隍廟西，久廢。潘履恆徵還穀一百一十二石八斗三升，分貯安祖店、圍河、柳河三處。義倉，現倉穀莓爛，房屋盡毀，無跡可尋。畿輔義倉圖云：文安義倉九處：一、在安祖店，一、在圍河鎮，一、在蘇橋鎮，一、在左家莊，一、在勝芳鎮，一、在柳河鎮，一、在大趙村，一、在岳村鎮，一、在孫家莊，乾隆十餘年建，今廢。

大城縣：積穀新倉有三：一、在縣署前，一、在王口鎮，一、在里坦鎮，光緒七年，知縣李均豫勸捐，額穀四千石。采訪冊。按采訪冊又云：常平倉、社倉在縣署南。義倉在縣署西，於同治十年，陰雨倒塌。義倉圖云：大城義倉五處：一、在野固獻，一、在王香屯，一、在文王村，一、在王口鎮，一、在東關，均於嘉慶六年被水全行冲塌，無存。

保定縣：今無倉。采訪册。按保定成志云：預備倉在縣署儀門外東，南廒三間，東廒三間，明時建。先歲積穀一百五十石，遇閏加穀十二石五斗，嗣以荒殘民貧，間有争訟，胥免其罰，是以倉中殊少儲積。義倉在西楊路疃，乾隆十餘年建，今俱廢。

薊州：供應陵工倉在州城内，康熙三十四年，詔截漕米三萬六百石，資供應。薊州、遵化、豐潤原設廒房十二座，今存九座，本州五座，曰永隆、永順、永豐、永盛、永盈。道光七年，以永盈廒借與玉田縣，僅存四座。其東南廒房二座，爲遵化州之倉，又東南爲倉神廟，其西南廒房二座，北爲遵化州之倉，南爲豐潤之倉。采訪册。義倉一，在城内張大明王廟旁，嘉慶二十一年，知州司馬章建。歷任倡勸，存穀八百四十石三斗八升六合七勺。道光十年，知州沈鋭勸捐，成本大錢六百千，發商生息，以備修補。里仁倉在州治北漁陽書院旁，光緒五年，知州劉枝彥建。李江里仁倉碑記：光緒初元，山西、河南、陝西數省，畿南數府，相繼大旱。而山西凶饑尤甚，數金不能易斗米，兼旬不能得一飽，甚至米蔬牲畜、草根木皮食皆盡，遂乃食人，始猶食死者，繼乃並及於生者。人畏攫食，歿不敢聚哭，葬不敢具棺，遠歸者不敢久留於家，同居者動色相戒，流殍塞路，村落邱墟。於時皇上軫念民艱，靡神不舉。兩宮皇太后於宮中減膳素食，日夕焚香籲天。迨各省以得雨告，復念農事後時，饑餓之民迫不能待也，乃發帑轉饟，幾合天下之全力，竭内外長吏、百執事之才智心思，以救此奄然垂斃之遺黎，蓋災害如是之重，而賑恤若此其難也。既又飭直省督撫大吏，預爲小民謀蓋藏之術，於是今相國直隸總督合肥李公鴻章，與今冢宰順天府兼尹德化萬公青藜，仰承詔旨，下其檄於屬縣。吾薊刺史武進劉侯枝彥，自其始至，即以民食爲慮。既奉命，益毅然於蓄積之政，思鼓舞而振興之。首捐百金以爲倡，糴穀存城内，城内之有田者，亦欣然量地出穀爲助，凡得穀若干石。爰擇城内貢生張君光益、國學生朱君良棟及何君式詳等十餘人，共司其事，旋命葉君林購漁陽書院旁蒙氏廢宅，建養正義塾，即於塾前立倉五間，曰里仁倉，移穀儲之。里仁倉者，今冢宰萬公所命名。始公家居爲諸生時，嘗就所居村名蓮花洞者，納穀建倉，以時斂散，甫十餘載，即積至三千餘石，里無凶年。侯因略仿其意，具爲條約，試行於薊，公因以里仁倉名之。其法，每田一畝，出穀一升，隨其多寡，積於其村，歲以夏散秋斂，略取其什二之息，以爲日增月衍之助。村必擇其人士之賢者典之。薊之曉然於此事者亦多，相率慕從，以次興建。而城内之倉，則輸無不應，貸無不償，窘者以裕，貧者以濟，蓋尤蒙其利焉。或謂江曰：歲貸收息，乃王安石青苗之法，病民，非便民也。江應之曰：子之言似也；然亦知彼之所以失，與此之所以得乎？青苗出納以錢，此則出納以穀，錢乃索其所本無，穀特取其所本有也。青苗職之以官吏，此則主之以鄉人，官吏承以文法，不免粉飾侵冒之害，鄉人通以情誼，自無勒抑追呼之擾也。青苗利歸之官，而民無與，此則利歸之民，而官無與。利在官，適爲掊克之政，朘剥以取盈；利在民，實見仁厚之風，積久而成俗也。且亦思利之在民，爲何若哉？今歲積之，而來歲食之，是自積而自食也，積一而食不僅一，是少積而多食也。又況糴貴時而食之，糴賤時而積之，是併什二之息，以計所積之值，猶未及其所食之值也。此蓋周官遺人旅帥委積斂散之遺制，隋唐義倉之良規，而朱子社倉之善法也。夫豈青苗之法病國厲民者所可同日語哉！然兹事之行，苟非其人，既以滋弊，亦以賈怨，故得人又在立法之先。而侯之愛民慮遠，實心爲政，與諸君之不辭勞瘁，稽核惟謹，皆所謂能以治人行治法者，使天下邑邑如此，村村如此，鄉有餘糧，農無惡歲，即值水旱，不能爲災，何至如近歲山西數省流離轉徙、疾疫流亡若是之慘！又何煩皇太后、皇上若是之憂勞規畫，與内外大吏若是之經營哉！今年冬，張君等礱石將記其成，謂江所居穿芳峪村，亦嘗建里仁倉，行之有效，得之身試而目覩，遂以文爲屬。江既述其本末，而又於時人王氏青苗之論爲之釋其疑，而闡其説，俾爽然於彼此失得之故，不至胥動以浮言。至其綜理之宜，亦附刊之，以爲定式，蓋深有望於後之君子守而勿失云。

按薊州沈志云：户部大倉在州治北，廒房四十間，明崇禎時焚燬。預備倉在州治東北，正廳三間，左右廒房十間，又前廒房二間，大門一間，明崇禎時焚燬，後改爲張大明王廟。常平倉在新魁樓南。義倉六處：一、在中營鎮，一、在邦均鎮，一、在進貢坨，一、在馬伸橋，一、在別山鎮，一、在上倉鎮，均乾隆十餘年建，今俱廢。

平谷縣：常平倉在縣治東，康熙三十年，知縣余學昌建，增字北廒七間，興字西廒五間，盛字東廒七間。雍正十二年，知縣項景倩添建滿字南廒三間半。乾隆十三年，知縣粟培初添建滿字東廒三間，裕字廒十二間。三十年，知縣周克閱重修。[周克閱重修倉廒記：古者耕三餘一，耕九餘三，以三十年之通制國，量入爲出，所以有備而無患。自漢耿壽昌奏設常平倉，唐戴冑繼長孫平立義倉，朱子在建甯崇安則有社倉，我盛朝嘉惠元元，兼備焉，此平邑倉廒所由建也。倉在官署東壁，康熙三十年，邑令余學昌建修，常平倉增字北廒七間，興字西廒五間，盛字東廒七間，其滿字南廒三間半，邑令項景倩於雍正十二年建修。至乾隆十三年，邑令粟培初添建滿字東廒三間，裕字廒十二間，迄今數十餘載，風雨剥蝕，棟宇傾圮，所貯之穀，難免霉黴之虞。余三十七年來宰是邑，見其牆垣頹敗，木料糟朽，諸廒滲漏，盛字廒七間俱已坍塌。四十一年春，詳請動項修補，六月鳩工，九月告竣，共領用銀九百六十八兩有奇，由是增、興、盛、滿諸廒，咸宏敞壯麗，貯穀萬石，以陳易新，自永裕而無匱矣。且夫積貯者，生民之大命也。貴則減價以糶，賤則增價以糴，實心行之，民享其利，而常平於以常豐，或借籽種，或借口糧，加息免息，擇里社殷實醇謹者董其事，民沾實惠，而義倉、社倉悉得人而無弊。爲宰者清白乃心，平準斗斛，嚴禁胥役不得侵漁，以仰副我
皇上體卹民隱之至意，誰謂有治人無治法哉！是爲記。]儲穀一千十七石八斗四升一合。[采訪冊。]

社倉，明知縣吴之美建。[汤宾尹社倉社學記：史湯子曰：自余通籍，于今未一年，所概於時事，未嘗不盱衡也。天下數儉於歲，里無蓋藏，翳茅之家，不飽蒲芋，枕相藉于道。烽遽告驚，所在騷然，倭形明不可知，環海之民有莫必其命者矣。頃又益以乾清、坤甯之災，公私累代之積，一夕爲埽，内外傍徨，苦作相尋，民興心矣。素不習于誦，而生是急，彼有鋌而走險，安可誰何？蓋天下之平久矣，物極則變，理勢使然。平谷外極邊僻，内隸郊圻，最爲巖邑，其謠俗沈鷙椎鈍，猶有幽薊之風，今尚何可謂無産無恆心，而凡民之興不待教也！倉儲學校之設，何邑蔑有，撤儲因以鋪羸，則吾能何以居夫羸外之用哉！則此虚中之計也。博士弟子員之所上，猶畫髹耳，以幼所不調之子徒，竊文墨，侈衣冠，藏盜魁，其中即加饑饉，生死横迫，怙其氣習而爲嘯以逞，維今之日，又易揺也，肉食者能無墨焉！以余所聞於吴君，可謂急時者矣。君爲平谷則首捐緡置社倉，即又置社學，而各爲修，以蘄不廢者五。其爲倉也，樹穀平估，以時出内，以備水旱不時之災，使邑無滯積，亦無困人；而其爲學也，羣邑之子弟童而誨之，使之習于揖遜進止，預以口其疆氣，而折其邪萌，行之數十年，民庶幾無衣食飢寒之剥，而禮義是常，即有暴子弟勁勇嚻杰之氣，可勉而爲縣官用也，又况乎忠義之性，植乎其天者哉！吴君之政，務在爲民識時務，兹其概也。夫使吏於今者，而皆有意乎民，何憂天下哉！百姓匈匈，誰父母之？一旦有急，未可恃也已。余爲書吴君治行，並載時事。君名之美，常之武進人。]今儲穀四百九十八石。[采訪冊。]

舊義倉一，在南獨樂河莊，[一作篤樂河。]乾隆十年建，今儲穀四百六十七石。一、在夏各莊，亦乾隆十年建，儲穀二百六十二石。[采訪冊。]

新建義倉：一、在城内書院，倉一座，儲穀四百五十石，一、在南獨樂河莊，倉一座，儲穀二百二十八石，一、在望馬台莊，倉一座，儲穀一百七十石，一、在夏各莊，倉一座，儲穀一百五十四石，一、在東高村莊，倉一座，儲穀一百五十四石，一、在西鹿角莊，倉一座，儲穀一百三十七石，一、在岳各莊，倉一座，儲穀二百零四石，一、在小辛寨莊，倉一座，儲穀一百四十九石，一、在中胡家務，倉一座，儲穀一百九十九石，一、在瀝津莊，倉一座，儲穀一百五十二石。光緒六年，知縣張雲霈創辦，知縣蔣嘉霦收足。七年，知縣宋淵滏報竣。采訪册。按平谷朱志云：預備倉在縣署儀門外，東、南、北各三間。積留倉在縣治西北，今俱廢。

經政志三

漕運

德清傅雲龍纂 江陰繆荃孫覆輯

禹貢言：揚州貢賦，沿海達淮。此即海運之濫觴。秦輓粟于負海之郡，轉輸北河，謂爲轉漕北河之始則可，謂爲海運之始則不可。先是，郡縣自運，其設專官，昉于唐開元轉運使，然漢朱博傳，護漕都尉雖殊領漕，亦其緜蕞。海運官始唐之幽州節度河北海運使。宋前，漕運以民。元始軍運。明軍民遞運，曰支運；軍民交兑，曰兑運；後改長運。我朝官收軍兑，河海並漕，變通有章，剔弊有法，而漕自東南者，罔弗由通州石、土二壩進，可弗述與！志漕運。

漕糧由通州運京倉者，曰正兑；運通州倉者，曰改兑。凡正糧一石，正兑加耗二斗五升，改兑則一斗七升。運漕之省九，通州其關鍵也，故取通漕誼曰氏州。鄭元慶小谷口薈蕞：潞縣，金爲通州，取漕運通濟之義，至今不改。歲入漕額：山東、河南之粟、麥、豆，江蘇、安徽之粳、穤、秈、稜、粟，浙江之粳、穤、秈，江西、湖北、湖南之稜，奉天之粟、豆，凡四百五十餘萬石。同治四年，以兵燹，永減漕額：江蘇之蘇州、松江、太倉減三之一，常州、鎮江減十之一，浙江之杭州、嘉興、湖州減三十之八。

按漕額：山東：漕粟麥豆正兑正糧十七萬五千三百二十四石二斗六升三合八勺，又截存薊糧二萬八千五百石，耗糧四萬三千三百三十二石一斗五升三合五勺，改兑正糧八萬三千五百八十七石九斗六升二合四勺，耗糧一萬四千一百七十六石一升七勺。河南：糧粟麥豆正兑正糧十一萬五千六百九十八石七斗一升六合四勺，又截存薊糧二萬八千五百石，耗糧三萬一千一十石五斗五升三勺，改兑正糧五萬六千二百二十二石五斗二升二合四勺，耗糧九千五百五十七石八斗二升七合二勺。江南之江安糧道所屬，漕粳稜粟正兑正米二十八萬八千七十六石四斗二升三合，耗米一十萬三千三百五石八斗五升八合三勺，改兑正米一十萬一千六十四石七升六合五勺，耗米二萬五千八百二十五石九斗八升一合一勺。江南之蘇松糧道所屬，漕粳糯正兑正米一百四萬一百二十三石七斗二升四勺，耗米四十一萬六千五十三石四斗八升九合一勺，改兑正米九萬四千八百三十二石四斗六升八合八勺，耗米二萬八千四百四十九石七斗四升一合二勺。浙江：漕粳秈糯正兑正米五十八萬五千三百八十五石八斗九升八合五勺，耗米二十三萬四千一百五十四石三斗五升九合四勺，改兑正米二萬九千三百六十五石五斗，耗米一萬一千七百四十六石二斗。江西：漕稜正兑正米三十五萬一千二百三十七石九斗八升六合一勺，副米一十八萬六千一百五十六石一斗三升二合六勺，改兑正米一十五萬一千三百七十九石六斗一升四合一勺，副米八萬二百三十一石一斗九升五合四勺。湖北：漕稜正兑正米九萬四千二百四十一石八斗九升八合五勺，耗米三萬七千六百九十六石七斗五升九合四勺。湖南：漕稜正兑正米九萬五千五百一十一石二斗六升四合六勺，耗米三萬八千二百四石五斗五合七勺。之二省無改兑。奉天：粟豆三萬八千七百四十八石四斗五升九合七勺，先是，奉天年徵黑豆，道光六年奏，自七年始，改徵粟米十之四，寮陽、牛莊、蓋州、熊岳四處粟二千五百十九石九斗五升二合四勺，豆四千六百八十石四升七合六勺，錦州府屬粟一萬三千二百四十三石九斗五升四合九勺一抄，豆一萬八千三百四石五斗四合七勺九抄，已上正兑正米二百五十七萬八千三百三十三石三斗八升一合一勺一抄，耗米一百四萬三千十四石五斗一升四合四勺，改兑正米四十三萬五千五百八石八斗三合七勺，耗米十五萬六千二百六十石五斗八升八合七勺，正兑正麥三萬四千五百六十八石五斗四升七合六勺，耗麥九千六十七石六斗五升一合七勺，改兑正麥二萬二千一百五十八石六斗七升二合，耗麥三千七百六十六石九斗七升三合四勺，正兑正豆十七萬一千四百五十六石七斗二合二勺九抄，耗豆三萬八千三百三十一石六斗四升二合二勺，改兑正豆五萬八千五百八十四石六斗五升八合五勺，耗豆九千九百五十九石三斗九升三合五勺。歲入額漕凡四百五十六萬一千一十一石五斗三升一勺，此道光九年定數也，與會典户部則例、楊勤慤漕運則例纂數目互異，然光緒二年，欽定漕運全書，以道光九年額漕爲準，今從之。同治四年，永減漕額，江蘇徵正兑麥十三萬六千七百三十餘石，耗米二十九萬四千六百九十二石，改正兑米六萬八千六百六十餘石，耗米二萬五百九十八石。此外南糧漕贈行月等米豆，一體照減。蘇州、松江、太倉減三之一，常州、鎮江減十之一。又白糧改漕項下，原額八萬一千四百十三石零，減徵米一萬九千六百五十二石零。又沿海瘠區，優減米一萬五千二百餘石，原徵白糧不議減，仍徵白糧正米六萬九千二百二十五石，耗米二萬七百七石五斗，浙江省徵正兑正米四十一萬二千七百五十七石五斗二升四合一勺，耗米一十六萬五千一百三石九合七勺，此外南糧行月糧等米，一體照減。杭州、嘉興、湖州減三十之八。又白糧改漕項下，原額五萬八百七石零，減徵米一萬六千六百七石零，改兑漕糧與原徵白糧均不議減，仍應徵白糧正米二萬九千九百七十五石，耗米一萬三千四百八十八石七斗五升，改兑正米二萬九千三百六十五石五斗，耗米一萬一千七百四十六石二斗。漕糧贈貼，名目不同，江南謂之漕贈，浙江謂之漕截，山東、河南謂之潤耗，江西、湖廣謂之貼運。康熙九年題令刊易知由單給納户，隨漕徵給。江安、山東、河南每米百石徵銀五兩、米五石。蘇、松、常、鎮四府，每米百石徵銀十兩、米五石。浙江每石徵漕截銀三錢四分七釐。江西每石徵贈銀三分，贈米三升，副耗米一斗三升。湖廣無加贈銀米。康熙十年，題准於四耗外加耗二斗，漕銀與地丁統徵，遇地丁錢糧，漕項例不並免，易滋影射。乾隆十年，奏令州縣將蠲免錢丁錢糧之內，應徵漕項，每畝若干，開入易知由單。本色之改徵有永折，按漕運全書：永折漕糧價銀，入地丁奏銷。有暫折。户部議單舊本：起運漕糧，例不改折，間有被災地方，准其暫時折解。折徵濟兵餉，自咸豐年始。漕運全書：咸豐初，軍務繁，東南各省不能起運本色，始議改徵折色，即以折徵銀，濟外省兵餉，並分解部庫，支放俸甲折銀，今添立變通折徵目，其民完折色，官爲辦運者，仍纂入徵收漕糧，一咸豐三年，漕糧因河道梗阻，據江西、湖南、湖北、安徽奏，遵部議，但計正耗米一石四斗，不計貼運，由官折解其價，以例載京倉折給之數爲準，稄米一石折銀一兩三錢，粳米一石折銀一兩四錢，一據兩江總督奏請照江廣折解之議。經户部奏準，與安徽省一律易米解銀，由官糴變，每石折銀一兩三錢，粳米每石一兩四錢，粟米每石一兩二錢。又白糧，江南正米六萬九千二十五石，耗米二百七十七石五斗；浙江正米二萬九千九百七十五石，耗米一萬三千四百八十八石七斗五升。据漕運全書。白糧經費，江南二十三萬五千八百五十八兩有奇，內有解通州由閘銀五千五百五十五兩七錢六分，按漕運全書：蘇州府解通由閘銀一千六百四十五兩二錢八分，松江府解通由閘銀一千八百四十六兩九錢六分，常州府解通由閘銀一千四百九十一兩九錢二分，太倉州並屬解通由閘銀五百七十一兩六錢。浙江七萬六千六百九十一兩有奇，內有由閘銀五千四十兩，石壩銀三百六十兩三錢六分，由閘車夫銀二千四百七兩四錢一分六釐，由閘路費銀五兩五分五釐。按漕運全書：嘉興府由閘銀三千四十兩，石壩銀二百一十七兩三錢六分，由閘車夫銀一千四百九十二兩八錢三分三釐，由閘路費銀三兩一錢三分四釐；湖州府由閘銀二千兩，石壩銀一百四十三兩，由閘車夫銀九百一十四兩八錢八分二釐，由閘路費銀一兩九錢二分。又曰輕齎銀，沿明制也。詳明食貨志。山東一萬五千七百餘兩；河南九千三百一十餘兩；江南一十七萬一百四十六兩，易米銀九百八十三兩有奇；浙江十萬八千兩有奇，易米銀三百兩；江西六萬三千二百十餘兩，易米銀一千五百十餘兩；湖北一萬六千九百二十餘兩；湖南一萬七千五百十九兩有奇。按議單舊本：山東正米一石，耗米四斗一升：除二斗五升隨船，一斗六升每斗折銀五分，謂之一六輕齎。河南亦謂之一六輕齎，江南謂之二六輕齎，浙江、江西、湖廣謂之三六輕齎，皆以折銀耗米斗升之數計。隨漕徵木，備倉廒用也。凡正米二千石，徵楞木一、松板九，向解京糧廳。順治十五年，京糧廳裁，改歸大通橋收納。大通橋倘存多恐朽，或照時變價，或新運改折，一二年再收本色。議單舊本，漕運全書。每船徵毛竹八，後減四，給直，爲京通倉編造氣筒之用。漕運全書：京通各倉編造氣筒毛竹，向例江浙每漕船帶八枝，旗丁交倉。乾隆二年，奏減二枝，給值；六年，再減二枝。

此漕運至通州正雜常數也。通州交漕，舊以米四升裝袋二，印封，解倉場驗收。康熙五十四年，題定水次兑糧，每船裝米一石，糧道驗封；到淮，總督折驗加封；抵通州倉場，率坐糧廳驗，符則受樣，米作正。據漕運全書。又云：各省帶徵糧石，入全單，粘籤注明，以便抵通交兑。因豫省常徵糧石較多，雇船裝運，未便一體列入全單，致滋牽混。自乾隆五十三年，始將豫省搭運米石由糧道給發執照，赴壩交納。

山東、河南運通州粟米內，年撥五萬七千石，改運薊州備用。乾隆三十年奏停運薊，改徵折色。諭：毋庸改折，仍照數收兑本色，存貯水次地方，作爲該省常平之用。漕運全書：山東省改折薊糧一半，米二萬八千五百石，仍徵本色，留貼備用。其停運薊糧，應裁船隻，照例截汰。

密雲駐防官兵，在豫、東二省徵存薊糧，撥運米二萬三千石，令每年三四月赴通州領運，閏不添撥，此乾隆四十五年定章也。四十六年，令添百石備耗。漕運全書：密雲駐防官兵所需米石，先經奏明，照馬蘭鎮之例，改用折色，每石折銀一兩四錢。續奉諭旨：因官兵購買維艱，仍給一半本色，在豫、東二省每年徵存薊糧項下撥運，令該縣於四月間赴通州，承辦領運收倉，毋庸會同駐防人員赴通領米仍令該督酌看情形，如遇河水乾淺及水大之時，由陸路運至該縣，照例報銷運脚；若雨水調勻之年，仍由水路運送，以省糜費。應需脚價等項，准于地糧銀內給發。至本年豫、東二省漕船已開行，所有乾隆四十五年夏、秋、冬并四十六年春季應需一半本色二萬三千石，於山東省現運四十五年正供項下截撥，令漕運總督，山東、河南巡撫俟次年兑運新漕，卽於該二省存貯薊糧米內，撥米二萬三千石，搭運來通，以還倉儲。由京移駐密雲官兵，一切事宜俱倣熱河駐防之例。遇閏之年，毋庸添撥閏月米石。自通州運密雲，水陸輓運，一切盤量、折耗、氣頭、廒底，在所必需，若不代爲籌畫，必致兵食有虧。照易州陵糈米石之例，每石撥給耗米一升九合。自四十七年爲始，令豫、東二省，各添撥米一百石，以備支銷折耗之用。各處駐防兵米，不得援以爲例。六十年，議良鄉、霸州、昌平、東安、順義、大興之采育等處駐防兵米，自嘉慶元年始，於薊糧內動撥，隨正供運天津、通州水次，令良鄉、昌平、順義、大興，領自通州；霸州、東安領自天津。按漕運全書載：乾隆六十年定章，良鄉等八處駐防兵米，領價採買，未免竭蹷，自丙辰年爲始，於薊糧內動撥一萬一千三百石，隨同正供，運赴天津、通州水次改兑。令良鄉、昌平、順義、大興、遷安、玉田六處，在通州請領；霸州、東安二處，在天津請領。所需運脚，卽在津貼米價項下動支，程途較遠之處，每石亦不得過二錢五分之數。嘉慶元年，因東省輪免漕糧，先令豫省代運，除撥運天津等處兵米外，不敷米石，動支節年倉存薊米，并碾薊敷湊運。二年，奏於三年春季起，令豫、東二省各半分運，山東省二年冬間應需兑運兵米，先儘新穀，薊米照撥，如有不敷，卽在存貯薊米找撥。所謂八處者，據會典事例一百六十四稱：良鄉、霸州、昌平、東安、順義、玉田、大興之采育、遷安之冷口等處。其駐防官俸米，每石折給銀一兩。嘉慶八年，議於東、豫二省分運薊糧撥支，自九年始。漕運全書：良鄉等處駐防官，應需俸米七百三十二石，向係每石一兩折給。嘉慶八年，議准自九年起，在豫、東二省薊糧項下照數動撥供支。又云：良鄉等處駐防官，應需俸米七百餘石，嘉慶八年，議於東、豫二省薊糧米內各半分運，因豫省八年薊糧被災緩徵，令山東省代爲起運，下屆代運還欵。八、九兩年暫雇船，一裝米五百八十石，泒令額船較少之幫裝運，剩米一百五十餘石，於撥運良鄉等處兵米船，隻八灑帶運。嘉慶十年，二省各運俸米三百六十六石，令原派雇良鄉等處兵米船十二均裝。固安、寶坻駐防兵米，歲需各一千一百五十石。先是，領價採買。嘉慶三年，奏依良鄉等處例，於餘剩薊糧撥給，固安赴較近之天津兑運，寶坻俟漕船行抵北運河坿近水次兑領。據漕運全書，參會典事例一百六十四。此卽明穵運意也。詳明食貨志。其河漕道，以通惠河爲會歸，以北運河爲總滙。山東、河南、淮北而外，以揚州之河爲襟喉。浙西由瓜州達揚，湖廣、江西、上江由儀徵達揚，至淮安，渡黄入閘河。咸豐五年，黄河北徙，運道至張秋渡黄，過臨清入衛河，至天津，入北運河，二百八十餘里至順天府通州。又逕普濟、平津、慶豐諸閘，而達大通橋，曰通惠河。道光五年以前，專漕于河。江蘇自五年試海漕，六年、二十八年、咸豐元年、二年，皆海漕，餘仍同浙江等七省漕自河。三年而後，江蘇、浙江皆海漕，湖南北、江西、安徽皆停，山東、河南仍漕於河也。

漕官之在順天府境者，總督倉場户部侍郎，滿、漢各一。據通州高志。國初，坿部理事。順治十五年，治崇文門外，出巡駐通州，各省糧道及沿河文武官，凡有漕運責者，皆屬管轄。春巡五閘河道，石、土兩壩，經紀車户、撥船、布袋。按議單舊本漕運全書：漕船行至北運河，河務關營、通州協催趲，倉場不相統轄。嘉慶十五年，奏歸倉場兼轄，以重漕運。雍正三年定章：石壩外河，水勢深淺，五日一具摺以聞。户部冊。大通橋護城暨石、土兩壩裏河各閘，凡應修建，咨户、工二部會勘。據議單舊本。坐糧廳滿、漢各一，駐通州。通州冊。初，差户部漢司官一，康熙二年，增滿司官一。二十六年題定，各部院官員均舉，差遣一年爲期。三十三年，改以三年。雍正元年，題定二年，永爲例。漕運全書。馮應榴自書潞河督運圖後：此余於乾隆丙申以考功郎中奉使坐糧時，倩京口江萱所繪潞河督運圖也。圖中往來船舫，係於漕者十之七八，其一二瓜皮艇，則稽察征榷之用，坐糧使者所兼司也。漕艘之中，植兩檣，而揚帆捩舵，銜尾以進，或已泊如鱗比者，爲重運；捲帆抽舵，以尾推行者，爲回空。回空必讓重運先行，違者有罰。以布袋盛米麥黍豆於船，船約百餘袋，袋各一石，無篷窗而以篙徐進者，爲剥載。坐糧之運役曰經紀，曰車户者司之。蓋潞河水淺舟多，不能齊達壩下，故別以船剥壩，有石有土，石壩在北門外，通州州判掌之，有樓曰大光，義取損上以益下也。滿、漢倉場侍郎暨坐糧者，恒於斯芨憩憑眺焉。壩前爲潞河，後即通惠河。隔潞河三四丈許，幅旁檣斿小露者，是已運十三京倉之漕抵石壩，由大光樓下，背負而入通惠，肩踵相接，日數萬人。通惠每閘有船，亦經紀司之。過閘負運者，謂之水脚，並隸使者所轄。至大通橋以上，則監督之職矣。石壩之北有浮橋，爲榷税十三口之一。近東門者爲土壩，州同兼掌之。運通州西中倉之漕，由壩而入城河，舟運至舊南門者，貯中倉；新南門者，貯西倉。城以内皆車運，故司事之役，總曰車户。他政均與石壩相類。至中流飽帆而放棹者，即余官船。每漕艘抵通，使者日乘舟往驗其高下，乃分坐於各倉，並以時赴津門督催之。小舟飛槳，捧盤來迎余舟者，即取驗之糧，以糧散盛於舟尾。漕艘而行者，楊邨官給之剥載也。形如虛業，繫繩於端，牽岸上者曰刮板，牽之者爲淺夫，負柳枝行者爲標夫。潞河沙易膠壅，非疏濬可施，惟時刮沙，俾隨水去，無阻運足矣。好事者以新意改制，輒無益而止。又河之深淺無定，必以柳枝標識，淺處使漕艘望知避焉。夫漕，爲理財之一端；坐糧，司漕之一職耳。顧粗舉規制，百不罄一，已煩重若是，矧其涉江淮河數千里，以輓納神倉者乎？司漕諸君子，苟不以愛民恤丁、潔其身奉職爲念，其何以副朝廷惠下之仁、任人之意乎？覽斯圖者，當亦有感於余言已。戊戌春仲，瓜代旋京，將以索能文者題詠，因先自書其後。通惠河原設分司，徵收木税，專司修理五閘并潞河挑淺事。康熙三十九年，題併坐糧廳管理，照潘桃口例，作爲小差。大通橋監督，初置漢員一，康熙二年，增滿員一；四十一年裁；四十七年復設。一年更替。漕運全書。大運西倉及大運中倉監督，滿、漢各一；漕運通判一。初，自天津至通州河路，坐糧廳管修；雍正二年，增通判一，駐張家灣，專司疏濬；設把總二，外委四，聽通判調遣。漕運全書：津北至通河路，向係坐糧廳管理修濬。雍正二年，特命户部侍郎趙殿最等會看料理，奏准添設通判一員，駐劄張家灣，專司疏濬；并設把總二員、外委四員，聽通判調遣，遇有淺阻，報明通判，在坐糧廳領錢糧挑挖。乾隆二年，增主簿一、吏目一，專司修濬裏河，旋裁。仍責之坐糧廳。據漕運全書。土壩，通州州同一。通州高志。初，通州郝家鋪以南，温家莊以北，計河程二十里，無文職管汛，乾隆九年，咨令通州州同管理，會武弁協催漕船。（據漕運全書。又云：通州城外石、土兩壩至郝家鋪沿河一帶，於四月南糧抵通之後，每有無藉之徒及不法丁舵人等偷盗、鬭毆、誘賭等事。乾隆元年，奏准責令州同、州判，於每年三月内移駐河干，分界稽巡，細事就近發落；有關係者，解州審理。漕運告竣，回署。）石壩，通州州判一。（通州高志。州判李炳石壩須知序：百家經紀，歲自通惠河轉運東南漕白三百數十萬石，由石壩司權量較盈絀督運，以實京倉，兼以張灣河汛迎溜頂沖舊築土隄，長若干丈，隄外又建板壩，長若干丈，以資保障。第水陸交衝，人煙輳集，蹂躪甚於他汛，南船來往，停泊壩外，篙眼積如蜂窩，板壩持撑，亦險於他工。）通流閘閘官一，慶豐閘閘官一。（各司閘務，隄工縴道，凡兩閘麻繩板片雜項公費銀，於坐糧廳請領。已上據通州高志。漕運全書：張灣漕運通判屬坐糧廳管轄。乾隆五年，咨准三年考察，倉場會同直督歸入大計辦理。）初，通州巡視北漕御史一，順治初置，康熙七年裁。雍正七年復設二。（漕運全書：順治初年，舊有巡視北漕御史一員，兼理一切倉糧事務。康熙七年裁去。雍正七年復設巡漕御史二員，不拘滿、漢，於三四月内派往通州。糧船抵通，稽查該管衙門官吏及經紀車户人等，白旗丁額外需索陋規。乾隆二年，題准巡漕御史以一員駐劄通州，巡察至天津止。）乾隆二年，以其一移駐天津。十七年諭：巡視通州漕務，向例止差科道一人，專司催督漕運，而倉場事務則概不與聞。但通倉積弊甚多，現派大臣盤驗，著增差科道四人前往巡視漕務，凡收兑新漕、支發倉米，皆著就近稽察。至在京各倉，雖經委有專員，亦著一同留心稽察，務期諸弊肅清，以副委任。二十三年，通州巡漕御史四員，以一員輪駐楊邨，來往稽察。尋奏，通州巡漕四員内，分派滿、漢各一駐楊邨，料理撥船挑濬；其天津巡漕御史一員裁汰。二十四年，停楊村巡漕御史。（據會典事例七百七十一。）二十六年，奏通州巡漕御史二員，一移天津，一留通州。（漕運全書：乾隆二十三年，奏准楊村設有專駐巡漕御史二員，即可兼行巡視楊村以南柘園一帶漕務；其天津巡漕，毋庸差派。二十四年，撤去楊村巡漕。復經奏定，天津以北統歸通州巡漕御史辦理。二十六年，奏准通州巡漕御史二員，酌派；於天津復設一員；通州巡漕祇須一員。）嘉慶六年，鑄給通州巡漕御史關防。（會典事例七百七十一：六年，議准巡漕御史四員，分駐淮安、濟甯、天津、通州四處。向給欽差官員關防，事竣交回。歷年雖無別故，但巡漕有駐劄地方，地界毗連，文移印信相同，恐有吏胥假借影射之弊，應照巡視漕務地方，分別鑄給關防，以昭慎重。道光三年裁。據通州高志。

其置役，則石壩書吏十九，小寫四，軍糧經紀一百，白糧經紀二十五。分隸土壩。初置外河船户二十名，康熙三十九年裁入白糧經紀。五閘軍糧水脚，向置一百四名，內石壩裏河二十六，雍正五年裁，厥役歸併軍糧經紀，存普濟閘、平下閘各二十六，平上閘、慶豐閘各十有三，凡七十有八；又四閘白糧水脚各二名，凡八；據漕運全書。五閘船頭一百二十有五，代役如船頭數。通州高志：五閘船頭一百二十五名，係經紀代役。專司往回剝運者，向係經紀自雇，乾隆五年，奏准責令通州、大興縣召募殷實良民充書，於經紀脚價銀內給工食。現在船頭外，又雇代役，五閘共代役一百二十五名。土壩，書吏四；車户向置五十名，康熙二十五年裁二十五，雍正十年裁五，凡車户二十。初，外河置土壩船户十五名，康熙三十九年裁，厥役歸併車户。據通州册。漕運全書：各役十年一更換，令通州知州派殷實良民頂充，不許旗人頂當，并不許父子兄弟朋友盤踞。通流閘，閘夫四十有二；慶豐閘，閘夫八十。通州高志。

大通橋初設軍糧車户二十有八，水脚十有三，雍正十年，增車户四，舊有白糧車户十三，水脚二，雍正十年裁，應運白糧歸併軍糧車户水脚；又官車二百，牲口八百，嘉慶六、七年間改雇長車一百；十四年，議定長車一百二十，令車户添雇，或三四十，或五六十。據漕運全書。漕白船凡六千三百二十有六，此道光九年覈數也。內有通州所幫自備船二十二，十六年至咸豐二年，裁十有三船。漕運全書。截撥兵米之船，密雲以德州等十幫；漕運全書十一：豫省漕糧，向係直隸、江南、山東三省，德州等十幫船隻協運，乾隆四十六年，起運密雲兵米，令臨清前等七幫，雇船二十隻運送。以後每年運密雲兵米，未免偏枯，應以德州等十幫均派雇募。固安、寶坻以通州、天津二幫。漕運全書：固安、寶坻二處兵米船二隻，向係按軍挨幫輪運。嘉慶十一年，輪應通州、天津二幫裝運，因通州、天津二幫船隻全行減歇，咨准仍派上年輪運之徐前、後二幫裝運，俟該二幫正運之年，少裝一運。北運河糧艘，有短縴夫，乾隆三十年，議楊邨至通州，里給錢二；通州、香河、武清等縣，巡杜勒索，雨濘夫少，聽弁丁自增錢，以四文爲斷。漕運全書：北河楊邨至通州糧船，雇用短縴，每夫每里給錢二文。令通州、香河、武清、天津等縣，於糧艘一過津關，即出示曉諭，差幹役晝夜巡杜勒索，如遇天雨路濘，縴夫短少之時，仍聽弁丁等自行酌量加增，每里以四文爲斷。倘地方官漫不經心，以致縴夫强索勒掯，即取職名送部議。如抵壩遲延，藉稱縴夫短少，將運弁參處。它船有禁有讓，康熙三十五年，通州大通橋河道奉旨，准令民船貿易行走，若遇糧船緊急之時，貿易小船暫行禁止。乾隆十三年議，河西、楊邨二驛，河狹流逆，銅船木筏聽與漕船並進，二驛以南，例讓。十五年議，楊柳青一驛亦如之。漕運全書：沿途儹運：一、直隸河西、楊邨二驛，河窄水逆，遇有銅船木筏，聽與漕船並進，不得攔阻勒讓；其二驛以南一帶，運河照例讓行，毋爭，乾隆十三年。一、楊柳青一驛與楊邨接界，遇有銅船木筏，照河西、楊邨一體辦理，乾隆十五年。其外河撥船之集楊邨者，凡新舊二千五百。按：撥船之撥，一作剝，然考說文，撥訓治。公羊傳，哀十四年，撥亂反正，是撥不轉誼，增韻轉之也。漢司馬遷傳，秦撥去古文，是撥有除誼。撥船云者，轉軍船所除之糧也，當依欽定漕運全書作撥爲是。剥，說文訓裂，誼少隔。初設撥漕，至通州之紅撥船三百，船各給地十頃免科。據漕運全書。嗣於通州、武清等五州縣設船六百，其船軍如船數。每米百石，旗丁給飯米五斗。船軍盜米，州縣憚於比追。據穆堂初稿。按：穆堂初稿稱泓剥船，即漕運全書紅撥船也。康熙三十九年，改徵由各省道庫給如數；四十六年，題定將紅撥銀按抵通州船隻實數，就近於通濟庫支給，倉場奏銷。自是楊邨有撥船二千。乾隆四十八年，議將百石以上至四百石以下民船，年定一千五百。豫、東二省漕艘，向有自雇民船三百餘，到通州卽留備南糧起撥。五十年，二省漕米截留楊邨船僅七百餘，上年暫貯北倉之米，當轉運至橋，撥船不敷周轉，將天津以南之船趨至楊邨；其楊邨以北臨河州縣應備之船，責通永道察催。惟自官封民船，商鹽艱於輓運。乾隆五十年，長蘆商人願捐銀三十萬以造撥船，先借庫款，按引十年歸數。報可。諭令湖廣、江西分造，據漕運全書，參户部檔册。凡一千二百，分交沿河十八州縣。其隸順天府者，則有通州、武清、香河、文安、大城、霸州船户，船各一名，舵工四五，船户自覓。閒暇聽以船營生，四月以後禁遠行。其撥運漕糧，通州至楊邨，給食米一石二斗，錢給舊制六千文之半。漕運全書：乾隆五十年，北河撥船一千二百隻，官爲備造，應交附近沿河之天津、静海、青縣、滄州、南皮、交河、東光、吴橋、通州、武清、香河、文安、大城、任邱、雄縣、新安、霸州、易州等十八州縣，分別派定，每船募誠實船户一名，給腰牌一，填注姓名、年貌、住址，並船隻號數，造具花名清册；舵工水手聽船户自覓，以四五名爲率；空閒時准攬載營生，四月以後，不准遠行。向來撥運，民船官雇，今既造船，嗣後撥運銅船，麥豆仍照舊發給；其撥運漕糧，自楊邨至通州，既給船户飯米一石二斗。所有例給制錢六千文，應減半給三千文，以爲水手等工食，并添補篷篙繩索之用；其餘三千，扣一千存爲歲修油船之用，二千給還旗丁。如遇水勢充裕，軍船可至楊邨迤北之蔡邨、河西務起撥，則應給飯米及水脚銀，按照水程遞減。又五十一年，議撥船食米由旗丁自給其錢，應於驛站留二小建項下撥銀十萬兩，交天津運司，將商人賣鹽之錢易换，運交楊邨辦漕之同知、通判，按船散給，事竣咨會總漕，在應給旗丁項内扣歸。每年漕竣，其間封河三月，先期守候一月，此四月内，以每船三人覈計，每人日給飯銀五分。五十一年，添造撥船三百。五十二年，與原船於楊邨輪撥；按漕運全書：乾隆五十一年，請再造三百隻，以足一千五百之數，應於商交二錢銀內，撥銀九萬兩，爲添造撥船之用，無須商人另捐，仍交湖廣、江西分造。五十二年，將添造撥船三百歸直隸，與原設撥船一體在於楊邨輪流備撥，一切章程照原議。會典事例七百六：剥船一千五百隻，身長五丈八尺，前寬一尺，中寬一丈八寸，後寬八尺一寸，九艙，每艙深三尺，裝米三百石。尋以一百作天津銅船撥船，其楊邨漕糧船凡一千四百。嘉慶五年，改歸南、北運河，通州等十一州縣分管。六年，直隸總督陳大文議奏，通州、武清縣各管撥船四百，餘六百交天津縣，起撥時仍責楊邨通判彈壓，修艙銀兩改由通州、武清與天津縣隨同天津道發修。直隸總督陳大文等議：官撥船一千五百隻，除天津縣撥運銅鉛船一百隻，楊邨撥運漕船一千四百隻內，從前有冰凌磕散不堪應用船四十九隻，六年遇水冲淌船九十一隻，餘船亦多磕碰擊損，已飭天津道府，督同楊邨通判、天津縣分別修理；動用六年修艙銀兩，倘有不敷，著落從前修艙不堅之州縣賠補；其磕散冲失各船，將所領修艙工料銀兩，雇覔民船補數，俟嘉慶十年排造新船，再行停止。並令天津道當堂散給船户工食銀。又另議章程曰：撥船一千五百隻，原議分派通州等十八州縣經管，嘉慶五年奏請改歸南、北運河，通州等十一州縣分管。今查南運河各州縣，仍有距楊邨稍遠者，將此項船隻除天津原留銅鉛船百隻，其餘一千四百隻，分歸濱臨北運河天津縣六百，武清、通州各四百，就近經管。起撥時，責令楊邨通判彈壓；其中原有不堪應用船隻，責令從前經管州縣雇募民船備用，每年修艙船隻至一千四百之多，若委交楊邨通判一人經管，工匠既難畢集，稽察亦恐難周，應將修艙銀兩由天津道府督同分管之天津等三州縣當堂給發，責成該州縣實心經理；並令天津道府、東路同知，就近督辦；楊邨通判往來稽察；排造之期，歸三州縣成造。嘉慶六年奉旨：議准。十二年，直隸總督温承惠以三州縣照料難周，奏仍分沿河十八州縣經管。十五年，楊邨官撥外，民撥僅百餘船，又雇船二百餘，一軍二撥，行抵通州姜家塲流水溝，距壩不遠，以子歸母；惟南糧楊邨寄撥三十萬石，通壩起卸，不能過速，在前之撥船未回，在後之軍船須撥，直隸總督奏借山東官撥船三百到楊邨後，優給以速回空。十六年諭：直隸楊邨額設官剥船一千五百隻，地方官漫不經心，僅交船户水手看守駛駕，往往無所顧惜，遇有損壞，並不隨時修艙，久之竟屬有名無實，迨至船隻不敷撥運，臨期則封顧民船備用。封顧之弊，非船少居奇，苦累旗丁，即豫封守候，擾累船户。種種掣肘，皆承辦各官經理不善之故。今既據該督奏請添造官剥船一千隻，著准其添造，所有籌議欵項，均著照原奏辦理。第此次剥船成造以後，必須嚴定章程，以專責守，如有損壞，作何議處之處，卽著該督嚴定處分具奏。如所議尚輕，豫爲屬員地步，定當另行覈辦，不能依議也。嗣後每年朕當派京堂前往密驗，若仍不實力經管，致有短缺損壞等事，必當從重懲辦。（會典事例七百六。）十八年諭：據温承惠奏：運河淤淺處所，現已派委道員，督率夫役挑挖。其軍船起撥米石，向來撥運南糧，起六存四，官撥船外，添雇民船一千餘隻，尚不敷用。今全數起撥，此時首幫甫抵楊邨，所備撥船儘敷撥用，若後幫船隻連檣而至，卽恐撥船不敷。俟水勢充裕，軍船可以行駛抵壩，請照舊仍令軍船存留四成，到壩起卸，等語。現在運河一帶，節節淤淺，軍船卽起七存三，仍虞阻滯，自不能不多籌撥船，全數撥運。其後幫船隻，既據該督奏稱，北運河淺阻之處，業已遴委道員等相機刮挖，並築壩蓄水，以資浮送，此後糧艘銜尾而來，該督惟當盡力籌備撥船，期於輪轉不致匱乏。一俟水勢增長，河路通暢，糧艘自仍遵照舊例，抵壩起卸，撥船卽行遞減可也。先是，十六年，直隸總督奏：增撥船千，江西、湖北、湖南三省排造，於十七、十八兩年驗收。（據漕運全書。）霸州河路無多，免其分管。派通州、武清、香河、文安、大城及天津府屬之天津等凡十七州縣印領，起十年保固之限。自是，歲以三月修艌，齊集楊邨，停雇民船。（漕運全書：舊撥船一千五百，例派天津等十八州縣分管。新船一千，除霸州所管，河路無多，免其分管，應派天津、静海、青縣、滄州、南皮、交河、東光、吴橋、通州、武清、香河、文安、大城、任邱、雄縣、新安、安州十七州縣，各具印領，召募船户，卽以領船日起十年保固之限。每年三月内修艌齊全，提集楊邨，新舊撥船共二千五百，無庸添雇民船。輪撥專委楊邨通判，務關同知不與焉。凡米萬石，以舊六新四爲率。漕運全書：新舊撥船，挨次調集輪轉，專委楊邨通判經理，毋庸添委務關同知。每年提集楊邨新舊撥船，按四六成分撥，各米萬石，舊船領撥六千石，新船四千石，週而復始，各分先後。又云：新舊撥船，經管州縣並經管收放之北運河楊邨通判，統歸天津道稽察。撥船自楊邨至通州，較漕船爲速，回空不得逾五日，責成通永道嚴催。漕運全書：撥船自楊邨等處撥載漕米赴通，較之漕船行走迅速，自應隨到隨卸。到壩後，無論運船曾否抵通，限三日内先將撥船兑收，延遲不得過五日，卽令回空。又云：新舊撥船抵通騰空，責成通永道，催令五日内回空，由通永道會營，飭文武員弁，按所管河道分段嚴催。乾隆五十年，漕船在後之松江白糧等七幫，與在前入北河之甯波前等三幫撥船迎卸，緣距通州水路十八里之江家廠有淺灣一道，水勢漸落，回空南下，纔容一舟。若撥船同時北上，兩避易稽，其陸路距通不過數里，轉運入倉，與壩上露囤之米等。卽將在前之興武三、江淮八兩幫撥船暫在江家廠水次起卸。露囤速於輪撥，而軍船得銜尾南下，此後各幫撥船仍以次上壩，據漕運全書。此又權宜之可徵者。催漕快船三十有二。漕運全書：催漕快船三十二，例限十年排造一次。初，通州外河撥船石壩四十，土壩三十。每船給價銀一百四十兩。康熙三十九年裁。又石壩白糧經紀、土壩車户自備外河弔載撥船各一，今廢。據通州高志。其裏河撥船，按通惠河俗呼裏河。石壩經紀運米撥船一百，内分石壩二十有四，普濟閘二十，平津下閘十五，平津上閘二十有二，慶豐閘十有九；又白糧經紀運米撥船二十五，分撥五閘，船各五。先是，土壩車户運米撥船二十有五，雍正十二年裁五。又白糧經紀自備撥船五，例不請支排造銀兩。今則土壩撥船並廢。據漕運全書，參通州高志。大通橋至朝陽門護城河，撥船二十有八，朝陽門至東直門護城河，撥船十有四，康熙三十七年設。四十七年，將東直門撥船十四改于會清河撥運本裕倉漕米。雍正三年，改陸運，船裁。四年，萬安倉建，設東門，濬護城河，復給撥船八隻，料價改造十有四。八年，萬安倉運道修石路，仍改車運，將船於朝陽門橋内濟運，據漕運議單。並限十年一造。乾隆十五年，五閘撥船改十五年排造一次。二十五年，仍復十年舊限，其或十運尚固，展限一年。五閘經紀，各有代役，一名曰船頭，舊由自募，乾隆五年，奏令通州、大興募良民充當五閘船頭一百二十有五，每年於經紀脚價内各給工食銀三十有五兩。據漕運全書。通州納漕，以小口鐵斛；先是，康熙四十四年，諭鑄造鐵斛，鑄升，底面一律平準。乾隆八年，改鑄小口斛。漕運全書：糧斛口大邊濶，易滋浮溢，乾隆八年，題准另鑄小口鐵斛，頒發有漕各省並倉場，一律遵用，大口斛繳銷。鋪廒打捲，抱籌擡斛，京倉名曰花户，通倉名曰甲斗。石壩米袋，舊例於糧船未到發價，令經紀置十有八萬，土壩車户年置袋四萬。雍正四年，因脚價無多，於石壩袋借一二萬，運竣仍還石壩。漕運全書：通壩口袋，例定歲製十八萬，原足敷用，而起米遲延，藉口不敷輪轉。推求其弊，則有缺額、積壓兩端，缺額由經紀蝕減，積壓由橋倉阻滯，故使周轉不及，挾制分肥，應各清各弊，橋有積壓，參橋監督；倉有積壓，參倉監督。若均無弊壓，每日起卸不及三萬石之數，是口袋缺額可知，當參坐糧廳。裏河存袋處曰石壩下袋廠，大通橋旁曰上袋廠，外河存袋處曰土壩下袋廠。據通州高志。漕艘之到通州有定限：山東、河南三月一日，江北四月一日，江南五月一日，浙江、江西、湖廣六月一日。船到通州完糧，以九十日爲期，逾則干議。漕艘之自通州回空，康熙四年，定限不出十日，限單給自倉場。乾隆二十六年，運薊船凍阻甯河縣之新河，請將起運新糧募船北上，運薊空船敲冰南下，聽其歸次修艌。嘉慶十五年，糧船到通州過遲，倉場侍郎奏：石壩暫囤米三十萬石，楊邨寄撥米三十萬石，俟軍船回空後，九月霜降日至十月二十五日小雪前，起運進京。通倉擬貯米四十萬石，以速回空。據漕運全書。此其變例。

穆堂初稾：請截漕遞運劄子，奏爲通融漕船抵通之法，以甦漕困事：竊臣奉旨催漕，留心體訪，數年以來，因漕船空回凍阻，旗丁每歲多費銀數百兩，破產不足，益以兒女，苦累難言，深可憫惻；且丁既困憊，或悞漕運，關係國家甚大。攷古來轉運之善，推唐臣劉晏。晏之爲法，淮、汴、河、渭水次各倉廒，以次遞運，每歲漕粟數百萬石而民不困。蓋長運之勞，不如遞運之逸。舟行於本河，則險阻俱習；民困於本境，則時日無多，所爲法良而意美也。國家漕法，因元、明之舊，自南至北，並用長運。然自淮安以至濟甯，自濟甯以至天津，爲時尚早，長運可行；惟天津至通州，溯流而上，時日又遲，而北方之河，秋冬水涸。江南、浙江地近船小，八月以前或能抵通；若江西、湖廣並有長江之險，湖南與江西并有彭蠡、洞庭大湖阻隔，地遥舟重，抵通常在深秋。以遠地重船，溯枯竭之流，三百餘里，動需逾月，回空凍阻，勢所必然。臣愚以爲：今雖未能全用晏法，而自津抵通，似可昉其意而行之。國家舊於天津建南、北二大倉，雖不爲遞運而設，而修而廣之，足爲遞運之用。且北河起剥，自昔爲然。從前通州、武清等五州縣，因地畝派剥，設泓剥船六百號，專爲剥淺之用，每米百石，旗丁祗給飯米五斗。後因泓剥船軍盜米，州縣憚於比追，原任倉場總督石文柱，題請革除，其地畝銀兩，並解坐糧廳，發給旗丁自雇剥船，每丁止給銀一二兩，或將此銀扣作茶菓起欠之費。今六百名泓剥軍，坐享安逸，而旗丁雇剥，苦累無窮。不肖吏胥，通同民船，齊幫勒索，每米百石，勒銀五六兩，又勒飯米二石、耗米二石，約費銀九兩餘。查自津抵通，商民裝貨物，每百石止用飯銀四五兩，而旗丁剥糧，費乃加倍；一經凍阻，須次年冬月始歸，又加費數倍；明年新運，催募民船，又加費數倍；若打造䑳船，則加費五六倍。查北河起剥，每船十剥其九，與遞運無殊，而無窮之累獨歸旗丁，勢所難支，法宜稍變。請將湖南、江西尾後十數幫，分遣監督數人，暫于天津露囤收貯，仍復立泓剥船軍，俟明年河水深通之時，原收監督發米，泓剥船陸續運至京、通各倉，仍令原監督自行收兑，一面建倉，以備春來雨水。至泓剥船久廢，應令旗丁照商民脚費，每米百石出銀五兩，交官給泓剥軍，買備船隻。貧不能出者，官庫代給，仍於旗丁明年行糧照數扣除。如謂船隻急難買造，則浙江、江西現有打造之䑳船，及湖廣催募之民船，並堪轉買。其修建倉廒，費無所出，則現有每船茶菓銀十兩，雖屬無名陋規，今歲暫取爲建倉之用，亦旗丁所樂輸。將來每歲修理，爲費無多，即此項亦可以次減除。貯米有其地，運米有其人，國家無絲毫之費，而漕法有無窮之利：遠地重船，不至凍阻；近地民船，無從勒索；明年新運，不憂遲誤，寓遞運於長運之中，臣以爲亟宜通融者也。今臣所催漕船，尾幫已過靜海，距天津止一百里，而北河水淺，起剥遲緩，前船頂幫，首尾相銜，無可催儹；尾後十餘幫，必仍凍阻，年復一年，漕法終非盡善。欽惟皇上聖明，諄諄以回空凍阻爲憂；臣忝奉命催漕，輒敢冒昧陳奏，倘可施行，伏祈睿鑒，勅部速行議覆。

旗丁餘米，例聽沿途售賣，資轉運費。惟通州爲卸米地，恐影射透漏，則售賣有禁。乾隆二十三年，諭：各省糧船抵通，除交倉全完外，所餘食米，俱由坐糧廳衙門給與照票，俟回空時，於天津一帶沿途售賣。而通州水次，則例應嚴禁私糶，蓋因通倉爲兑米之地，恐夾雜影射，致滋弊端。若漕米均已不致掛欠，其餘剩食米，自可聽其在通出糶，不必過爲苛禁。在各運丁等，即可免領照驗票之煩，而通州米石充裕，於京師民食，亦屬有益。厥後吏胥假借爲奸，反以沿途售賣爲違禁，藉詞需索，私鬻實如故，特多出陋規，致米價日昂。御史劉湄奏請申明舊例，弊少革。據紀文達集，都察院左副都御史岸淮劉公墓誌銘。

嘉慶四年，江西、江蘇、安徽等省奏革通州納漕陋規。漕運全書：嘉慶四年，江西巡撫張誠基將收漕出運使費開單奏革：一、通州住船，每幫需馬頭費錢三千文，一、通州各衙門書差一切雜費，每幫需銀二百餘兩至三百兩不等。安徽巡撫荆道乾奏革道規：一、每船通州投文紙張飯食銀一兩五錢，一、每船到通，營汛住船二兩，一、每船到通，提船住船飯食銀三兩，一、每船到通，舍人驗米及各衙門雜費約需銀八兩，一、每船倉場院書飯食銀二兩，一、每船坐糧廳書紙張飯食銀二兩，一、每船坐糧廳驗費銀五兩，一、每船倉場投驗全單銀五錢，一、每船投批銀一兩，一、每船坐糧廳投驗全單銀五錢，一、每船京倉交納席竹倉，收飯食銀二兩，一、每船赴通交糧，另雇笆夫，工價飯食約需銀六兩，一、每船到通交糧，付經紀過斛銀三十兩。江蘇巡撫岳起奏革陋規：一、至通州北壩一切雜費，約需共銀八十餘兩。

五年，諭：朕聞通州、北壩等處，奸役盤剥旗丁，交米勒索使費。現在剔除漕弊，轉瞬新漕抵通，屆期朕必特派大臣、侍衛等，前往稽察，並另派人密訪，倘有前項情弊，則惟達慶、鄒炳泰是問。是年，湖北、湖南等省又奏革通州納漕陋規。漕運全書：嘉慶五年，湖北巡撫高杞將湖北各幫陋規，開單奏革：一、通州經紀交卸弔載舍戽夫利市，及交倉席竹進倉飯食車脚等項，每幫一千四百三四十兩不等，一、通州各衙門一切各項雜費，每幫銀三百三四十兩不等。護理湖南巡撫通恩等，將陋規奏革：一、每船通州投文紙張、飯食銀二兩五錢，一、每船到通營汛，住船飯食銀一兩五六錢不等，一、每船到通，提船住船，飯食銀二兩，一、每船到通，舍人驗米，及各衙門雜費銀十一二兩，一、每船倉場院書飯食銀二兩三四錢，一、每船坐糧廳書飯食銀二兩，一、每船坐糧廳驗米費銀七兩，一、每船倉場投驗全單銀五錢，一、每船投驗批銀一兩，一、每船坐糧廳投驗全單銀五錢，一、每船京倉交納席竹倉，收飯食銀三兩，一、每船到通交糧，付經紀過斛銀三十兩，一、每船赴通交糧，另雇笆夫，工價銀八兩。又載嘉慶十五年章程：山東省抵通較近，回空最早，向無土宜可帶，每年出運之先，由道行文運官，嚴革陋規。凡此皆河運也。

海運自道光五年始。先是，嘉慶八年，給事中蕭芝奏請海運，浙江巡撫阮元議奏：海運，非久習其途，不能見效。道光四年，高堰漫口，命議籌海運。五年，試運者爲蘇、松、常、鎮、太四府一州。按漕運全書：蘇、松、常、鎮、太，道光五年起，運漕白正耗米一百四十五萬一千三十一石零，又節省歸倉，候撥耗米五萬九千六百七十五石零，又給船耗米十二萬餘石，共一百六十三萬三千餘石，用沙船及浙江蛋船、三不像船一千五百六十二，六月二十五日竣。而通州高志以道光六年爲海運始，非也。六年如之。二十八年，蘇州、松江、太倉二府一州；咸豐元年、二年，江蘇；三年至十年，江蘇、浙江；十一年、同治三年，江蘇；五年以後，江蘇、浙江皆海運焉。據户部冊，通州高志。

其順天官之接撥海運者，則有通永道，率務關同知、楊邨通判、漕運通判，逐程催撥，照會通永鎮，撥兵梭巡，分駐河干；漕運全書：直隸接撥海運漕白糧米，應由天津、通永二道，督率沿河務關同知、楊邨通判、漕運通判，會同委員，逐程實力催趲，並照會天津、通永二鎮，所撥官兵，分駐河干。巡有串通偷漏、用藥使水等弊，即不分畛域嚴拏，毋僅以按段催了事。驗收到通永壩之撥船，責之坐糧廳；漕運全書：撥船裝載海運漕糧到壩，坐糧廳隨到隨驗，起卸進倉；並飭押運撥船委員晝夜督催，不許半刻停泊；抵通收竣，押回空津，輪轉速運。督催轉運，責之石壩州判。咸豐二年，諭：户部奏海運撥船，通壩驗收遲滯一摺，定例，漕糧抵通，坐糧廳驗收起卸，每日應起米三萬石。茲據奏稱，本年海運撥船，通壩驗收每日僅一萬餘石，或二萬餘石，以致撥船停泊待驗積壓致二十餘里之遥。該坐糧廳並未遵照例限如數斛收，致令航海沙船不得及早回空，辦理殊未妥協，著交部議處。仍着倉場侍郎，嚴飭該廳員等，隨到隨驗，以速補遲。儻仍復遷延、或縱容經紀人等故意刁難，爲需索地步，即著據實嚴參。其大通橋各官，亦飭一體遵照，迅速轉運，並將因何每日不足三萬石之處，查明具奏。至石壩州判，有督催轉運之責，著順天府府尹嚴飭該州判，於坐糧廳驗收後，速催轉運，毋任再有稽延。先是，坐糧廳擇經紀五十六，攜斛百，袋五萬，豫至天津，俟船到，米驗後，斛收露囤，撥船轉運通州廠。後撥船足用，免露囤矣。據户部議章，參道光五年直隸總督那彦成奏章。

漕運全書：倉場豫添木斛一百，口袋五萬，以備天津起米之用。通倉經紀，除留壩收漕外，分派赴津，不過五六十名，應添人夫斗，盡力多起，每撥米五十萬石，分作十起轉運，撥船一百六十隻爲一起，兑足由經紀自撥親信妥人，分押開行。每起仍派文武各一員，帶兵役彈壓。一俟運抵通壩，聽經紀所派之人自行交倉。押運各員禀知倉場，馳回，接押。米色由驗米大臣驗確，如係好米，由坐糧廳取該經紀米色乾絜、米數無虧切結，督令斛收；此後由經紀承運承交，與沙船無涉。海運護送驗收各官考：海運商船有護送汛弁，江蘇，上海至吴淞口，内河也，護送以守備；吴淞至十滧，内洋也，護送以參將；十滧至佘山以北，外洋也，以狼右營遊擊護送；大洋稍至黄家港對出之大洋，以遊擊及掘港營把總護送；又至射陽湖對出之大洋，以鹽城遊擊護送；又至黄河口對出之大洋，以廟灣營遊擊護送；又至灌河口對出之大洋，以佃湖營都司護送；又至鷹游門對出之大洋，以東海營都司護送。山東日照縣界交替，均帶兵船。其佘山迤南，如陳錢、馬蹟等山，雖界連浙江，實爲江蘇門户。又内洋之練祈、深淘及施翹河、六滧、十滧，皆要所也，令蘇松中營遊擊、都司、守備梭巡。山東水師所管南汛洋界，大洋中千里餘無可泊處，至即墨之嶗山、文登縣之北槎山，始見島嶼。日照縣之夾倉口、膠州之古鎮口，均可寄椗；膠州之唐島，即墨縣之青島，海陽縣之棉花島、乳山口，皆可停泊。又至文登縣之馬頭嘴，即入東汛洋界，逕文登縣之蘇山島、靖海衛，榮成縣之龍口崖、養魚池，均可寄椗；至榮成縣之石島，甯海州之崆峒島，文登縣之威海衛，甯海州之養馬島，福山縣之之罘島八角口，黄縣黄河營屺峔島，蓬萊縣之廟島，掖縣之小石島，皆可收泊，即達直隸鹽山縣大沽河出境。山東洋凡百五島，而漕運所經惟此二十有五，爲其襟要。就水師言，膠州南汛，管轄一千六百八十里；成山東汛，管轄三百九十里；登州北汛，管轄一千七百七十里；內有赴關東洋面三百三十里，其運道凡三千五百一十里。山東巡撫奏：責水師于糧船入境，先將島嶼險要巡察，護艘以進。咸豐三年議：山東石島爲全洋扼要，由登萊督率文武彈壓。文登縣之威海，福山縣之煙臺，蓬萊縣之廟島，榮成縣之俚島，亦委州縣佐貳巡防。運米沙船進口，由大沽水師營參將呈報直隸總督，咨軍機處，奏請欽派大臣赴天津驗米，坐糧廳斛收，照楊邨起撥章程。在天津龍王廟立官船總局，委丞、倅二，佐雜無定數。撥船凡一千八百，其修艙仍責成楊邨通判。漕運全書：其隸沿河各州縣官，撥船一千八百隻，一切修艙、提調等事，向係天津道督率楊邨通判管理，令南漕起撥船改歸糧道自辦，而此項撥船，非南省所能統年經理。令于天津設官撥總局，每屆漕前，仍由天津道督飭楊邨通判分估修艙，注明冊檔，按百隻爲一起，由楊邨通判移會總局繕冊，分交江浙局員收用。白糧與漕糧不同，由津撥運赴通，須加慎重，應照河運章程，雇用民撥。道光五年，協辦大學士英和奏：楊邨撥船二千餘隻，亦可分提至閘口外接撥代運，仍飭原運旗丁押通交兌。海漕應給石壩經紀個兒錢，官爲經理。據道光五年戶部議章。自道光五年河海分漕以來，由通壩起過漕白正餘糧，數有足稽者：五年至三十年，每年約二百八十餘萬石；咸豐元年、二年，各二百二十餘萬石；三年至十一年，約一百一十餘萬石。同治元年、二年，江、浙二省無正供米，捐採米海運十萬餘石；三年，江蘇省漕白海運十萬餘石，捐採米七萬餘石；山東省河運，五年，江、浙二省漕白正海運，約三十四萬餘石；江、安、山東等省河運，六年至十年，江、浙二省海運，六、七年江安海運漕白米約六七十萬石；六年至九年，山東河運；十年，山東省米折價；八、九、十年，江、安省河運；十一年，江、浙二省漕白米海運，約米八十餘萬石；山東河運，江、安省河運米，截留天津等處撥賑，惟江蘇省金壇、丹陽二縣米抵徵，採買米二萬石，河運；十二年，撥給順天屬備賑秔米八萬石有奇，實運收京、通各倉漕白米麥豆一百四十餘萬石；

十三年，運京、通倉正餘米一百三十六萬石有奇。光緒元年，漕運白米豆一百六十萬石有奇；二年，撥通州粥廠放賑江北秈米二千石；實運進倉漕白米豆一百三十餘萬石；三年，將江北運到通州秈米撥山西賑濟，通州粥廠實進京、通倉漕白米豆一百四十一萬石；四年，撥山西、河南、直隸六十九萬石，實起過壩漕白米凡六十八萬餘石；據通州高志。五年，分江蘇正供米四十九萬六千四百石九斗八升八合九勺二抄，江蘇餘米九百四十八石，江蘇被災米一千六百石，浙江正供米二十九萬一千七百八十四石，江、廣採買米七萬二千石，輪船招商局餘米一千一百九十四石，江北河運米四萬八十石四斗一升九合八勺四抄，奉天米豆三萬七百五十石八斗二升八合七勺九抄二撮，通共九十三萬四千七百五十八石二斗三升七合五勺五抄二撮；六年，分江蘇、浙江二省正供運京米七十八萬九千一百三十二石九斗，又災米一千六百石；江西、湖北二省正供運京米七萬二千石，又交倉運京一千一百九十四石；江北河運正供運京米四萬八十石四斗；奉天米豆共三萬七百五十石八斗；山東各幫十五萬二千七百二十六石六斗；七年，分江蘇正供運京米四十六萬二千一百一十七石二斗，又採買籌備運京米七萬零四百六十八石，又零米四千二百三十八石，又災米一百六十三石二斗，又中倉米八百石；浙江正供運京米三十萬零三百二十九石六斗，又籌備運京米六萬二千七百四十三石，又零米三千八百九十石，山東各幫米十五萬三千七百二十六石六斗，濟右中倉米一千二百石，奉天米豆二萬八千四百一十二石六斗零；八年，分江蘇正供運京米四十五萬四千六百十三石，又籌備運京米六萬九千三百零六石，又災米二千二百三十九石，浙江正供運京米二十九萬七千八百七十石零七升，又籌備運京米六萬六千八百三十七石，江北河運米九萬二千一百七十五石三斗一升八合，江、廣運京米二萬三千九百二十五石，山東各幫米十五萬七千四百九十九石二斗三升一合五勺，奉天米豆二萬八千二百十二石四斗零三合二勺；九年，分山東正供米豆十一萬五千二百二石五斗七合，浙江正供米十六萬七千八百一十九石，江蘇正供米五十四萬二千二百四十九石，江蘇被災米一千二百八十八石八斗，奉天米豆一萬六千四百七十一石九斗六升五合四勺三抄，通共八十四萬三千三十一石二斗七升二合四勺三抄二撮；十年，分山東正供米豆六萬八千九百二十七石八斗三升六合七勺，浙江正供米二十四萬二千五十一石，江蘇正供米四十六萬八千九百四十九石，江蘇被災米六千一百二十二石，江蘇沙船買補米一百三十八石三斗四升五合六勺，江北河運米七萬九千五百二十一石四斗六升九合五勺二抄，奉天米豆二萬八千九百六十八石三斗三升三合八勺九抄六撮；通共八十九萬四千六百七十七石九斗八升五合七勺一抄六撮。采訪冊。

前代漕運考

秦使天下蜚芻輓粟，起於東陲琅邪負海之郡，轉輸北河，率三十鍾而致一石。史記主父偃傳。此以海運餉邊，與運京異，然北河即今會潮河爲北運河之白河也。漕河圖志：秦轉輸北河，北河即白河。由海運以入北運河，此其權輿。

漢建安十一年，曹操鑿渠，自呼沲入泒水，名平虜渠、又從泃河口鑿入潞河，名泉州渠，據三國魏志一。以通海運。筆塵。行水金鑑：平虜渠在今都城南，疑即滹沱入運處。

隋煬帝穿永濟渠，引沁水北運涿郡，蓋自白河入丁字沽，由易水而達於涿。漕河圖志。

唐轉東吳粳稻，明邱濬漕運議。浮海以給幽燕，亦由白河。陶宗儀輟耕録：國朝海運糧儲，自朱清、張瑄始，以爲古未嘗有。杜工部詩出塞云：漁陽俠豪地，擊鼓吹笙竽。雲帆轉遼海，粳稻來東吳。又昔游云：幽燕盛用武，供給亦勞哉。吳門持粟帛，汎海凌蓬萊。如此則唐時已有海運矣。按陶説，唐有海運是也，謂海運始唐，則非。漕河圖志：唐明皇事邊功，運青萊之粟，浮海以給幽平之兵，亦由白河。開元二十八年，李適之爲幽州節度河北海運使。唐會要。神龍三年，姜師度於薊州北漲水爲溝，又約舊渠傍海穿漕，號爲平虜渠，以避海難運糧，舊唐書食貨志。運省功多。唐會要。後唐長興三年，趙德鈞通薊州運路。通鑑輯覽。

周世宗開御河，爲薊燕漕運計。聞見近録。

宋太平興國中，於清苑界開徐河、雞距河，入白河，以通關南漕運。漕河圖志。

遼置轉運司。（據遼百官志。）

金都燕，東去潞水五十里，故爲牐以節高梁河、白蓮潭諸水，以通山東、河北之粟。（金河渠志。）州名通，自金始，取漕通義。（薈蕞。）由通州入牐，十餘日至京師。（金河渠志。）霸州之巨馬河，其灌輸路也。（金河渠志：他若霸州之巨馬河，雄州之沙河，山東之北清河，皆其灌輸之路也。）然自通州而上，地峻而水不留，其勢易淺，舟膠不行，故常從事陸輓，人頗艱之。（金河渠志：漕渠。）大定十年，議決盧溝以通京師漕運，（金河渠志：盧溝。）役衆數年竟無功，其後以牐河或通或塞，而但以車輓矣。其制，春運以冰消行，暑雨畢；秋運以八月行，冰凝畢。其綱將發也，以所載粟苴封之，先付所卸地，視與封樣同，則受。綱船以前期三日修治，日裝一綱，裝畢，三日啟行。計道里，分泝流、沿流爲限。所受倉三日卸，又三日給收付。凡輓漕腳直，水運米五十文一分二釐七毫，粟四十文一分三毫。陸運傭直，米每石百里百一十二文一分五毫，粟五十七文六分八釐四毫。諸民户射賃官船漕運者，腳直以十分爲率，初年尅二分，二年尅一分八釐，三年尅一分七釐，四年尅一分五釐，五年以上，尅一分。初，世宗大定四年八月，以山東大熟，詔移其粟實京師。十月出近郊，見運河湮塞，召户部侍郎曹望之責曰：有河不加濬，使百姓陸運，勞甚，罪在汝等，朕不欲即加罪，宜悉力使漕渠通也。五年正月濬治。（金河渠志。）曹望之論漕運，先計河倉見在幾何，通州容受幾何。京師歲費幾何，今近河州縣歲税或六七萬石，小民有入資之費，富室收轉輸之利，宜計實數以科歲入。金史傳。二十一年八月，以京城儲積不廣，詔沿河恩、獻等六州粟百萬餘石，運至通州，輦入京師。承安五年，邊河滄州縣可令折納菽二十萬石，漕以入京，驗品級養馬，於俸内帶支，仍漕麥十萬石，各支本色，命都水監丞田櫟相視運糧河道。金河渠志。泰和元年，韓玉建言：開通州潞水漕渠，船運至都。大金國志列傳：韓玉字温甫，北遷爲漁陽人，泰和中建言，開通州潞水漕渠，船運至都。五年，章宗至霸州，金河渠志：泰定五年，上至霸州。以故漕河淺澀，勅尚書省發山東、河北、河東、中都、北京軍夫六千改鑿之。六年，尚書省以漕河所經，州縣官以爲無與於已，多致淺滯，綱户姦弊百出，定制：凡漕河所經，州府官銜内皆帶提控漕河事，縣官則帶管勾漕河事，俾催檢綱運，營護隄岸，爲府三，大興其一；州十有二，通亦其一；縣三十有三，若潞、若香河、漷陰，並在其中。十二月，通濟河創設巡河官一，與天津河同爲一司，通管漕河牐岸上，名天津河巡河官，隸都水監。八年六月，通州刺史張行信言：船自通州入牐，凡十餘日方至京師，而官支五日轉腳之費。遂增給之。据金河渠志。大安初，温特赫達被詔運大名粟，由御河抵通州。据金史傳。京師置都轉運使。据金百官志。光熙門與漕壩接，其人夫綱運，入糧于壩内，龍王堂前唱籌。析津志。

元自世祖用丞相巴延言，江南之糧分春、夏二運，由海道以給京師。据元食貨志，參本紀。按：巴延原作伯顔。

初，巴延平江南時，嘗命張瑄、朱清等，以宋庫藏圖籍自崇明州從海道載入京師。至元十九年，巴延因海道載宋圖籍事，請於廷，命上海總管羅璧、朱清、張瑄等，造平底海船六十，運糧四萬六千餘石。明年十一月，立京畿、江淮都漕運司二，各置分司，以督綱運。歲令江淮漕運司運糧至中灤，京畿漕運司自中灤運至大都。二十年，用王積翁議，令阿巴齊等廣開新河。元食貨志。十月，中書省臣言：新開河二處有倉，宜造小船，分海運。從之。元世祖紀。新河候潮以入，船多損壞，民苦之。孟古岱言：海運之舟悉至。元食貨志。二十一年二月，罷開河役，以其軍及水手各萬人運海道糧。元世祖紀。立萬户府二，朱清爲中萬户，張瑄爲千户，孟古岱爲萬户府達嚕噶齊。元食貨志。中書省臣言：朱清等海道運糧，以四歲計，總一百萬石。斗斛耗折，願如數償；風浪覆舟，請免其徵。從之。以昭勇大將軍沿海招討使張瑄、明威將軍管軍萬户兼管海道運糧船朱清，並爲海道運糧萬户，仍佩虎符。元世祖紀。未幾，又分新河軍士、水手及船於揚州、平灤兩處運糧；命三省造船二千，於濟州河運糧，猶未專於海道。二十四年，始立行泉府司，專掌海運；增置萬户府二，總爲四府。是年罷東平河運糧。二十五年，内外分置漕運司二，其在外者，於河西務置司，領接運海道糧事。二十八年，又用朱清、張瑄之請，併四府爲都漕運萬户府二，令清、瑄掌之，其屬有千户、百户等官，分爲各翼，以督歲運。元食貨志。張瑄嘗督海運，至通南十五里，張家灣之名以此。按鄭元慶小谷口薈蕞，謂張家灣舊有張氏，族大居此，故名。此臆説也。方輿紀要：張家灣在通州南十五里，元萬户張瑄督海運至此而名。至大四年，遣官至江浙議海運事。時江東甯國、池、饒、建康等處運糧，率令海船從揚子江逆流而上。江水湍急，多石磯，走沙漲淺，糧船俱壞。湖廣、江西之糧運至真州泊入海船，船大底小，亦非江中所宜。於是嘉興、松江秋糧，并江淮、江浙財賦府歲辦糧充運。凡運糧，每石有腳價鈔。至元二十一年，給中統鈔八兩五錢，後遞減至六兩五錢。至大三年，以福建、浙東船户至平江載糧者道遠，通增爲至元鈔一兩六錢，香糯一兩七錢。四年，又增爲二兩，香糯二兩八錢，稻穀一兩四錢。延祐元年，斟酌遠近，復增其價。福建船運糙粳米每石一十三兩，温、台、慶元船運糙粳、香糯，每石一十兩五錢，紹興、浙西船每石一十一兩，白粳價同，稻穀每石八兩，黑豆每石依糙白糧例給焉。初，海運水程自上海至楊邨馬頭，凡一萬三千三百五十里。殷明略又開新道，舟自浙西至京師，不過旬日，視前道爲便，然漂溺無歲無之，間有船壞棄米者。至元二十三年，始責償於運官，人船俱溺者免。元食貨志。至元二十七年四月，罷海道運糧萬户府，改利津海道運糧萬户府，爲臨清御河運糧上萬户府。二十八年正月，罷江淮漕運司，併於海船萬户府，由海道漕運。三十年二月，敕海運米十萬石給遼陽戍兵。三十一年十月，朱清、張瑄從海道歲運糧百萬石，以京畿所儲充足，詔止運三十萬石。元世祖紀。元貞二年十一月，增海運明年糧爲六十萬石。元成宗紀。大德元年九月，增海漕六十五萬石。八年十月，增海漕七十萬石。七年十一月，併海道運糧萬户府爲海道都漕運萬户府。八年十月，增海漕百七十萬石。元成宗紀。至大三年十月，江浙省臣言：漕户困乏，今歲運三百萬石，漕舟不足，遣人於浙東、福建等處和顧，百姓騷動。尚書省請以瑪哈穆特丹達爲遥授右丞、海外諸蕃宣慰使、都元帥、領海道運糧都漕運萬户府事，設千户所十，每所設達嚕噶齊一、千户三、副千户二、百户四。制可。元武宗紀。皇慶元年九月，增江浙海漕糧二十萬石。延祐五年十一月，增海漕四十萬石。六年閏八月，增海漕十萬石。元仁宗紀。至治元年正月，增置漷州都漕運司同知、運判各一。元英宗紀。文宗元年八月，命海道萬户府，來年運米三百一十萬石。天曆二年五月，海運至京凡百四十萬九千一百三十石。至順二年十月，中書省臣言：江浙等路水傷稼，明年海漕米二百六十萬石恐不足，若今運百九十萬，而命河南發三十萬，江西發十萬爲宜。又，遣官賣鈔十萬錠、鹽引三萬五千道，於通、漷、陵、滄四州優價和糴米三十萬石。又，以鈔二萬五千錠、鹽引萬五千道，於通、漷二州和糴粟豆十五萬石。三年十二月，海糧六十九萬餘石。元文宗紀。元統二年五月，中書省臣言：江浙大饑，存海運糧七十八萬三百七十石。至元四年正月，江浙海運糧數不足，撥江西、河南五十萬石補之。元順帝紀。自至元二十年，至于天曆、至順，由四萬石增爲三百萬以上，歷久弊生，疲三省民力，而官吏恣爲貪黷，風濤不測，盜賊出没，仍改。至元後漸不如舊。至正元年，益以河南之粟，通計江南三省運止二百八十萬石。二年，又令江浙行省及中正院財賦總管府撥賜諸人寺觀之糧，盡數起運，僅二百六十萬石。方國珍、張士誠據浙東西，元食貨志。十二年五月，海運萬户李世安建言：權停海漕夏運。從之。元順帝紀。海運不至京師者積年。十九年，遣徵海運於江浙，士誠輸粟，國珍具舟，爲石十有一萬。二十年五月赴京。二十一年五月，運糧赴京，如上年數。二十二年五月，視上年數加二萬。二十三年五月，運糧十有三萬石赴京，東南之粟給京者遂止於是歲。元食貨志。沈德符野獲編：元之海運，始于至元之十九年，止于天曆之二年，凡受五十年之利。起時至燕者四萬二千石，及其盛也，遂至三百六十萬石。其始建議者爲伯顔，任之者爲張瑄、朱清，嗣後又設立都漕運萬户府，每糧石給價六兩五錢，以後香糯以漸加矣。其海道三易，最後開新道，從家港上船，過崇明放洋，自浙西至京師，不過旬日耳。元順帝時，漕河不通，招納張士誠之降，賴其海道貢米，以活燕京垂絶之命。閩大將陳友定，又從閩廣大洋綱運雜貨至都下，暫濟危亡，蓋海運之利如此。先是，中統三年八月，郭守敬請開玉泉水以通漕運，元食貨志。歲可省雇車錢六萬緡。元郭守敬傳。至元元年三月，立漕運司。十三年七月，以楊邨至灣雞泊，漕渠迴遠，改從孫家務。八月，穿武清蒙村漕渠。二十二年，增濟州漕舟三千艘，役夫萬二千人。初，江淮歲漕米百萬石於京師，海十萬石，膠、萊六十萬石，而濟之所運三十萬石，水淺舟大，恆不能達，更以百石之舟，舟用四人，故夫數增多。元世祖紀。疏鑿通州至都河，成於三十年秋，賜名通惠。九月，漕司言：通州運糧河，全仰白、榆、渾三河之水，合流名曰潞河，舟楫之行有年。今新開牐河，分引渾、榆二河上源之水，自李二寺至通州三十餘里，河道淺澀，春夏天旱，有止深二尺處，糧船不通，改用小料船搬載，淹延歲月，致虧糧數。先是，都水監相視白河，自東岸吴家莊前，就大河西南斜開小河二里許，引榆河合流至深溝壩下，以通漕舟。今丈量，自深溝、榆河上灣，至吴家莊龍王廟前白河，西南至壩河八百步。及巡視，知榆河上源築閉，其水盡趨通惠河，止有白佛、靈溝、一子母三小河水入榆河，泉脈微，不能勝舟。擬自吴家莊就龍王廟前閉白河，於西南開小渠，引水自壩上灣入榆河，庶可漕運。又深溝樂歲五倉，積貯新舊糧七十餘萬石，站車輓運艱緩，由是訪視通州城北通惠河積水，至深溝村西水渠，去樂歲、廣儲等倉甚近，擬自積水處由舊渠北開四百步，至樂歲倉西北，以小料船運載甚便。都省准焉。（元河渠志。元史傳：賈魯調都漕運使，復以漕事二十事言之，朝廷取其八事：一曰京畿和糴，二曰優恤漕司舊領漕户，三曰接運委官，四曰通州總治豫定委員，五曰船户困於壩夫，海運壞於壩户，六曰疏濬運河，七曰臨清運糧萬户府當隸漕司，八曰宣忠船户付本司節制。事未盡行。）大德三年，羅壁除都水監，通州復多水患，鑿二渠以分水勢；又浚阜通河而廣之，歲增漕六十餘萬石。（元史傳。）是年，通州漕河置巡防捕盜司。（元成宗紀：大德三年四月，自通州兩淮漕河置巡防捕盜司凡十九所。）壩河亦名阜通七壩。六年三月，京畿漕運司言：歲漕米百萬，全籍船壩夫力。自冰開發運，至河凍時止，計二百四十日，日運糧四千六百餘石，所轄船夫一千三百餘人，壩夫七百二十，占役俱盡，晝夜不息。（元河渠志。）至大元年正月，以通惠河千户劉粲所領運糧軍凡百二十人，屬萬户沁特穆爾兵籍。元兵志。至順年，京畿漕運使扎薩克，令負米于壩，出納均平，從本司揭圖帳申報。据道園學古録虞集都漕運使善政記。天曆二年三月，中書省言：世祖時開通惠河通漕。今各枝及諸寺觀權勢，私決隄堰，澆灌稻田、水碾、園圃，致河淺妨漕事，乞禁之。奉旨：白浮、甕山直抵大都，運糧河隄堰泉水，諸人毋挾勢偷決，大司農、司都水監可嚴禁之。元河渠志。至正時，王思誠言：至元十六年開壩河，設壩夫户八千三百七十有七，車户五千七十，出車三百九十輛，船户九百五十，出船一百九十艘，壩夫累歲逃亡，十損四五，而運糧之數，十增八九。船止六十八，户止七百六十，有一車之存者二百六十七，兩户之存者二千七百五十五，晝夜奔馳，猶不能給，壩夫户之存者一千八百三十有二，一夫日運四百餘石，肩背成瘡，顛頞如鬼，甚可哀也。据元史傳。

明洪武時，都金陵，漕於江，餉北平則因元舊漕於海。明食貨志：太祖都金陵，四方貢賦，由江以達京師。洪武元年北伐，命浙江、江西及蘇州等九府運糧三百萬石於汴梁。已而大將軍徐達令忻、崞、代、堅、臺五州，運糧大同。中書省符下山東行省，募水工，發萊州洋海倉餉永平衛。其後，海運餉北平、遼東，爲定制。其西北，則浚開封漕河餉陝西，自陝西轉餉甯夏、河州；其西南，令川、貴納米中鹽。明副書：初都金陵，漕舟於江。其餉遼卒，自海運，即元人故道。二十四年正月，北平布政使司左參政周偉言：通州舊有糧船六十餘，罷運已久，改爲浮梁於白河。命議行之。明太祖實録。改建北京而後轉漕東南。支運、兑運、長運，漕之法凡三變；明食貨志：成祖遷燕，法凡三變：初支運，次兑運、支運相參，至悉變爲長運，而制定。其道亦有三：曰海，曰陸，曰河。通州其會歸也。明河渠志：成祖肇建北京，轉漕東南，水陸兼輓，仍元人之舊，參用海運。皇甫録明紀略：江南糧船，一由江入海，出直沽口，白河運至通州；一由江入淮，歷黃河至陽武縣，陸運至衛輝府，由衛河運至通州。永樂元年，納户部尚書郁新言，始用淮船受三百石以上者，道淮及沙河抵陳州潁岐口跌坡，別以巨舟入黃河，抵八柳樹，車運赴衛河輸北平，與海運參。時數臨幸，百費仰給，不止餉邊也。明食貨志。平江伯陳瑄，督海運糧四十九萬餘石餉北京、遼東。二年，以海運但抵直沽，別用小船轉運至京，於天津置露囤千四百所。四年，定海陸兼運。瑄歲運百萬。明河渠志：海運。一、仍由海，一、則浮淮入河，明河渠志：運河。達陽武，發山西、河南丁夫，陸輓百七十里，歷八遞運所，明宋禮傳。赴衛河，入通州，以爲常；明河渠志：海運。而臨清倉儲河南、山東粟，亦以輸北平，合計之爲三運。惟海運用官軍，餘皆民運。明食貨志。九年二月，用濟甯州同知潘叔正言，命尚書宋禮、侍郎金純、都督周長濬會通河。明河渠志：運河。十三年，遣官軍輓運：自淮至徐，以浙直軍；自徐至德，以京衛軍；自德至通，以山東、河南軍；以次遞運，歲凡四次，可三百萬餘石，名曰支運。明食貨志。自是漕於裏河，議疇耳剽：自永樂北都曰河運者，由江入淮，入黃河，由陽武陸運至衛輝府，入衛河，抵北京；及會通河開，則始漕於裏河。裏河者，即今南盡瓜儀，北通幽冀者也。直達通州，而海陸運廢。明河渠志：運河。惟存遮洋船，每歲於河南、山東小灘等水次，兑糧三十萬石，十二輸天津，十八由直沽入海輸薊州而已。不數年，官軍多所調遣，遂復民運，道遠，數愆期。宣德四年，瑄及尚書黃福建議：復支運法，令民運，官軍接運入京、通二倉。惟山東、河南、北直隸徑赴京倉，不用支運。六年，瑄言：民運誤農，令民運至淮安、瓜洲，兑與衛所。官軍運載至北，給與路費耗米，是爲兑運。吏部蹇義等上兑運則例，不願兑者聽。明食貨志。明鑑：兑運不盡者，仍令自運赴倉。軍既加耗，又給輕齎銀爲洪閘盤撥之費，得坿他物，皆樂從事；而民以遠運爲難，於是支運者少。正糧斛面鋭，耗糧俱平概。運糧四百萬石，京倉貯十四，通倉貯十六。臨、徐、淮三倉，遣御史監收。正統初，運數四百五十萬石，兑運者二百八十萬餘，淮、徐、臨、德四倉支運者十之三四耳。土木之變，留軍操備，運仍屬民。明食貨志。景泰元年，右僉都御史王竑同都督僉事徐恭督漕運，治通州至徐州運河。明王竑傳。六年，復軍運。憲宗卽位，漕運參將袁佑上言便宜。帝曰：加耗不過五升，令軍自概，加耗毋溢。後從督倉中官言，加至八升，久之復溢。初，運糧京師，未有額。成化八年，定四百萬石，以爲常。其内兑運三百三十萬石，支運改兑者七十萬石，兑運之中，湖廣、山東、河南折色十七萬七千七百石。通計兑運、改運加耗入京、通兩倉者，凡五百十八萬九千七百石。天津、薊州、密雲、昌平共給米六十四萬餘石，悉支兑運米。而臨、德二倉貯預備米十九萬餘石，災則撥足四百萬額。成化七年，有改兑議。後數年，支運悉改水次交兑。由是變爲改兑，而官軍長運，遂爲定制。司倉者多苛取，運軍稱貸不支。弘治五年後，歲災，輒權宜折銀，以水次倉支運之糧充其數，折價以六七錢爲率。改折議屢興，而倉儲耗矣。嘉靖元年，户部言：輕齎本資轉般費，運船至通州，巡倉御史覈驗，酌量支用實數，著爲定規。有羡餘，不輸太倉，用以修船。官旗漁蠹者重罪。輕齎銀者，憲宗以諸倉改兑，給路費，始各有耗米。兑運米，俱一平一鋭，故有鋭米，自隨船給運四斗外，餘折銀，謂之輕齎。凡四十四萬五千餘兩，後頗入太倉矣。（明食貨志。）時御史宋儀望，請開桑乾河利漕，以役重，罷，（明宋儀望傳：請開桑乾河，通宣、大餉道。言：河發源金龍池甕城驛古定橋，會衆水，東流千餘里，入盧溝橋，其間惟大同卜村有叢石，宣府黑龍灣石崖稍險，然不踰五十里，水淺者猶二三尺，疏鑿甚易。曩大同巡撫侯鉞，嘗乘小艇赴懷來，歷卜村黑龍灣安行無虞；又自懷來泝流，載米三十石達之古定河。足利漕可徵。兵部尚書聶豹言：河成便漕，兼制敵騎。工部尚書歐陽必進言：役重。罷。）折銀漸多。萬曆三十年，漕運抵京，僅百三十八萬，而撫臣議截留漕米以濟河工，倉場侍郎趙世卿爭之，言：二年後，六軍萬姓將待新漕舉炊。自後，歲供愈不足支。（明食貨志。）崇禎年，山東副使兼右參議方岳貢所督糧艘，如期抵通州，帝大喜。（明方岳貢傳。）運道三千餘里，自昌平神山泉諸水，滙貫都城，過大通橋，東至通州入白河者，大通河也。南至直沽，會衛河入海者，白河也。會白河入海者，衛水也。會衛、泗、沂、洸者，汶水也。與汶合流，循泇河入黄濟運者，泗、洸、小沂河及山東泉水也。會大沂河入淮抵清口者，黄河水也。清口南至瓜、儀者，淮、揚諸湖水也。京口以南謂之轉運河；瓜、儀達淮安，謂之南河；黄河達豐、沛，曰中河；山東達天津，曰北河；由天津達張家灣，曰通濟河；而總名漕河。漕河之別，曰白漕、衛漕、閘漕、河漕、湖漕、江漕、浙漕，因地爲號。成化中，漕運總兵楊茂言：每歲自張家灣舍舟，車轉運至都下，雇值不貲。舊通惠河石閘尚存，深二尺許，修閘瀦水，用小舟剥運便。嘉靖六年，御史吴仲言：通惠河通流等八閘，遺跡俱存，因而成之，爲力甚易，可省車費貲二十餘萬。且歷代漕運皆達京師，未有貯國儲於五十里外者。帝心以爲然，命王軏、何紹及仲偕相度。軏等言：白河濱舊小河廢壩西，至堰水小壩，宜修，使通普濟閘，可省四閘兩關轉搬力。而尚書桂萼言不便，請修三里河。帝下其疏於大學士楊一清、張璁。一清因舊閘行轉搬法，省運軍勞費，宜斷行之。璁言：此一勞永逸之計，萼所論費廣功難。帝却萼議。明年六月，仲報河成，因疏五事，言：大通橋至通州石壩，地勢高四丈，流沙易淤，宜時濬治；管河主事宜專委任，毋兼他務；官吏、閘夫以罷運裁減，宜復舊額；慶豐上閘、平津中閘今已不用，宜改建通州西水關外；剥船造費及遞歲修艌，俱宜酌處。帝悉從所請。仲又請留督工郎中何棟專理其事，爲經久計。從之。九年，擢棟右通政，仍管通惠河道。自此漕艘直達京師，迄於明末。人思仲德，建祠通州祀之。（明河渠志：運河。按：王在晋通漕類編：東南糧餉達京師，南北不啻數千里，總命曰漕河，其實有六：白漕、衛漕、牐漕、河漕、湖漕、浙漕，王說較明史少一。）通州白河爲潞，俗呼外漕河，（詳河渠。）設淺置鋪，以時濬。其軍淺六：曰東關葦子廠淺、花板石廠淺、趙八廟淺、供給店淺、白阜圈下淺、白阜圈淺。通州左等四衛僉撥軍夫，每淺十名。其民淺十：曰蕭家林上淺、下淺、盧家林淺、和合驛淺、里二寺淺、荆林淺、南營淺、王家淺、楊家淺、馬房淺。通州僉民夫，每淺十名。又漷縣淺凡三：曰長陸營淺，老河岸淺，馬頭店淺。土壩則通倉糧米起載處也，撥船一百五十，船户如撥船數。自張家灣起撥，到土壩，糧一石，腳價銀六釐五毫。又分自右壩，撥船百有八十，船户數亦如之。外河官糧撥船，嘉靖末年置。正德以前，運船至五月後俱到通州城東北角停泊，迤邐而南七八里許，挨次於東關廂起車，無攔河委差之擾，無起撥腳價之費。後因三四月河常水淺，始置撥船，亦權宜之利；至五六月水漲，運舟可以長行，照舊至通州城下。通糧就船起車，京糧令至城北就近石壩起撥，則撥價可省，運車亦便。攔河之官，乃不論水之深淺，概令自灣起撥，何哉？車户一百五十，自土壩起糧至中東倉，每百石腳價一兩一錢，至西倉南門、北門、南倉東門，每百石腳價銀一兩二錢，至西倉西門，南倉北門，每百石腳價銀一兩三錢。又裏漕河即通惠河也，河地雖平，屬大興縣，然河運事務俱隸通州，户、工二部分司總理，而委用管閘營壩，俱通州各衛之官，經紀水腳之役，則京、通人互充，而通人居多，一河之事，通融紀之。石壩，嘉靖七年建，普濟、平津上、下，慶豐上、下五閘，各設撥船六十，經紀六十，每經紀一，領船一，看管修理，凡糧一石，腳價銀二分一釐一絲八忽二微。閘夫各十七，石壩夫三十有六，共一百二十一，轉糧一石，脚價銀九釐一毫三絲九忽一微。（據顧炎武郡國利病書三。通漕類編：五閘各設編夫一百八十名，剥船三百。）弘治五年，内臣何文鼎奏：請修濬大通橋以東石閘河道，令漕舟直至橋下，省輓運勞。户部請試行。上是之。自是，大通河爲百世利。（野獲編。）其踰京師而東，若薊州，西北若昌平，皆有河轉漕餉軍。薊州河者，天順二年，大河衛百户閔恭言：南京並直隸歲用旗軍運糧三萬石至薊州等衛倉，越大海七十餘里，風濤險惡。新開沽河，北望薊州，阻四之一，穿渠以運，可無海患。遂開直沽河。環香河者，濬自成化間，運粟十餘萬石以餉薊州東路者也。後堙。餉改薊州給，大不便。嘉靖四十五年復之。昌平河，運諸陵官軍餉道也，起鞏華城外安濟橋，抵通州渡口，袤百四十五里。隆慶六年，運給長陵等八衛官軍月糧四萬石。（明河渠志：運河。）隆慶六年，總督薊遼保定軍務劉應節建議通漕密雲，疏曰：密雲環控潮、白二水，天設之以便漕者也。向二水分流，至牛欄山始合。通州運艘至牛欄山，以上陸運至龍慶倉，輸輓甚苦。今白水徙流城西，去潮水不二百武近，且疏渠植壩，合爲一流，水深漕便。舊昌平運額共十八萬石有奇，今止十四萬，密雲僅得十萬，惟賴召商一法，而地瘠民貧，勢難長恃。聞通倉粟多紅朽，若漕五萬石於密雲，而以本鎮折色三萬五千兩留給京軍，則通倉無腐粟，京軍沾實惠，密雲免僉商，一舉而三善備矣。報可。（據明史劉應節傳。）尋復密雲漕運五萬石。（明穆宗實録。）萬曆元年，總督劉斯潔、楊兆建議：疏通潮、白二河，陵泉諸水，歲漕山東、河南粟米二十萬石，以贍密鎮，歲漕江北粳米二十萬石，以贍昌平。（据明神宗實録，萬曆三十八年畢懋康言。）七年八月，户部題覆：密雲漕糧俱屬額餉，往時自通州水運，僅止牛欄山，又自牛欄山陸運抵鎮，歲費脚價繁多。因潮、白二河可以通漕，節經督臣修治，二水會合，河流已盛。又因同知衛重鑑建議，自通州徑運至密鎮。主事曹維新議添扁淺船二百一十，新舊兵船四百，俱令經紀運糧一十五萬，自牛欄山至鎮城，每石四分内扣八釐抵作船價，計年扣價還官，以備十年一次更造之費。計所給經紀脚價止一萬二千七百餘兩，每年省什物行糧等費共銀二千二百餘兩，而十五萬漕糧僅以三月運完，費省而上下便之。依議。（明神宗實録。）其改撥他鎮，率三十石致一石，謂之乞運。（明宋儀望傳：時方行乞運，率三十石致一石。明食貨志：改撥他鎮者，水次應兑漕糧，即令坐派鎮軍領兑者給價，州縣官督車户運至遠倉者，或給軍價就令關支者，通謂乞運。九邊大率以車、藺、甘、松潘，往往使民背負。）運船之數，永樂至景泰爲數至多；天順後，定船萬一千七百七十，官軍十二萬人。許坿載土宜，免徵税鈔；孝宗限十石，神宗時至六十石。憲宗立運船至京期限：北直隸、河南、山東，五月初一日。南直隸，七月初一日。其過江支兑者，展一月。浙江、江西、湖廣，九月初一日。武宗立水程圖格，按日填行，違限之米，頓德州諸倉，曰寄囤。世宗又改至京限五月者，縮一月，七八九月遞縮兩月。後又通縮一月。神宗初，定十月開倉，十月兑竣。大縣限船到十日，小縣五日。

十二月開幫，二月過淮，三月過洪入閘，先期以樣米呈户部，糧到驗同乃收，然漂流、違限二弊，日以滋甚。明食貨志。初，命武臣督運，永樂初，設漕運總兵官，有副，仿元萬户府制也。海運罷專督，漕運後用御史，又用侍郎，御史催督，郎中、員外分理，主事督兑。景泰二年，設漕運總督，据明職官志、食貨志、明會典歷代職官表。又有督糧道十三，明百官志。儹運御史，押運參政。明會典：儹運御史一，押運參政一。漕糧外，蘇、松、常、嘉、湖五府輸運内府白熟粳糯米十七萬四十餘石，内折色八千餘石，各府部糙粳米四萬四千餘石，内折色八千八百餘石。長運法行，糧皆軍運，而白糧民運如故。穆宗時，陸樹德言：民運入京八倉，厥弊百出。嘉靖初，民運尚有保全之家，十年後無不破矣。令軍帶運，便。不從。明食貨志。自海運罷後，詳上。正統七年三月，命南京造洋船三百五十，由海運赴薊州諸倉。野獲編。成化二十三年，侍郎邱濬言：海舟一，載千石，可當河舟三，河漕視陸運費省什三，海運視陸省什七。嘉靖二年，遮洋總漂糧二萬石，溺官軍五十餘。四十五年，從給事中胡應嘉言，革遮洋總。隆慶五年，除邳河淤；從給事中宋良佐言，復遮洋總，存海運遺意。山東巡撫梁夢龍言：海道南自淮安至膠州，北自天津至海倉，島人商賈所出入，臣遣卒自淮、膠各運米至天津，無不利者，淮安至天津三千三百里，風便，兩旬可達。舟由近洋，明河渠志：海運。較元故道安便。邱濬所稱傍海通運卽此。請以河爲正運，海爲備運。户部議：令漕司量撥十二萬石，明梁夢龍傳。俾夢龍行之。明食貨志。王宗沐總督漕運，請行海運。明王宗沐傳。明儒學案：王宗沐漕政修舉，慮運道一線有不足恃之時，講求海運，先以遮洋三百艘試之，效。六年，詔令運十二萬石。萬曆元年罷。明食貨志。四十六年，山東巡撫李長庚奏行海運，明年以爲户部侍郎督之。据明李長庚傳。崇禎十二年，沈廷揚輯海運書五卷進呈。命造海舟試之，廷揚乘二舟載米數百石，十三年六月朔由淮安出海，望日抵天津，守風五日，行僅一旬。命赴淮安，經理海運，爲督漕侍郎朱大典所沮。明食貨志。初，遷都北京，以餽餉艱，乃於永樂五年八月下廷臣會議海運，議已定，奏請於蘇州太倉衛設海道都漕運使司，左、右運使二，秩從二品；同知二，秩從三品；副使四，秩從四品；經歷，照磨各首領官及吏，悉依布政使司，各沿海運所，俱屬提調。如議行矣，又有言不便者，事遂中止。慮始甚難，況海運乎？野獲編。

光緒順天府志五十七

經政志四

礦廠

江陰繆荃孫纂　德清傅雲龍覆輯

金貢始於夏書，鐵官著於漢志，天地鍾毓，取之在人，非惟富民，抑亦强國。明萬曆時，礦使四出，擾害天下，斯奉使非其人，非物産有所祕也。近年以來，大開封禁，輪船機器，取法泰西，煤鐵要需，尤宜籌畫。順天所屬，西北皆山，五金之礦，昔有今廢，煤觔所産，尤稱便民。攟而録之，盛衰可考矣。志礦廠。

漢漁陽泉州有鐵官，漢地理志。密雲管銀、錫二穴。寰宇記。遼有銀冶都監。李内貞墓志。金大興府産金銀銅鐵。金地理志。元至元十一年，聽王庭璧於檀州奉先等洞采銀。元史食貨志。檀州大峪、錐山出鐵，十三年，立四冶。昌平山水記。燕北、燕南設立鐵冶十七處，歲課鐵一千六百餘萬。秋澗集。十五年，聽汪世顯於薊州豐山采銀。檀州有淘金户，二十五年罷。元史食貨志。今密雲東北冶山東有礦洞，昔人淘金遺址尚存。明代亦曾於密雲采鐵，後始封禁。昌平山水記。按明一統志，順天土産無五金，知偶爾開采，非常例矣。

國朝咸豐三年，宛平人郝倫呈稱：縣屬珠窩山有銀礦，願捐貲開采。特諭順天府察看。旋據趙光奏：珠窩山業經開采，房山縣屬礦硐坡、匣兒嶺、毘盧平溝，風水攸關，即行封禁。邸鈔。密雲志稱：大鐵錐山、銀冶山均有銀礦。密雲丁志。今俱無矣。煤窰亦惟宛平、房山有之，每窰歲納課銀六十兩，由二縣解部庫交收。户部則例。今據册報開列，然地氣有轉移，窰户有興廢，後之司此土者，當聽民所便，慎毋按圖而索也。

宛平煤窰九十九：

達磨港溝和庫窰一　羅堠嶺西八里台青煤窰一
禪房村成順窰一　天橋根村北坡天立窰一
十字道北嶺村西寶興窰一　官廳村仁合窰一
郝家房村恒昌窰一　王家嶺南坡聚魁窰一
潘家澗寶裕窰一　刮草地南坡根三盛窰一
清水澗村南坡永順窰一　窄石村永順窰一
霞石窰村東坡喜興窰一　西桃園村德峯窰一
潘家澗村東坡長盛窰一　官廳東村南廣盛窰一

焦家嶺村長順窰一
禪房村增盛窰一
門頭十字道同興窰一
十字道村寶興窰一
郝家房村東盛順窰一
西崗村北坡窰一
官廳村西南窪福興窰一
東板橋村東順興窰一
羅喉嶺寶興窰一
天橋村北峪溝生門窰一
官廳村寶彙窰一
郝家房西北坡根九盛窰一
大窖村任和窰一
官廳村天興窰一
店子村北坡德順窰一

郝家房天峯窰一
門頭溝村福山窰一
天橋村西官廳北坡西園子寶慶窰一
門頭村九興窰一
官廳村西蘇窩同興窰一
官廳村福生窰一
天橋村益寶窰一
西王平村南坡四合窰一
門頭村北坡長順窰一
楊家坨北坡德聚窰一
郝家房合順窰一
莊窠村南坡裕盛窰一
焦家村南坡億順窰一
郝家房興盛長窰一
郝家房村四平窰一

大窖村廣和窑一
門頭村南坡根意順窑一
清水澗村天義窑一
琉璃渠村德庫窑一
霞石窑村東坡喜興窑一
天橋村北坡義順窑一
天橋村黄九窑一
官廳村仁合窑一
天橋村西北坡天裕窑一
潘家澗村庫兒窑一
西王平村西北坡廣興窑一
大窖村全庫窑一
天橋村西韓家溝北坡寶興窑一
明道溝義盛窑一
天橋村西官廳南坡寶生窑一

大窑村廣利窑一
西辛房西坡根寶生窑一
琉璃渠村萬順窑一
韓家溝村富新窑一
官廳村寶盛窑一
門頭溝李家地吉祥窑一
官廳村福生窑一
魏家溝西坡通興窑一
店子村西天橋根德和窑一
清水澗村東坡廣順窑一
王家村西坡寶成窑一
黄家港村興盛窑一
天橋村西官廳北坡寶元窑一
羅堠嶺西圭石村西紅石溝寶庫窑一
官廳村義和窑一

板橋村白露港溝招文窯一
琉璃渠嵩子嶺亮寶窯一
大台村寶順窯一
苛羅坨西南坡通順窯一
韓家溝德義窯一
天橋村西核桃樹灣合意窯一
楊家坨三順窯一
王家村西坡德寶窯一
天橋西官廳北坡天成窯一
禪房村西平地天順窯一
偏坡村順興窯一
清水澗村小嶺三順窯一
潘家澗村恒慶窯一
大台村德陞窯一
西桃園村廣德窯一
窄石台村三益窯一
東板橋村義順窯一
莊窠村南坡磨石庵德興窯一
軍莊村北坡西石港八分窯一
郝家房恒昌窯一
店子村北坡四順窯一
西桃園村廣順窯一
石門營村廣興窯一

房山煤窯十六：

英水村官山子兒窯一
官山四合窯一

官山小南溝窰一
官山亂石窰一
窖兒村窰一
南窖村窰一
水峪村窰一
長溝峪村窰一
磁家務煤嶺窰一
官山鵬窩窰一
北窖村窰一
周口店窰一
安子村窰一
獅子村窰一
杏元村窰一
羊耳峪村窰一

經政志五

鹽法

山陰潘遹纂　江陰繆荃孫覆輯

順天鹽法，壞自明季，商民不堪其累，呻吟愁苦者數十年。聖清受命，埽除積弊，條理秩如。東溼之久，而馭以不驚之轡；炎灼之毒，而濯以清泠之淵。迄今蘆臺玉砂，上貢天府，物産精美，遠過東南，非休養生息而能如是乎？額引之多寡，銷路之利弊，均詳著之，後之人因其成法而補其不及可也。志鹽法。

引額：

大興縣：

額行五萬二千九百六十八引

撥外州縣行銷一萬七千六百五十六引

新增一萬七千六百五十七引

附采育營一千引
提繳七千九百四十五引
減四千五百三引
減停五千一百七十八引
又減停一萬引
現行二萬五千三百四十三引
宛平縣：
額行五萬二千九百六十九引
撥外州縣行銷一萬七千六百五十七引
新增一萬七千六百五十六引
附采育營一千引
提繳七千九百四十五引
減四千五百二引
減停五千一百七十八引
又減停一萬引

現行二萬五千三百四十三引
良鄉縣：
額行三千七百引
分銷京鹽一百七十引
提繳三百八十七引
減三百四十八引
減停四百一引
現行二千七百三十四引
固安縣：
額行四千七百八十二引
分銷京鹽二百二十引
提繳六百五十引
減四百三十五引
減停五百一引
現行三千四百一十六引

永清縣：

額行八千引

提繳一千二百引

減六百八十引

減停七百八十二引

現行五千三百三十八引

東安縣：

額行一千四百引

分銷京鹽四百三十二引

減一百八十三引

減停二百一十一引

現行一千四百三十八引

香河縣：

額行八百六十四引

加增七百六十引

新加一千九百引
又新加五百引
減四百二引
減停四百六十三引
現行三千一百五十九引
通州：
額行一萬二千六百五十引
分銷京鹽五百八十二引
歸併漷縣營五百五十引
又分銷京鹽二十五引
提繳一千七百九十五引
減一千二百一引
減停一千三百八十一引
現行九千四百三十引
三河縣：

額行一千四百二十八引

加增一千二百八十引

新加三千二百引

提繳五百九十一引

減五百三十二引

減停六百一十一引

現行四千一百七十四引

武清縣：

額行二千五百引

分銷京鹽一千一百二十引

減三百六十二引

減停四百一十七引

現行二千八百四十一引

寶坻縣：

額行二千三百三十三引

加增二千九十七引
新加三千七百二十二引
提繳九百七十八引
減七百一十八引
減停八百二十五引
現行五千六百三十一引
甯河縣：
額行七百三十八引
加增六百六十三引
新加一千一百七十八引
提繳三百八十七引
減二百一十九引
減停二百五十一引
現行一千七百二十二引
昌平州：

額行七千三百引
分銷京鹽三百三十六引
提繳九百一十六引
減六百七十二引
減停七百七十三引
現行五千二百七十五引

順義縣：

額行三千六百五十引
分銷京鹽一千引
提繳四百六十五引
減四百一十九引
減停四百八十一引
現行三千二百八十五引

密雲縣：

額行四千二百六十八引

提繳四百二十七引
減三百八十四引
減停四百四十二引
現行三千一十五引
懷柔縣：
額行一千一百三十引
分銷京鹽四百一十四引
提繳一百五十四引
減一百三十九引
減停一百六十引
現行一千九十一引
涿州：
額行八千七百五十引
分銷京鹽二百一十四引
提繳一千一百六十五引

減七百八十引
減停八百九十七引
現行六千一百二十二引
房山縣：
額行二千五百引
分銷京鹽一百一十四引
提繳二百六十一引
減二百三十六引
減停二百七十一引
現行一千八百四十六引
霸州：
額行三千五百引
分銷京鹽一百六十一引
提繳三百六十六引
減三百三十引

減停三百七十九引
現行二千五百八十六引
文安縣：
額行一千一百引
新增一百三十九引
分銷京鹽五十七引
減一百三十引
減停一百四十九引
現行一千一十七引
大城縣：
額行一千一百二十引
新增三百六十六引
分銷京鹽六十八引
減一百五十五引
減停一百七十九引

現行一千二百二十引

保定縣：

額行一百七十引

分銷京鹽八引

減一十八引

減停二十引

現行一百四十引

薊州：

額行一千四百二十八引

加增一千二百八十引

新加三千二百引

又新加一千五百引

提繳七百四十一引

減四百六十七引

減停七百六十七引

現行五千二百三十三引

平谷縣：

額行四百四十引

加增三百八十引

新加九百五十引

又新加五百引

提繳二百二十七引

減二百四引

減停二百三十五引

現行一千六百四引

北方鹽筴之利，由來已久。周禮地官職方氏：東北曰幽州，其利魚鹽。唐括地志：滑鹽漢廢縣，明帝時謂之鹽田，又謂之斛鹽城，北魏時謂之斛鹽戍，在今平谷縣西北。地宜五穀，有鹽池之利，是也。漢書地理志有泉州鹽官。屬漁陽郡，在今武清縣東南四十里。北魏有幽州鹽官竈一百八十。唐開元時，有幽州鹽屯，隸于度支。屯有丁有兵。歲得鹽二千八百斛，下者千五百斛。迄後唐同光三年，趙德鈞鎮蘆臺軍，今天津府青縣。既因地置場，又舟行運鹽。東去京國一百八十里，相其高阜平闊，置榷鹽院，謂之鹽倉，又曰新倉，實今寶坻。後晉高祖，籍燕雲十六州以歸遼國。遼復置榷鹽院於新倉，而別設轉運使司於燕京。遼史百官志作南京轉運使司。遼亡，金以其地爲新倉鎮，生齒既繁，炊鍋益衆。設寶坻鹽使司一員，秩正五品；副使二員，秩正六品；判官二員，秩正七品；巡捕使二員，秩從六品；管勾六員，秩正九品。寶坻之鹽，以三百觔爲一袋，二十五袋爲大套。鈔、引、公據，三者俱備，然後得鬻。小套或十袋，或五袋，或一袋。每套一鈔引，如袋之數。另鹽較其觔數、或六之三，或六之一，又爲小鈔引給之，便其售鬻。大定二十三年，張邦基言：寶坻鹽課，每石收鹽百五十觔，慮有風乾耗折，令加耗鹽二十二觔八錢，先一歲貸支償直，以優竈户。二十九年，從户部尚書鄧儼之請，減寶坻鹽價，以三十文買鹽一觔。已而國用不足，增爲三十三文。承安三年，四十二文；明昌二年，四十三文。舊入八十八萬七千五百五十八貫，新增之數至一百三十四萬八千八百三十九貫。此見于金史者。元初設大都等路都轉運鹽使司，秩視三品，掌場竈之事，榷辦鹽貨，以資國用。有同知、副使、運判爲之貳，經歷、知事、照磨屬焉。至元十九年以後，罷立不常。令户部尚書、員外郎各一員，置局於大都賣引。大德元年，置局於大都賣鹽。居民以中統鈔一貫買鹽四觔八兩。局設南、北二城凡十有五處。立法嚴明，民甚便益。泰定二年，局官、綱船人等漸有侵盜之弊，于是巨商大賈營屬當道，奏罷所置之局，復從民販賣。自是，鈔一貫僅買鹽一觔。無籍之徒，私相犯界煎賣，獨擅厚利，上碍國課，下爲民厲。御史、户部尚書並以爲不可。元統二年詔：依舊制置局，每局日賣十引，設官二員。中統鈔一貫買鹽二觔四兩。毋令雜灰土其中及權衡不得其平。凡買鹽過一貫者，禁之；不及貫者，聽之。其合賣鹽數，令河間運司（大德元年罷大都鹽運司，併入河間。）分四季起赴京廒，用官定法物兩平稱收，分給各局。行之數年，河間運司不以時起運，京廒支撥垂盡，言於户部，乞依例運解，俾民間食鹽不闕。户部准其言，仍募有產業船户，互相保識，以千引爲一綱，撥場官一員，或本司奏差，或監運、巡鹽，每員管押一綱，限期一月，赴京廒交卸。但有雜和沙土，虧短鹽觔，並令本綱船户、押運場官、奏差、監運諸人，按數均賠，依例坐罪。至正三年，監察御史王思誠、侯思禮復言：京師設局賣鹽，法久弊生，一貫二觔四兩，實不及一觔。以上常白鹽，一千五百引，用船五十艘，歲以四月起運；官鹽二萬引，用船五十艘，歲以七月起運。運司所遣之人，擅作威福，南自臨清，北抵通州，所至以索截河道，舟檝往來，無不被擾，名爲和雇，實則强奪。所運之舟，小而不固，滲漏侵盜，弊病多端。既達京廒，不得依時交收，淹延歲月，困守無聊，鬻妻子、質舟檝者，往往有之。又官鹽二萬引，每引脚價中統鈔七貫，總爲鈔三千錠，十五局官典俸給，歲五百七十六錠，官賣之費，反不如商販之賤。宜革罷官局，聽從客旅興販；其常白鹽，繫内府必用之物，起運如故。從之。寶坻舊有蘆臺鹽使司，元貞元年改設場官，置司令一員，司丞一員，是爲蘆臺建場之始。蘆臺外有豐財場，有三汊沽場，並隸寶坻。今豐財移駐天津；三汊沽裁汰。竈户例支工本錢，省臺遣官按引分給。世祖至元初年，給中統鈔三兩，後增爲中統鈔八兩，此見於元史者。明祖崛起，首定鹽法。洪武初年，置北平河間鹽運司，後改稱長蘆，設都轉鹽運使司都轉運使一人，從三品；同知一人，從四品；副使一人，從五品；判官無定員，從六品；其屬經歷一人，從七品；知事一人，從八品；庫大使、副使各一人，場大使、副使各一人，倉大使、副使各一人，批驗所大使、副使各一人，俱未入流。洪武初制，以判官爲青州分司，轄北十二場；同知爲滄州分司，轄南十二場。萬曆二十一年，改同知爲青州分司，判官爲滄州分司，明職官志。長蘆爲場二十有四，釐規則爲三：上則十場，蘆臺、豐財與焉。編竈户百三十有六，歲煎白鹽一千八百觔以貢上，黑鹽一百四萬觔以給商。定邊鎮開中之法，薊州歲中鹽六萬七千九百六引，引四百觔，每一大引折二小引。平樂十四年初，命御史巡鹽。官廨舊在崇文門外。景泰以後，或罷，或遣，嗣議歲一巡視，由濟甯州迤北抵張家灣，而授其任於長蘆御史。張家灣在通州南十五里，有關曰大通，估舶之所往來，百貨之所輻輳，向於此間設鹽倉，置批驗所。隆慶六年裁革。是時梟販盛行，私鹽充斥，自東安、永清來者，託名於進鮮；自寶坻來者，藉詞於啖馬，明目張胆，莫敢誰何。御史劉條剴切言之。香河去場路尤近，民慣食私鹽，乃定爲商鹽，到縣按丁派散，每鹽十六觔，定價一錢，官爲追比，商課未完，則官不得考滿，蓋萬曆九年定制如此。文安僻左之邑，亦以官鬻商鹽爲苦。紀克家之言曰：從來鹽法之行，只有禁私販以通官商者，文安則按口而給，如期而征，急商課嚴於國賦，是非通商以裕民，乃厲民以惠商，不害於法，而害于法不法。旨哉言乎！良由勝國末造，紀綱隳弛，故鹽法敝壞，至於斯極。我世祖章皇帝登極，恩詔首蠲啟、禎年間鹽課，加派名色，止按萬曆年間舊額，按引征課，設立鹽官，多循明初舊制，而因時增損，良法美意，超邁前代。國初，裁長蘆鹽場爲十六，既又裁併爲十，曰興國、曰富國、曰豐財、曰蘆臺、曰越支、曰濟民、曰石碑、曰歸化、曰海豐、曰嚴鎮。蘆臺舊屬寶坻，雍正八年，分寶坻之梁城所爲甯河，又爲甯河縣地，然户籍仍有隸寶坻者。此外若興國、富國、豐財，並駐天津，其户籍或武清，或寶坻，或甯河，有事聚於場，無事散於籍，相沿久矣。長蘆出鹽，惟蘆臺最旺，亦最精，昔人有蘆臺玉砂之喻。偶遇潮災，朝廷恆不惜鉅萬帑金，以贍竈户。其産鹽之所有六：曰崔家河、曰劉家河、（在甯河縣漢沽莊東南。）曰李家河、（在甯河縣李家新莊之東。）曰楊家河、曰張家河、（在甯河縣寨上莊之東。）曰邵家河。（在甯河縣營城莊東南。）其製鹽之法有二：曰煎，曰曬。煎者專用人力，歲以秋時刈蕩草煎鹽，而儲其灰，冬日鑿海水藏之，春日攤亭場曝之，俟鹽花滲入，淋以海水，便成鹽滷。用石蓮或雞卵試之，沈而下者淡，浮而横側者半淡，煎皆耗薪，必浮而立于滷面乃鹹。煎以十二時爲一伏火，成鹽六鍋，鍋得鹽百觔。曬者擇近海之處，豫掘土溝，待潮水漫入，溝旁堅築曬池，或九層，或七層，潮退，兩人以繩繫柳兜，輓溝水，次第入池中曬之。試石蓮如前法，蓮直立成滷，再曬一日成鹽，收儲池旁隙地，泥封覆其上，屹如崇墉。豐收之年，可得三十餘萬包，平收之年，不過十數萬而已。其行鹽之地八，在順天境内者六：曰薊州、曰寶坻、曰香河、曰三河、曰平谷、曰甯河。直隸除承德府永甯衞及宣化府屬之宣化、赤城、萬全、龍門、懷來、蔚、西甯、懷安、保安九州縣，易州屬之廣昌縣外；河南除歸德、河南、汝甯三府，陝、光、汝三州，及彰德府之考城，南陽府之舞陽，許州之襄城各縣外；其餘並銷蘆鹽，在蘆臺等場掣配。惟遵化、薊州、玉田、寶坻、香河、三河、平谷、甯河引地專銷蘆鹽。此八州縣者，去蘆臺近，天津遠，其商人入場配鹽，席築成包，由薊永分司，或遣員一人在場掣放，逕自轉運，所以省脚價，惜商力，立法至寬。然出場鹽數有定，其餘官給支單，聽津商赴場批買，載海舶運津坨。坨有新舊之分，鹽有生熟之别，凡鹽包至津，儲于舊坨曰生鹽，商人赴運司告掣，鹽政莅焉，掣一小包，過一小籌，掣二十包，過一大籌，掣畢，入於新坨，乃爲熟鹽。其出場無定時，亦無定數。此場鹽行銷之大略也。蘆臺現存竈地三百六十九頃九十六畝三分四釐，原額之地，每畝額征銀四釐六毫有奇；新增之地，每畝額征銀四釐四毫有奇；灘地二十四頃三十四畝一分九釐三忽，每畝額征銀九分；鍋四十有六，每鍋額征銀七分；竈户一百有三；竈丁三百有五，每丁額征銀七錢三分四釐八豪有奇，遇閏加征一分四釐九毫有奇。（寗河丁志作征銀七錢二分五釐，遇閏加銀一分五釐。）又貢白鹽十八觔八錢九分六釐。白鹽之外，例貢磚鹽十五觔爲一塊，場官歲以夏間督飭鍋户，如法製造，秋間解送光禄寺交納，或四千觔，或六千觔。雍正十一年，奉諭停止。乾隆十六年，復貢二千觔。自是以爲常。然價由官給，運庫，歲撥銀三十七兩三錢五分二釐，鍋户第敬謹承辦而已。寗河歸併興國竈户三，竈丁四十有三，每丁額征銀四錢六釐六毫有奇，遇閏加征六釐六毫有奇，貢白鹽一十觔十四兩二錢有奇。（寗河丁志作征鹽七觔十三兩七錢一分九釐一毫一絲二忽，折征銀二分六釐一毫九絲二忽。）竈地七頃五十八畝二分五釐五毫，每畝額征銀四釐一毫有奇；（寗河丁志作三釐四毫八忽。）灘地九十八畝，每畝額征銀七分三釐有奇；（寗河丁志作六分八釐四毫三絲。）草蕩地一頃五十一畝四釐九毫，每畝額征銀二釐六毫有奇。歸併豐財竈户二十有七，竈丁三百七十有一，每丁額征銀四錢二分一釐八毫有奇，遇閏加征六釐四毫有奇，貢白鹽七觔十三兩七錢有奇；（寗河丁志作折征銀二分六釐一毫九絲二忽。）竈地一百四頃八十九畝九分五釐，每畝額征銀二釐七毫有奇；灘地一十五頃三十九畝七分，每畝額征銀六分一毫有奇；草蕩地四十一頃二十五畝五分，每畝額征銀二釐五毫有奇；鍋九，每鍋額征銀三錢一分一釐一毫有奇。歸併富國竈丁一十有四，每丁額征銀四錢九分一釐八毫有奇，遇閏加征一分一釐二毫有奇；貢白鹽十四觔十兩一錢有奇；竈地每畝額征銀三釐八毫有奇。歸併利國竈丁三，每丁額征銀二錢四分一毫有奇，遇閏加征六釐二毫有奇；貢白鹽二十一觔八兩七錢；甯河丁志作折征銀二錢四分八釐。竈地三頃一十二畝三分，每畝額征銀一分九毫有奇，遇閏加征一豪有奇。凡歸併于豐財、興國、富國者，由場官征解；歸併於利國者，場所裁汰，由縣官征解。實坻竈丁舊額九百一十有二，雍正十年撥歸甯河七百一十有五，實存一百九十有七，現存一十有四，歸併富國，征額如甯河；竈地舊額八百二十頃九十六畝六分五釐有奇，順治四年，圈除四百六十一頃八十七畝有奇，後以馬房駒監之地撥給竈地，補償圈除之數。雍正四年、八年，分五頃二十九畝有奇，以開水利。九年，十年，分三百九十頃五十三畝有奇，以屬甯河，實存四百二十五頃三十五畝有奇。武清竈丁舊額無攷，現存二丁，歸併富國，征額如寶坻；竈地舊額九十三頃八十畝四分，現存三十二頃三十七畝一分有奇，每畝額征銀四分。此場竈賦課之大略也。鹽之利病，在轉運之通塞，引附于地，課附于引，自古爲然。明制，各州縣並有引額，立法未爲不善；訖於季世，私鹽病課，致派地畝人丁以足額，而民受其厲。後募土商包納，仍非良法，且鹽徒撓之。順治元年，將包課州縣改爲部頒引目，分薊州二千引，三河二千四百引，寶坻二千六百引，香河、平谷皆千六百六十引。令商按照分數豫納引課，注名綱册，然後赴場配築，不許仍前包納，以累小民。其密雲一縣，新增四千一百引，亦如之。行之十餘年，逋課纍纍。江南道御史高而明、巡鹽御史已下但書御史，不著巡鹽二字。馮班以爲言，部議改歸綱商行運，於是新召之商，踴躍從事，願增薊州引三百，三河引三百，平谷引二百；獨寶坻舊額既足，不復議增。康熙十七年，御史劉安國疏言：北所剩鹽四十餘萬，議將綱引地方見有餘丁，比照原額引數酌增引目，歲增文安引一百三十有九，大城引三百六十有六。四十七年，從御史桑格、巡撫趙宏爕之請，增薊州引一萬。雍正十年，從御史鄂禮之請，增薊州引三千二百，寶坻引四千九百，平谷引九百五十，三河引三千二百，香河引一千九百。十二年，從總督李衛之請，復增薊州引一千五百，平谷引五百，香河引五百，寶坻之引通原額，新增併計一萬七百三十有一。既分設甯河，按其村落户口，均平分撥：隸甯河者十之二，隸寶坻者仍十之八焉。大興、宛平額引十萬五千九百三十有七，謂之京引，額大課重，常合衆商之力分任；然積鹽之多，盈千累萬。御史吕朝潤請納三引之課，行兩引之鹽。部議允行。康熙二十九年，御史江蘩言：數外州縣積鹽衆多，請俟鄉會考試之年，行銷大興、宛平兩縣之地。巡撫于成龍議行。數年之間，外鹽暢銷，商人稱便；實則藉名隱射，官無如何。康熙三十九年庚辰會試，代銷外鹽十萬四千餘引。四十二年，從巡撫李光地之請，加引三萬五千三百一十有三，以符舊額，罷代銷之例，以塞弊端。自是以來，始復一引一鹽之舊，而以新加之引，勻派通綱，分別售鬻，外州縣分認京引，蓋起於此。京商共處一岸，彊弱不等，銷賣不均。康熙二十二年，制爲畫一之法，曰輪勾。輪勾者，將商引分爲十勾，行於内城爲内勾，行於外城爲外勾，商人挨勾輪賣，毋許淩躐。有後至者，許次年補勾。其鹽由北河舟運至張家灣落廠，車運入廣渠門，運司遣員二人填給循環單照，分司稽察。長蘆經歷、知事，並有管理張家灣循環單照之責。御史楊保、巡撫趙宏燮奏定章程也。京鹽官無考成，黄村等處舊有客鹽侵越，見今責成大興、宛平縣令，照額督銷。御史蔣鳴梧奏定章程也。大興、宛平所轄村莊，離城窵遠，京鹽疏銷不到，十萬之引，歲銷六萬有餘；後設官鹽店八座，開勾銷賣，居民不得越境買食，商人不得昂價居奇，有違法者罪之。御史顧琮奏定章程也。凡順天引目，有京引，有順引，有綱引，有薊引。京引行大興、宛平，順引行房山、良鄉、順義、密雲、懷柔、昌平，綱引行通州、固安、永清、東安、武清、涿州、霸州、文安、大城、保定、舊州營、采育營，以上三者謂之正引；薊引行香河、三河、薊州、甯河、寶坻、平谷，謂之改引。明季每引載鹽六百五十觔，國初定制剖一爲三，每引二百二十五觔，包索在其中，征課銀二錢六分五釐。順治十三年，每引增課銀四分七釐。又按明課舊制，查出甯餉、酬商、滴珠、闕額四項，每引共增銀四分八釐三毫有奇。甯餉者，因甯夏用兵，加征每引七釐有奇；酬商者，因帶鹽十觔加征每引二分五釐；滴珠者，傾鎔課銀之火耗，每引三分；闕額者，起科之時，比照明制少征一分三釐有奇。十五年，御史馬騰陞言：食鹽之民不增，行鹽之地仍舊，其存司備用之十二萬引，難以疏銷。明季有備用引四萬五千，道發司存儲，以備各商支用。國朝因之，亦剖一爲三，計引十二萬道。乞將此項課銀勻入正引課額，每引增銀三分五釐有奇，而改引不與焉。至康熙十七年，復增薊課銀每引四分。舊制：商鹽掣出多觔，議罪罰金，謂之割沒；後除割沒之名，每引加鹽二十五觔，增課銀七分。雍正元年，每引加鹽五十觔，而不加課。乾隆六年，減半加課，每引增銀四分六釐六毫有奇；綜而計之，正引之課，每引征銀五錢一分三釐六絲二忽，薊引之課，每引征銀五錢一分三釐三毫三絲三忽三微三纖；其鹽包額定三百觔，例加耗鹽四十餘觔，免其輸課，所以備風日之暄散、舟車之耗折，體恤至矣。乾嘉以後，商力支絀、逋賦甚夥。道光元年，提繳額引一成，設爲并包之法，以十引之鹽改築九包，每引載鹽三百七十八觔。二十一年，再減額引一成，如前法改築，每引載鹽四百一十八觔，省運費十分之二。二十四年，減停額引，節課銀九分之一，然而逋欠如故者，何也？浮費重，官價昂，私鹽鴟張，商鹽壅滯故也。二十八年，詔遣大臣查辦，將各項陋規一律禁革；但就正課、帑利、雜款、積欠釐爲四項，每引加鹽百五十觔，征銀二兩六釐五毫有奇。按之舊額，有減無增，緜是正引之課與薊引之課較若畫一云。自來甲年行運，乙年奏銷，查辦後，許展緩至丙年奏銷。其非正課而奏銷者，爲昌平牙税銀，實沿襲有明規制。蓋當時昌平、房山、良鄉、順義、懷柔、密雲、延慶七處食鹽，皆在通州發賣，每引征銀二分二釐一毫，謂之牙税；後因不便於民，聽商就地發賣，而牙税銀輸納如故。我朝因之。順治六年，定額銀三百兩，今歸入正課，不復立牙税名目。其鹽價則隨時增損，今昔不同。大興、宛平、東安、昌平、懷柔、密雲、舊州營，每觔制錢十一文；良鄉、固安、永清、香河、通州、三河、武清、寶坻、順義、房山、霸州、薊州、平谷、采育營，每觔十文；涿州、文安、保定，每觔九文五毫；大城每觔八文五毫。乾隆年先後奏增，每觔加錢七文。道光二十八年，減去二文。咸豐八年，親王僧格林沁駐防天津，兵食匱乏，請復鹽觔減價，以益軍饟，復加錢二文。此外若河工加價，堰工加價，皆權宜行事，旋增旋減，未可以爲準。攷長蘆引地，武清與天津壤地相接，爲公共口岸，餘則疆分界畫釐然，不容牽混。今大興、宛平、永清、甯河、昌平、固安、順義、懷柔、密雲九縣及通、涿二州滯銷之引，準勻出三四分，在於暢銷州縣售鬻；又甯河偪近場竈，其老幼殘疾之民，例給牌鹽若干觔往来販賣，今則易鹽爲錢，排日支給，人二十四文。凡此皆聖朝寬大之政，異數之恩，豈不以畿內千里，拱衛京輦，商民疾苦，灼見周知，故闓澤滂沛，有加而無已歟！各州縣增定引額，多見於長蘆鹽法志、畿輔唐志諸書，兹并取近年以來節次裁減及現今行銷之數，詳著于篇。

經政志六

錢法

江陰繆荃孫纂　德清傅雲龍覆輯

周官泉府掌之大宰，漢志錢法詳於食貨，至馬端臨文獻通攷，專立錢幣一門，以記列代制度，國用之盈虛，物力之豐嗇，不難悉數而知，非如顧烜錢譜、洪遵泉志，僅爲賞鑒已也。大錢始于周景，楮幣造于趙宋，均權宜之政，非經世之道。京師行用錢鈔，改自咸豐三年，鈔法旋停，大錢獨暢行無弊，初猶同用制錢，後乃專行，蓋十年於兹矣。户部官書，因非常制，未曾載入。爰重繙案牘，董理大凡，未能詳考者，緣案牘有缺佚也。其他錢法，非府志所宜載，則不書。志錢法。

順治元年，設寶泉局於户部，設寶源局於工部，鑄順治通寶錢，皆督以侍郎，監以滿、漢司官，錢制每文重一錢。其次年，更鑄重一錢二分；十四年，鑄重一錢四分。列聖相承，斟酌而兼用之，立法至爲美善。但私銷私鑄，雖全盛之時不免。户部册。按：時有銷燬制錢以爲銅器者，故舊制，三品以下官員不得用黄銅器皿。康熙、雍正兩朝，迭諭步軍統領、順天府府尹、五城御史等官，嚴密訪拏，奉行不力，則治以疎縱之罪，猶弗能禁止，其錢價亦時有贏縮。

順天府大興、宛平二縣，立錢行官牙，令平議價直，毋使低昂。乾隆九年，大學士鄂爾泰等陳八法以平錢價：一曰設官局鎔銅，二曰借給當本易錢，三曰立市歸併經紀，四曰用銀收買雜糧，五曰米局易銀交部，六曰當鋪撤錢運局，七曰嚴查出京興販，八曰禁止鄉户私囤。行之數月，京師稱便。嘉慶十四年，御史何學林奏：京局鑄錢，鉛多銅少，輪廓肉好糢糊脆薄，請力除積弊，銅鉛照例配搭，毋任偷減，其五城小錢，設法收銷。詔：從之。至道光十三年，御史豫益奏：京城錢鋪關閉，請申明五家聯保之例。户部册。按定例：京城開設錢鋪，五家聯名互保，報明地方官存案。如關閉逃走，立將鋪户拘拏押追，逾限不完，按例治罪，所欠錢文，令互保各家代償，仍咨本犯原籍，著落家屬名下追還；若五家同時關閉，一併拘拏，分別押追治罪。其後新開錢鋪，並不實取聯名保結，僅將字號錢鋪捏稱搪塞，地方官亦並不查詢真僞，一經關閉，其人遠颺無跡。日久案銷，或事後被獲，含混了事，最爲地方之害。亦得旨：准行。至咸豐三年，軍旅數起，餉需支絀，東南道路梗阻，滇銅不至。刑部尚書周祖培、大理寺卿恒春、御史蔡紹洛，先後條陳錢法，請改鑄大錢，以充度支。朝廷下其議於户部。時壽陽祁寯藻權尚書，力贊成之。五月，先鑄當十錢一種，文曰咸豐重寶，重六錢，與制錢相輔而行。八月，增鑄當五十錢一種，重一兩八錢。十一月，因巡防王大臣之請，又增鑄當百、當五百、當千錢三種。當千者重二兩，當五百者重一兩六錢，銅色紫；當百者重一兩四錢，銅色黃，皆磨鑢精工，光澤如鏡，文曰咸豐元寶；而減當五十錢爲一兩二錢，當十錢爲四錢四分，又減爲三錢五分，再改爲二錢六分。四年正月，寶源局鑄當五錢一種，重二錢二分。三月，鑄鐵當十錢。六月，鑄鉛制錢，亦頗可行使。此改鑄之大略也。咸豐三年十一月，上諭内閣：前因巡防王大臣等奏請推廣鑄造大錢，當交户部議奏；兹據該部查照王大臣所議，當千大錢以重二兩爲率，以次配量遞減，期於輕重相權，便民利用，著即照部議，所有當千、當五百大錢，均用淨銅鑄造，務使磨鑢精工，色澤光潤；當百、當五十、當十、當五大錢，亦須配鑄精良，一律完整，與制錢相輔而行，俾民間咸知寶貴，便於行用。儻製造稍有粗率偷減，著錢法堂侍郎即將鑪匠人等嚴行究辦，該管監督、大使各官，一併嚴參。户部右侍郎王茂蔭奏陳大錢利弊，得旨：巡防大臣會户部密議具奏。户部册。上諭：蓋大錢之暢行與否，全視在上之信與不信，果能設法豫籌，爲經久之計，不先自壞成法，斷無隔閡之理。據該侍郎所奏，作奸犯科，今人甚於古人，足徵今日非昔時可比；況經營之巧，今人亦甚於古人。現今大錢初行，即過慮後時，雖爲國謀久裕之計，獨不計及朝廷聚議，小人更增疑也？但亦老成之見，王等不可先存成見，秉公定議。未及一年，盜鑄如雲而起，通州所轄之張家灣及長新店左近，西山之内，並有私鑪鼓鑄，利之所在，雖治以棄市之罪，趨者若鶩。户部册。上諭：刑部奏請酌定私鑄大錢罪名一摺，本年刑部辦理王立兒私鑄大錢一案，照新定私造官鈔章程，擬以斬候，業經照議允行。惟原情定罪，法在必行，現當局鑄大錢，膽敢玩法私造，即立置重刑，亦屬罪所應得。

但恐承審各官，或因罪名甚重，改移情節，巧爲開脱，是峻法徒爲虚設，而藐法奸民轉因此而倖免。嗣後私鑄大錢人犯，著即照刑部所請，首犯、匠人俱發新疆官兵爲奴，所有前議斬候王立兒等一案，即著照此辦理。至私鑄大錢，爲數較多，或數不及十千，而私鑄不止一次者，並著照私鑄制錢本例辦理。户部旋奏：停鑄當千、當五百者。慶惠奏：停鑄二百、三百、四百者。得旨允停。户部冊。諭内閣：前據户部奏請停鑄當千、當五百大錢，並慶惠等奏請停鑄當二百、三百、四百大錢，均經降旨允行。原以折當稍重，恐於民間日用不無妨礙，是以斟酌時宜，准其停鑄；至當百以下大錢，子母相權，整散互易，通行遠近，尤爲便民。乃據户部奏稱：訪聞近日當百大錢又有奸商折筭等弊，請飭嚴禁等語。錢法損益，朝廷自有權衡，如果於民生稍有不便，不難隨時變通；若法本盡善，而廛市小民妄肆阻撓，任意折筭，實屬目無法紀，此風斷不可長。著户部、步軍統領衙門、順天府、五城，一體出示嚴禁，嗣後商民行使當百以下大錢，儻敢不遵錢面數目字様，妄行折減使用，甚至造言煽誘，抗不收使，以致愚民相率猜疑，即行拏交刑部，從重治罪。此等奸商，阻撓錢法，必應從嚴加等懲治，著刑部迅速定擬罪名具奏。至私鑄大錢人犯，業經刑部奏定，加重罪名，此後私鑄當百以下大錢者，並著刑部再行嚴擬罪名具奏，仍著步軍統領等衙門認真查拏，交部按律懲辦。總之，法在必行，斷不能任令市儈把持，妄冀變更成法也。既而當百錢與當五十錢亦壅閼，惟當十錢暢行。當十錢又分銅、鐵兩種，順天府各屬徵收丁糧，實銀四成，寶鈔三成，當十銅、鐵大錢三成；其畸零小户，准以銅、鐵大錢與鉛、鐵制錢搭配呈繳。七年正月，忽訛言徧五城，一日而鐵錢頓廢。官役比户曉諭，民不信從，遂只存銅當十錢一種，沿用至今，此又改鑄後遷變之大略也。夫朝廷變法之意，原期于子母相權，公私有益，救時良策無過於此。乃始淆於盜鑄之濫惡，再壞於奸商之折減，而本意失矣。錢市以錢買銀，大錢與制錢價直懸殊，計銅當十錢一，僅抵銅制錢二，而寶泉、寶源兩局鑄一銅當十，所費實不止二銅制錢。户部册。九年九月，諭：御史徐啟文奏，請嚴禁私銷、私鑄，以通錢法一摺。據稱：京師現行之銅當十錢最爲饒裕，近日驟行短絀。推原其故，京中銅當十錢一文，僅抵銅制錢二文，若改鑄制錢，可得三四文，必有奸民牟利，盜銷改鑄之弊。至通州、天津等處，行用銅制錢，每聞挑選大小厚薄，如無私錢攙和，何由妄生區別等語。盜銷、盜鑄，本干法紀，況私錢日多，則官錢日少，於民用大有關繫。著順天府府尹、直隸總督派委妥員，認真稽查，如有前項不法之徒，即行嚴拏懲辦，毋得任聽吏胥藉端騷擾，以重錢法，而利民生，將此各諭令知之。然流布已三十年矣，各直省皆奉諭改鑄，其後或鑄而未行，或行而旋罷，即四路各屬二十二州縣，亦尚循用制錢，大錢止行於京城，十餘里之外，即不能行使。初行大錢，令與制錢搭用，户部册。咸豐六年五月諭内閣：户部奏搭用制錢成數，並籌辦章程一摺。制錢、大錢，相輔而行，豈容任意低昂！近日大錢漸見流通，而各錢鋪開發錢票，並不搭用制錢，以致民間零星日用，諸多窒礙，自應亟籌變通，以期盡利。嗣後京城各官號，開放兵餉及開發寶鈔，凡兵民到鋪取錢，每京錢一吊，均著搭用制錢十分之一。其民間錢鋪開發錢票，並著步軍統領衙門、順天府、五城出示曉諭，一體遵照，不得專用大錢。儻有奸商不遵搭放制錢之數，及將制錢收買，出京漁利，並擡價售賣者，即著各衙門嚴拏懲辦。其錢數不及京錢一吊者，或用大錢，或用制錢，悉聽民便。至阻撓大錢，前經定有罪名，仍著該地方官實力訪查，以重圜法而利民用。後絶不用制錢。光緒九年，御史劉恩溥奏：請出示制錢與大錢相輔而行。户部議准。奉旨：毋庸出示，以惑觀聽。事遂中止。户部册。户部等衙門謹奏：爲遵旨會議具奏事：軍機處交出光緒十年三月二十一日軍機大臣面奉諭旨：御史劉恩溥奏，疏通現行大錢，以利民用一摺，著户部會同順天府、五城御史妥議具奏。欽此。欽遵。並將原摺鈔交到部。據原奏内稱：錢法之弊，至今當十大錢極矣，户工兩局按卯鼓鑄，而不能行於都門十餘里之外，奸商把持壟斷，小民生計艱難。自行大錢以來，百貨之肩挑背負來京者，所得之錢，必須向錢鋪、錢攤抵換制錢，方可攜帶出京。於是奸商得以居奇，而制錢之不行於國者，隱然行於富商大賈，因之百物日益昂貴，而大錢之不利於窮民者，並不利於官紳住户。夫物窮則變，變則通，通則久。臣愚以爲大錢之弊，不弊於制錢之行於京外，以奪大錢之勢，乃弊於制錢之不行於京内，以濟大錢之窮。溯查當日鼓鑄大錢之時，原無廢制錢不用之説。今日誠使京城以内，大錢、制錢相輔而行，聽民自便，則既得攜制錢於京内以易大錢，亦必將攜大錢於京外以易制錢，如謂制錢行則大錢必廢。户、工兩局仍照常鼓鑄大錢，各項發款，仍照常行用大錢行使，於國計毫無所損，又何憚而不行？如以臣言爲可採，即出示諭令京城内外：大錢、制錢，一律通行，等語。户部查：鼓鑄當十大錢，始於咸豐初年，迄今三十餘年，行用尚無阻滯。兹據御史劉恩溥奏稱：大錢、制錢相輔而行，自係爲疏通錢法起見，惟查從前寶泉、寶源兩局鼓鑄制錢，歲需銅六百數十萬斤，皆由雲南額辦解京。自光緒二年以來，滇銅每年到京不過五十萬斤，且有一批不到者，以現在存局之銅，鑄造大錢，不敷尚鉅，斷難改鑄制錢。今制錢既不能鼓鑄，而欲民間行使制錢，勢有不能。臣部惟有遵照奏章，仍舊鼓鑄當十大錢，必照奏定每大錢一文重二錢六分之案，不稍輕減；製造有則，俾官發當十大錢，私錢不致攙雜。所有一切放款，仍放大錢，總以行用官爐當十大錢爲主。至街市用錢之處，順天府、五城查京師現在行使當十大錢，每銀一兩，大率換現錢七串上下，時而有增至八串上下，時而有減至六串上下；城外各市鎮州縣，每銀一兩，換制錢一串五百内外。若以當十大錢一箇抵制錢兩箇，數略相當，權其分兩輕重，亦尚有餘。擬令任聽商民隨宜相抵使用，既無須籌銅添鑄，一切錢當交易均無庸拘定搭成數目，及專用何項錢文。經臣等傳同錢商、當商，詢問利病，亦俱稱願總以行使當十大錢爲主，其有使用制錢者，亦聽商民之便。如蒙俞允，由臣順天府、五城出示曉諭，使其行所固然，期於閭市均無紛擾；如有擡高票存、攙使私鑄等弊，仍由臣等隨時查禁，以期官錢暢行無滯。所有臣等遵旨會議緣由，理合恭摺覆陳，伏乞皇太后、皇上聖鑒。謹奏。寶鈔、官票，亦始於咸豐三年。户部冊。咸豐三年二月諭内閣：前有旨派左都御史花沙納、陝西道御史王茂蔭會同户部堂官，妥議鈔法，奏明辦理。茲據花沙納等公同酌議具奏，並繪具官票式樣進呈。朕詳加披覽，所擬章程各條，尚屬周密，著即照所請爲定官票名目，先於京師行用，俟流通漸廣，再行頒發各省一律遵辦。官票之行，與銀錢並重，部庫出入，收放相均，其民間銀錢私票行用，仍聽其便，商賈交易，亦無抑勒，洵爲裕國便民良法。總期上下相信，歷久無弊，即使國用充裕，官票照舊通行。該部即遵旨刊刻告示，並著步軍統領衙門、順天府、五城一體出示曉諭遵行，令五城殷實鋪商具結承領。户部冊。十一月乙丑，諭内閣：前有旨令户部製造錢鈔，與官票銀錢並行，頒發中外，酌定章程具奏。茲據該部覈擬條款，開單呈覽，並遵議克勤郡王慶惠奏請推廣鈔法一摺。朕惟比年以來，銀價日昂，民生愈困，小民輸納税課，每苦於銀貴，而轉運制錢，又多未便；朕廑念民依，恫瘝在抱，酌古準今，定爲官票、寶鈔，以濟銀錢之不足，務使天下通行，以期便民裕國。著照部議，凡民間完納地丁錢糧、關税、鹽課及一切交官、解部、協撥等款，均准以官票、寶鈔五成爲率；官票銀一兩，抵制錢二千，寶鈔二千，抵銀一兩，與現行大錢、制錢，相輔而行；其餘仍交納實銀，以資周轉。京外各庫應放之項，官票、寶鈔亦以五成爲限。如此明定章程，權衡出納，行之日久，中外俱可流通，總期官民交益，上下相孚。並准五城殷實鋪商，具結承領寶鈔，俾民間自行通用，即由五城御史隨時支發驗收，並著步軍統領衙門認真稽查，如有僞造等弊，即行按例治罪；其有意阻撓，不肯行使者，以違制論；地方官奉行不力者，嚴參懲辦。軍營餉糈，亦分成搭放寶鈔。僧忠王格林沁奏改現銀奉旨駁斥。戶部冊。十二月諭軍機大臣等：寄諭參贊大臣僧格林沁：據順天府奏：隨營糧臺詳稱，軍營搭放官票、寶鈔，諸多窒礙，另請酌發現銀、大錢一摺。鈔票甫經頒發，商賈藉以流通，且出納均以五成，尤爲便民善策。前經賞給八旗守兵征兵，與直境隨征兵丁一月鈔票錢糧，正令欲其通行無滯；據稱糧臺道員定保，以王慶坨地方並無銀錢大鋪，且附近之武清、東安一帶，亦從未試行，軍營難以搭放。經該大臣札令該道，徑詳順天府覈辦。該兼尹、府尹並未咨查，輒據糧臺一面之詞，遂定爲實在情形，顯係畏難不辦，置大局於不顧。朕意該大臣於度支竭蹶情形，素所深悉，當此新章初定，自必力求變通，設法施行；況與銀錢相間搭放，大營各官員應領款項甚多，豈不可酌量支發鈔票？行與不行，轉機在此。現方通飭各直省，一律遵辦，斷不能因該糧臺首倡窒礙之説，致各處兵丁有所藉口，著該大臣嚴飭糧臺各員，酌度情形，妥籌搭發，毋得率聽該員等模糊影響之談，因噎廢食也。後以官票、寶鈔收買當千、當五百大錢。戶部冊。咸豐四年七月諭内閣：當千、當五百大錢甫經行使，即形壅閼者，以折當過多，私鑄益衆，多之所在，法難盡除。既停鑄以清其源，必收回以防其弊，而尤在收之迅速，使私鑄無隙可乘，則不禁自絶。前議以寶鈔收回大錢，少則旬日之間，多亦不過一月而止，不致遷延滋弊；捐輸之搭收大錢，與大錢换鈔，殊塗同歸，而一速一遲，不無區別。仍請將寶鈔發錢行經紀驗明，局鑄大錢如數收回，以昭便捷。

鮑康與閻敬銘論鈔書：昨夕枉過，談及鈔票一節，悤悤未悉其詳。然以數月來衆心惶惑之事，一經長才殫精擘畫，十日之間，驟有起色，聞之令人抃舞。此法深恐弗行，行則不僅昔人所稱十便，且目前濟急之策，惟恃此一物，他日鄙著泉録中，當首載崇論閎議也。至其流失，亦有數端，夜長不寐，枕上偶然思之，曉起輒謬述以瀆清聽：一、私造最不易禁，非峻刑重賞不可。明鈔所云僞造者斬，告發者賞銀二百五十兩是也。然地方官姑息養姦，大吏尤喜博寬厚之譽，法愈重，愈不肯辦。即如鴉片煙一物，販賣與吸食者半天下，有一從嚴議問擬者乎？鈔票以完納錢糧爲鉅款，各省情形不同。康足迹未到故鄉，不知南方情事，以北省所見而論，山、陝各省地丁，只有官虧民欠，而河南、山東，則向由糧書、糧差包納，皆胥欠、役欠也。在官人役，姦猾異常，設勾結門丁私造，以欺本官，勢難遽覺，小民畏吏胥如虎，又誰肯告發乎？稽察之法，首宜熟計，若並高麗箋禁止，則朝鮮素稱恭順，今以一箋之微，儻各關經理不善，致啟隙釁，黃樹齋侍郎前車之失，又安可不防？一、按成完納錢糧，其雜費不能盡革，亦不必盡革也。欲鈔法之暢行，必以交地丁爲重。但錢糧之有羨耗，久成正供，交鈔惟火耗略省，其他費概不容省。近時銀價過昂，山東州縣，民間交銀一兩，費至制錢三千八九百文。今既准交官票，又准以寶鈔二千抵銀一兩，不必按照市價買銀，斯民已陰受無量之福。若明示科條，悉裁雜費，在小民相沿已久，輸納初不以爲苛，今遽云當裁，則富豪巨紳、喜事生監，必概以一兩之票、二千之鈔，胥抵作一兩之見銀，南省包漕而外，又添包鈔名目。至北省州縣官，歲入全在地丁之餘賸，乃萬金之缺，頓減五千，而藩司之規例，庫官、庫書之津潤，不能裁也；報銷之費，簿籍之費，解役車馬口食之費，亦不能裁也；外此，一縣捐擬各款，不下百十事，爲數甚鉅，復有上司節壽之費，差事供應之費，學使考試之費，交代分賠之費，工程派捐之費，案件招解之費，以及幕友之修脯，官署之度支，同僚之酬酢，親朋之資助，皆一概如恒，而所入驟減一半，斷乎不支，勢必別思生財之道，相率而爲貪矣。昔先王之重禄，正所以成就中材。如閩吏素少廉名，非其地果有貪泉也，緣汪稼門先生博一時之名，貽靡涯之害，奏將閩省錢糧雜費裁革無遺，州縣皆成瘠苦，辦公無力，其僅於考試出賣案首者，尚稱好官。聞劉燕庭布政所談，甚至官遣丁役赴鄉勸民械鬥，爲索贓之計，一命議銀如千兩，尤爲異聞。然則完納錢糧一節，亦宜令直省大吏，各就情形籌辦，但嚴定官胥阻撓鈔法罪名，以示必用，足矣。一、外省民間交納鈔票，官吏雖不敢顯拒弗收，然各種挑剔刁難，勢所不免，若紛紛控訴，則案牘太煩，地方大吏亦不肯據細民一紙之詞，即置官胥於重典也。惟雜費不必盡革，官既無損，民亦獲益。高明以爲何如？一、鈔票以近京省分尚易物色，如去臘官票驟昂，則大、宛二縣糧書購以交納錢糧也。至遠省何從購求？民間則更少此物。惟有部頒官票、寶鈔各千萬紙，令各省開局，與民間公平交易，收其銀即以解部。然已不能偏逮通省，且恐官胥私自藏匿，仍照常徵收見銀，至批解時，乃以鈔票二種抵交，徒飽官胥之橐，於民間究屬無裨，此層已思有善策否？一、庫貯鈔票，究不宜多，尤不宜久。銀錢終古不磨，楮幣本有昏爛之慮，且久貯則雨淋、地溼、鼠齧、蟲傷亦所難免，虧空之弊，或且百出，各庫宜嚴定限制，不許多存，違者令後任據實揭報；否則不肖官吏任意侵蝕庫銀，去任時則以楮幣充數，設有緩急之需，孰當其咎？一切出入之法，久暫之期，皆宜詳議。一、鈔票行於京師猶易，達之天下較難。其物皆便於交官，不便於私用，而鈔與票又分難易也，京師交官之款既多，且户部報捐一項，所收尤鉅。即市間以鈔買物，有不肯收者，亦可赴城坊登時首告，外省鄉曲小民，斷不肯因一紙之鈔頻入公門。雖有准交錢糧之利，而貧家小户所交無幾，不值購求；即准數户合并交納，而購求亦不如都下之便。至零星行使，復不若錢票之自如，錢票有鋪取錢，實與見錢無異。茲則一千之鈔，必須購千錢之物，若購百錢之物，令賣物者繳出見錢九百，人必不從。其富商大賈，藏鈔何若藏金？金可穴地而藏，千歲不朽；鈔則水火皆可虞，易於銷毀。且民間百千以上之錢票，必持赴錢鋪照對，以驗其真僞；鈔之真僞，無從照驗，外省尤末由知，孰敢多收？一旦交官，驗爲僞造，不但藏者頓成赤貧，且將追究根由，展轉拖累，稍有顧慮者，必不敢貪此便宜，故曰京師行之易，而天下行之難也。崇通政奏：令民間准持實鈔，赴官錢鋪換取錢票及當千、當百大錢，以示與見錢無異。王子懷少農亦云：丹初則恐鈔本不敷，作繭自縛，且未便厚於京師，薄於外省，辦理兩歧，建議駁之。一、鈔票行於一時尚易，歷之久遠綦難。目前之不行，患在人疑，堅以示民，信則行矣。足下善體民情，籌畫之精詳，自無遺憾。惟日久竊恐弊端叢起，若鄙人所慮者，寸光之照，不足盡其微也。惟冀大才於立法之初，即預思十世、百世之計。一、地方官誤收僞鈔，處分亦宜酌定。聞南方民間錢票，皆係銅版，其精致遠過於鈔票，則作僞者必不能盡絶，利之所在，固暋不畏死也。州縣官實無術一一辨認，若誤解僞鈔，處分輕則不足示懲，重則亦實有寃抑，權衡難得其平。總之，此物一旦暢銷，則杜私爲第一事。一、部庫及天下藩庫鈔紙，宜隨收隨放，封貯之項，終須重銀。至户部，乃造鈔總局，尤不患無鈔，外省解部各款，總以銀多鈔少爲佳，或令全行解銀，鈔則留於本省支放，以資流轉。克勤郡王所奏，廢銀用鈔，銀萬不可廢也。明季之鈔，至中葉每貫僅折錢二文，盍取明史更究其故乎？一、昔人之行鈔，多出權宜，以濟暫時之匱乏，期於支款稍獲流通，俟國帑充裕，或量加核減，或但行舊鈔，不輕廢，亦不貪多，庶乎萬全。公事無私議，況未覩原稿，遽逞妄談，真乃隔韡搔癢，書生過慮，豈識時務！目前鈔法，但冀其行，則軍餉急需，既易支持，河工脩防，亦資籌備；若瞻前顧後，大事何由成乎？以上十條，不過率爾之詞，乞付之一笑也。自來壞天下之事者，皆官也。各省大吏，救官不救民，以與屬吏皆有情面，不得不瞻徇。州縣阻撓鈔法，雖定重罪，大吏勢不肯一一參辦；故欲行鈔票，先須於官無損，法固宜乎嚴定，事尤冀其可行，否則必難免牽掣。特省分遠近不一，且大半被兵，與辦理防堵之區，比通行知照，及鈔紙周徧天下，已在一二年之後，能永遠遵行無弊，斯固國家之福也。此時急則治其標，京師自西商囊括而歸，旗民生計至艱，部庫尤竭蹶萬狀，補救之術，轉移之權，惟賴乎此。足下博采衆論，別出心裁，自能使市肆通行無滯，何待鄙人饒舌乎？緣猥承謬奬，並召飲細商，遂不辭瑣瀆，今先濟一時之急，毋卹其他。亟宜明示五城，凡京師各項捐輸，及交官之款，悉令搭收鈔票，不收者治以應得之罪。至崇通政所奏，民間行用鈔票，則任其隨時價長落，商民借領，不必限定五家環保，不必定由五城轉發，寬以一年之限，再行歸本，亦尚近情，數月之後，商民皆深信弗疑，鈔法必日形其暢，由中達外，愈行愈遠矣。各省地丁，間亦有舊例，交錢者，每銀一兩，交制錢二千餘文。地方官易銀批解，在當日頗多霑潤，近時則賠累異常，此等州縣，必更願收鈔、解鈔，但合天下計之，不過十之二三，所謂宜各就情形籌辦也。前書尚有未盡，再以布陳。昨暢聆高論，並細讀各條例，殫思竭慮，周妥精詳，無微不至，曷勝欽服！就中凡已放、未放之鈔票，概令加印罪名小戳一條，尤爲行鈔關鍵，匪此不能取信於民也。此外大主意在思去路，惟有商運一策。但官運民銷，乃劉晏行鹽之法，其事易曉。商運官票，則各省銀價正昂，頗可獲利，至寶鈔係大書制錢若干文，利果何在？以十日前鈔價而論，制錢六百，即買鈔一千，其利厚矣。若各商聞風踵至，則鈔價日昂，必須一千之錢，方購一千之鈔，載赴各省銷售，聽其任意加價乎？令其公平交易乎？聽其加價，恐姦商百計居奇，小民何樂而購此？若公平交易，一千之鈔，只賣一千之錢，則商人出重資經營數月，並無利可賸，暗中之賠折已多，加以長途車馬之費，旅店食用之費，尤不可勝計，商人豈肯嘗試耶？運鈔一節，康尚未悉其所以然，望開茅塞爲幸。康意：盍一面准各商販運，一面即准各商借領，照崇通政所議，但取三厘之息，復寬一年之期，仍展十月之限，庶各商目下無須成本，轉運即獲實利，豈不更形踴躍？不但票行，而鈔亦行。惟各省近已開徵，比章程奏定，商販流通，約在兩月之後，稍遠之處，上忙錢糧業經完納，諺云：有錢不買半年閒。各商必須候至下忙，方能獲利，遷延日久，目前之利亦覺稍微。然此時但冀其販運，以重鈔之價，要言不過四字，曰：務令其行。不能作許多顧慮。他日其利孔多，自必争相購運，斯鈔法果大成矣。昨早一箋，已青及否？孤枕無寐，復思及高見，謂當千、當五百二種大錢，有礙寶鈔，非奏停不可。但此議出自巡防王大臣，未必遽允，即允亦恐蹈治一經損一經之誚。此時鈔法果否暢行，尚無把握，若行而不暢，則大錢又已停鑄，更少一補救之物，似非萬全；不如暫留大錢，以便私用，廣行寶鈔，以便交官，判爲兩途，不使侵灌。俟寶鈔流通，商民咸利，然後請停鼓鑄，似乎兩得。否則請將每月鑄當千、當五百之銅悉行加鑄當百大錢，錢無嫌於多，又便零星行使，助鈔法之所不及。此議盍與李午山給諫更熟籌之！若去夏甫鑄大錢之初，寶鈔尚未定議，彼時即多鑄當五百以下諸錢，且精益求精，使不能作僞，則一年以來，所行已多，亦足供一時之支發，寶鈔一物，尚可稍緩製造，雖行錢不及行鈔之省便，而錢究易於通行；惜乎只鑄當五十、當十兩品，籌辦已遲矣。愚見偶及，再述以質高明。

商人白亮、劉宏振設立總局，收發寶鈔，并命户部稽查。（户部册。）十月諭內閣：恭親王奕訢等奏，商人呈請措貲墊發寶鈔，請旨遵行一摺。商人白亮、劉宏振等呈稱：情願攤借貲本，呈報户部，以備收發寶鈔之用，洵屬好義急公。著照所請，准該商等設立總局，分開鋪面，無論寶鈔新舊，錢數多寡，均許持鈔到局支取錢票，現錢仍由户部綜覈稽查，以資流轉。單開章程六條，均著照議辦理。後亦停止。（户部册。）

官號，道光二十五年，內務府設立天元、天亨、天利、天貞、西天元等五官號。咸豐三年春，户部於署內設官票所，復設立乾豫、乾恒、乾豐、乾益等四官號；秋，复設寶鈔局，在東交民巷，統歸官票所司員管理，寶鈔分局設在東華門外丁字街，另派員管理。復立宇升、宇恒、宇豐、宇泰、宇謙，起初簽商。七年，宇升閉歇；八年，清查虧空，革除商人，改爲官辦，每號委司員二人，均於咸豐十年停止。圓明園八旗包衣、三旗官兵設廣益官號，在海甸老虎洞；廣盛官號在樹邨；滿洲火器營設廣通官號，在廊房頭條胡同；廣亨官號，在打磨廠。户部冊。

經政志七

德清蔡賡年纂 江陰繆荃孫覆輯

典禮

五禮肇於虞書，詳於周官，國朝酌古斟今，一新典禮，經緯天地，宰制萬物，至矣備矣。京師爲禮教所自出，京尹又輦轂喉舌也，上承經制，下切訓行，扶助風化之責，無忘匪懈之義，胥於禮乎寓焉。今以尹所主者箸於録，其非專責，則不書。志典禮。

進春禮：歲立春前日，順天府府尹率所屬迎春東郊，豫製春山寶座，按欽天監推春圖飾土牛及句芒神，按年建干枝，校正春牛之色，繪圖貼説。立春在十二月望後，芒神執策當牛肩；在正月朔後，當牛腹；在正月望後，當牛腹。示民農事早晚。春山一案，芒神執策立土牛左，合設一案，各三案，送禮部，禮部豫取學弟子員六十人，舁案，天文生八人導引，大興、宛平二縣設案午門外正中。立春前一時，禮部各官咸朝服，弟子員俱公服，自部舁案，天文生前導，由東長安門、天安門、端門各中門入，至午門前，奉春山、芒神、土牛，各陳於案，府尹隨同禮部尚書、侍郎，率屬畢會。欽天監官報時屆，執事者奉案，禮部官前引，尚書、侍郎及順天府府尹、府丞從，由午門中門入昭德門，至後左門外，内監接舁，禮部官前引，尚書、侍郎、府尹、府丞從，詣乾清門，各官止立，内監啟門，舉各案入，恭進如禮。又奉二案，由熙和門中門入永康左門、中門，前引後從如儀，至慈甯門，内監接舁入，恭獻如禮。各官出，皆退，乃率僚屬執綵仗立土牛旁擊鼓，環擊土牛者三，以示勸耕之意。大清通禮三十一。

耕耤戒辦禮：歲仲春吉亥，或用季春，順天府先於嘉豐司咨取御用黄牛，大興、宛平二縣備從耕黑牛，傳耆老、農夫等豫期演習，備躬耕。絲鞭，耒耜，飾以黄服。耜、黄犢，稻種青箱，備從耕。三王麥穀，九卿豆黍，青箱，鞭及耒耜朱飾服耜，黝牛，皆依期畢備。先一日，順天府官設耕器案。以龍亭三，分載躬耕鞭、耒、種箱。綵亭四，分載麥、穀、豆、黍種箱。自午門左門入，至太和殿下，户部官以次奉至中和殿。皇上御殿閲畢，户部官奉耒、耜、青箱等件，至太和殿下，授本府官，由午門左門出，設綵亭内，送至耕所。通禮三十一。

耕耤陳設禮：屆日，順天府官陳御鞭、種箱、龍亭於耤田之左；陳耒、耜、龍亭於耤田之右；陳麥、穀、豆、黍、種箱、綵亭於從耕耤田左右，陳耕器、農器於觀耕臺下，東西兩旁如儀，集耆老四十四名，按會典事例八百二十一云：乾隆三十六年，覆准耕耤所用，有頂戴耆老，額設四十四名，改爲三十四名。其行禮時伺候接套等事，派令農夫幫辦，無庸多設。至所給之劄，另行撰刻，惟誡以克勤農業，守本安分等語。從前存貯舊版，即行燬銷。並查明實係土著，現在當差者，換給新劄；現不當差者，即予除名；舊領之劄，飭令繳銷；遇有缺出，仍由五城、大、宛二縣行取選用，其有原非土著，並不當差、未經換劄，頂冒混充者，查出將本人治罪，舉報之地方官並未經詳查率行批准之上司，一併交部議處。上農夫十名，中農夫十名，下農夫十名，於綵棚左右，設親耕黃耒於帝耤正中，駕以黃犢。其序位：耤田之北，正中爲躬耕位，順天府府尹一人在左，戶部尚書一人在右。屆時鳴贊贊：進鞭。順天府府尹奉鞭，北面跪進。戶部尚書跪進耒耜。耆老二人牽牛，上農夫二人扶犁，順天府府尹執青箱，戶部尚書隨播種。從行工歌三十六禾詞，唱和從行。辭曰：光華日月開青陽，房星晨正呈農祥。帝念民依重耕桑，肇新千耤考典章。吉蠲元辰時日良，蒼龍鑾輅臨天閶，青壇峙立西南方，犧牲簠簋升芬芳。皇心祇敬天容莊，黃幕致禮虔誠將。禮成移蹕天田旁，土膏沃洽春洋洋。黛犁行地牛服韁，司農穜稑盛青箱，洪縻在手絲鞭揚，率先稼穡爲民倡，三推一墢制有常，五推九推數遞詳。王公卿尹咸贊襄，甸人千耦列雁行。耰鋤既畢恩澤滂，自天集福多豐穰。來牟蕎薾森紫芒，華薌赤甲秈稈秱，秬秠三種黎白黃，稷粟堅好碩且香，穈芑大穗盈尺長，五菽五豆充壠場，穄粱[illegible][illegible]九色糧，蜀秫玉黍兼東廧，烏禾同收除童粱，雙歧合穎遍理疆，千箱萬斛收神倉，四時順序百穀昌。八區九有富蓋藏，歡騰億兆感聖皇。皇帝三推、三返，每歲奉旨，加一推、一返。畢，歌止，躬耕禮畢。順天府府尹以青箱復於龍亭，鳴贊贊：受鞭。順天府府尹跪受鞭，戶部尚書跪受耒耜。復置龍亭內。禮部奏：御觀耕臺。序班引順天府官屬及耆老、農夫，服本色服，持農器至臺前西偏，北面東上，重行序立，聽贊行三跪九叩禮，三王、九卿以次受鞭耒從耕。順天府屬丞、倅各官，一人執青箱，一人隨播種，畢，釋鞭耒，執事官以青箱復各綵亭内，順天府、大興、宛平兩縣官率耆老，農夫至耕耤所終畝。順天府報：終畝。禮部奏請受賀。按此二語見慶賀禮内卷同篇異。乾隆二十三年諭：吉亥耤畝，所重劭農，黛耜青箱，畚鎛簑笠，咸寓知民疾苦之意，而設棚懸綵以芘風雨，義無取焉。吾民涼雨犂而赤日耘，雖襏襫之尚艱，豈炎溫之能避？且片時用而過期撤，所費不啻數百金，是中人數十家之産也，其飭除之。三十九年，奉旨：嗣後耕耤時，觀耕臺著添蓋幄次。嘉慶十六年諭：向來耕耤典禮，於親耕後升觀耕臺閱視，從耕之三王、九卿以次俱畢，然後順天府府尹等率父老耆民謝恩。維時父老等散布耤田，招集需時，行禮匆遽，未足以肅觀瞻。嗣後著該府尹等豫飭父老耆民，整齊排列，於親耕後升觀耕臺時，即率領至臺下，先行謝恩。朕俟謝恩禮畢，再閱從耕，用昭整肅。若逢時巡省方，遣官祭先農壇，禮畢，順天府府尹率屬耕耤九推九返，農夫終畝畢，望闕行三跪九叩禮，儀與直省同。通禮三十一。光緒四年二月十九日，准禮部片開：太常寺文稱：本年三月十三日祭先農壇，於二月十四日題，十六日奉旨：遣奕詳恭代。欽此。欽遵。所有耕耤事宜，臣等謹遵照直省督撫之例辦理，於本年三月十三日，率同僚屬祗行耕耤典禮。謹題。

耤田登穀收貯禮：屆秋成，順天府以帝耤所收穀數奏聞，下禮部諏吉，交太常寺收貯。通禮三十一。光緒四年九月二十日，兼尹萬青藜、府尹周家楣題玉粒告成請勑部擇吉存倉疏：本年三月十三日，臣等率同僚屬，遵直省督撫之例，將耤田耕種。今五穀登場，收穫事竣，據大興、宛平二縣申報，收穫稻子八斗八升三合七勺，黍子三石九斗六升二合二勺，穀子十四石六斗一升六勺，麥子五斗九合八勺，豆子八斗二升四合三勺，共五穀二十石七斗九升七勺，理合恭疏題請勑部行令欽天監，選擇吉期，知會太常寺，恭納神倉，以備粢盛。謹題。

又十一月三十日，兼尹萬、府尹周題耤田玉粒交納疏：光緒四年十一月二十九日，禮部文開：據欽天監選擇得本年十二月初八日癸未、宜用巳時吉。臣等遵於十二月初八日巳時，躬率僚屬，時耤田所收稻黍穀麥豆共二十石七斗九升七勺，恭納神倉，交與太常寺敬謹收存訖。循例疏題。

鄉飲酒戒賓介禮：歲孟春望日，孟冬朔日，舉鄉飲酒之禮於學宮。禮部侍郎一人監禮。順天府府尹爲主人，以鄉之年高六十以上、有德行者一人爲賓，其次一人爲介，又其次爲衆賓，以教官一人爲司正，學弟子習禮者二人，司爵二人，贊禮二人，引禮一人，讀律令，僚佐皆與，前期戒賓，賓禮辭許。戒介如之。雍正元年諭順天府府尹：鄉飲酒禮，乃敬老尊賢之古制，近聞年久視爲具文，所備筵燕，亦多草率，爾衙門應加謹舉行。

鄉飲酒陳設布席禮：先一日，司正率執事者詣講堂肄儀，設監禮席次於庭東，北向；布賓席於堂西北，南向；主人席於東南，西向；介席於西南，東向；衆賓之長三人席於賓西，南向；東上皆專席，不屬衆賓席，於西序東向；僚佐席於東序，西向，皆北上；司正席於主人之東，北向。如有鄉大夫來觀禮者，坐於東、北，一品席南向，二、三品席西向，無，則闕之。設律令案一，於主介間正中，東西肆；又設尊案一，於東序端，南北肆；樂部和聲署設樂縣於西階下；如儀。通禮三十八。

鄉飲酒迎賓介禮：屆日質明，執事者入，具饌設尊於案，實酒於尊，加冪勺觶爵在尊北；讀律者奉律令陳於中案，既辦，禮部侍郎朝服詣學宮，就次監禮；主人率司正及僚屬咸朝服入，乃使人速賓介，主人立東階下，西面；僚佐序立於主人之後，西面北上；

司正讀律令者立僚佐之南，北面西上；贊禮者一人立東階下；又一人立庠門之外，均西面。屆時賓介盛服至，序立於庠門外之右；介居賓南，衆賓居介南，皆東面北上。執事者以賓至告於主人，主人出迎賓，西面揖賓，介以下東面答揖，主人入門左賓揖介，介揖衆賓，以次入門右，當階主人揖、及階揖，賓皆答揖；主人與賓讓升，三讓，賓三辭，主人升，賓乃升，主人東階上，賓西階上，贊者贊：拜！主人西面再拜，賓東面答拜，興，即席主人降階，延介一讓升，介升，拜如賓禮，就位，主人迺延衆賓，衆賓以次皆升，主人揖，賓長皆答揖，衆賓即席，主人率僚佐以下咸即席。其揚觶禮，贊禮者贊：揚觶！執事者引司正由東階升，詣堂中，北面立，賓介皆起立。贊：揖！司正揖，賓介以下答揖，司爵詣酒尊所舉冪，酌酒於觶，進授司正，司正揚觶而語曰：恭惟朝廷，率由舊章，敦崇禮教，舉行鄉飲，非爲飲食；凡我長幼，各相勸勉，爲臣盡忠，爲子盡孝，長幼有序，兄友弟恭，内睦宗族，外和鄉黨，無或廢墜，以忝所生。讀畢，贊者贊：司正飲酒！司正立飲畢，以觶授執事者，反於案。贊：揖！司正揖，賓介以下皆揖，司正復位，賓介以下皆坐。其讀律令，禮贊：讀律令。執事者舉律令案於堂中，引禮引讀律令者，就案前北面立，賓、介、主人以下聽贊，咸起立旅揖，如司正揚觶禮。迺讀律令曰：律令：凡鄉飲酒，序長幼，論賢良，高年有德者居上，其次序齒列坐，有過犯者，不得干與，違者罪以違制失儀，則揚觶者以禮責之。讀畢復位，賓主以下皆坐。通禮三十八。

鄉飲酒主賓獻酢禮：贊者贊：供饌！執事者舉饌案於賓前，次介，次主人，衆賓以下，徧舉訖，贊：獻賓！主人起，離席北面立，司爵詣酒尊所，酌酒實爵，授主人，主人受爵，詣賓席，奠於案，稍退，賓避席立於主人之左。贊：拜！主人再拜，賓答拜，皆復位立。贊：賓酢主人！賓離席，司爵執酒授賓，賓受爵，介從詣主人席前拜，送爵，主人答拜如前儀，復位。主人起獻介，介酢主人如前儀。皆坐，執事者徧獻三賓，衆賓爵訖。其樂賓禮，酒數行，工升歌周詩鹿鳴三章卒，歌，笙奏御製補南陔詩，辭曰：我逝南陔，言陟其岵。昔我行役，瞻望有父。欲養無由，風木何補！我逝南陔，言陟其屺。今我行役，瞻望有母。母也倚閭，歸則盍止！南陔有筍，籜實勹之。孱孱孩提，孰噢咻之！慎爾温清，潔爾旨肴，今爾不養，日月其慆！御製補白華詩，辭曰：有白者華，不污纖塵。咨爾士兮，宜修其身。不修其身，迺貽羞於二人。有白者華，婉茲靜好。咨爾女兮，宜修婦道。不修婦道，迺貽羞於二老。白華匪玉，涅而不緇。白華匪蘭，芬迺勝之。我擷白華，載詠載思。白華匪玉，質玉之令。白華匪蘭，臭蘭之淨。我擷白華，載思載詠。御製補華黍詩，辭曰：瞻彼阪田，厥黍始華。胝足胼手，嗟嗟我農夫！瞻彼阪田，黍華以秀。胼手胝足，惟勤斯殖。茂華有不秀矣，秀有不實矣；其雨其雨矣，杲杲出日矣，惄予愁之恤矣！間歌周詩魚麗、南有嘉魚、南山有臺三章。笙奏御製補由庚詩，辭曰：王庚便便，東西朔南。六符調燮，八風節宣。王庚容容，朔南西東，維敬與勤，百王道同。王庚廓廓，東西南朔，先憂而憂，後樂而樂。王庚恢恢，南朔東西。皇極孰建，惟德之依。

御製補崇邱詩，辭曰：澗松童童，蛙黽鄰兮。邱草萋萋，蕩青雲兮。凡百君子，慎迺託身兮。澗松童童，澗則卑兮。邱草萋萋，邱則崎兮。凡百君子，審迺所依兮。有崇者邱，物無不遂。有卓者道，愚無不智。資生育德，永植毋替。御製補由儀詩，辭曰：在上曰天，在下曰地，君君臣臣，父父子子。在下曰地，在上曰天，父父子子，君君臣臣。由其儀矣，物則熙矣。儀其由矣，物則休矣。迺合樂歌周詩關雎三章，召南鵲巢三章，卒歌，工告備出，執事者行酒，主賓以下飲無算爵。通禮三十八。

鄉飲酒徹饌賓出禮：贊禮贊：徹饌！衆起離席，主人率僚屬在東西上，賓、介在西東上，皆北面。贊：拜！主人再拜，賓、介以下皆再拜，賓降西階出，介及衆賓從立庠門外之右，東面北上，主人降東階出，僚屬從送賓於庠門外之左，西面，旅揖，賓、介退，禮卒無愆。禮部侍郎出，主人率僚屬送於庠門外，皆退。通禮三十八。

朔望宣講禮：京師五城、順天府、大興、宛平二縣各飭所部民，齊集公所，選醇謹耆老一人爲約正，有司公服涖，恭宣世祖章皇帝欽定六諭，聖祖仁皇帝聖諭十六條，世宗憲皇帝聖諭廣訓，兵民圜聽，宣畢，各退。通禮三十八。嘉慶六年諭：朕於上年，曾經降旨，令各省有司，每逢朔望，謹將聖諭廣訓剴切宣示，俾小民知所領悟。各地方官自應實力奉行，況京師爲首善之區，尤宜先爲開導，以期化行自近。嗣後，五城、順天府、大興、宛平二縣各官，選舉鄉約耆老，於朔望之日，宣讀聖諭廣訓，按期講論，毋得視爲具文，日久廢弛，以副朕化民成俗至意。

文鄉試禮：順天鄉試，府尹領之。前期，禮部疏請命兼管府尹或府尹一人爲監臨官，又六部滿洲侍郎或三品卿一人。府丞提調試闈內外事宜，八旗都統、順天、直隸、奉天各府州縣、將軍、城守尉，禮送學政所録羣士，及駐防各生，會京師國子監録肄業貢監生，及八旗、滿洲、蒙古、漢軍馬步射合式之貢監生，應與鄉試之七八品筆帖式小京官等送府，提調官按八旗府州縣簿籍應試諸生，分別官生、民籍，序定名册，備試卷，蓋用順天府印。按會典事例八百二十二云：順天鄉試，蓋用順天府印，令府尹親自監視，不得僅委治中。凡印卷每束四十本，令印卷官查清用印，另行封固，送入場內，並令禮部另鑄欽命監臨關防存貯，俟派出監臨後，即交監臨帶入場內，於試卷送進時，逐卷鈐印，以昭慎重，而防盜換。依時畢辦，由順天府題請敕下禮部，開列主考，同考官應差職名，題請欽點。其內簾糾察御史、內監試御史、外巡察御史，由順天府移咨都察院，開列應差職名，咨送禮部，題請欽點。其外簾供備，至時巡察御史啟門進試卷，及謄録生、醫、匠、吏、役皆搜檢迺入，闔門。提調官、監試御史坐至公堂籤掣，四所官各治其事，眡吏鈐諸生坐號於卷面，以辨號舍，按册序次，書諸生姓名於版。屆日，出諸生姓名版，分設東西甎門外，持版胥一人，主進吏一人。平明，應試諸生畢集，主進吏以版序諸生於門外，胥持版先由東西甎門魚貫序進。大興、宛平二縣涖之。又進，聽唱名，受照入籤。巡察御史涖之。又進，聽搜檢；及大門，再聽搜檢；皆王大臣涖之。迺交照入簽，主進吏以版出，諸生進至二門，聽唱名給卷，監察御史涖之。入外龍門，歸號舍，晡後畢入，御史闔内外門，鎖鑰加封，會提調官眡吏偏封諸號舍門，禁斷出入，及夜，明鐙，嚴棘垣巡警。試日，漏未盡，啓内龍門，考官坐門内，提調官坐門外，吏舁題紙及門，提調吏於門外接出，闔門，以題紙偏布諸生；供給官按：凡鄉、會試供給事宜，俱由大、宛兩縣辦理；鄉試，糧馬通判主之；會試，治中主之。早晚具飲食，送號舍，皆提調官涖眡之。越日完卷，提調官會御史啓號舍門，諸生持卷赴至公堂交受卷，官鼓吹作，啓門，各給照出簽序出。二三場試五經，文試策由考官擬題，均於次日疏陳御覽，餘與首場同。其首場題目，試前一日五鼓，順天府尹詣乾清門請題目。欽命首題四子書文題三道，五言八韻排律詩題一道，緘封貯函内、加鎖鑰。匙鑰由考官祗領，入場臨期啓用。府尹齎詣試闈，巡察御史會啓大門，監察御史啓外龍門，府尹以題函授監臨，監臨奉入至公堂外，簾吏報鼓，内簾吏傳金，考官肅立内簾門内，提調及監試御史會啓門，監臨以題函授考官，考官恭接入，闔門，迺啓題函，恭録付梓人刊題紙。士子每場試畢，受卷官黜去不合式者，彌封所糊姓名坐號，别鈐内號，登諸簿籍，謄録所易書以硃，對讀所校讎譌錯，改注以頳黄，皆提調官涖眡之。既畢，外監試眡吏送入内簾，内監試眡收掌官受卷，迺分卷於同考各官，閲以藍筆，有佳卷則薦内監試，書薦官職銜，送考官，閲以墨筆，考官閲將畢，豫擇揭曉日，移提調官，轉飭内外供辦。前數日，考官選中式上卷十本，密封具奏，由提調官轉授府尹，進呈御覽，欽定甲乙，封還考官。揭曉前一日，設案於内簾堂内，正、副考官、府尹案南向，提調、監試官案北向，同考官東西向，設榜案於中，設卷案於考官案前。晡後，府尹齎印至闈，提調、監試官啓大門延入，遂徧鎖諸門，及夜明燭。内簾官於内龍門内，府尹及外監試官於門外，啓門吏奉印前，府尹入，各官皆入，相見揖，升堂，吏置印於府尹案上，外簾吏舁墨卷陳於堂東，内簾吏舁中式硃卷陳於卷案，書榜吏以榜紙設於榜案，均立其次。御史封龍門，嚴出入。衆揖就位，吏啓箱取硃卷置案上，啓封，高唱卷面名次及内號，堂東吏檢墨卷，持至案前校對，硃墨卷相符，遂拆墨卷彌封、以墨卷授正考官書名次，以硃卷授副考官書姓名，别録一紙授吏，依次唱姓名，及某府某縣生，偏告在位者。書榜，書題名録既畢，吏斂硃墨卷於箱，奉印鈐榜，封題名録於函，置中案上，前設香案，主考官以下，更朝服，詣香案前，重行北面，行三跪九叩禮，興，傳金報鼓，自內龍門至大門洞開，輿人以綵亭入。牓出，吏奉印前，府尹與考官揖，出及至公堂，陳牓於亭，舁行，鼓吹前導，縣揭順天府衙前各官皆出，提調官以題名録恭進御覽，以卷送禮部。士子三場試畢之次日，迺扃試宗室士子。前期，稽察宗學大臣録官學生等，由宗人府册列馬步射合式者送府，府丞備試卷，至日聽點名、搜檢、給卷、入號如前。欽命四子書文題一道，五言八韻排律詩題一道。日入交卷，啓門序出。受卷官黜去不合式者，糊名送簾提調官，以試卷數目咨府尹，奏請中額，知照內簾考官標擬，中試卷固封，具疏交提調官轉授順天府官，賫詣宮門，欽定甲乙，封還。考官、監臨官拆名書牓，送至宗人府衙門張掛，以題名録疏上。文闈揭曉之次日，如遇武會試之年，於武闈揭曉次日。行繙譯鄉試禮。前期，宗人府、八旗、滿洲、蒙古、漢軍都統，册列馬步射合式者、文理通順之貢監生員，中書、七八品筆帖式、小京官，及直省駐防之生監等送府，提調官分別考試滿洲文藝、蒙古文藝，序名册，備試卷，屆期禮部疏請命內外簾官如制，各官遂偕監臨官及提調官、順天府府丞入闈，進試卷及吏役。案：其餘均如順天鄉試儀，不備録。試前一日五鼓，順天府府尹詣宮門請題。欽命四子書清字論題，密封函貯，府尹賫送入闈，監臨官轉送內簾，餘均如例。定期揭曉，張榜於宗人府、順天府衙前。提調官上題名録，以試卷送禮部。通禮三十九。

武鄉試禮：順天武鄉試，亦府尹領之。兵部遴選滿、漢郎中、員外郎、主事四人，提調武鄉試内外事宜。八旗、滿洲、蒙古、漢軍、順天府、直隸府州縣，竝奉天府屬州縣，册列學政所録武生，及應與鄉試之兵生等，註明兵力送府，府尹按人數均分四册，豫送兵部，繕籤封固以竢。外場期將屆，兵部疏，請命監射、監試各官，並遴選監射章京四人，以府尹序定名册，會同掣籤，分隸四圍。首場試以馬射，每圍立大靶三，相去各三十有五弓，設地毬一。平明，應試諸武生畢集，聽唱名，魚貫序進，以次馳馬二帀，每發三矢，復射地毬一矢；弓以三力爲率、以每射得雋，合計中三矢者爲合式，於左臂印以識之。其不入選者，另牓揭示。迺就騎射合式諸武生，以步射爲第二場，圍立大靶一，長五尺有五寸，廣二尺有五寸，相去率三十弓，諸武生既集，唱名如前，驗臂印序入，連發六矢，中二矢以上者爲合式，弓率五力。迺試技勇，弓、刀、石等各三，弓十有二力，刀百有二十觔爲上等，遞減以二數，石重三百觔者爲上等，二百五十觔者次之，二百觔者又次之，弓必引滿，刀必舞花，石必去地尺，三者具舉，中有一二上等者爲合式，於右臂印以識之。每圍監試人具名册一，密爲標識，試畢公同較閲，分定雙好、單好，封送内場，交提調官收貯，監試御史掌其鑰，榜示合試諸生入内場，監試御史遂入内闈稽出入，府尹備試卷，試期前二日，兵部疏請命正、副考官及内簾、外簾官。届日，應試武生由東西甎門聽唱名入，聽搜檢，巡捕營弁涖之，至大門，復聽唱名入，大、宛二縣涖之。場内事宜，均如文鄉試。考官密於武經三書内擬題一道付刊，漏未盡，啓内龍門，吏舁題紙出，闈門徧布，諸武生默寫畢，交卷出。御史監同印卷彌封官印定雙好、單好字樣，并弓、刀、石、馬射、步射、地毬分別填註，送入内簾。主考官閲以赬黄筆先於雙好卷内取中，如不足額，再於單好卷内取中，定期揭曉，榜掛順天府衙前，府尹刊試録恭進御覽。通禮三十九。

文武鄉試燕禮：順天鄉試揭曉翼日，燕主考、同考執事各官及貢士，於順天府，曰鹿鳴宴，以府尹主席。其日，府署望闕設香案，樂部和聲署陳樂，委辦供給縣佐貳官具燕。眡布席於堂，主考、監臨、副都統、内外簾監察御史席均南向，府尹、提調席北向，東西兩楹席各三行，一行爲同考官，二行爲外簾官，三行爲參領、守備及巡綽等官，印卷供給官席在提調官左稍後，供事官、醫官席在檐下，縣令以下委辦供給官席露臺上，均東西向，鄉貢士席於階下，第一名席稍前，西向，宗室貢士及諸貢士席東西向。黎明，主考各官朝服、貢士吉服赴午門，謝恩畢，諸貢士先詣府署二門，竢主考以下至，皆一揖讓過，隨入，監試御史至二門内降輿，主考、副都統至堂下降輿，治中、通判迎於儀門外，尹丞迎於堂檐下，禮生引至香案前聽贊，行三跪九叩禮畢，簪花升堂，和聲署樂作，貢士序立階下，北面再拜，主考、副都統、監臨、監試、提調、同考各官答揖，外簾執事、府佐縣令以下各官均答拜，畢，府尹至堂檐下，執事官授爵酌酒，府尹南向揖，酹酒三，偕丞揖主考、副都統、監試官就位，府佐揖同考官以下就位，主考各官揖尹丞亦如之，登歌鹿鳴之章，酒三行，饌再舉，燕畢，復詣香案前行一跪三叩禮。主考以下乘輿出，送如迎儀。武鄉試揭曉翼日，燕監射、主考、執事各官及武舉於順天府，曰鷹揚宴，儀與鹿鳴宴同，歌詩亦同。通禮四十。

進士傳臚設宴禮：傳臚日，宴一甲進士於順天府，兼尹、府尹、府丞穿朝服，齊赴東長安門外綵棚内坐候，一甲進士傳臚出，至棚内一揖，簪花、披紅，觴酒三盃，送上馬，大、宛兩縣備銀瓜、旗傘、鼓樂，至順天府二門外下馬，由東階上，尹、丞迎於堂檐下，治中、通判由西階率禮生導引至月臺香案前謝恩。一甲三人居左，尹、丞居右，行三跪九叩禮畢，揖讓升堂，案席奏樂，起席仍導引至香案前，行一跪三叩禮，尹、丞自堂檐下揖送，治中、通判由甬道送至二門，候上馬，尹、丞更補服隨送歸第。至第，狀元出迎，升堂，東西面，各再拜，迺宴，如前儀。順天府册。

京師救護日食禮：前期五月，欽天監豫推日食分杪時刻，上疏以聞。下禮部，前一月具疏，傳在京文官、漢武官會禮部，行救護禮。至日，順天府官飭役赴部，潔掃堂署内外，設香案於露臺上，鑪檠具，早晚隨日爲向。布百官拜席於香案後，百官素服詣部祇候，迺辨位，順天府、京縣與刑部、都察院、大理寺、刑科、光禄寺、五城爲四班，共五班，每班皆禮部尚書、侍郎領之。欽天監官報：日初虧。鳴贊贊：齊班！序班引百官至拜位前立。贊：進！少進。贊：跪，叩，興！衆行三跪九叩禮。興。贊：上香！禮部尚書進至香案前，三上香畢，復位。贊：跪！皆跪。贊：伐鼓！署吏奉鼓進，跪於左，禮部尚書伐鼓三聲，儀門外金鼓振作，迺按班上香。均如制。欽天監官報：日復圓。百官聽贊行禮如初，畢，各退。通禮四十四。謹案：月食救護禮，在太常寺祇行，順天府則在本署行禮。

京府官屬相見禮：府尹、府丞相見，行敵體儀。治中、通判見府尹，如直省司、道見督、撫儀，直省司、道見督、撫，至大門外降輿，入，及儀門，由左門入，督、撫迎於外堂後屏內；督、撫先行，司道隨入，及廳事，司道當楣北面稟參，督、撫辭，乃三揖；督、撫西面答揖；督、撫正坐，司道東旁侍坐，命坐，揖；茶至，揖；督、撫均答揖；辭出，三揖如初，督、撫送至屏門外，司、道三揖，俟督、撫入門，復三揖，趨出，至大門外乘輿。督、撫次日用名柬答拜，若公事謁見，常服通銜名，三揖就坐，餘如前儀。見府丞，如司、道見學政儀。具銜名柬，儀門外下輿，由中門入，學政迎於堂檐下，司、道三揖，學政讓入後堂，行賓主禮；待茶，辭出，三揖，學政送至堂檐下，三揖，由中門步出；學政用名柬答拜。凡司、道揖，學政皆答揖。屬下州、縣教職見府尹，如州縣見督撫儀。轅門外下輿馬，升堂北面再拜，興，三揖；辭退三揖；督、撫皆立受，不迎送，其待茶等儀，如司、道。見府丞，如見司道儀。行庭參禮。司、道不迎送，餘如知府見儀。知府東位西面，司、道位於西南，東北面，其待茶等儀，與督、撫同。見治中、通判如見府倅儀。迎送於堂檐下。餘如見司、道儀。經歷以下官見府尹、府丞、治中、通判，如直省首領官見知府、府倅儀。見知府一跪三叩禮，不揖，不坐；見府倅如州縣見司、道儀。通禮四十四。

奉迎遺誥禮：誥下之日，順天府府尹率屬，制服跪迎，奉安於公署，朝夕哭臨三日。二十七日釋服，不薙髮，止昏嫁百日，遏音樂期年。京師軍民男去冠飾，女去首飾，素服二十七日，不薙髮，遏音樂百日，止昏嫁一月。通禮四十八。按：順天府凡遇梓宮移奉山陵，則於經過所轄地方，飭屬除道。

華陽吴祖椿校

經政志八

學校上

山陰潘遹纂　江陰繆荃孫覆輯

封建易爲郡縣，而學從以變。郡之有學也，自後魏天安始；州縣之有學也，自唐武德始；京府之有學也，自元大定始。我朝崇尚正學，士非孔氏之書不敢讀，以故人無異學，學無異政，志郡邑乘，似無須乎類敍。獨順天之學，爲天下府州縣學之冠，順天之學治，則天下之學無不治，概從闕如，何以尊京師重首善也？兢兢乎慎擇詳取，酌其要中，期以明國家崇儒重道之意斯可已。志學校。

府學

在府治東南教忠坊。明洪武初，以元太和觀地爲大興縣學。春明夢餘録云：學故爲報恩寺。元末有僧募造，未安像。明師下燕，戒士卒毋入孔廟。僧倉皇借宣聖木主置殿中，後不敢去，遂以爲學。其地卽元之柴市。國子監爲府學，有學校格式碑記。洪武二年十月二十五，日左丞相宣國公欽奉聖旨：今後立學，休要祭祀，設科房，分教禮、樂、射、書、數，恁每定擬來。欽此。會集省臺部官，逐一議擬，於十月二十七日早朝奉天門，奏奉聖旨：節録學校合行的勾當，教秀才每用心講究着行。欽此。欽依。會議定擬到各項事理，洪武二年十一月十八日中書省楊右丞、陳參政睢、參政右司郎都事禮部崔尚書，於奉天門東板房内奏奉聖旨，准教定立罪名同這格式，各處學校，都鐫在石碑上。欽此。學校格式：一、生員入學定例：凡各處府州縣，責任守令，於民間俊秀及官員子弟選充，必須躬親相視，人材俊秀，容貌整齊，年及十五之上，已讀論孟四書者，方許入學。其年至二十之上願入學者，聽。在内監察御史，在外按察司巡歷，到日逐一相視。生員有不成材者，黜退，另行添補。一、選官分科教授：禮、律、書共爲一科，訓導二員掌教禮，教律，教寫，著於儒士有學行，通曉行令，諳習古今禮典，能書字者。樂、射、數共爲一科，訓導二員掌教樂，教數，教射。於知音律，能射弓，能算法者。上項訓導，禮、樂、射、書、數、律，但是或一等，或二等，從各處守令考驗，各取所長，相兼教訓。府教授、州學正、縣教諭掌講明經史，務使生員知孝悌忠信禮義廉恥，通曉古今，識達時務，及提調各科訓導教習，必期成效。上項教習，從各處守令於儒士有才德者、有學問，通達習務者選充，官爲應付行糧脚力，悉赴中書省考驗。一、生員習學次第，侵晨，講明經史學律，飯後學書，學禮，學樂，學算，未時學射弓弩，教使器，捧演重石。學此數件之外，果有餘暇，願學詔、誥、表、牋、疏、議、碑、銘、傳記者，聽從其便。一、禮、樂二事見行集議，比後成書，頒將習學。一、生員額數：府設四十員，州設三十員，縣設二十員。一、師生廩膳：每人日支米二升，柴鹽油醬在内，於本處係官錢糧内放支。一、學内設空閑地一所，以爲射圃。一、教官出身俸給，定立等第，如果教有成效異材出衆者，不拘資格，優加擢用，俸給就於本處係官錢糧内放支。一、守令每月考驗生員，觀其進退揖拜之節，聽其語言應對之宜，背讀經史，講通大義，問難律條，試其處决，講禮通古今，寫字不拘格式，審音詳所習之樂，觀射驗其膂力，又能中的，稽數明其乘除、口手相應。守令置立文簿，同教授紀載諸生所進功程，如一月某生某科學不進，則紀載於簿，至此科三月學不進者，罰此科訓導月米半月，罰多不過一月。一、監察御史、按察司巡歷去處，考視各府州縣生員。府生員十二員，學不進者，罰守令俸錢半月，教授某科訓導各罰俸錢一月。二十員學不進者，罰守令俸錢一月，教授及某科訓導黜退。二十員之上學不進者，守令笞四十。州生員八員學不進者，守令罰俸錢半月，學正及某科訓導各罰俸錢一月；十六員學不進者，守令罰俸錢一月，學正及某科訓導黜退；十六員之上學不進者，守令笞四十。縣生員六員學不進者，守令罰俸錢半月，教諭及某科訓導各罰俸錢一月；十二員學不進者，守令罰俸錢一月，教諭及某科訓導黜退；十二員之上學不進者，守令笞四十。一、設學之後，子弟習學，各科限三年有成，隸中書省者，貢至中書省考試，中選者就便量材録用，隸各行省者，貢至各行省考試，其中選者貢入朝廷選用。一、各處府州縣，於洪武三年正月爲始開學，務要實效，責任所在，有司守令、正官、提調在内，監察御史在外，按察司每歲考覈學生功課，比上年有進，有司官教官便是稱職；若學生比上年學不進，有司官治罪，教官黜退。一、學該生員每府四十名，州三十名，縣二十名。府、州、縣各設教授、學正、教諭一員，訓導四員，今擬府、州生員四十名者，設訓導四員，每縣二十名，已有教諭一名，又設訓導四員，似爲員多。今擬州、縣學正、教諭，每處止設訓導二員，其讀書生員，如有增廣，不拘定額，及北平、陝西、河南地面，人民稀少，每州縣除此學正、教諭外，止設訓導一員，相應欽奉聖旨：今後教各府、州、縣儒學，好生訓導生徒，每日講讀文書罷時，於學後設一射圃，教學生習射，但遇朔、望的日子，要試演過，其有司官辦事閑暇時也，與官學一體習射，若是有司官與學官不肯用心教學生習射的，定問他每要罪過。欽此。一、吏部議到學官品級，先擬教授正九品，學正從九品，教諭授省劄。今擬教授給與都省劄付，學正在内授吏部劄，在外授行省劄付，訓導授各府州付，身先令試職三年，候有成効，然後照依以定品級，實授相應。一、户部議到教授、學正并官改擬試職俱全，訓誨生員，所據俸給，量擬，教授月支米一石五斗，學正月支米一石三斗，教諭、訓導各支米一石，錢，米三七兼支，相應奉部堂准擬。洪武八年六月□日。永樂元年，改北平府爲順天府，仍以府學爲國子監。大興縣學爲府學，即今所也。仿應天府學舊制，革大興、宛平縣學。凡二縣生員，均屬府學。九年，同知甄儀建明倫堂。十二年，府尹張貫建大成殿。宣德三年，府尹李庸治新之，大學士楊榮作記。明楊榮重修府學記：順天府學，歷年既久，殿堂齋舍頽敝，射圃爲傍近民侵蝕殆盡，有司未及修復。皇上嗣統三年，工科給事中保定李庸爲府尹，莅事之初，祗謁先聖，周覽學宫，爲之嗟咨。即日狀其實以聞。詔許之。庸祗承惟謹，集材鳩工，以次興作，於是大成之殿，明倫之堂，祠廡齋舍，庖湢之所，焕然如新，未逾三載，卑隘者高廣，頽敝者完善，侵蝕者悉復如舊，神位有所，祭奠有器，其成功信非苟然者。訓導成規，具始末徵記。子惟孔子，以天縱之聖，丕明堯、舜、禹、湯、文、武之道，以詔來世，而南面出治之君，莫不敬仰師法，以安天下，其所以宣詔教化，作新人才，深有賴於學校也。我國家聖神相承，興學崇儒，以宏治化，有開於先。今聖天子光紹前烈，修學校之政，簡俾良有司責其成效，而克新廟學如此，豈直爲壯觀之具已哉！尚期爲師者明其道以淑後進，爲弟子者勉力就學底爲成才，出爲世用，俾天下郡邑學校，咸稱京都密邇聖化，效尤盛然後爲無負國家崇祀之意也。正統十一年，府尹王賢重修，户部侍郎陳循作記。陳循重修府學記：聖朝以唐、虞三代爲法，學校先于京師，既建太學，儲天下之英才，復設京學，育畿内之俊秀，孟子所謂堯舜之智不徧，物急先務者是也。蓋學制在四方者，府齋有四，州三，縣二，而順天府學其齋則再倍于縣，蓋過于四方府學，而倍于州學，其視府州縣之學，尤在當先。學在今府治東南教忠坊，初元太和觀也。洪武元年，以觀爲大興縣學。永樂元年，升北平府爲順天府，則大興縣儒學例不得設，遂以爲府學。九年，同知甄儀建明倫堂、東西齋舍。十二年，府尹張貫建大成殿，又建棲生舍于明倫堂後。皆苟具一時，加以歲久，日就頽毁，無以稱京學當先之意。甯陽王賢來爲府尹，顧其舊址，四邊多爲軍民侵，而不足以擴充堂構，乃謀于府丞番陽王侯弼、治中長沙易斌、通判甯海楊轅、推官安陸彭理，相與請復其地，既得請，遂撤故新之，爲大成殿，翼以兩廡，前爲戟門，以祀先師、先賢。殿與門爲間各三，廡爲間各五，因舊爲廟，以祀宋丞相信國文公。爲六齋于明倫堂東西，附以棲生之舍。會饌有堂，有廚，有庫，而蔽以重門。齋廚庫爲間各三，饌堂爲間各五，而舍爲間十二，倍于饌堂。經始于正統十一年七月二十六日，落成于十三年十二月十七日，材出節公門之費，而人不爲侈，工出省民役之正，而人不爲勞。其爲壯偉宏麗，視太學雖有間，視四方儒學則焕然，足聳京畿之觀瞻也。越明年春，教授梁礦輩懼無以著郡侯興學育材之意，謀于今國子助教前教授沈甯暨、前訓導趙焕，相與礲石，請文于余。君子之道，未有不學而成者，必有所致，尊崇之禮，于其所宗，自孔子以及顏子、曾子、子思、孟子而下，吾道之所宗也。祀不祀固無預聖賢之損益，而吾徒欲致尊崇之心，舍是無所從事。此學者必先廟而後學，而學之道亦必先本而後末也。先儒有言：德行本也，文藝末也。觀孔子之教有四，而忠信爲本，使凡來遊學于是者，誠能先之忠信，以敦其德，繼之文行以博其藝，將見風俗之美，人才之盛，皞皞乎，彬彬乎，于輦轂之下，有莫能禦者矣。故于記學之成，書以期之。

成化元年，府尹張諫、閻鐸，相繼修拓，規制始備，大學士商輅作記。

商輅重修府學記：順天府儒學，永樂初改建，至是幾七十年，雖數加葺治，率因陋就簡，未有能侈前規者。乃成化改元，府尹張君諫，相舊齋廡偪近堂廟，闢東西地廣之，堂之北創後堂五間，左右房各九間，廟之外，戟門、櫺星門皆撤而新之。學之門，樹育賢坊二，東西對峙，示壯觀也。張去，繼爲尹者閻君鐸，鋭意學政，凡前工未畢者，既皆足之。復念士乏棲止，勞于出入，擇堂齋前後隙地，悉建號房，通五十餘間，重建學外門，三門廟各廡，皆易朽以堅，而加藻飾焉，學後而北，民居錯雜，購而拓之爲廚庫，爲射圃。崇墉廣厦，焕然一新，人用快覩，士益知勸，尹之功大矣！教授柴誠，具修建始末，偕諸寅造予請記。惟學校人才，風俗所繫，風俗之厚薄，觀人才之盛衰，使出于學校者，皆道德之良，則成于遠邇者，悉敦厚之化。矧今聖人在位，崇正學，黜邪佞，示人以大公之道。爲士者遊歌芹泮，沐浴膏澤，當以孔孟爲師，以正人爲法，立心正，議論必正，以之孝親，尊君，臨民，行政，無一不出於正，教化自是愈明，風俗自是愈厚，庶上無負朝廷設學育才之意，下無負有司作興勸率之功，于吾道不亦有光乎！彼爲名與爲利，雖清濁不同，而利心則一，士當以此爲戒。噫！京郡列郡之表，學校所觀法也，尹誠知重矣，士可不知自重哉！僭爲之記以告。

萬曆八年，督學御史商爲正重修。十六年，督學御史楊四知建尊經閣。越明年，暑雨淹旬，廟學就圮，府丞李楨重修，自爲記。

李楨重修府學記：歲在庚寅，余丞順天府，學校其專職也。始謁先師講于堂日，廟學剥蝕特甚，余殊惻之。已而暑雨彌旬，至於秋七月廡廟堂齋諸祠舍，胥壞不可居，乃問兩埒邑以修飾狀，咸縮朒無以應。余曰：嗟哉！乏亦至此乎！粤永樂改建之後，嘗三修飾之，稱鴻制云。亦越有年。萬曆庚辰歲，益繕搆之，費至二千緡，今僅十稔爾，胡傾圮若是？豈侈心者事不堅，而督以攻之者非其人也？今余何辭！于是謀之堂長朱秉器公。公報曰：可。爰括羨鍰于諸屬郡邑，或十餘金，或七八金，得二百餘鍰，余捐薪稍佐之，始于歲八月中旬，十月朔告襄事。是日也，行鄉飲禮，雍容齋遬，無敢譁以亂執事，卬而瞻，頫而盼，廡跂立，堂齋聳，觀櫺星、戟門，文山、鄉賢、名宦諸祠，儵焕然禮義之區矣，于是諸博士弟子員來徵文。余諗之曰：余加意于斯修也，而豈徒哉！夫京師，四方之極也。孔子，萬世之極也。方極定，則寄象鞮譯之衆弗得以亂華，世極明則佛老技術之流弗得以干政，故重京師以正四方，崇孔子以惠萬世，禮固然也。昔吾孔子祖二帝，宗三王，律時襲土，譬如天地四時日月。而賢如顏氏之子，亦嘆其不可及，不可爲象宜其已甚難行矣。夷攷其爲事君盡禮，事親盡心。盡禮則忠，盡心則孝，忠則天下萬世之爲臣者取裁，孝則天下後世之爲子者取準，譬之天地之有四時，日月無不流行，無不臨照，然樞紐所在，必有極以斡旋之，諸凡萬象萬刑，森羅于中天，九州内外者，不能外焉。故孔子，太極也。京師，治教之極也。欲四方之風動，必自京學始。欲京學之教端，必自尊崇孔子始。欲孔子之學明，必自忠孝始。殿曰大成，堂曰明倫，諸生之印思之，頫察之，舍天下之達道未由矣。當雨甚日，余曾暫憩于大悲閣上，棟下宇内，宮外牆巍然，帝王丕居矣。其六百七十七函之藏經，絲繒金碧，炳燿耳目，其爲頭陀者，焚洗而展誦之，市井黎龐，偕竭資以供之，余嗟咨者三，徬徨者再。何獨吾儒不然乎？夫異教之昌，正教之衰也，起于人心，闡于風化，故身任立極之君子，當思所以返之矣。文成，竊坿建甯、盧陵、淳安三公後，鐫石堂左，用備參攷云。是役也，成勞在縣丞盧茂、劉鳳翔，其省勸綜核，則蔡倅桂也。若大興知縣王建、宛平知縣沈榜、教授李士登、陳九官、訓導滕濟倫、楊時中、李芳、馬科、管大武、陸楨、李桂偕，適觀厥成者記之。

四十一年，府尹喬維升修。

方從哲重修儒學記：順天府學，國初大興縣學也。永樂初改建，而頗仍舊貫。宣德、正統，一再增拓。成化中復購民居，益廣其址，規制始大備。迄今百四十年，繕葺而歲月漸遠，傾圮日甚。頃自甲辰以來，歲苦愁霖，周垣爲塗，棟宇盡塌，先賢廟祏委於泥滓，師儒函丈鞠爲茂草，當視太息。會數困大傜役，罄無餘資，扼擥未遑而已。喬公允升以承攝府事，顧瞻慨然，曰：丞既代庖，職實專典，學校廟貌不埽，□思樂之謂何？校府得羨金，悉捐以經始，凡東、西廡楹各九，東、西齋楹十五，尊經閣楹五，省牲所、致齋所、文昌、名宦祠、楹各三，皆煥然鼎新。而殿，而堂，而門，而坊，而敬一亭、文丞相祠、魁星樓，皆大葺其舊。役始癸丑六月，凡三月而竣。□督視故所費，視估半而亟就，凡爲緡四百八十有奇，皆公所捐俸金也。余維世道隆汙，綰轂學校，而京師首善地，尤四國儀政，修則人才豹變，化風草偃，肇於邦畿，暨於朔南，而綦隆之理賴焉，其所關非細也。國家崇儒重道，廣厲學官，棫樸之化，垂三百年。我皇上壽考作人，加意文教，申飭之詔，無歲不下，輦轂之間，風厲尤先，士生於時，密邇聖化，沐浴醲洽，亦千載一時已。當事者仰承德意，作成有加，又不啻朝憲章而夕典型也，有不灑淅於奮者，非士也。今又聞喬公甫下車，即以經、書、鑑屬博士，分時月日格以授諸士，每生明生魄，即於格中課之，所以激勸甚備，此豈簿領鞅掌者所暇，而公之惓惓如此。夫勸率不勤，有司之責也，率而不從，鼓而不起，責將安在士也？朝夕遊息，不仰榱桷、而俯階序乎，美輪美奐，冀冀言言，俎豆增輝，鐘磬□□，□新矣，而還視有未新者存，亦奚用此土木之飾也耶！夫六經之言新者多矣，誠求之六經，反之身心，正誼明道，一德同風，□□之中，而儼然立四國之極，以上對棫樸，下重宮牆，則喬公今日之維新，所以嘉惠子衿者，不可忘也。爲書其日月於石。

國朝順治初年，府丞薛所蘊復加葺治。已而民居淆雜，塵穢滋甚。府丞王登聯聞於朝，將重新之，未興工，受代去。府丞劉鴻緒纘其事，界以崇垣。康熙四年，府尹甘文焜、府丞高爾位重修。

王崇簡修順天府學碑記：順天府學宮之敝漶，廟宇之圮陋，不足聳瞻嚮而興教化，非一日矣。卿士大夫有意於此者，數數也。絀於經費之繁多，所爲率羣力以致□者，礮壁□□之間耳。求其□□缺兩就礱，固化而爲絢麗，蓋未之能也。一旦嚴嚴翼翼，煥然奕然，則順天府府丞提督學政高公之時，康熙之五年也。公甫蒞任。念教化之原，未有不本於學校。況京師首善之地，凋敝若此，何以作觀瞻，以作士風？爰咨於府尹甘公，議協志□，□度盈縮，材不謀於衆，役不出民，輪橐鳩工，規畫剔朽，而大成之殿、翼殿之櫺星之門，以及奎樓，啟聖、鄉賢、名宦諸祠，靡不次第完善。繕度不給，復斥□□以佐之。均於乙巳之八月，訖工於丙午之四月，其籌之之周，而成之之速，前此未聞也。士來肅謁其中，罔不懽忻鼓舞，稱説高公，而少宰孫公承澤，經□□禮徬徨間以語予，思有以記公之誼，而公亦望有以勉多士也，乃過于草堂，屬爲之記。予方媿以鄉人，而無□縉之效、一役之功，敢不記其實以載公之□□□無窮乎！昔董江都有言：治天下莫不以教化爲大務，立大學以教於國，設庠序以教於邑，其所以爲教化者非他，凡以明人倫而已。人倫既明，則人才自□□□者司徒之教，立之常典，民生而由君臣、父子、夫婦、兄弟、朋友之道，各適其性而安其處，而所以使之爲親義、序别信者，則非由之之民所可及，必待民之□□□士者究宣其意、踐服習行之，而後風可移、俗可善也。則學校之爲教化所由興，其重如此。今我爲士者覩廟貌而忻悦，豈徒如緇流羽士之快莊嚴於□□□之事而已哉！仰思先聖之訓，垂求乎子臣弟友之倫，即國家設學興教，惟此倫理之克盡，天下同此，倫理根於性，則爲仁、義、禮、智之德，發於情，則爲惻隱、羞惡、辭讓、是非之端，見於事，則爲君臣、父子、夫婦、兄弟、朋友之常，聖賢經傳，諄諄誥誡，無非欲人之無失其性，教衰俗溺，惑於嗜慾，逐於利害，偷於□，得之習，靡倫□□多逆，是豈其性然歟！亦教化之不至也。故在上者興學以訓迪之，學問以開發其天良，聲容以薰陶其才德，所爲不過六經、六行、六藝之間，漸摩之久，倫理著而入，則鮮不孝、不弟之行，而備□卿大夫，百執事有不油然以成之者乎！傳所謂人倫明而小民親，親親長長，而天下平，則教化非致主之大務乎！嗟乎！今之于于然扶册而講，鼓篋而絃歌，□□於由之民而謂之上，若徒攻訓詁，侈詞章以取科名爲能事，殆非公所以興教化之心，亦非所以永公之誼於無窮之意矣。是役也，以□者順天府府尹甘文焜、提調學政内國史院侍讀蕭公爲豫，司出納則署儒學教授宛平縣縣丞張君雲孫，而府照磨汪君湄則董功作者也，繼至爲今教授黃君忱孝，是以並書。高公名爾位，字顯之，錦縣人。

二十一年府丞張鵬翮疏禁鑲黃旗侵占。得旨褒許。雍正四年，詔發帑金重修。嘉慶十三年，府尹戴均元等重修。咸豐四年，府尹汪本銓等重修。

汪本銓重修順天文廟碑記：順天府庠文廟在郡治東南教忠坊右，元末僧人募修報恩寺，未列像，適明兵定燕都，下令毋得擅入孔聖廟，僧人藉孔子木主設焉，是爲大興縣學。永樂時，改爲府學，我朝因之。聖神相承，崇儒重道，用宏文教，凡歷代有格致誠正之學、齊治均平之略者，或進之東西廡，或進之名宦鄉祠，又復建立崇聖祠、文昌宫、尊經閣、奎星樓，皆所以敦教化而維風俗。康熙二十一年，聽事居住人等污穢侵占學宫，府尹張公鵬翮陳奏，奉旨：速令遷移，嚴加禁飭，不遵者該管官察參治罪。雍正二年，詔天下各建忠義、節烈、昭忠等祠。乾隆元年，議准添設文廟祭器、樂器。嘉慶六年，祀文昌改用太牢，追封三代，典至重也。余忝任京兆，下車祇謁聖廟，徧閲學舍，仰見殿宇傾圮，不蔽風雨；崇聖祠卑隘，難昭誠敬；文昌宫無後殿；名宦、鄉賢祠在學宫門左右，殊乖禮制；急圖修復。遂商於兼尹大學士卓，捐廉倡率，合屬官紳，踴躍輪將，因諭宛平令戚貞董其事，薊州訓導高守貴、良鄉歲貢張翰督其工。方逾九月，傾圮者完繕，卑隘者高廣，弗合禮制者或改或建，與夫尊經閣、明倫堂、敬一亭、庖廚所，門廡壁舍，無不煥然一新，並建下馬碑石二坐於門外，以昭嚴肅，而補闕略。惟望後之良有司、賢師長，盡心敷教，養育人材，俾及門者居爲端人正士，出爲循吏名宦。京師爲首善之區，人文蔚起，天下學校知所取法，以仰副聖天子崇儒重道，雅化作人之至意。是卽倡捐重修之所望也。謹記。光緒八年，府尹周家楣重修。周家楣重修學宮記：光緒戊寅，家楣由大理移尹京兆。念邦畿首善，學宮規制，薄海具瞻，罔敢或隊。吉日展祀，周眡環堵、東西兩齋，傾圮荒蕪，糞壤填積，廢爲牧畜，中情悚仄，莫可旦夕。乃申禁令，議興作，公帑既輸，濟以私奉。春秋祀事，鍾磬簫筦之屬，敬謹增設，必精必備。厥自咸豐癸丑年，前京尹汪君經營之後，因沿廢失垂二十年矣。是歲八月，家楣奉諱歸里；三年還闕，濱州游君適領斯職。自惟前此工作，僅同補罅，無當全規，乃與游君合謀並力，冀償夙心。未幾，游君銜命督倉，家楣復玷斯位，官守所在，欲罷不能。三事大夫、搢紳先生、儒冠儒服之倫，咸相翊贊，乃以蒙昧之姿，蒇茲巨役。宮牆以外，廢棄之地，予人侵越者，悉購歸之；周垣溝瀆，所宜道達者，白之冬官，歲修如例。若夫圖書，美富累朝，頒發博士弟子絃誦之所需，塵封蠹蝕，聞者嘆息，以時觀摩，無令廢皮，則師若弟之責也。茲事經始，再歷寒暑，爰記顛末，以告有司。方今皇上右文，孔庭典禮恭敬有加，自今以始，增其式廓者，吾知有人已。明倫堂在大成殿之東，順治九年詔刻卧碑寘於堂左。詳金石門齋舍在明倫堂東、西，建自前明，屢經修拓，爲齋六，曰：進德、修業、時習、日新、崇術、立教。尊經閣在崇聖祠之東，康熙四十三年重建，詔廣善庫修理。敬一亭在明倫堂之後，有明刻程氏四箴，石質剝泐，文字漫漶不全。射圃在學宮之後，名宦祠在大成門之東南，鄉賢祠在名宦祠之東，忠孝祠在崇聖祠之東，教授宅在尊經閣之西，訓導宅在崇聖祠之西。

縣學

良鄉縣

學在縣治東南。遼大公鼎建。遼史列傳：大公鼎改良鄉令，建孔子廟學，部民服化。明府志、縣舊志、畿輔唐志均未載。明洪武五年重建。正統十二年修。國朝順治十年，知縣張士彪增修。李昌垣重修良鄉儒學碑記：皇帝中乂之九載壬辰，躬詣辟雝，行釋奠先師禮，進更老饋餚，致祝、説經義，於時褒錫諸儒臣博士弟子儀甚厚。蓋日惟后厥猷，勸學迪誼，洽聞興道以京輦倡，函夏其爾郡縣守令，廣厲學官之意，咸視朕夫風指所届，近者先承良邑，雖彈丸乎于京輦，則腋及之，其地較漢之三輔稱扶風、馮翊者甚密重。其人誦法孔子，敦悦詩書，于文學其天性然也。又炙天子之化，朝施而日中偏焉。爲牖孔易，故良居衢塗爲衝首，車書肆達，罔不由之。先是，官兹邑者督戈殳飾廚傳吏卒，緣南北界鄣望冠蓋，令負弩驅道左，疲於輪蹄奔會間，甚者，星飯昃櫛，家而催呼，踵簿案訟獄，董稽勾考不暇理，苟辨一切取支給己爾，遑問廣厲爲？以故子衿不嗣，學宫鞠茂草云。邑侯張公始莅，謂簿案訟獄、董稽勾考猥務耳。迎送徵歛，吏之俗者安與詩書事？乃數謁先師廟，肆雅課士曰：聖主右文過高、光甚。高帝謾駡儒生，以馬上得天下，安事詩書。及其過魯，命以太牢祀孔子。光武投戈講藝，息馬論道，晚乃備三雍。今上英齡幸學，其風天下郡縣，振陶雋彦，起衰扶墜，甚深且篤。予承京輦地爲部縣先，即不能如翟酺、趙熹之議，復太學堂房門館，助流盛業，及文翁、韓愈、常衮之徒設鄉校，廣禮讓孝義于殊方，顧覩泮水之鞠茂忽諸。爰出歷俸，鳩工庀材，闔邑輪作恐後。廡祊殿寢、祠樓庾湢，櫨枅欂礩、朱紺雕鏤、塓塈髹絢具甚。自是學宫璀蔚倍曩時，衆以功侯。侯曰：吾觀前吏所載，講堂荆棘自闢，爲是聖道復昌之象。桓帝末，太學門自壞，襄楷嘆，謂斯文不振徵此。由是言之，廟之修廢，教之崇替也。吾吏近畿，遵右文，紹廣厲，度不至如前之取辦一切置學校不務者，因爲鼎新，于予之志之職允協。予遑功？邑之人則以侯之賦徭清簡，字氓造俊，衈羸剷暴，政無不觀厥成也。其甚者，焕聖宇而禆帝治，厥惟顯哉。以質予，予曰：如邑人言，侯于中乂之道，尊先師之旨，甚得，厥惟顯哉。公韓士彪，遼陽人，戊子夏筮仕，癸巳春遷靖州牧。人重之比于名教干城焉。康熙二十七年，知縣張宏毅修；乾隆二十一年，知縣楊喬修；道光十六年，知縣彭世昌修。彭世昌重修良鄉縣學宫記：昔先王順人情以立教，知夫人情所不習，則不能責其器之備而業之精，于是廣立學宫，制之禮器，使人日游于橋門璧水之間，俎豆干羽之地，濡染其耳目，陶養其性情，久則天機與器數相習而不自知，故終身安焉，而不願乎外。上之人，九年以攷其成，四十而試之仕，而士亦因之自勵，故器之備也，自簡廉直温剛塞恭愿以及中和孝友，皆能盡其微妙，而無有麤疎傲戾之氣，其業之精也，自唐虞三代以下之典章，鞮譯象寄之語言，以及射御操縵雜服之技，凡可爲天下國家用者，皆能貫而通之，而無鹵莽生澀之弊。伊古以來，學校興則人文盛，學校廢則人文衰，如影響焉，莫之爽也。我國家稽古右文，崇儒講學，今將二百年矣。海隅之内，罔不宫牆相望，絃誦相聞，傑士才人，不擇地而有，矧其在輦轂之近哉！良鄉首善要地，距京師六十里許，近天子之光，沐聖人之教，無甚於此者。宜才人傑士接踵而生，器無不備，業無不精，奮風雲，光史策，有倍于荒甸外者。顧數十年來，聲稱寂若，科第蔑如。嗚呼！詎非以學校荒圮，久而不治之故與！夫學校荒圮，有司之責，亦紳耆之羞也。而爲良邑之有司、紳耆，抑獨有甚苦焉。蓋幅員不及百里，户口不及數千，土田磽瘠，大半皆爲旗産，故居民無土著，一鄉之中求所謂中人之産者，十不得一二。士皆環堵蕭然，宿春不具，學校荒圮，有蒿目焉，而無可爲力。且邑當孔道，車書輻輳，星使犇馳，有司治事外，持手版迎謁道周，而芻茭酒食，[illegible]嘑橫索之音，日填于耳，雖有長才，供帳應酬之不暇，學校之不治，所以恆不暇爲也。壬辰歲杪，余奉特旨來涖兹土，下車謁廟，心竊傷之。會以歲饑，不克即謀修葺。逾年，天又降災，大水漂蕩民舍，而官廨亦爲之空，徙寓僧廬，辦公無所，勢又不得不急營焉。乃白之大吏，請於朝，給發帑金，八閱月而後官廨告成事。于是得與胡、李兩廣文大召生徒，共商斯舉。余與兩廣文先割薄俸以爲之倡，都人士亦皆踴躍輸將，繼乎其後，銖積寸累，共得緡若干，鳩工庀材，擇茂才數人董其事。經始于丙申二月，告成于本年月日，泮池、兩廡、大成、櫺星之門，鄉賢、名宦之祠，以及禮門義路，次第畢舉，焕然改觀。向之隘者，今加敞；向之卑者，今加崇；向之仆者，今加植；向之無者，今加增。而且丹其甍楹，飾其户牖，几筵鐘鼓，粲然具陳，庶幾春秋釋奠，濟濟蹌蹌，睹美富之宏規，作身心之嚴翼。此一役也，以彫敝之鄉，興久墜之業，始頗虞其難，繼甚樂其易。是知人情皆善，聖賢之在人心，無敢忽也，是亦一陽來復，文運之一大轉機也。安知才人傑士不自此接踵而生！器無不備，業無不精，奮風雲，光史策，有大副乎國家稽古右文、崇儒備學之化者，則興廢舉墜，所關詎淺鮮哉！雖然，猶有憾，明倫之堂，師儒所以出教也；尊經之閣，生徒所以稽古也，維時缺於貲，而未遑及。翼日廉俸稍餘，當與諸君共竟斯業，庶免不全不備之憾與！同治十一年，知縣高建勳修。

固安縣

學在縣治東。元大德九年，達魯花赤馬塔剌海、知州（元中統四年升爲固安州，明初復爲縣。）高淵、同知州事劉之紀、判官尚傑創爲學院講堂，賈庸貴作記，基址無攷。（賈庸貴創建講堂碑記，詳金石。）明洪武三年，始建今所。八年，增修。成化九年，教諭郁珍重修。嘉靖四十四年，知縣何永慶重修，徙崇聖祠于尊經閣前；督學御史龐尚鵬、知縣胡價、馮子履，復相繼繕葺，訖工于隆慶二年，遼東巡撫蘇志皋作記。（蘇志皋重修文廟記：我朝于郡縣立學，所以成賢育才，又必建廟，所以尊師重道，甚盛典也。夫何有司徒應故事而求其留意者，幾人哉！迺嘉靖癸亥，廟學頽壞極矣，遇何邑侯永慶，慨然任其事，卜日肇工，撤而新之。中搆先師廟五間，崇階邃宇，視昔改觀；東、西廡各五間，戟門三間，櫺星門四間，鄉賢祠各三間，泮宫一間，繚以垣墉，飾以金碧，足以妥聖靈、興士氣矣。無何，胡邑侯價覆修明倫堂三間，進德、修業齋各三間，敬一亭三間。無何，又遷去。繼之者學使龐御史尚鵬謁廟，謂泮池尚未即工，盍修之。于是甃以甎石，架以橋梁，而池成。更馮邑侯子履葺其緒，補其闕，飾其所未及，而工告訖。是役也，肇事于隆慶戊辰十月，蓋有經始勿亟之意焉。而主簿前張宏業，今郭朝元，典史前葛漢督工之勞，樂觀厥成，以師道自勗，則教諭前孫鉞、俞天衢，今胡以均，訓導前徐炫，今楊動、劉禄也。廟學既成，諸生楊文禎、張思元、王梅等，請予文以紀。歲仰廟貌，則思希聖，出入學宮，則思明倫，務以賢才自居，黼黻皇猷，鋪張治道，庶無負諸君子重修廟學之意也，區區科舉之習，抑末焉爾矣。萬曆二十七年，知縣官箴重修，山東巡撫張充濟作記；未錄。四十六年，知縣孫織錦重修，遼東巡撫郭光復作記；未錄。崇禎二年，知縣王之鼎復徙崇聖祠于大成殿後；三年，知縣秦士奇濬泮池，邑人蘇爾和新尊經閣；十五年，教諭韓珀重修；均有記。未錄。國朝康熙十六年，知縣王錫韓，十八年，知縣衛既齊，二十五年，知縣武廷适，三十一年，知縣張鼐，各有修建；五十年，知縣鄭善述拓門前隙地。雍正四年，知縣倪岱立忠孝節義祠，九年，重建尊經閣；十一年，知縣單鋐、教諭陳光禄置祭器。乾隆四十□年，知縣王湘若重修；嘉慶二十一年，知縣錢□重修；道光二十八年，河道熊守謙、知縣王仲蘭重修。劉甡重修學宮明倫堂碑記：大道自昭今古，聖德炳如日星。我朝建學明倫，尊師重道，所以養賢育才，維持名教之意，固已邁往古，而於斯爲盛矣。是以大都小邑，咸建文廟，俾享祀蒸嘗，無時或缺，而黌宮泮璧，必加修理，毋使稍致傾圮，以壯觀瞻。然注意於斯文，留心於廟貌，唯望膠庠以盛，而人才日以興者，幾何人哉！方城分銀漢之流，爲茂先故里，畸人輩出，故其萬仞宮牆，夙稱壯麗。乃歲時遷閱，風雨漂搖，溯自乾隆四十年重修，又於嘉慶二十一年畧加修葺，迄今垂數十年，竟無有爲之修理者。且於道光二十六年閏夏，忽經暴雨狂風，至將櫺星門摧折，規模漸失，景仰何從耶！永定河觀察江右熊公，下車伊始，恭謁文廟，見其殘缺剥蝕，惟恐庠序頹敗，無以造就人才，因慨然語邑侯王公曰：學校爲人才淵藪，亦爲一邑之規矩準繩，是亟宜重修之。余當捐廉以爲倡。王公性本慈惠，政亦循良，聞其言，益勃然以興。既捐廉俸，併勸闔邑士人量力捐資，以襄善舉。是年春間，會同本邑學師，鳩工庀材，授事命日，於是殿堂堂廡黝堊丹漆，舉以法。而櫺星門、明倫堂兩處則修造焉。越五月而功成。王公竭力殫精，其孳孳以學校人才爲念者，乃父母斯民之責。若觀察熊公，監司重任，績著修防，而猶經意於學宮，肫肫然於固邑人文者，是其醞釀宏深，根柢醇厚，學問經濟充積於中，故樂與人爲善，而無時無地莫不以汲引後進爲己任也。甡籍隸固邑，忝列科名，今見經營各工，悉臻美備，誠幸事也。固邑人士是宜爭自濯磨，說禮樂而敦詩書，勉圖上進，庶無負觀察熊公惠澤士林之心，卽仰體國家作養人才之意云爾。同治十三年，永定河道李朝儀、知縣楊謙柄重修。光緒六年，永定河道游智開添設祭器。

永清縣

學舊在縣治西南。遼壽昌元年，啜里軍都押司官蕭薩八建。明洪武六年，知縣盛本初重修。永樂六年，知縣王居敬重修。成化四年，知縣許健以規制湫隘，右臨大河，歲苦積澇，改卜南門大街風雲壇故基，縣丞司憲董其事。汪諧改建儒學文廟碑：永清縣儒學，舊在縣署西南百武，勝國時建，基址卑狹，右臨古河，歲苦積水，殿廡堂齋，每歲輒圮，師生患焉。成化己丑，通學生員趙亮言於教諭奉化馬君文曰：齋舍頹圮，無所肄業，丹墀下溼，難以展拜，而風雲壇在南街之東，民居湊集，未免褻穢。壇之南百餘武，古河之陽，有隙地焉，高阜幽静，宜妥神靈，盍以南壇移置其地，而遷廟學於壇之故址，乃爲兩便。故學之舊材多可用者，亮等咸願出貲以助，可不煩民而成厥功焉。君欣然曰：是吾志也。乃轉達於濮陽許侯健，以聞於朝。時天子詔可。於是丞東阿司侯憲，慨然以爲己任。興築之初，掘地得金釵數莖，鬻以佐費，人皆踴躍，以爲所感。侯與馬君旦夕不遑，躬督率之，不數月而殿廡堂齋焕然一新。蓋大成殿五間，兩廡十間、戟門三間，明倫堂三間，兩齋六間。居宿有齋，號舍有所，儲粟有廩，貯物有庫。始事於是年三月，迄是冬十有一月而止。惟牆垣未周，號舍未備。司侯、馬君相繼滿去。又十有餘稔，而修武趙侯志學來尹兹邑，首謁廟學，謂規制雖美，而工力未完，任將在予。乃與教諭長清趙銘、訓導王景曇、喬致和，協力成之，乃成化乙巳之冬十月也。於是春秋禮事有嚴，諸生講習有所，歲時飲射，大夫俊秀咸得揖講進退於衣冠俎豆之間，蓋彬彬乎盛矣。又謂學必有記，遣學生牛良等具始末謁言於予。嗟夫！帝王君師之道，莫備於孔子之身，所以師表百王，綱維萬世，自生民以來，未有盛焉者矣。學校爲教育賢才之地，而其所以作育，一惟孔子之言行政事是法，是以歷代願治之君，必以興學爲先務，何莫不本於此哉！我國朝君臨海内，首建廟學，所以尊崇作養之典，度越前古，而其張弛，亦係於爲守令者，承流宣化無慢也。以永清觀焉，前之職治教者，坐視其敝，恬不介懷，至於司侯輩，能作其始，遷而趙侯輩能究其未備，不勞民力，事成厥功，以祇事我至聖，諸士子且游息於斯，誦法聖訓，不可謂知所務哉。要在爲臣必忠，爲子必孝，爲夫婦、長幼、朋友必别，必序，必信，存之心而不失，措之躬而弗違，見之事業而不愧，充之以學問，發之於文辭，無非孔子綱常之道，仁義忠信之言，斯爲學校大有光矣。若但習爲記誦，僥倖科貢，以媒利禄，而於孔子之道，漫不加之心，是豈爲朝廷作育之本意！抑有負於諸君子興學之盛心也。諸士子其勉之！萬曆三十二年，知縣郝修平，三十九年，知縣王嘉績，四十一年，知縣楊夢熊，先後修葺。崇禎五年，知縣李鑑復治新之，築焕乎亭于櫺星門外。劉錬修儒學記：蜀西李公治益昌之三年，皇明崇正六年也。姦彊帖柔，瘡痍昭蘇，既政大行，所丁甯以急者，有甕城之役，有懸樓之役，有濬渠築堤之役，凡故之所有，必飭其所無也，乃今有之。而孔廟之葺治，未議並舉焉。將無緩視文教耶？非也。當四郊多警，水旱薦臻之日，雉堞弗雄，天塹弗險，偃瀦弗規，絃誦之彥亦將怵吾圉之未捍，必且廢詩書以問干櫓之事，民不樂生，即石城十仞，湯池百步，衹爲寇資。況農桑之興，先於禮樂，則軫方割以觀稼穡之成，其緩急較然易知者也。然傳舍之吏，避難自便，曰吾與民休息足矣。吏之庸者，竭其力以瘁於刀筆簿書之間，謝爲不暇爲，且謂吾曾爲之，而曾不足以爲之，其能有以遺其美而不愧於吏之能者，果多乎？不多，則其有可傳者寡矣。公於甕城諸役既竣之餘，報政已久，即有不得已之務，亦可以已。乃喟然曰：城隍繕矣，稼政修矣，可庀材費以有事於學宮焉。而木甓瓦石之具，以枚數之，五萬有奇，用人之力，以工數之，至十餘千。議者難，公不爲意。遴日鳩工，以癸酉年二月二十三日始作，即以四月初六日落成。捐公之資，以貿材於商，募力於民，故有大費於大勢，而人莫或以爲擾也。而其爲制，有飭所已有者，正殿三間，規模雖具上之結搆，頃鑽四旁之廉偶墊側，層苔疊蘚，穿月宿雨；齋祠講堂，候望楹廡，以至庖湢，莫不以積久而圮，亦莫不積以欂櫨，新以榱桷，繚以賁庸，妍以丹堊。頖池舊在戟門之下，大不盈丈，深僅容膝，狹庳逼逐，公命匠石曰：盍其易之。以堦南有町畽，寬平如案，可池也，鑿之如璧形，實水其中，蒔以青蓮，蓋仿辟雍之義而區畫焉；欞星門以外，有影壁屹然，隘甚，氣象不舒，公除其舊，竪以木柵，鼎立其門中，額曰躋天之堦，曰金蓮叶瑞，右曰義路，左曰禮門；又築煥乎一臺，以翼其旁，疏砌墿軌，以通劇駿，蓋昔所無，今有之者也。制度輝煌洞達，奠孔子其中，聚萃學徒，爰居爰處，澡身元淵，宅心道秘，場功之隙，與鼓腹之民，敦仁教讓，以及受成、獻馘、訊囚之事，皆於是乎在，則鄉之甕城之役，懸樓之役，濬渠築堤之役，皆種種與膠庠相關，而先後緩急之宜，公處之不驟亦不亂，凡兵、刑、錢穀，出身加民之大，無不井然森然者，類如斯也。君子謂公於是乎爲能吏矣。是役也，經營圖度，考課案程者，則李侯號涵白、諱鑑也。參觀大勢，指畫方員，力作勸相者，則學博楊公號蔚所、諱恆，號紹虞、諱化中也。身督工師，採木伐石，拮據不辭者，則陳尉百善也。趨事董役，鼓舞不輟者，則劉生惟荃、趙生其昌、劉生澤遠、張生鵬翼，王生業隆等也。勷其事因并書其盛，終始而存之以告後之人者，則邑人劉號鎔九、諱鍊也。鑱石之日，則崇正六年五月五日也。

國朝順治元年重修，十四年知縣丁棅重修。

張國禎修儒學記：辛卯暮春之吉，余自古祊任滿，叨領永庠，謁廟時，欞星戟門，殿廡門窗，及各處神牌，無一存者，大殿僅臥數椽，風雨不蔽，前後窗牆，久圮無跡，一望蕭然，幾同牧場，望空瞻拜畢，心惻然者久之。移時，晉謁陞任程公，立懇修葺。公瞿然曰：不佞夙有是志，第苦工力浩煩，非數百金敢開工乎？曩亦有在庠張生希堯等四生，曾議厥舉，而未果，徐與商之可也。閱兩日，具杯酒，邀四生坐，共議協修。四生亦首肯焉。余思工大、費繁、時詘，難以並舉，必門牆先立，而大工可次第圖也。不一月間，余極力設處，數百尺之宮牆，先告竣矣。諸生因相鼓勵勸勉，捐修欞星門者，張生希堯、趙生士芳、張生元霖、王生瑾也。捐修儀門、戟門者，尹生樂爵、王生景和、孫生顯宗、王生啟昇、邢生友德、梁生延祚也。捐修角門者，索生綷、馮生永祚也。捐修鄉賢門户者，劉生鍔暨侄湛沂也。殿廡神牌，一時並立。兩月內，廟貌聿新。公始嘆服曰：不圖工之神速，一至於斯也。大工可開矣。遂慨然以爲己任，捐金半百，鳩工募化，紳衿滿漢，靡不樂輸。又准朱貞憲、索綷等之公呈，入水窨郇王化淳漏糧地一頃爲學田，以爲繕廟之記，公之心可謂曲且盡矣。一時工匠畢集，余孑然一身，應接維艱，幸司訓佟君八月來任，協力經營，規模粗備。延至壬辰春初，公喬遷焉。工科不繼，又不免爲一簣之虧也。更有幸者，馬公來牧是邑，便慨發額設修學銀十兩，仍捐俸四兩以助未完，至仲冬，而殿宇、門窗、臺基，無煩數百金，皆落成焉。總計蓋僅二百金也。有志竟成，亶其然乎！噫嘻！開創者，陞任程公也。收功者，現任馬公也。贊成者，佟司訓也。余小子國禎何力之有焉！第揆厥初願，覺愜然耳。是爲記。

康熙九年，知縣連應鄭，十五年，知縣萬一鼒重修。乾隆四十二年，知縣周震榮重修。嘉慶十八年，教諭王慶楠重修。

朱雲錦重修聖廟記：

自京師達府州縣，皆爲廟，祇祀先聖，其郡邑廟，凡祭祀、灑掃、啟閉及修葺事，一領之學博士。顧歲修掌在度支，暨大傾圮需鼎新者，則無所取給，非賢博士率邑士大夫協心力興復不爲功。永清縣學之廟，在城巽方，嘗重修於乾隆壬辰、癸未間，第地卑且城鹵，故不數十年，磚甓輒陊剥，奉祀者無不愴於懷。學博士王君，以丁卯歲莅任，顧瞻廟貌，卽以興修爲己任。自以教未洽，且值歲屢祲，蓄於心者久之。至壬申之秋，君施教於兹者，考績且再，時和年豐，思踐前志。惟永清在畿輔東南，近津淀，常苦潦，又永定河繞邑境北，東界或衝決沙淤，且旗莊錯互，民鮮恆産，絃誦稀闊，六七十年來，無登甲科者，而修費又甚鉅。君則商於明府宋君，爲文具述修廟意，凡詩書之族，與好義而力能佽助者，明府設具，延至廳事，俾傳觀而量捐焉。又恐不偏喻，君則單車造門，曉以大義，遂咸踴躍。蕞爾邑，旬日間捐白金至二千兩。迨貲既集，念役繁劇，力能任者，或藉諉其才；不能勝者，弊且百出。遂分工量授，使無稽於明，且相觀而加勉焉。癸酉之二月，涓吉興工，斧者，斵者，墁者，圬者，運瓦石、持畚鍤者，各執其業；董事者亦皆爭勵。公則僕僕風日中，稽勤惰，授方法，間具酒食，招諸司事者，歡呼引滿，以忘其勞。又以外屏太逼，南拓者丈許。未及六旬，殿宇門廡瓦木黝飾之工具畢。既落成，咸思有以記之。余惟永清，地至瘠也，斯舉，役至劇也，君以至誠感之，迄有成功，偉哉！然非鳩貲有道，授工有法，雖抱勤懇之意，亦惟仰屋梁而浩歎耳。不然，前此之令尹、博士，及邑之士大夫，睹傾墜而愀然者，豈尠也哉！是知德必待慧，仁必有術，古聖賢非虛語也。廟傍水澤，雖謹葺治，不數十年且壞，後之有志者，仿此行之，奏功易易。又旁近邑之期於修整廟學者，咸可來取法，是君修永邑一時之廟，而百世之廟永賴，旁近邑法此而興修者，亦緊公之功，是不可不書，故備記以諗來者。君正定縣人，名發楠，出拔貢生授永清縣教諭。明府宋公名齊連，河南商邱縣人，任永清縣知縣，以異績加知州銜，在任候陞。前訓導王公諱翊，天津縣人。典史王公名湊，江蘇吳縣人。皆有勞斯役者。至邑人之勤於工及捐貲者，則別著焉。是爲記。

咸豐元年，知縣劉體直重修。

戴沛重修永清縣文廟碑記：原夫文運出於天，文才産於地，文學成於人，朝廷崇儒重道，胥郡縣而立之學。而誕敷之教，有盛有衰，豈鍾毓之偶偏歟？抑師儒之不講歟？將所以妥神靈、復舊制者之不肅，而未備歟？永清縣學宫，建於城東南隅，地當斥鹵，歷三四十年，輒需修葺。聞諸故老，廟南有亭，額曰煥乎，堪輿家以爲興文之地，自亭建後，科第聯緜，登賢書者十餘人，登甲科者五人，歲久亭圮，文人士宦多有不利者。豈形家之言，亦有裨於文教者乎？余於道光二十九年七月，承乏斯邑，見夫殿廡剥落，牆宇傾頽，亦有興之意，然有其意而無其才也。適於三十年五月，奉檄與劉公名體直者對調署事，余署昌平，劉署永清。劉公署任昌平時，亦曾倡意捐修學宫，胸有成竹，莅任之始，即慨然有興修之意，兼以士大夫之請，又直豐年，爰集紳士耆老，始議重修焉。奈斯土地瘠民貧，舉事匪易。劉公復援捐修文廟，例得奬勵，以示於衆，因是捐輸者踴躍赴公，於以鳩工庀材，卜日興工，不假胥吏之手，擇士人之公謹有爲者，俾司其事，經營布置，井井得宜。溯自辛亥孟春，至今凡十五閲月而蕆事。余於復任後，朔望瞻拜，得覩殿桷廡礎以大鼎新，傑閣崇祠，並皆巍焕，宫前之亭，翼然高聳，繚以牆垣，較前周備。涓吉以協天時，興廢以占地利，靡不宜矣。自今以往，有志之士，亦修其在人者可耳。廟成，屬記於余。余未能經營其始，而乃得聿觀厥成，何其幸與！爰次顛末而書之，以誌劉公惓惓愛士之誠，彰邑人殷殷崇學之篤行，以卜我國家駸駸得人之盛也。謹記。

東安縣

學在縣治西。唐開元間，創建於耿就橋行市前。元中統四年，改學爲州，升爲州學。至正二十三年，避渾河水患，徙州治東朝正坊，州人程式實建之，孔克堅作記。元孔克堅廟學記：東安監郡卜侯，暨太守世侯，具事狀請于余曰：敝郡有程式者，好義之士也。至正乙酉間，出資創義學一區，贍地一頃一十畝，延師教其鄉人，洎四方之來學者，歲給廩餼弗替。一日慨然而興曰：學者誦詩讀書，皆以宣聖爲師法，今義學建，而聖廟未定，是溯流而忘其源也。壬辰歲，復捐資若干，立廟傃像，並香案祭器咸備，春秋二祀無缺。州故有廟學，地爲渾河所衝，而程君所建者，迄無恙，衆以爲若有神靈焉。至正癸卯秋，學正張天麟典教是州，與二州侯躬詣程居，暫假義學，以爲絃誦地。式慨然曰：某立學置産，已爲公物，豈尚有吝心耶？嗣後悉惟二賢侯是命。二侯韙然曰：真義士也！于是倡僚采，捐俸金，礲石于清廟之西偏，乞爲記之。余曰：噫！夫士苟存心利物，于人必有所濟，式居鄉以善稱，既以淑諸己，立學以義名，又以淑人，其人洵足嘉矣。夫燕薊之俗，悲歌慷慨，自古則然，而近代狃于時習，往往建立僧舍神祠，以邀冥福，如式之設義學而尚儒風者，蓋鮮矣。昔范文正公貴爲參政，捨宅爲學，割義田以卹貧族。而式布衣耳，其所設施，亦能如是，又其難焉者。今我聖元以六事選守令，學校興舉居其首，二侯膺命來牧是郡，能以興學校爲先務，適丁國家多事之秋，百費繁劇，民不勝勞，式于此舉，豈惟益于官，又能不勞其民。於虖！有二侯之民，可以起式之義，有式之義，可以遂二侯之志，是宜書其事以勸。明洪武二年，改州爲縣，又爲縣學。三年，復因渾河水患，徙常伯鄉之張李店，即今所也。宣德五年，知縣王友信重修。天順七年，知縣馮珍重修。嘉靖二十八年，知縣成印重修。隆慶五年，知縣王邦直重修。萬曆六年，知縣韓景閔重修。李應斯廟學置地記：學之南有泮池，池之南有高壘，俗以爲筆架山。學之乾有塔聳然而起，俗以塔爲文筆峰。乾巽相應，而靈氣鍾焉，是以名臣俊彦，後先輝映。畿輔左右，稱名邦者，必以吾邑爲首，是壘之有關于庠序豈淺鮮哉！但是壘原爲民地，非學所有也。成化間，上下殷富，百十年無轉售者，其在他人，猶其在吾學也。迄今三十餘年，地遭兵燹，廬舍廢爲町疃，果木毁爲薪炭，世守之産，數易其主，萬一此壘轉售他姓，或任其爲污池坎窞，而莫之禁，則學宫之形勢，毁于一旦，所傷實多。廣文吕北川、陳漳鹿，與庠雋劉子伯光、史子亨、楊子紹英、王子應門，共相議曰：是壘之興廢，乃吾學仕進者廢興所由關也，盍捐資置地于學，更爲之繼長而增高焉，則形勢益壯，科第之蟬聯詎有艾乎！于是各陳于邑侯韓公，公曰：善。首捐俸金若干，並鄉大夫邵公鳴岐，魏君枂泉，闔學士人，皆踴躍助成其事，而泮南高壘始爲學有矣。其地之長短廣狹，畝數四至，另有小石開記，又恐其世遠難稽而且不忘始事諸君培植學校之意，屬某爲文勒石以垂久遠。從此地効其靈，人修其業，彙征鴻漸光于前，而振于後，皆韓公、吕公、陳公三君子之所遺也。某不揣鄙陋，承命而爲之記。三十九年，副使梁有年、知縣鄭崇岳、教諭寇光裕重修。國朝康熙六年，教諭王夢明修。王夢明重修學碑記：安次學宫，唐開元間在耿就橋行市南，元時移於朝正坊，至明洪武二年，渾河爲災，隨縣改遷於常伯鄉之張李店，立廟城北西南隅，當時民豐物阜，鳩工庀材，不勞而竣厥事，自此人文蔚起，嘉、隆年間，科第蟬聯，往往甲他郡。邑既遭兵燹，兼受渾河衝決之患，未免摧殘，致傷地脉，迄今文運少衰，而仕進者迥異疇曩，獨何故哉？余以遂城儒城分訓安庠，竊見大成殿、明倫堂，爲秉教孟君諱陳王者重經修治，其餘兩廡及戟門、欞星門，反零落摧敗，未克完整，朔望行禮，甚非所以肅拜獻而壯觀瞻也。夢明首捐金一百三十兩，倡率士子，隨力樂輸，而賈生慶雲等，親督土木，以左右厥事，不半載而告成功焉。具文本道張，轉詳學憲蕭，蒙批：學宫各處殘廢，今安庠倡率重修，誠可嘉納。夫夢明與共事諸生，特以昭崇祀至聖之意，詎能增輝頖壁，以誇示將來！然而前之創建者，既已零落摧敗，亟有待於今日，則繼今以往，不更有待於後人哉！余以改銓，頃將就道，因糾合庠士子郝來賓、扈運開等，訂社出貲，以爲歷年修葺費，庶幾無俟殘毁而後更張之，則財省而事舉，力半而功倍，廟貌常新，籩豆有恪，菁莪棫樸之士，雲龍岡鳳，悉邀福於宣聖之靈，甯有窮極也歟！謹勒諸石，以告後之秉鐸於此者。十一年，訓導馬元調，六十一年，知縣周道裕，各有修建。嘉慶十八年，知縣□□□重修。光緒元年，知縣劉枝彦修。

香河縣

學在縣治東，明洪武四年，知縣韓琚始建。嘉靖二十七年，知縣劉耀武重建，士猶病其湫隘。萬曆二十年，知縣陳增美拓而大之，邑人崔應賜捐地一區，增美自爲記。陳增美重修文學記：香河重修儒學成，諸生請記于余。余曰：我何以記爲哉！庠序，作人之地，圮而修焉者，常也。作人，有司之事，率□典事者，分也，何以記爲？諸生進曰：宮牆煥矣，進退有地，諸生何所軌，以趨其一言而示之的。余曰：諸生以紙上爲陳迹哉！蓋聖賢之精蘊寄矣，卽有臆見，詎軼其上，第行之惟艱耳。睇視塵寰，允蹈竟何如者？天性所發，何能盡解於心！承顔順志者幾何？一命而上類能語忠、忘私忘家者，今古可覩也。同胞骨肉，一體而分憂喜之情，能不間於形骸乎？琴瑟和矣，未必禮以御情，樂而不淫也。交情亡論勢與利，卽膠漆金石，果皆心而不面乎？若然，則所爲朝繹而暮習者，利之媒也，何爲貴學哉！田野畸賤之夫，椎魯無文，彼其從事于父子兄弟之間者，毫無緣飾，而玄珠在焉，精光所見，情意藹然，乃動則古昔稱説仁義者，顧俛處其下焉，何哉？情竇開，混沌鑿，歧人已而殊觀固蓬之心也，夏蟲之□也，自我視人，我，我也，人，人也，自人視我，我亦人也，自萬物視人與我，皆人也，自天地視萬物，我與人萬物中之一物乎，□奈何言己也，別彼己，較錙銖，□□□□□□□□□於欲也□民生有欲，而説者以爲聖人無欲，以今而觀，欲果去耶？與人同欲，欲亦理也。脱也不能，去而同焉。一切意見，形迹無少殫，純然一本真哉。隨所流注，安事矯假。爲孝，爲忠，爲信，爲刑于友于，總真境矣，學非學此而何？學由斯以譚涵養性靈，以資實用者惟此，學剽竊章句以藉口實者亦惟此，學講習地義利關也，諸生諗焉，慎毋曰腐朽無奇也。而買櫝還珠，見左野人哉！是工也，經始于夏初之八日，三閱月而告成，殿廡堂齋，欞星門，各進有差，創建名宦鄉賢祠，鑿泮池於戟門外，遷敬一亭于啟聖祠東，規模宏闊，較昔徑庭矣。諸生丐余語，而以余語懇記。余記其語，諸生者因記其事於末云。萬曆二十一年，歲在癸巳十月吉旦立。二十八年，知縣焦元卿，四十年，知縣徐一鳴各有修建；四十五年，知縣沈□修尊經閣。國朝康熙八年，知縣邱應登重修，邑人袁懋德作記。袁懋德重修儒學記：自古經世大務，莫重于農桑、學校，蓋農桑所以養，學校所以教，使養而無教，則生人之患甚于饑寒，聖人憂之，故粒食甫開，庠序設焉，蓋若是其重也。我世祖章皇帝親政之始，躬臨太學，行釋奠禮，諭諸生勤學懋修，如父師之教其子弟，又發帑金三萬兩，聿修廟學，俾士庶知所敬止，蓋治定功成，明欲以詩書禮樂靜天下之氣，規模固已宏遠矣。嗣是風聲所及，人知敦尚，天下之學宇率多修舉，駸駸乎有家絃户誦之風焉。而香河縣學，亦以重修告成。香河爲京東巖邑，舟車所會，風俗淳美。邑有學，不知始何時，萬曆丁巳，楚炎州沈公來尹茲土，見廟學傾圮，人文不振，慨然新之。尊經一閣，且創始焉。自是人知勵學，始有聯翩公車者，垂今三十年，兵荒相繼，風雨飄搖，昔之煥然者，今復頹然，瞻仰宮牆，甯無靈光之感乎！邑侯邱公下車之始，有志茲事，以物力未尃，遲之三年，政和事治，慨然曰：可以舉矣。謀之士庶，咸樂趨事，于是首捐俸爲之倡。諸公屯牧于斯者，亦樂輸以助之。乃鳩工庀材，筮期肇始，負荷雲來，邪許齊作，不半載而殿宇堂舍以及門廡，一時俱成，昔之頹然者，今復煥然如沈公時矣。三十年廢墜之典，有其舉之，不勞而成，古云問國之政，舉禮樂以示之，則禮樂之事，孰有大于學校者乎！邑侯之明德遠矣。工成，俾余一言記之。余以不文，辭弗獲，乃再拜颺言曰：吾侯之修學也，甯獨如世俗術士之言，興人文，起科第而已乎？夫學者，效也，後覺所以效先覺也。吾夫子十五志學，以至七十從心不踰矩，一生皆學也。其所以教人者，入孝，出弟，學之基也；博文，約禮，學之事也；修己，安百姓，學之量也。後人讀聖人之書，學聖人之學，敦篤于彝倫之間，沈潛于禮義之奧，志無惑于異端，念不分于功利，時而通焉，致君澤民，吾之性分也；時而潛焉，隱居求志，吾之性分也。將見彈丸一區，家多孝弟之子，士有鄒魯之風，比屋之化，甲于天府，庶幾上不負聖天子興學之典，下不負邑父母作人之意乎！此余兄弟輩所當與吾邑之人共相黽勉者矣。敬以此復邑父母。邑父母稱善，遂勒之石，以紀歲月云。乾隆四十七年，知縣張崑修。道光二十一年，知縣鄢敏學修。同治三年，知縣呂嘉端修。

通州

學在州治西，元大德二年，知州趙居禮建。至治二年，學正楊齊賢重修，翰林直學士吳澄作記。元吳澄重修文廟記：皇元有天下，文教自京師達郡縣，雖遐陬僻壤，莫不建學設官，以闡教事。通州近在畿甸，素闕廩給，學官每至輒去，不惟教事廢弛，而孔廟亦且不葺，將就傾圮。永平楊齊賢由豐潤縣教諭來爲通州學正，思振厥職，擇民間子弟可教者，得三十家，籍之入學，詔之誦書，白之官府，而復其身。州之參李侯與州之長，協心主張于上，于是人願出力，以修廟學。至治二年七月役興，八月績成。孔廟正殿，東、西兩廡，爰及外門，上瓦下甓，圬墁一新。講堂敝壞，蓋覆而塗墐之，前後窗牖、中外甃砌，悉備其所未備。其南則敞門塾一間，其北則績檐宇三間，學者遂有藏息之所。廟之南，竪穹碑，刻加封詔書，示永久。積年之頹靡，一旦而完整，雖曰學官之勤，微州官挾持之功，胡能致是哉！古之牧民者，常以我民孝弟忠信爲急務，通州之官，能用意于廟學不敢後，庶幾不媿古良牧之政矣。州長名速朗吉大，其官承直；李侯名也先，其官承事；在州多惠政，通民便之。初，榆河之西有閒田，欽依至元三十一年詔旨，撥隸州學，後運官奪取造廬舍，而私其僦利，齊賢愬于官，户部、禮部暨監察御史直其說，以畀州學如初。今齊賢又以餘暇率所轄三河縣之民，修其縣之廟學，概可書也。明永樂十四年增修。正統十二年，巡按御史羅經俞、本鎮守指揮陳信、知州李經重修，督學御史李奎作記。未見。成化間，知州傅皓重修。弘治間，知州邵賚建櫺星門。嘉靖十二年，州同丁谷侵學宮地爲獄房，二十六年，知州汪有執復舊地建門。四十二年，知州張守中徙明倫堂于學西隙地，以舊址改建大成殿，僉事程綬作記。未見。萬曆三十六年，巡按御史黄吉士，知州張問明重修，主事蔡成己作記。未見。崇禎十二年，知州嚴錫命捐俸修補，歲久漸圮。國朝康熙十一年，知州閻興邦大加修葺，十三年工竣，興邦及州人吏部尚書張士甄並撰碑記。未見。十八年地震，復圮，知州于成龍重建，士甄复記之。未見。三十五年，學正尹澍、訓導戴璿，三十六年，知州吴存禮，相繼修整。四十五年，州人庶吉士朱綸築牆建亭，河道王用霖、張連登捐俸助之，綸自爲記。未見。五十一年，知縣王友直重建櫺星門。雍正元年，知州黄成章重修。乾隆二年，知州韓亦詩，三十三年，知州曹元瑞，四十六年，河道李調元、知州高天鳳，並有修建。嘉慶四年，河道曠楚賢重修，始建射圃。

曠楚賢重修通州文廟記：孔子廟祀，古也。自王都逮郡邑，皆立廟，亦古也。然則予之重修通州文廟，亦猶行古之道也。我國家重道崇文，臨廱釋奠，典禮綦隆。通州爲東輔，承化首郡，文廟之建尚已。其間幾經修葺，規模闊如也。歷年久遠，風雨飄摇，梁棟多傾，東廡且爲墟焉。予奉簡命，監司兹土，見而心惻。詢之郡人士，知先年倡修，以他故格未行。慨然曰：是不可不肩斯責也。爰集諸紳商重修之。舉總理分任，共十人，勸捐籌款，鳩工庀材，謹詹嘉慶四年二月之吉經始。於内則先聖殿、崇聖祠、容聖殿、尊經閣、聖訓亭、西廡。於前則戟門、櫺星門、頖壁、黌門、牌坊及朝房，名宦、鄉賢祠。於旁則明倫堂。凡頽圮者，均舍舊而圖新。於東廡則廢而仍舉，並於其前移置宫門，增修牆壁，復敞其前爲射圃。又遷節孝祠於明倫堂前，堂後兼修兩學齋舍，不朞年而告厥成功，約費六千金有奇。是役也，不借官工，不勞民力，執事者奮興，捐資者鼓舞，然則都人士之踴躍急工，亦猶行古之道也。及蕆事，揖郡人而質之曰：太史公云，讀孔氏書，想見其爲人，適魯，觀仲尼廟堂，低徊留之不能去。然則文廟之修，非徒爲飾觀瞻，崇典祀已也，將使升斯堂者，興想見低徊之意焉。雖然，聖道大矣，學聖人者，必有所從入，昔孟子願學孔子，生平巖巖氣象，著書七篇，首明義利之辨，論語喻義喻利一章，聖人於此判人品，故義利理欲之分，卽聖狂之界也。然則學孔子當自孟子始，學孟子當自義利之辨始。嗟乎！讀聖賢書，所學何事！升斯堂者，其思所以自勵於聖人之徒哉。至於臚列姓名，詳紀捐資，例也。然物無久而不毀，事有美而必成，抑將使後之覽者，見義必爲云爾。此舉總理則前右庶子王名大鶴，督理則前江西崇仁令雷名鏄，分任則候選衛守備王名宗王，候選縣佐劉名垠，山西鄉甯令潘名杰，明經任名烺燿，秀才張名鵬、吴名化鵬、雷名錞，國子監生雷名鎬、魏名舜年，候選從九品毛名聲聞，例得備書。是爲記。道光十七年，知州李宣範重修。梅曾亮重修通州文廟碑記：聖清之治，與至聖之道相爲遠近。雖偏州下邑，莫不崇飾廟學，以修文輔化。況通之爲州，去京師道里，於順天府所隸州縣爲最近，濡染首善，鄰德近光，是宜章章明明，承辟廱之洪流，以膏澤黎庶，洗濯[illegible]昧。宣城李侯宣範以報最晉秩，成政於通，舉典謁廟，伏拜於兩柱之下，乃周覽而稱曰：茲州之學，創於至元，時則師無常廩，徒無定員，然猶閒時舉修，載在舊記。明以州爲縣，學基雖移，制亦克舉，聖廟光宅天下，文思昭融，惟茲上州，典物備飭，自三殿、兩廡、尊經閣、明倫堂外，建聖訓亭者一，東西朝房者六，泮橋者三，東、西齋房者十，爲祠者四，爲署者二，禮之器四十二事，樂之器二十三事，官師生徒員俸有經。攷廟於康熙時五修，雍正時一修，乾隆時三修，嘉慶時一修，昔賢紹功，啟佑來軫，整廢復貫，今也其時。爰咨於州之搢紳方聞之士，皆曰：吾侯之來茲州，子惠[illegible][illegible]，美政不瘥，挈無重租，牘無留刑，無小大罔不悅應。況崇極廟學，昭民功以錫祉於藝林，其曷有不承！於是倡輸於官，衆力景從。民無奪時，匠無窳功，凡舊有基，是拓是崇，牆垣周方，芻牧收迹，瞻對棟宇，丹青發神，階除修平，降登孔嘉。作廟既成，時祭有秩，磬管應節，牲幣如式，觀禮之士，悠遠長裒，充然發容，殊音同儕，請紀歲月於繫牲之碑，以勖後，焯勤侯，不可辭，乃屬上元梅曾亮爲之詞曰：聖道行世，如水地中。含津吐景，鍾物而豐。孰有士民，而學勿崇。茲州帶河，萬國棣通。冠冕畿赤，儀型八風。李侯蒞止，民和士衷。揭虡庀鳩，樂泮奏功。率其邦人，習禮暢容。豈惟邦人，五民所同。河航海舶，歸功詠功。凡司牧民，睬此新宮。道光十八年九月。咸豐十一年，知州蕭履中重修。光緒四年，知州高建勳修。

漷縣附

學，舊在河西務。明洪武四年，遷城内西北隅，漷州同知楊思賢建。永樂四年教諭楊溥修。正統七年，知縣王文修。天順八年，知縣賈貞修，漷人刑部侍郎董方撰碑記。董方漷縣重修學宮記：郡舊有學宮，在河西務。洪武四年，同知州事楊思賢，始遷於縣治西北，規制儉陋，歲久滋敝。永樂間，教諭楊溥，正統間，邑令王六，先後修葺，僅支其攲仄，補其敝壞而已。天順間，淮揚賈侯子固來宰茲邑，蒞政之始，偕羣僚謁文廟，顧棟撓榱折，墁剥級夷，慨然太息曰：兹邑距神都不數舍，而學宫敝陋如此，曷以祇德意而宣聖化也！吾爲縣宰，有師帥之責，不亟圖之，其將焉從事！於是教諭羅恭，訓導胡正、張誠，暨諸生賈正、韓登、張嵩、葉林等合詞贊之。侯乃諏於主簿張傑、典史顔鏡，相與協謀，市材木，鳩工徒，陶土爲甓，冶鐵爲釘，煉灰爲堊，卜日而興役焉。中爲大成殿，翼以兩廡；後爲明倫堂，夾以兩齋。殿之前爲櫺星門，儲粟有廩，會饌有堂，教諭、訓導有廨，庖湢有廏，以序而作。又建文昌祠於學宫之左。或因其舊而修之，或撤其腐而新之，合之爲屋凡若干楹，砌以堅甓，繞以崇墉，圬以素堊，其吏勤，其工善，其執役者勸。經始天順八年二月，落成於明年四月，棟宇翬飛，藻繪炳煥，觀者以爲自有縣以來未之有也。縣之耆俊，學之師生，走書京師，屬余記其成績。予思：夫學校者，人材所由出，而風俗所由美也。自古聖帝明王，莫不以興學爲首務，而所謂良有司者，亦汲汲於兹，而不敢後。漷邇京師，聖化之所首洽，而學宫頹敝，使來游者病焉。今天幸惠賢侯，一新其制，庶吾漷之士，升於廟，巍然儼然，有以動其景仰之思；退於學，輪焉奂焉，有以勸其進修之功；其嘉惠吾邦者厚矣。繼自今後生俊茂，學於此者，習俎豆而講詩書，以蹈前修之迹，在家則祇躬飭行，有端良之譽，在邦則奮庸熙載，爲忠亮之臣，休風所被，美俗興焉，斯無負賢侯建學之意矣。不然，飽食逸居而不知所以學，以致泯泯無聞，與凡氓同歸，則非吾所敢知也。故道賈侯興學養士之意，以告邑之俊造。復系之以詩，詩曰：瞻彼漷陰，泮宫翼翼。孰作新之？賈侯之績。惟此泮宫，肇自古先。既敝而葺，有葉有年。侯來莅止，祇謁廟學。顧瞻咨嗟，亟圖改作。乃畚方畚，乃經乃營。峻宇矗峙，崇墉崛興。自堂徂門，自廩迄庫。有屹有嚴，罔浮於度。泮宫告成，釋典於庭。我牲孔碩，我酒斯馨。侯升於堂，考藝勸德。左右師儒，其儀抑抑。青青子衿，頌侯之休。豈弟君子，文翁是儔。侯曰：來汝，式聽余訓。惟學是力，惟行是慎。士拜稽首，服侯之德。朝斯夕斯，時靡敢忒。有堅惟石，載礲載鐫。侯之休聞，千萬斯年。成化元年冬月。

萬曆三年，知縣李子躍修。三十二年，知縣霍梓、邑紳張詳等修。三十七年，李太后以漷爲發迹地，給内帑改建，規模大備。明末漸圮。國朝康熙十一年，諸生集資修葺。十八年地震，盡圮，諸生曹見龍等，勸捐重建，歷年又圮。三十五、六年間，州學正尹澍、訓導戴璿重修。乾隆四十五年被水，漷學周圍牆垣盡行倒坍，駐漷州判龍文鑣督修。咸豐十年，州判胡世華重修。

三河縣

學在縣治西南，不知起于何代。金泰和五年，知縣蒲察始爲講堂，榜曰明道。元元貞間，知縣劉鐸重建，王約作記。王約重建三河講堂記：禮部侍郎田君嘉甫告予曰：吾邑三河，始城於後唐明宗長興三年，宣聖廟未詳其初，而廟之講堂，乃金泰和五年蒲察公創焉，榜之曰明道，迄今將百年，而摧圮無餘。縣當京畿東道之衝，前尹數輩俱以供需故，不暇計也。令尹劉君鐸，自元貞二年宰是邑，利興害革，巨細畢周，一日謂僚屬曰：田闢訟簡，賦均盜息，政之常也。學校不舉，政之大疵。乃密與邑之望六七人協義籌度，卽明道故基而爲堂，費不擾民，而厥績告成。旋以病卒，適瓜代日也。噫！尹來甫三載，上官稱其敏，黎庶享其惠，胥吏服其明，邑民思尹不已，欲仍是堂以誌甘棠之愛何如？余曰：縣階，未也；尹秩，卑也。然承流宣化，移風易俗，實本於此。今之治縣者，例以督責聚歛爲先，期會奔走爲急，故狼戾者貪緣以侵漁，庸瑣者依違而取給，名曰牧民，而實爲民蠹。求其所謂庶之富之者，不可得，況教之哉！劉尹之治，可謂既富之而又有教之志矣。乃志未酬而身殞，哀哉！繼爲政者，苟能遵其已成，而遂其未成，尹雖死無憾也。尹没矣，民猶念之。於以見尹之得民者厚，民之奉尹者誠，誌諸金石，乃邑之光，衆之馨，後之鑑也，云胡不可！田君曰：余所言者，尹之績，子所云者，尹之志，語有之，言以足志，文以足言，不言誰知其志！子能言矣，請書之以畀邑人。余曰：諾。至正八年，教諭劉元皓創建兩廡，祝阿作記。詳金石。明宣德、正統、正德年間，先後修葺。嘉靖十年，建崇聖祠於明倫堂東。萬曆以後，燬于兵，教諭杜□倡修，邑人朱國俊作記。朱國俊重修三河學記：泃列畿左，沐右文之化，率先風勵，凡關儒政者，既嚴且潔，而殿堂門廡，罔不宏整，視他有加焉。其後吏治因循，士習日偷，萬曆後，學宮頹廢，僅蔽風雨。迨近年，戎馬生郊，徵發日事，士且釋俎豆而事干戈，養士之地幾成邱墟。幸司訓杜先生振鐸茲地，一顧興嗟，遂有維新之意，但勢難創舉，而本學文昌閣尤傾圮不支，先撤而建之。曲檻傑閣，焕然改觀。今春以固圉論功，先生將及瓜，輒深念曰：余懷此久矣，詎可托之空言哉！亟請之邑侯裴公。公躍然曰：是予心也。然非先生無所屬者，自先生始，亦自先生終。守土者藉以襄此役，其有辭於諸生矣。於是先生竭蹷以從，量時度務，鳩工庀材，擇諸生老成敏幹、德行夙孚者田沂輩董其事，七閲月而始成。爲堂五楹，敬一亭三楹，左、右齋凡六楹，東、西耳房凡四楹，儲祭器、備齋宿也。下至門垣階砌，甲於昔時，而精堅完緻，則從來公家之役未有若此者矣。茲一舉也，裴侯首出鍰金，外則縣佐貳及縉紳鄉貢暨士民捐助，而先生竭力經營，割清俸以終其局，尤人情所難也。昔三川王侯繁允，雅意興作，堂儲灰磚，以供役，而卒不就。今役不及民，告成不日，昔何以難，今何以易？故天下事有謂不可爲者，誣也。爰據實而泐之石。崇禎十年重修。國朝康熙十三年，知縣任塾修。任塾三河重修學宮記：余以甲寅仲秋涖三河，見城郭蕭殘，廨宇圮壞，固已憂心如焚已。次日謁文廟，見荒原上巋然若靈光，餘明倫堂、啟聖祠、文昌閣，俱僅數椽，漂揺于寒煙蔓草中。亟進諸生問焉。云：三河學宮故卑隘，明正德年一修，萬曆年再修，俱因陋就簡，非有堅久之實。迨邑遭兵燹，學宮一堵，屢經厮養之毁竊，以至於此。余慨然曰：余之責也。於是謀於官僚紳士，集金若干，不足則有先人之遺畝，命兒子鬻以助焉。鳩工於康熙十五年四月，畢功於十七年八月。其間有因而無異於創者，先師殿是也；有因而半於創者，啟聖祠、明倫堂、文昌閣是也；有創而無所於因者，東、西廡，泮池，戟門、櫺星門，鄉賢、名宧祠及垣屏、栅欄，花樹之圃是也。物易於市，如其值；人食於官，如其功，不請公帑一粟，不徵里甲一丁，而舊規頓復，規模較益宏遠矣。落成之日，士持觴進曰：是不可無記。余曰：曷記哉！然此絃歌之地也，故不揆鄙陋，率賦長律以應，且述營建之大畧云爾。二十一年，知縣余學昌，三十九年，知縣彭鵬重修。彭鵬三河縣學宫告成記：八閩彭鵬爲臨洵宰，始至三日，謁先師廟，漂摇孤支，東西前後皆平蕪地，詢之，曰：己未地大震也。詢廢材，曰：久化爲薪矣。何以無建豎？曰：衝疲也。令涸鮒不自存，退至署，頹垣敗葦，亦弗克甯居。八月行丁祭禮，啟聖公無坐處，無木主，自四配，十哲下，皆裁紙糊廟壁。鵬不自揣量，拮據卒瘏，先啟聖祠，祠成；次東、西廡十楹，經之營之，二年而兩廡成。伏讀隆學校以端士習，喬皇聖訓。宰，小臣也，敢不勉旃！初洵應童子試者不滿二十人，惟師道之弗立，黨庠之弗修，脯資之弗辨，故至此。乃於啟聖祠東始立義學，購田貳頃伍拾伍畝伍分，以租供修脯，正供宰自辦。董子曰正誼明道。吏與儒當交勗之，而大成門闕焉。戊辰十月，皇上駐蹕三邑，蒙召問，賜金三百。臣鵬九叩什襲，將歸以修先祠塋。念垂髫授書，誦法孔子，聖門，報本之地也。先分賜金，特建戟門三，彰君賜也。戟門西祀鄉賢十一人，搆祠祀如初。是年正月，京兆許公頒發崇祀圖牌，廣狹高下，遵行如式。二月行丁祭禮，瞻仰稍甯，此舉不行于募，不出於贖。募者，釋子之持鉢也，流於丐；贖者，長吏之飽橐也，藉以攘。攘與乞，何可爲！且洵人貧甚，募者誰自反治洵無他能，息訟甯人，從無罰民一銖一紙，豈以建學出諸贖，貽聖賢羞？乃次櫺星門，次祠、儀門，次庠門，次階，次拜道，次月臺，次泮池，護欄；磚之，石之，丹之，雘之，次第以成。所未遑者，明倫堂，進德、修業兩齋，竊有志焉。以歲額修整文廟拾金，歲計積累，焕然新之，實我朝尊師重道之大典。臣鵬奉行之而罔敢墜，敢曰貪天之功？戟門東，舊有名宧祠，元、明僅得茂宰九人，司教一人，循良方正，蓋如斯其難爾。會本朝兩江總督前直隸巡撫清端于公，相國前直隸巡撫商邱文康宋公，流風俎豆，三輔洵人士請暫寄主於廟，洵宰彭鵬作而言曰：非禮也。禮不敢以名宧先啟聖公，先賢祠立，祠置主，且姑待之。時商邱賢公子牧翁先爲通永觀察，甚敬屬吏，語今自啟聖，下逮鄉賢，次第位置矣。名宧誼不敢後，祠成，文康、清端二公請入祀，并前直隸總督朱公、李公、巡撫格公，亦如他邑皆置主。是歲庚午五月二日，皇上特簡天下有司四人，臣鵬第一，聞命盥沐，謁文廟，誓曰：異數何以堪此！由兹一言一行，稍與宰洵殊，子孫世世不得入黌序！七月辭廟，出臨洵，四顧宫牆，久雨土壞，乃覔匠計方圓百五丈，以磚易土。念義學師蕭英，貧士也，居無家，代營五楹蔽風雨，爲英世有。又念學博王君，賃署去學遠，庀材搆四楹，憩王君從者。臨行，洵人士請一言以風有位。鵬聞之，蹙然曰：六年宰洵，當降調鐫秩者多矣，若非特旨破格留任，宰早去洵矣，又何能爲！以是感高厚之恩，久幸處此，竭此涓埃。後之視今，其亦知所勸勉也夫！因質而記之，壽諸石。三十八年，知縣陳廷柏，四十四年，知縣鄭富民相繼修葺。道光初年，紳士郝瑞麟重修。咸豐元年，知縣李朝儀重修兩廡，戟門，櫺星門，名宧、鄉賢兩祠，至三年告成。

武清縣

學舊在白河西十七里邱家莊南。明洪武初，避水患，遷縣治東北。嘉靖十六年，知縣趙公輔遷縣治南，卽今所也，邑人楊璟捐地一區。隆慶三年，巡撫劉應節重建，璟之孫允中又捐地一區。萬曆二年，知縣李賁徙明倫堂于文廟西北，立名宦、鄉賢祠。九年，知縣宋蘭，十二年，知縣陶允光，巡按御史毛堪，相繼增修。允光建射圃。陶允光新建文學泮池聚奎樓記：雍陽北拱神京，南襟滄渭，古來多雄之。第人文自開國遞今，落落若晨星，更十數年僅一見。余始詢而疑之。洎謁文廟，閱其外，無泮水，且右昂古刹而虛東左，詩曰：思樂泮水，薄菜其芹。易曰：風行水上，渙。是古學之有泮，非直美觀視，亦汪濊活潑，法天地自然之文，以興起人文也。矧學宮之右，梵宇屹然，而左方愜縮不勝，則壤地非吉，産斯邑者縱學富三餘，才雄七步，何從能縱步雲衢，奮翼天池，而冀金甌玉鉉之業哉？不佞深惟至計，且懼非堅白不足以指南多士，而使倀倀然靡所索途也。于是約己勵行，以樹之旌麾。又度黌宮外隙地圓二十餘步，浚池爲半璧形，以倣古泮之制，再越月而成。仍於學之左臂建層樓，高二丈許，重楹疊砌，八窗玲瓏，扁曰聚奎，巍如，跂如，與梵宇並峙左右，偉然全邑之勝概矣。是舉也，冀學者涖兹水則思洗心滌慮，登斯樓則思翔千仞而上之，是地愈靈，人愈傑，庶不佞之經畫厝注爲不孤，而雍陽日駸駸爲文明禮樂之區，余深有望焉。天啟三年，屯田院董應舉重修。崇禎五年，知縣姚擇揚徙明倫堂于文廟之北，建尊經閣于明倫堂之後。國朝康熙九年，邑人吏科給事中趙之符倡修，教諭李衷繡，貢生李可楨、吳光大襄其事，之符自爲記。趙之符重修儒學記：士不可不學，抑不可徒學。不學則椎魯鄙陋，多亢戾之憂，而徒學則虛誕浮夸，成流蕩之習，其失均也。先王知其然，故使人成童入小學，十五入大學，設爲黨庠州序、泮宮辟雍之制，凡使天下無人不學，亦無時不學，其爲世道人心之慮也切矣。然所稱坊民節民者，不外三德六行之端，而養老尚齒，尤以孝弟爲根本，則學之所重可知矣。自世衰教失，人日以放廢爲常，其喬野者，既已習爲昏頑，榛狉之性，恬不知怪；而號爲聰明秀出者，少事呫唔，飾鉛槧，儼然以學者自任，極其志意，惟取富貴利達，而上亦不過奮發於功名。嗚呼！士苟以此爲學，而欲求其守先待後，致主澤民也，得乎？此無他，不學之故，亦徒學之故也。予爲邑諸生時，每入澤宮，見缭垣傾圮，棟宇摧頹，便慨然以修飭爲念。及春秋有事俎豆，知博士與弟子員亦僅習爲駿奔拜跪之文焉耳，於先王立學教人之義，固未能深明焉。符釋褐以來，幸得列承明，司諫掖，惟曠官失職是懼，故鄉芹藻，先聖宫牆，曾不能過而問焉，有愳焉予懷者矣。值學博李君勤於課士，惟以學宫日就蓁莽，諸生不能以時講肄爲憂。予因亟捐俸爲邑人倡。而學博與貢生李可楨及邑之諸紳士均有貲助焉。而早夜鳩督，不辭況瘁者，則耆民吴光大也。經始於庚戌之九月，續成於辛亥之二月。於是先聖殿及啟聖殿、明倫堂、戟門、櫺星門、魁星樓，皆以次修整，焕然更新。而尊經閣，則武舉沙君之繕也。向之傾頹蓁莽者，今皆崇閎巍麗矣。釋菜合樂，不致風雨之是虞，習禮登歌，抑且折旋之有地，廢墜之責，庶幾免夫。抑予重有感也；學苟在呫唔鉛槧間也，其亦何事此數畝之宫爲也？果不在呫唔鉛槧，則凡吾邑之士登斯堂者，皆當以先聖之心爲今日不可不存之心，以先聖之道爲今日不可不明之道；習於詩書禮樂之文，而本孝弟忠信之實，處爲醇儒，出爲名世，以無負先王建學之意斯可也。今聖天子加意作人，菁莪棫樸之化，遍及薄海内外，況吾邑密邇聖京，涵濡首善，諸生苟不及時奮發，上應休祥，亦何以無慚景行也乎？夫兔罝有公侯之選，實開鍾鼓於鎬京，閟宫大猷馘之功，乃進聲歌於周頌。吾願吾邑之士，日孜孜於學，而又不徒呫唔鉛槧之學也，蓋望之亟已。李君徵予文爲記，余不敏，因爲邑士質言之如此，若斤斤修葺之舉，何足煩紀載爲！

十二年，知縣鄧欽楨重修。十八年，訓導陳際隆重修。二十七年，知縣孔元祚重建兩廡。三十□年，可楨子山東巡撫李煒重修，大學士吳琠作記。

李煒重修儒學兩廡記：郡邑之有學宫，古制也。國朝定鼎以來，歲復額設修學銀兩，以此益知學校爲人材地，不可任其圮且廢也明矣。吾邑學宫，其先鞠爲茂草者，不勝浩歎；迨後若文廟，若啟聖祠，以及戟門、櫺星門、聚魁、奎星兩樓之圮，而不至於廢，廢而仍拮据以舉者，大率僉憲趙公爾合，與家大人之力居多，邑乘具在，可考而知也。獨是先師之神在上，而七十子尚乏憑依，不惟無以妥先賢，抑且非先師意，此余所以鞅掌吏事，不遑謀兩廡，實未嘗須臾忘兩廡也。戊辰秋，孔侯知武清，始至即進諸生謀之曰：是必興復也。而後可先捐俸，屬兩學博董其事，而丞以下，各輸金有差，鳩工庀材，越己巳夏，兩廡告成，爰郵書於余，乞言勒石，以誌不朽。余應曰：此其事自足不朽耳，奚煩余言爲！雖然，城闕而既詠矣，於時守令類以簿書爲兢兢，求其加意學宫，振興文教者，百不得一焉。今侯甫下車，慨然以兩廡爲己任，俾吾邑之人入其門者，優乎如復見七十子之爲人，將見人文蔚起，上之道明德立，流詩書之澤於無窮，次亦砥名礪節，而風俗日進於古，則是侯之大有造於吾邑，而余之不可以無言也。故余記侯重建兩廡，即謂記侯德政也可。侯諱元祚，號永齋，廣東長樂人；教諭蘇達、訓導陳際隆，以俱襄事而克有成也，因並記之。吳琠重修儒學鼎建尊經閣明倫堂記：粵稽我國家崇儒重道之典，度越前代者有五，古者臨雍釋菜，皮弁再拜而已；我皇上之過闕里也，登降九拜，且留御蓋以備儀從，殆以帝禮尊先師矣，此度越者一也。古者文物之美，惟國雍爲盛，他則無聞焉；今欽頒萬世師表匾額，煌煌在上，凡縫掖之士，咸仰奎章，及各書院莫不有匾，此度越者二也。天下之學，二仲之祭，朔望之謹屬具文，勤惰不問也；今布在令甲，無興行教化之實者，不得列薦剡，此度越者三也。聖裔尊爲上公，賜之殊禮，元公之後，顓孫、端木、仲、閔之嫡系，濂溪、橫渠、明道、伊川之子孫，皆予世廕，被冠裳以守祖廟，此度越者四也。太學之門，除地表道，蓋爲天子臨幸則然，今在各學皆立下馬牌，使村氓愚夫，無不過而知尊，望而知敬，此度越者五也。聖天子尊師重道之隆若此，乃爲士者幼誦詩書，長膺紳紱，莫不由泮水以登身，一旦致青雲，即漠然無所措意，使釋奠之庭，鞠爲茂草，守令迫於簿書，司鐸窘於苜蓿，豈所以仰答聖朝之意，而對越先師者乎？武清爲畿東赤邑，學宫遷自明嘉靖中，康熙辛酉，遭地震悉圮，邑人都諫趙公之符、貢士封君李公可楨修之，聖殿各祠，泮池畧備，垂至丁丑，幾二十年，棟橈而朽，垣傾而欹，黑白漶漫而不鮮，尊經閣、明倫堂亦頽敝榛莽中，封翁之子大中丞煒，時節制齊魯，聞而憂曰：此地乃吾祖、父及吾之身朝夕講習地也，又吾之子若弟及都人士所考道問業地也，吾不經理，吾無以見我先人。囑其介弟州倅君焯曰：速弛而饘粥，資勷事毋緩。州倅君奉教唯謹，考於山虞，度匠氏，庀材必良，程工必固，越戊寅而告成，閣與堂翬飛而鳥革，聖殿則丹堊有加焉。兩坊屹然，惟戟門照牆，則歲一從事。視前制爲大備。寓書于余，徵文紀事。當予之撫楚也，中丞公適爲方伯，有共事之雅，見其政勤而行端，才裕而心愨，每以正人君子期之，今觀此舉，益信余言爲不謬。夫挈瓶之子，不失守器，以其能敬承先業也。中丞公以詩禮起家，太封翁而前，代有聞人，且子侄兄弟遊膠庠者不乏，今太封翁倡之於前，中丞公繼之於後，使歌子衿城闕者，變爲嚴整弘麗之區，妥先師而開來學，吾知邑之子弟登斯閣讀經而知尊，履斯堂察倫而能明，嘉惠後人不淺矣，于以仰答聖天子之意，而繼述前徽，亦胡不可！雍正十年，教諭張純、訓導王隆重修。道光九年，知縣劉體仁重修宮牆、禮器。三十年，知縣李正培重修明倫堂。

寶坻縣

學在縣治東北。元至正初，邑人劉深、朱斌、普顏，即榷鹽院故基建學。十一年，監縣事黑斯彥明重修，教諭毛柔克董其役，雷州經歷鄭憙作記。鄭憙重修孔子廟記：孔子之道，垂憲萬世，所以綱常立而彝倫敘，仁義興而風俗淳，此萬世不易之道也。微夫子，則往聖之道無以明，後世之學無以法，萬物豈能昌，天地豈能位乎！而備王者之服，享天地之祀，宜矣。曁我朝世祖有國以來，興崇學校，作養人才，路府州縣，莫不有廟，建學立師，奉俎豆，掌教訓，罔不嚴恪，猗歟盛哉！京師之東僅二百里，有寶坻縣，漢爲泉州，金改新倉鎮，後置瀛州，尋更曰寶坻，國朝因之。縣艮方一里許，有孔子廟，歲久圮壞。至正十年秋，黑斯彥明由懷慶録事判官來監是邑，蒞政之初，首謁夫子廟，周眡殿宇，慨然欲新之。具材計功，禮義之家同爲興築，以教諭毛柔克董其事，縣尹曹居仁、主簿耿德昭、郭伯顏不花、縣尉課不花、典史張希恭相繼而至，同寅和協，共成其事。各捐己俸五百緡，以庸工作，重修大成殿、講堂、齋舍，刱建東、西兩廡十六楹，樹以神門，匝以修垣，經始於至正十一年夏四月，落成於十二年秋七月，雄邃偉麗，金碧輝映，觀者咸謂前所未有。於是吏民悉遣其子弟入學，絃誦琅然，揖遜進退，文風大振，請爲之記。故紀其事，而繫之辭曰：凡厥生民，情欲交蔽。不紨于中，天理斯昧。匪教弗迪，匪學弗成。孔聖之道，日月昭明。寶坻有廟，遇兹建邑。百廢俱興，同寅協力。門廡創建，殿宇重修。神像巍巍，綏珮垂旒。於廟之北，翼翼講室。以邃以弘，生徒秩秩。秩秩生徒，心乎聖謨。欣逢聖世，柄世文儒。章甫玄端，爰懷經術。修齊治平，當以自立。致君堯舜，澤流八荒。億萬斯年，國運同昌。

明洪武三年，知縣荆志重修。七年，知縣何文信闢射圃，築亭三楹，自爲記。何文信射圃亭記：皇明受命，稽古定制，以天下郡縣學校設射圃，倣周禮六藝之教也。洪武七年冬，文信承乏寶坻，因謁學宫，雖絃誦有聲，而射圃有缺。乃與邑丞程彦名氏謀於訓導勝維、白信，卽學宫之右，闢地爲圃，以耆宿王思恭子源董其役，畧基址，議遠邇，地纔三十步，不可以射。源與邑人王原、王守道各捐地而增廣之，内搆亭三間，周繚以垣，縱七十五步，横一十四步。經始於去年十二月乙卯，落成於今年二月壬辰，乃率僚屬，集訓導耆宿於亭，召諸生而告之曰：學校之政，必先於教養，教養之法，必先於德藝，藝有六，射所以觀德也。古者，男子之生，桑弧蓬矢以射，四方諸侯歲獻貢士於天子，天子試之於射宫。是古者自生以射爲禮，成童以射爲教，成材以射爲貢，豈弟子之可忽耶！三代而下，後漢行之於永平，晉行於咸康，唐行於武德、貞觀、開元，自是射禮不復行矣。天朝混一四海，臨制萬方，以數百年之曠典，舉而行之。學校以射而育才，科舉以射而取士，殆將凌轢漢唐，而復三代之規，是以設射圃也。進退周旋，必中於禮，直己正志，然後能中，故曰射以觀德。異日貢於天子之庭，爲國家有用之材，無負於射圃習射之意云。

成化元年，知縣陳讓增修。弘治九年，知縣武尚信重修，左贊善費宏作記。費宏重修孔子廟記：寶坻之廟與學，不葺也久矣。梁桷朽腐，藩拔級夷，黝堊彤髹漫漶陊剥，而又重門未備。過者弗肅，齋庖未潔，祭者弗虔，退息無所，教者弗厲。惟是邑密邇京師，弗被聲教，瀕海衍沃，既庶既富，遭令之賢，而有志於學，則士喜奮，民樂而趨事，可旬月而集也，然棄儒從吏，孰念其源？右政左教，孰敦其本？故雖飲於斯，射於斯，考業勸德，且懲於斯，釋菜釋奠於斯，而皆佯盲蓄報，苟且從事，卒以其弊壞，遺之後人。磁人武侯尚信，蓋賢者也。以弘治丙辰來爲令，方視學謁廟之初，卽仰而歎曰：廟以祀吾師孔子，學以養吾師孔子之徒也，微吾師之六經，則三綱奚以正？九法奚以敍？微吾師之徒，抱遺經而誦且習之，則正者從而傾，敍者從而斁矣。教道之所關若是，使吾於是而無志焉，吾則誰師？吾則誰之徒耶？越明年，政漸有緒，乃奮曰：吾可以有爲矣。以春二月丙申經始之，有謂侯春秋之法，凡土工不時則譏，譏妨農也。侯曰：吾知之，然有説焉。禮不曰，建國居民，必先教學乎？侯於是庀工聚材，並手偕作之，幾百日焉，五月辛酉而功告訖。内飾精麗，外隅完密，凡今之新者，舉加於故，故所無者，乃今有之，其勞且費亦大矣。樂其成者，入而問之侯，侯曰：非吾之能，吾民好義者有助焉。出而問之民，民曰：吾侯爲之，而吾弗知也。卽學而質之士，士曰：民之言然。然侯之舉，是爲吾士也。士則不可以不知，使侯有舉而無述，與昔之佯盲蓄報，俱就於湮没，而誰其思之！因相與礱石，謀於學之教諭齊君濟周、訓導歐陽君源、吕君昂來求予記，予謂侯以儒就吏，達於本源，且勇有爲，庶幾知禮之經、春秋之權者，遂不辭而爲之書。

學之前有河曰渠水，嘉靖十四年，知縣武德智拓地建橋，邑人芮元介捐地一晦有奇，禮部侍郎謝丕作記。謝丕增新儒學路橋記：寶坻縣學南故有河曰渠水，渧泒發自西湖，流入城，由學東環繞文明橋西注，稍南復流出城，歸於海，實風氣攸萃之地。弘治間，邑令武進莊君禪，欲於河之南闢路建橋，疏風氣以兆人才，會被召，弗果。嘉靖十四年，館陶武君德智由鄉進士令原武，至是以薦移。下車之初，祗謁學宫，徐覩勝概，慨然以振作斯文爲己任。遂謀諸寅佐，鄉士大夫户部郎中確菴牛君魯輩，咸以亟成爲幸。渠水南，致仕芮元介施隙地一畝二分，武君捐俸，及諸助義，又得民地一畝四分，廼於櫺星門前闢路曰雲路，橋曰升僊橋，復建坊三以木，修屏一以甓，觀者謂規模宏麗，風氣宣越，人才之盛，端兆是矣。縣學生李繼綱、張道、吕楷、芮臬輩，持確菴所著狀請記。予曰：甚哉，武君之知務也！今夫吏於土者，簿書期會，日亹亹焉，邀譽免戾斯已矣，其視黌校漠然若不相關者。武君修職兢業，知教化爲先務，鋭加之意，可不謂賢乎！寶坻，故燕地，昔人謂多感慨悲歌之士。入我朝爲畿輔縣，首被聖育，始彬彬乎多文學矣。兹當改觀之餘，諸生其尚等文學而進之，以求無負於武君振作之盛心耶！由斯路則思以正直爲準，登斯橋則思以利濟爲功，他日効力於時，躡亨衢，據要津，出其素藴，推而行之，無一事不歸諸道，無一物不被其澤，武君是舉，豈不重有光哉！志稱寶坻以物産可充國用，其多如坻，蓋美名也。夫賢才之足寶，視物奚啻萬倍！勝概既新，靈秘聿發，將見賢才之産，川湧林立，以爲國楨，則寶坻之名，不在物而在人矣。

後知縣劉不息重新大成殿。重修廟學記：寶坻舊有儒學廟，祀孔子，在縣治東北。元至正間，邑人劉深、朱斌、普顔改古榷鹽院創建之。入明二百年來，修葺雖代有人，而歷歲彌久，敝陋滋甚。惟劉侯釋褐來宰是邑，首謁廟，顧瞻永歎，遂議新之。時方承敝政後，朝夕問民疾苦，以與民更始，暇則進諸生敬教勸學。民趨之如水就下，聞有兹議，罔不子來。已而侯奉公委於外，歲且沍寒，不果爲。明歲春，復有修城之役。越夏四月，乃克經始。侯捐俸度材庀役，左規右畫，畢竭心計，至秋七月告成。維正殿巍然，維兩廡翼然，維戟門，維櫺星門森然，祠先啟聖，暨於名宦、鄉賢，敬一有亭，明倫有堂，暨於東、西之齋，學宫之舍，若庫，若厨，若垣牆，若坊，若橋，罔不以次修舉，邑父老子弟咸欣欣色喜，頌侯之功。會武清盜起，中丞劉公，御史房公共疏請移侯往治之。邑人惶惶，空城走闕下乞留。大學士行冢宰事高公曰：寶坻獨非民乎？宜從民便，以觀厥成。侯乃得無行云。於是諸文學令諸生劉冕、芮質成來徵予言，以紀其事。予維爲政貴識大體，急先務，若侯之於學校是也。而邑人感之深，頌之至，遂能攀留於改移之際，豈非三代之所以直道而行者歟！孔子之道，載在六經，垂諸萬世，人皆可與有爲。其作新之責，在有司；而感發興起，舍舊圖新，則唯諸士子之自處，藏修遊息於斯，徒取於輪奂之美已哉！誠能日新其德，無悖於孔子之道，庶乎修身見於世，如詩所謂藹藹吉士，媚於天子者，斯侯汲汲於學校心也，諸士子其尚思之。侯名不息，戊辰進士，山東滋陽縣人。

張元相建崇聖祠、敬一亭。國朝康熙年，邑人鳩資重修，大學士杜立德作記。

未見。乾隆七年，知縣洪肇楙重修。十九年，知縣吳克明修。吳克明重修文廟碑記：古者學中無廟，漢興廟祀孔子闕里。唐武德間，始建廟國子監。開元以降，下逮郡縣。然廟與學未之合也。其後學建有廟，中爲大成殿，建兩廡於東、西，三間六戟，體制森嚴，豈徒取輪奐之美而已哉。蓋春秋而祀，俎豆、筐篚、象勺、千羽有其器，鞉鼓、控揭、笙鏞、琴瑟有其音，拜跪趨蹌，俯仰升降有其度，釋菜釋奠之下，胥於是乎致敬而觀禮焉。而士之過此者，亦以肅其觀瞻而齊其心志也。寶邑舊有儒學，廟祀孔子，創自元至正間。至滋陽劉君不息來涖茲土，廣其基而經理之，自殿而廡，而門，巍巍翼翼。啟聖有祠，尊經有閣，敬一有亭，明倫有堂，旁及名宦、鄉賢，暨於東、西齋舍，莫不宏整秀深，數百里內罕有匹也。前人之規度遠矣。自是而後，代有修葺，大率因陋就簡，補苴一時，歷年既久漸圮。余以戊辰秋承乏是邑，拜謁聖廟，周行階戺，時則門橋廊廡，剥落榛蕪，而大成殿亦風雨濊漏，暗粉陳丹，黯昧瞻顧，傍徨若負重疚。居嘗讀毛詩，至子衿之章，竊嘆鄭在王畿之內，而學校不興，衰廢若此。今寶邑去京師百餘里，聖賢棲止之地，鞠爲汙萊，是守土之責也。乃差務紛馳，席不暇煖，既又陰沴爲災，查勘振恤，晨夕弗遑，寢其議弗舉。然相度經營，未嘗一日去諸懷抱。凡山農之竹木，陶旊之瓦甓，鍛冶之釘鉸，俱預爲收儲，以待興築。越二年，民氣稍舒，政間訟息，爰鋭志鳩工，擇邑之賢而能者董其事，自門及廡，自祠及殿，百廢俱舉，不侈不陋，始於庚午之四月，成於甲戌六月。殿基高舊制一尺，階級基址，俱易以石，名宦、鄉賢，改兩楹而爲三，垣墉周六十一丈，原高五尺有奇，增高四尺，加厚二寸，局度邃密，氣象靚深，計費若干緡，余倡捐金，而芮氏、杜氏、南北王暨邑之紳士咸黽勉以襄焉。工垂成，而冀州之命下，簡書期促，正值瓜時，因嘆夫事之興廢，不先不後，若有定數，而積重思返者之用力爲倍難也。余行有日矣，有基弗壞，繼而興之，不能無望於後之君子。爰摭其本末而書之於石。乾隆十九年甲戌六月。嘉慶二十一年，知縣關實秀修。關實秀重修文廟碑記：自昔興廢舉墜，必待大有爲之人，而大有爲之人，必待大有爲之時，然後可以副吾志，而既厥事。人不足以任事，則謀議多而鮮成功，任事得人矣，而時弗我會，即幸成功，不能無遺憾焉。此舉大事之所以難矣。矧興替所關在人心風俗之故之大者哉！寶坻爲畿輔望邑，甲於諸州縣屬，而聖廟規模尤爲一邑所仰重。建自元至正間，數百年來，歷有興作，我國家修明孔教，聖天子春秋禋祀，廟貌維新。至乾隆甲戌年，復有重修之舉，迄今適際一周矣。甲戌三月，余奉特簡來令茲土，下車伊始，恭謁聖廟，釋奠禮成，乃周視堂廡，垣墉半多頹圮。前此雖不無修葺，祇以陋就簡，未獲赫然以成大觀，爰慨然有重修之意。特慮工費浩繁，未克遂如余志也。退而與學官暨縉紳士民共相謀議，亦莫不以余志爲志，慨然奮興，而亦未嘗不慮工費浩繁，事未易舉也。爾時僕與諸公固不無是慮，而毅然以爲必可行，僕則捐廉爲縉紳士民倡，而共事諸君子佐余不逮者，各肩所任以往，無何，而邑中大姓與殷富之家靡不歡忭，具貲慷慨受事，計所籌備，若將興作而無難，隨約能事者，先期採辦木石各料，以待於明年乙亥二月卜吉開工。爲時各材具焉，良匠至焉，首正殿，次兩廡，次戟門、櫺星門，而崇聖以及名宦、鄉賢、忠義、節孝諸祠宇，或衆擎，或獨任，咸焕然而覩重新之象。而且浚池，穿渠，除道，視昔尤爲周備。其舊蹟已湮，今復重建者，爲土神祠，爲義路、禮門，爲奎星樓、後屏坊，曰雲津，曰雲路。橋曰雲津，曰漱潤，曰階升，皆次第俱舉。督工者黽勉從事，夙夜弗遑，而余於公餘馳赴工所，共相慰勞，閱八月而落成。榱桷巍巍然，棟牖煌煌然，宮牆屹屹然，金碧流輝，而雲霞生色，觀瞻肅穆，氣象清華，斯赫然以成大觀，而無復遺憾者矣。因思六十年來，中間幾閱星霜，數經風雨，而當年士紳之嚮義，甯不有如今茲也；大姓之殷富，非不遠過今茲也；土木之耗靡，與匠氏之餼廩，又且大於今茲也。況守土者不乏賢良，其鼓動閤邑之人，風流令行，詎不事半功倍？乃人非觀望，事類因循，直至於今，室鮮豐亨，物多騰貴，訟庭煩劇，比户塵勞，興舉大工，倍艱於昔，其在事先幾，幾有未敢必者，胡倡議至竣工，甫幾一載，既成且速，不期然而然，若有數焉存乎其間者，斯豈非值得爲之時，以鼓動有爲之人，而羣焉乘之以舉大事者乎？夫天運循環，往而必復，竊意廟貌重新之後，氣機流播，而人心風俗，庶有蒸然丕變，如余所厚期者，當不僅科第聯緜，才俊振興已也。余幸余之獲與是役，而且幸余與諸公之共與是役也；幸與諸公共與是役，而尤幸是役之適際，是時以相與聿觀厥成也，故樂爲之記。而復綴以歌，歌曰：緊聖澤之無涯兮，維仰止乎廟堂。其建自當年而重於是邦兮，想見殿宇之輝煌。殘缺不修既周甲兮，日久月長。人事與天時相際會兮，循環到今而重光。顧後視今、猶今視昔兮，承承繼繼乎相望，俎豆常新兮，享祀無疆。守土者與有榮施兮，蓋於斯時也，適來承乏乎渠陽。嘉慶二十一年四月。

同治七年，知縣吴履福重修。

王祖培重修文廟碑記：粵稽廟祀孔子，定先師稱，肇始漢、唐，開元以來，通建郡邑，有堂有廡，啟聖有祠，尊經有閣，戟門甓水，厥制大備。吾邑自元至正中始建廟，諸祠翼其外，津梁拱其前，崇坊疊峙，規模宏遠矣。祖培幼去鄉里，嗣又薄宦羈京師，每春秋舉上丁祑祀，不獲一親盛典。歲壬戌，以先太夫人喪，去官里居，承乏講席。書院址接宮牆，乃日息游瞻眺於泮林璧沼間。迨除喪，奉先太夫人木主祠節孝，因益得周歷廟中。見夫規制雖崇，剥蝕甚矣。蓋自元、明訖國朝乾、嘉間，代有修治，而道光己亥重葺後又更數十年，閱時漸久，工作益艱，未嘗不低徊感嘆，私心冀倖以爲鉅役之興，所賴於賢邑宰之風示倡率者大也。涇縣吴公社山，以名孝廉來治斯邑，下車伊始，肫肫以振興文教爲務，釋奠禮成，顧瞻咨嗟，瞿然曰：是邦密邇神京，首被聲教，而廟貌弗克鼎新，守土者責也。於是捐俸，倡議邦之士大夫共襄其事，鳩工庀材，左規右畫，由堂而廡，而祠，而閣，凡棟楹榱桶之腐折者，蓋瓦級甓之破碎缺壞者，黝堊彤髹之漫漶不章者，靡者堅之，缺者完之，污者鮮之，見廡基之高下異制者，升而齊之，祠門之迂折旁出者，移而正之，泮之水流其清矣，泮之芹藻揚其馨矣，樹以松柏鬱青青矣，百廢俱舉，再踰年而功以成。迺偕學博正定李公端如、河間張公厚山貽書京邸，索祖培文以記之。夫自古化民成俗，建學爲先，非徒謂道應爾也。蓋秉彝好德之良，有生同具，而尤賴上之人，因其固有以鼓舞作興之，斯聖道隆而民氣益厚，至於化行俗美，咸樂事而勸功，其顯見者耳。我侯爲政，所謂養士治民者，一以慈惠爲本，禮教爲先，方之於古國僑衆母文翁經師，殆無多讓，以故災祲之餘，方仰荷朝廷賑賚，而工需三百萬錢有奇，卒之帑不糜，民不病，偉兹盛舉，得以樂觀厥成，乃益嘆善政善教之入人深而流澤遠也。夫子之言曰：君子學道則愛人，小人學道則易使。不信然歟！自今以往，所願邦之人益知遵聖教，尚儒術，敦崇名節，滌除詐僞，秀者爲善士，樸者爲良民，以無負我侯培養化導之至意，則祖培雖一官匏繫，不克捧籩執籥，隨諸博士弟子習奔走之勞，覩禮樂聲容之盛，而睠懷桑梓，傾耳絃歌，將不徒文運科名之蒸蒸日上足爲一邑之光也。爰樂爲之記，而自忘弇陋云。

甯河縣

學在縣治南，前臨潮河。國朝雍正十一年，知縣沈濬建。沈濬敕建學宮碑記：甯地面海負山，左控雍奴，右跨無終，潮河自薊趨海，逶迤環繞，中有爽塏一曲，民繁廛聚，先爲梁城守禦所，洎雍正九年間，攝邑督事武進劉公請於朝，析寶坻東南隅若鄉改爲邑，命名曰甯河，隸京兆，聿稱左輔。濬以十一年夏蒞此邦，未浹月而水爲田害，禾稼不登。今公保大司馬制府銅山李公，憫民之艱，奏請發帑粟援被水諸邑，甯與焉。民既安集，慮恐未周，俾次年春以工代賑，爰作學宮。濬乃度廣袤，奠基址，購良材，運堅甓，工則倍其傭，物則善其賈，懼無以承德意，用晨夕靡甯底績於成而後已。廟在邑之坤位，秩然中隆者，爲大成殿，其北爲啟聖祠，其傍爲配享從祀諸廡，門垣池橋之類，舉而崇深畢備，繪藻輝煌。廟之西爲明倫堂，齋舍庖廩，以次咸列，計爲楹六十有四，其高廣搆締之式，則圖於册以上計府焉。自是而奉籩豆有所，諸生以時習禮，咸知矜式矣。廟既成，都人士進而請曰：昔魯作泮宮，春秋不書，謂有國之事常耳。茲役也，既粒我以生，復牖我以成，非大司馬公其孰能奉揚天子之休命？非我侯又孰能闡大司馬公教以兼養，容保無疆之盛心哉？此而不書，奚以示後？濬惟學以明倫爲本，尤以正心爲先。心正則閉户而修，嚮往得古聖賢之微意，心不正，雖日傴於廟，徒習其文，而於仁義道德之實無當也。況今日之士，即異日公卿大夫，志正則風俗因之，所謂修身、齊家、治國、平天下，端必本諸此。甯爲畿内地，沐浴教化近且深，又值聖天子以道出治，表正萬方，其太和之翔洽，山海之精英，積而發於人，當必特生賢哲，輔翊文明，使人心皆復於三代之隆，是惟朝廷建邑立學之意，使嗣守此土者，庶幾拭目以觀成焉。是工經始於雍正十二年春，越九月而落成，計費銀六千二百五十三兩有奇，凡共事者例得述勞勩以紀始終，因從都人士請，謹勒石於門左。

乾隆二十四年，知縣謝洪恩修。謝洪恩重修學宮碑記：洪惟我國家尊儒重道，文教誕敷，海宇同風，禮陶樂淑，自畿輔以及郡縣，所在設立膠庠，百年於兹矣。甯邑爲寶坻析縣，自雍正十一年始建學宮，以草創之初，事由簡約，而其時又以水溢害稼，當事者方勞於濬築，撫綏之務，蓋教養之不能並舉也，是以率上茨以爲垣，甎礫以甃陛，裁取成就。而洪恩以乾隆二十三年秋八月恭膺簡命，來宰是邦。蒞任之始，先展拜於孔子之堂，見兩廡胥就傾圮，心竊感焉。夫諸生之所得，以時明倫而習禮者，賴有學宮，而宮之所以納諸生於彝倫禮教者，亦必其地之可以集衣冠，肅俎豆，凡夫車服禮器，所謂登其堂想見其爲人者，將於是乎在，而非可委諸草莽已也。洪恩即首捧金百兩，進邑之紳士而告之以其故，邑紳士蒸然慕義，輸金者絡繹，綜其成數，度可資修葺之用矣。乃請於各憲，而更舉宮保制府方公，致慎斯役之意，以復於諸紳士曰：學宮之得以重整也，誠賴此邦之賢士大夫相與以有成矣，顧將謂塗飾一時之計耶？則且以其事諉之邑宰。邑宰不能親理也，必假之胥隸以任之，則弊叢而工必不固。夫事非創始之難，踵而勿替之爲難，非其人而經理之爲難，請與紳士約，老成若某，謹慎若某，請司出納；訥練若某，敏達若某，請司工估；靜而才若某，請司鳩督；寬鎮若某，請司糾察；旬爲之要，月爲之會，以其數報之邑宰，邑宰於公餘時來簡核焉。於其事之竣，則以其數報之上憲，如是則學宮之成，垂之可久，而邑宰與賢士大夫亦一勞而永逸矣。紳士皆曰：善。乃擇吉日，鳩工庀材，掃除之，塗塈茨之，牆之累以土者，易以花甎，陛之甃以礫者，易以文石。由大成殿、崇聖祠至兩廡、兩門、名宦、鄉賢、橋門、泮水，煥然一新。又於櫺星門東、西增建忠義、節孝祠二，別立碑以紀之。更建義路、禮門兩坊，以肅出入。落成，乃率紳士釋菜焉。因揖廣文而語之曰：夫廟貌之修也，典禮之舉也，是有司之責也。若夫士習之醇也，文教之明也，是師儒之任矣，期共勉之哉！於是爲文以記，而并書先後捐資襄事諸紳士姓名於碑之陰，以傳諸後云。

四十二年，知縣闞廷牧先後增修，規制始備。道光十六年，知縣周震青，教諭陳來德，訓導高繼第重修。

周震青重修文廟碑記：庠序學校之建，三代之所以明倫也。漢、唐以後，釋奠、釋菜之典益隆且備矣。國朝文治昌明，尊師重傅，光天之下，至於海隅，出日之鄉，莫不建立學校，肅將祀典，是以莘莘俎豆，下舞上歌，士彬雅而多棫樸之才，民康樂而效尊親之戴，學道則愛人而易使，經正則邪熄而民興。矧甯河密邇邦圻，人物蕃阜，既庶且富，教莫先焉。學宮在邑之西南坤方，肇建於雍正十有二年。乾隆二十四年，邑令謝公詳請重修，迄今七十餘年矣。地邇河濱，風烈而土多斥鹵，既兼以雨潦頻仍，垣墉傾圮，榱桷摧頹，丹雘金碧之色，黯淡剥落，僅有存者。震青於道光癸巳歲奉檄來宰斯土，既下車，肅衣冠而晉謁，目擊景象，心悚焉不敢康。邑儒學陳君來德，高君繼第，亦同余惕惕也。因共相籌曰：修廢舉墜之役，非異人任。亟謀所以完繕之。維時歲序不登，始籌賑恤之方，旋有緩徵之請，用一緩二，民力固未可用也。翼歲，以公事延見邑紳士，孝廉廉君如鈺因議重修文廟之役。孝廉深韙予言，願約邵君雙和爲助。乙未三月，諸紳士咸集公廨，急公赴義，靡不踴躍樂輪者。予協文武諸君，首先捐廉以爲之倡。廉、邵諸君次第各書捐數，復分路勸勉，統計共得朱提六千三百九十餘兩。迺乘暇儲庀料物，於丙申二月，擇吉興工。大成殿舊基平塌，培築堅厚，眎舊基升高二尺。泮橋舊有一座，今又增二爲三，崇宏巍煥，大啟文明之象焉。明倫堂以次均各重建。復設垣牆映壁，並立土地祠於大門之右，循舊制也。其他廊廡爨舍，靡弗一一鼎新之。凡七閱月而蕆事。若監修紳士自備資斧，而始終奮勉不辭況瘁者，其勤勞固均不可没也。爰首冠於諸紳士實輸銀數之上，刊勒碑後，而重修始末之概，特詳記之，刊諸石以垂永久云。

光緒三年，知縣吴欽，邑人劉震東建議重修。知縣丁符九踵成之。

丁符九重修文廟碑記：嘗考學校之建，歷代相沿，皆所以興教化而明人倫也。自漢、唐以來，天下州縣皆立學，置學官，而釋奠、釋菜之典，遂愈久而愈隆焉。國朝崇儒重道，教澤宏深，摩義漸仁，栽培篤厚，自畿輔以至郡縣，莫不設立學宮，肅將祀典，以故執事有恪，俎豆維馨，祀事孔明，鼓鐘合奏，彬彬者禮陶而樂淑，藹藹者春誦而夏絃，文治光昌，於斯爲盛矣。況甯邑地居左輔，風聲所被者，尤先諸邑，且靈鍾滄海，金波增日月之光，秀毓潮河，銀練壯風雲之色，而浩瀚清淑之氣，釀爲人文發育之祥。學宮在邑之坤方，義取元亨之吉，肇建於雍正十二年，重修於乾隆二十四年，繼復重修於道光十六年，迄今四十餘年矣。地邇河濱，土多斥鹵，加之久經風雨剥蝕，而垣墉傾圮，榱桷欹斜，實覺難壯觀瞻。符九於光緒三年來宰斯邑，肅衣冠而晉謁，睹廟貌之摧殘，此心實惕惕焉。幸前任吴君欽，於光緒二年業與教諭董君、訓導韓君、孝廉劉震東等，商議重修，諸君素有是志，欣然樂從矣。吴君即首先捐銀百兩以爲之倡，諸君亦次第輪捐，並各鄉紳民，共相勸勉，而好義者奮興鼓舞，無不踊躍樂輸。三月餘，得朱提三千有奇。及至興工之日，正吴君交替之時。余卽任爲專責，夙夜不敢康，於是再加勸諭，倍致經營，續得朱提一千餘，合前數四千數百兩。余復捐銀二百兩，以百兩備每年祀典之費，以百兩爲廟外修壩之費。開工後，稍值公餘，卽往查勘，親爲指畫，而紳民觀感有由，趨事之精神於以彌振焉。董事諸君，共襄盛事數月之久，毫無倦心。是此役之興，賴此邦之賢士大夫相與有成矣。大成殿東、西廡與前後各祠，戟門、映壁及明倫堂，視舊基俱升高尺五，櫺星各門，泮池與周圍宫牆，亦升高尺五，齋房學舍等，靡弗一一鼎新，八閱月而工竣。由是丹雘焕彩，金碧交輝，巍峻崇宏，大啟文明之象。邑之東南魁星樓，亦徹底重修，升高六尺，添設羣石，更覺焕然一新。文昌宫書院並四門城樓、南河壩，或重修，或培補，一一整齊。落成之後，爲文以記，諸君姓名、銀兩，悉勒之碑，以垂永久焉。

昌平

學宫創建之年不可考。元達魯花赤田斯重修。馬房輝重修儒學記：學校，古今之急務，興則治安，亂則廢亡，必然之理也。洪惟聖朝，以經術治天下，先德後刑，本末具舉，而條約悉備，自監學而下，路府郡邑，咸設教官，以育人材，厚風化，復慮有司奉行未至，失於勉勵，或至隳弛，于是内則御史，外則訪司，恒加嚴督。達魯花赤田斯公，唐兀人也，至元再元之五年，出監昌平。下車之後，課能講學，興利除害，奉上御下，咸得其宜。不數月而政平訟理，歌誦之聲溢於閭閈。至正二年正月既望，率僚佐祭於大成至聖文宣王廟，禮行畢，歷學左右，顧盼闕壞未完之所，盡然有動於心，捐己資一千五百餘緡，迺市材木，募匠傭，不欿于官，不動于民，皆出于公之規度，咄嗟而事已辦。自肇作，底訖工，爲日二十有八，於是壞者復，闕者備，焕然一新，而人争快覩矣。明天順三年，由白浮圖城徙置於今州署之東，守備廖鏞植松柏於中。萬曆五年，兵備道任彬、岳汴，知縣牛若虛修。許倜重修儒學記：有學校之實，有學校之文，與其實不足而文有餘，不若文不足而實有餘。説者曰：三代之隆，其法寖備。是三代以前，猶有未備者矣。然而不失爲至治者，務其實而不屑屑於其文也。□風既變，則民之遷善也漸難，而上之設教，不容於不密，然後國都閭巷，莫不有學，而節目次第，視古爲加詳焉。此固法之所由備，而亦文之所由起也。然其教之之實，春秋則以禮樂，冬夏則以詩書，此四者切於日用而不可離者也。及其涵養既深，學術既粹，然後論其秀者升諸司徒、司馬，以告於王，而加爵禄焉。其在士也，幼之所學，卽壯之所行；其在上也，始之所養，卽終之所用。文之備者，正以濟乎其實，而非求益於古昔之外也。周衰，王道廢缺，學校雖存，特爲虚器，實與文始岐而二之矣。自漢以來，風化益替，如臨雍拜老，增廣生徒，載在史册，以爲美譚。然後竊其迹以爲粉飾之具，而先王禮樂詩書之教，槩乎未之聞也。我國家崇儒重道，建學□□□□方領優游絃歌者，動數百人，彬彬郁郁，視近代爲有加矣。竊觀今之士風，將何所趨，果古之實勝者歟？抑後之文勝者歟？是未可知也。昌平舊有學宫，頹圮特甚，祥符牛君若虛來刺是邦，見之歎曰：士必待教而後興，教必得地而後宏，以國家股肱之郡，而學宮圮壞若此，非有司之責歟！乃力請於兵憲任公、岳公，從而葺之，易故以新，更陋以華，拓大成之殿，改啟聖之祠，門堂齋廡，悉加繕治，仍立鄉賢、名宦二祠，及尊經一閣，則前此未備者也。丹雘輝煌，輪奐交映。入其門者，彷彿覩宗廟之美，瞻百官之富。而三千七十之徒，與之周旋於上下也。可謂盛矣。厥工告成，衆嘉悦。郡博士王君於蕃，率諸生徵言於余曰：大夫是役也，不勩於民，不費於帑，復久曠之典，肅遠邇之觀，自此聯師儒，羣講讀，科第繩繩，爲諸郡先，皆大夫啟之也。不可以無述。余曰：然，試因子之言而進之可乎？夫科第者，國家取人之制，而士子致身之階也，舍此無以自效於明時，泥此無以遊心於遠大，不悖乎時制，而亦不□於實學，此豪傑之所以自拔於流俗也，士其有意乎？昔胡安定教授蘇湖，必先經義時務，而詞賦不與焉，故適用之才多出其門。范文正未出庠序，即以天下爲己任，故人物爲宋朝第一。由是觀之，古今人豈甚相遠哉！顧趨嚮何如爾。使今之教者以安定爲必可法，學者以文正爲必可希，去枝葉而務根本，脱章句而求經綸，他日掇科名，躋通顯，雖詩書禮樂之用，卒未易闕，然以是行之其於國家，中興之治，亦豈無小補哉！語云：不敢望拔十得五，但二三亦足以爲致治之具。允若茲，則學校之設，庶不爲虛器，而今日之修築，亦不爲靡文，後之人將從而指之曰：昌平教政爲諸郡先，而啟昌平之教化者，則自牛大夫修學始，顧不偉哉！余無教化之責，而樂觀其成，且知大夫之致望於多士者，必以實而不以文也，於是乎述之。任公名彬，山西蒲州人；岳公名汴，陝西延安人。修學始於萬曆五年春二月，是年閏八月工竣。

二十一年，兵備道白棟，知州趙堪修。

楊繼禮增修儒學記：夫京師西北九十里所，爲昌平，縣山亘其南，玉帶橫其右，而白浮、神嶺、駐蹕、積粟諸峯之勝，嶙峋蔥鬱，蓋州一雄鎮也。昌平故爲邑，邑故有學。自景泰初移治永安城改爲州，而學亦與治俱遷矣。然基址規恢猶因仍曩者，弗宏麗也。而復歲久傾圮，吏茲土者，每思一徹其舊而更新之，乃皆屈於簿書弗暇，蓋天下事之成於果而敗於懦也，類如此矣。壬辰秋，上郡白公棟以備兵昌平來，既瞻謁，大懼弗稱，則進諸屬吏，謀曰：夫立學以崇道術，育民俊也，古稱師嚴然後道尊，道尊然後民知敬學，此在經師蒙訓，據臯比而臨絳帳者，猶儼然威重，庶幾學士弟子知敬畏而效法之。矧至聖宮牆，而令卑乎若圭蓽也者，如立教何！是誠在我。於時計部，曲安姜公仲軾，都護上谷解公一清亦曰：是風化所出，敢有弗虔！州刺史甯海趙公堪亦曰：是惟有司之事，敢不弗虔！乃卜吉地，移先師之殿於舊基之西二十丈有奇，視昔加二楹焉。殿之前爲臺，崇丈餘，廣十餘丈。東西廂爲兩廡，各廣十餘丈，各五楹，以崇諸先儒之從祀者。直中爲角門，門左右植松柏，殿前二十丈，伐石爲門，樹以綽楔；門之東曰名宦祠，祠唐司空仁傑而下若干人，西曰鄉賢祠，祠劉諫議蕡而下若干人。前十丈有奇，鑿泮池，上爲橋，而環以雕闌，文塼碧藻，照映水上。又前十餘丈爲櫺星門。廟之左爲書院，講堂三楹，啟聖祠廣稱是，東西號房三十楹，敬一亭廣稱是，東西齋六楹。偉哉皇乎！隘者宏，圮者阜，整隤輝黯，厥功鉅矣。而所經費，皆從白公隱度，民弗知也。以壬辰九月朔日始事，明年癸巳冬告成。儻所謂成於果非邪！州博士張君應科，胡君尚文，與諸生郝梅、高應婁、王崇恩，紀堯臣輩，丐余使爲記，以昭來裔，示勿諼焉。余維古歌頌德化者，輒用學校爲詞，若漢文翁是已。以彼其政先原本，故流譽無窮不虛耳。然翁爲蜀郡守，與民朝夕師師，其急於興學宜爾也。白公才御史，敭歷中外，資望迫次公卿，其備兵昌平，直旦暮耳。乃不傳舍其地，而爲興學樹人計者不遺餘力，殆賢於文翁遠矣哉。諸士子藏修游息於斯，其尚含詩書之腴以澤厥躬，忼慨振奮，期所學贊明天子盛美，斯無負乃公乎！且昌以山川之勝，碩輔輩出，若漢之寇恂，唐之蔡廷玉，劉蕡，元之何失，皆其産也。當是時，學校未隆先王之道不明於世，而其人之文行節槩，猶然彪炳若此。今聖天子壽考作人，方宏菁莪棫樸之化，而又有如白公者興起教學，正楊子所謂大儒以金口木舌鳴於世，所不乘時淬勵樹不朽者，非夫也。余且拭目觀其盛矣。是役也，千總王擢、彭效忠、孫庚皆相與有成，法得並書云。

天啟四年，兵備道藥濟衆，知州徐士俊修。李思啟重修文廟記：國家稽古右文，廣厲學宮，鑄金攻玉，用以潤色太平，幾三百年矣。顧師帥振起在守令，守令而上有監司，監司總持大紀，或於芹泮優游，未遑注念，守令聞有請申不得也，安能勝其任而愉快乎！昌平學宮，歲久不治，且就圮。州守徐侯謁廟，顧瞻太息，毅然曰：此守令責也。然而廢弛之久，難與更始，疲罷之極，苦言興作，欲重有所派，而於民不便；欲薄有所捐，而於事不濟。乃上其意於憲台藥公。公召州守暨僚佐、博士弟子員於亭，而僉其議。有謂蕞爾昌平，雖地瘠民疲，公帑告竭，然密邇都城，頗通商賈，其間稟仰聖化，富而好行其德者，豈曰乏人，盍往募之。又有謂營衞繡錯碁布，其子弟隸名青衿者不少，猿臂虎頭，閑孫吳而尊孔孟，未必無崇儒重道之念，請遍助若干，庶有濟。公曰：不然。夫事未有裨於民，而捐乎民，業未成於衆，而嚚乎衆，非居上體。遂出其奉鏹二百餘金，守亦量捐百十金，□□□蕭公、元戎白公，俱各助有差，卽日鳩工圖度，隤壞者葺之，湫隘者廓之，缺畧者增之，飭材口石，畫棟雕甍，若文廟、明倫堂、櫺星門、泮池、啟聖宮、敬一亭並兩廡、兩齋、二祠，俱煥然一新，前後開雲路，濬天河，通衢接漢，錦浪横波，猗歟休哉！朱丹改觀，檜柏生色，堂室軒敞，俎豆輝煌，孰爲爲之？官不費朝常，民不妨時務，鏹不借正供，力不煩夫征，公甯惟聖門之功臣，其一路福星乎！公居官如水，盟心如皦日，當陵園孔道，往來絡繹，且四方赤白交馳，徵發旁午，宜日給不暇，乃獨留心黌序，慨然協於守，朝傳檄而夕報可，使守稍不獲於公也，縱加惠後學，亦屬空華，故前此守者非無是念，大都當局者掣肘，持籌者仰屋，卒敝敝守府，而築舍至今，天方有意昌平，而賜之公乎！是以徼惠於守而底乃績爾，詩曰：豈弟君子，遐不作人。其濟濟以甯，豈偶然也耶！昔文翁治蜀，建學宮，置博士弟子員，蜀用大化。班史傳循吏，首文翁於渤海、潁川諸君子，良有以也。古有之，美則愛，愛則傳，公實有美且愛於昌平也，其泯泯然無傳也哉！顧是役也，議集一時，而功成不日，誰任勞怨而率作，誰殫心力而相度，是則州佐覃君、學博胡君以之，蓋惟有董其事者，而後可樂觀其成，故序次並録焉。是爲記。

崇禎十二年，兵部侍郎李日宣添建魁星樓，仰聖、興賢二坊。國朝順治十四年，參議石在閶，知州蔡廷輔修。康熙三年，知州趙三長修，並修諫議祠。十一年，兵備道耿繼先，知州吴都梁修。杜立德重修儒學記：上治之世，廣教化則必興學校，興學校則必崇先師，所以表厲風俗，陶淑人心之大端也。然其權由在上之鼓舞，尤賴在下之奉行，故必長吏有司有賢者涖其土，然後能殫心補葺，式肅觀瞻，而文教之聿新，可望其馴致，如昌係畿輔重郡，近天尺五，聲教所首被，恭遇我皇上好學崇儒，幸辟雍祀先聖，教化覃敷，翔洽海宇，凡近在郊圻之内，無不作新文治，以蒸蔚人才爲首務。芹宮片地，人才所自出也，州學久就傾圮，廟貌不肅，楹桷頹然，星門泮池，踐爲芻廐，師儒相顧歎息，而莫能支，甚非聖天子崇文至意，不可謂非守土者所汲汲也。及遼左吴君都梁來牧兹州，下車後首議興學，瞻拜廟庭，愀然興念，曰：是其在我乎！有不殫力畢慮爲宮牆瞻者，先聖實鑒臨之！於是具本末，請於僉事耿公。公大加獎許，亟捐俸百十金爲士大夫倡，闔郡紳士歡欣輸助，鳩庀維虔，閱數月而工竣。於是垣墉峻矣，扃閾閟矣，松柏芾矣，橋池厨湢之屬靡弗備矣。縣之令申諸後，先聖先賢，以妥以侑，豆登秩如也。更欲建碑以記盛事而問於余。余曰：是誠賢有司之績也夫！天子命守臣撫百姓，樸者農，秀者士，尊先師，訓多士，職所當盡，時所當興，況修廢舉墜，又義所得，爲殫一時之心力，以成百世之茂績者，吴君其不可傳乎！余聞君三年兹土，獨能不畏彊禦，以爲民遠害。民愛戴不忍舍，其賢若此，宜乎盛舉克成，黌序增輝也。況董其上者，猶有耿公之仁賢歟！且余又聞昌郡子衿素多秉禮修節之士，顧無恒産，殊難自振，廟貌之不肅有由來矣。今吴君既有以妥先聖，必併有以起士風，試使久於其任，其何難使文教聿新，爲畿輔稱最乎！君將於此舉肇之，而郡之士亦於此舉望之矣。余是以述其事而爲之記。

乾隆八年，知州胡大化修。

陳浩重修文廟記：吾州在都城北七十里，居庸諸山，萃立環拱，有扶輿磅礴之氣，士風純樸，重名義膠庠之内，沐朝廷之德教尤近。州故有學，建於明天順間，後以兵燹頽圮。國朝定鼎後，順治十四年修而復之。康熙三年十一月再修，而規制始備。迄今又七十年矣。中間時有補葺，然歲月寖久，棟宇垣墉漸就腐折，黝堊杇鏝之屬，類多黮昧陊剥，春秋齋祭，弗稱厥儀。博士師弟子講業於是者，無棲息之所，每以爲歎。乾隆七年，知州胡公來莅是邦，既謁聖廟，顧瞻庭廡，而喟然曰：教化本源之地，使之殘缺至此，其何以虔祀事，勸學者！遂具其事，請於副使秦公，出俸錢爲倡，復謀諸搢紳士庶，得白金二千餘兩，乃市良材，陶堅甓，諏日維吉，撤其舊而增新之，以歲貢生何君士宏等董其役，視事之暇，則身自簡稽，日必再至。經始於八年之三月，至六月竣。凡殿廡堂宇之重修者二十有七，爲門二。祠屋之創建者一十有八，爲門亦二。因廢址而樓者一，舊有祠而閣之者一。於是向之蕪翳於荆榛瓦礫間，悉煥然改觀。州人士美公之德，而樂其事之成，以余州民，能道其實也，屬爲之記。余既不獲辭，因揖州人之從事於學者，而敬告之曰：胡公之所以爲是舉者，豈惟是宮牆之巨麗，學舍之潔清，爲一邑之觀美云爾哉！將以振興文教，育人才以爲國家之用也。吾黨束髮受書，所誦法者六經四子之文，所講者身心性命家國天下之理，宜皆根深實茂，彬彬乎列大雅之林矣。今試進而講學於明倫之堂，於君臣、父子、夫婦、昆弟、朋友之道，可一一自驗之而無所愧乎？退而肄業於時習、日省之齋，於不忠、不信、不習之戒，皆自慊而無不欺乎？所治詩、書、易、春秋及儒先之書，能沈潛反覆研悦，而有會於心，且效先覺之所爲，盡吾之才以復其性乎？天下名之所在，卽實之所在也。士之所重者，性在敦實，行務實學而已，漢之寇威侯，唐之劉司户，皆吾鄉之賢也。威侯佐光武成中興之業，政行於河内，德被於潁川，功施爛焉，而史稱其經明而行修。司户當文宗時，憤宦官擅權，慨然有救世之志，對策極陳時政，不以利害禍福動其心，其言皆原本經術，與長沙、江都並峙千古。由是觀之，士之立本致用，垂鴻聲而樹偉績者，未有不以學行爲根柢者也。夫以漢、唐之世，程、朱未出，聖人之道未著，幽州土谷，僻在荒遠，而山川靈淑之氣所鍾毓者，猶卓絶倫等若是，況今聖天子重道崇儒，聲教四訖，禮樂文章，燦然明備，吾州又近在百里之内，依日月之光華，仁漸而義摩者，百年於兹矣。士苟能束修砥礪，各敬其業，聖賢之學以制其行，入則孝，出則弟，言忠信，行篤敬，正誼而不謀利，明道而不計功，爲父兄者修是以教其子弟，爲先達者修是以教其後生，爲後生子弟者敬修先生長者之教設，誠而致行之，以成其身而正於家，施及於鄰里鄉黨，使相觀而善者争自濯磨，人人有士君子之行，異日人才興起，馮翼孝德，生王國而爲邦家光，必有邁跡古人，藹藹然繼卷阿鳴鳳之盛者，庶幾賢州牧之意願與諸君子共勉之也。遂書之以告來者，於是乎記。胡公名大化，浙江山陰人。大清乾隆八年，歲在昭陽大淵獻，夏六月甲子。道光二年，知州□□修。二十六年，霸昌道劉師陸，知州劉體直修。同治十年，知州彭瑞修。

順義縣

學舊址在縣治西門内北小巷，後徙通衢，卽今所。金明昌初，提刑劉仲洙、同知州事舊稱順州。臬鄉進士竇鳴道修葺殿廡，欲爲講室未克，歲久傾圮。元初，郡人中書右丞曹庭瑞治新之，買寺基以廣學地，知州郭幹重修兩廡，段廷珪更爲明倫堂。泰定元年，庭瑞之子工部尚書偉出資修拓，同知州事祝獻董其工，規制略具，偉後造禮器二百三十事，購經史若干卷，藏弆學宫，知州梁宜作記。詳金石。三年，知州王汝楫建櫺星門。至正八年，知州孫惟孝重修。張損重修廟學記碑：至正戊子，孫公惟孝，由常德推官爲順州尹。下車伏謁夫子廟庭及諸從祀廡序，致奠展誠，禮畢，因視正殿，則棟宇峻整，翼然如新。卽覩兩廡，則椽角漸敝而幾毀神像，意其始創，蓋急尊緩卑而致然也。公大懼，不任以墮教基。洎升講室，又則壁飾剥爛，仰見瓦隙，僅足以庇風雨；出辭神門，亦皆楣柱仰欹，封瘖罔密，不足以嚴瞻仰。公蹙然不甯，詢其學正完哲篤，并先達魯花赤寄童捐俸以率夫士民之財，莫不羡贏，以致木土茨灰之具，僦直餼稟之資，莫不充裕。公慨然曰：先守既底法，今守當成其志。夫人効其勞，我享其逸，不興是役，則烏足以塞我之責而翕民之望哉！於是聘近僦夫，完舊益新，不煩呵叱而績以成。東、西廡自南而北皆六十尺有奇，簷隅騫翔而列楹分齋也。大成之門爲楹者九，朱碧焜燿，而周阿直方也。門南二十步有奇曰外神之門，則疏扇而丹漆，高崇而廣廓也。廟之北講堂，南面縱三楹，橫四楹，則窗户洞明，清寂邃深也。其搆其飾，率皆文不掩質，而既緻且固。落成既有日矣，國子伴讀史惟允走求記於予，欲麗諸石以示將來也。辭之勿克，既而謂之曰：今爲守爲令，佐王興化者，俱限以六事，而六事之要，惟學所繫爲尤重。張公追先烈閔子之德，不蒞斯任，而知政體，克改作以勞民，與監州喜栢篤琭偕同知孫約禱琭砂、判官許讓，同寅共濟，司吏張天祐董督，遂俾宇廡以侈，而吏歲時祭祀之有其所，講室復新，而師生朝夕肆業之有具。君曰：是而邑里民感化懷義，皆願讀書勵行，趨公治訓，馴而風移俗易，農不墮業，訟息姦彌，甯不自茲始乎！明嘉靖三十七年，總督喻安性鑿泮池。萬曆四年，知縣葉曾重修。崇禎七年，知縣上官藎重修，旋燬于兵。國朝康熙十九年，知縣鄒琬重建。五十五年，知縣黃成章添築屏牆，設東西角門。咸豐八年秋，知縣賀瀛，貢生吴維漢捐資重修，至同治二年工竣。

密雲縣

學在縣治。唐貞觀十一年，檀州刺史韋宏機建。元至元二十八年，知州楊連修，復立教職，兼設廪餼。至正六年，知州聶守節擴地增修。王思誠重修文廟碑記：孔子之道，與天地準，雖二帝三王無以侔，故歷代靡不尊崇爵號，嚴飭祀典，薄海內外，在在皆然，況近者乎！檀州，漢白檀郡，魏密雲縣，今爲畿內近地。供億繁夥，其於文教，疑若未遑，而治州者能以飭興學爲務，其知本哉！州舊有孔子廟，燬於金季兵。至元二十八年，知州楊連等割俸緡，即州治東市民宅重構殿宇，爲堂三楹，兩廡四楹，以棲聖賢。迄今五十載，寖以傾圮。至至正六年，太原聶侯用之由行唐尹管巡院使來守是州，拜謁祠下，顧瞻荒陋，慨然以修復自任。退而謀諸監州買住及同知伯顏、判官崔克敬，同詞一諾，共割俸鈔爲衆倡。州中有好義者，翕然出資以助。於是斬木於山，陶甓於河，鳩工不日，悉撤其故堂，崇其基，宏其度，爲殿三楹，葺兩廡，增其楹爲六；創神庖，若大成門、戟門、齋舍，仍以故堂廢材，又爲築講堂及教官宅，碑樓，共十三楹。繪塑一新，金碧光耀，視昔爲有加矣。侯之致力，不惟是州爲然，其在行唐，亦新三皇孔子廟，及醫、儒二學。憲使孛朮魯翀刻詩於石，以頌其德。檀學之興，經營於三年之仲春，再越期而落成。集賢學士揭傒斯、監察御史崔帖木兒普化扁額於殿堂之上。聶侯又欲勒石以紀歲月，命學正宋文佐以文爲請，遂爲書其始末，系以詩曰：白檀之區，昔爲邊隅。厥俗於荒，罔習於儒。今爲內甸，密爾神都。郡黌攸設，文教斯敷。明明聶侯，説禮敦書。睠茲孔廟，湫隘庳疎。乃即同官，載詢載謀。悉撤其故，恢宏其模。完敞益新，輪如奐如。法庭殖殖，邃宇渠渠。有宅其師，有庇其徒。巍巍聖道，洋洋嘉謨。允迪惟哲，罔念則愚。嗟嗟士子，惜此居諸。學古入官，復厥性初。作與時偕，身與道俱。此惟聶侯，德化之濡。在漢文翁，異世同符。太史作頌，以永終譽。爰告後政，勉循令圖。明成化十一年，知縣唐忠重修學宮，建櫺星門、聖域、賢關二坊，啟聖祠，明倫堂並左右齋房。二十二年，從後衛貢生山西渾源州知州龔宗道之請，設後衛儒學教授一員駐古北口，師生廩俸夫役並視縣學。嘉靖四十四年，勑建武學，立學官，奉武成王，正殿、兩廡、公署制同文學，並建射圃，以總兵王繼、指揮吴柏董其事。其武學教官生員廩俸夫役，並視文學。四十五年，兵部劉□□，兵備張□□重修文學，附建名宦、鄉賢二祠，置祭器、書籍有差。王希烈重修文廟碑記：密雲，古漁陽郡地。自漢迄宋，視以邊鄙。學政之興廢無考矣。國朝建都燕薊，密雲屬京兆，且在京師東郊而近，士之起膠庠，觀國光，賓賓稱盛矣。縣東北界邊，故又爲薊遼總督暨兵備憲使之治所，視他縣特重。縣之興革大政，兵憲實任之。上自督撫，而下至知縣，縣令仰承而已。密雲舊有學，建於元之至元，修於洪武之十一年，今敝且圮。兵備大石張公甫至，飭武備，繕城池，政既修舉，見學宮缺狀，慨然歎曰：我朝文治覃海隅，迺首善之地而廢墜若斯，非所以令四方見也。函白於總督大司馬帶川劉公，議以克協方物，揆事庀材鳩工，一以節用愛人爲本。於是取材於石塘嶺諸山，山越古北口外數十百里，公以兵取之，由潮河川筏以入，以故工師得大木，而官無採辦之費。取力於軍士之番休者，以故動大衆而民無丁夫之擾。其他經費，督府既資以軍門之羨緡，而地官尚書郎新所張公亦捐金爲助，餘悉取諸公之禄入，輔以罰鍰，故百廢俱興，而帑中無銖兩之竭。又簡參軍之廉能者王廷範、祝啟蒙，暨官舍王鎮、劉表以專司其事。縣令邢君元徹，時省厥成，以期底績。由是正殿易以五楹，而廟貌以嚴，兩廡各易以七楹，而羣祀以秩。啟聖之祠，敬一之亭，明倫之堂，分教之齋，昔所有者，擴而新之，名宦、鄉賢之祠，齋宿、省牲之所，藏書、置器之庫，昔所無者，增而創之。又鑿池爲泮而橋於其上。高其櫺星，正其戟門，而學制遂大備。經始於嘉靖乙丑三月朔日，訖工於十月十日。公既協上下以落成，又率邑之才子弟數十人肄習其中，公以時詣學，講授經義，宣布規條。密人觀聽，溢於橋門。學之官生，將謀伐石紀事，介卿大夫龍潭孫公來徵文於余，辭弗獲。予惟古者受成於學，獻馘於泮，俎豆於軍旅，脉理固相屬也。詩頌魯侯曰：既作泮宮，淮夷攸服。二公具文武之才，握兵符之重，而於學校獨加之意焉，可謂知本矣。矧其兵威素伸於塞外，休暇常得於戎間，故能取材於遐方，借力於士伍，壯猷訏謨，較然闊遠矣。是惡可以勿書！抑於是而慶密士之有造也。夫三代之士，莫盛於成周，豈獨其學制之備哉！蓋由文王壽考作人，培養百年之久，故在當時，黨之正，州之長，鄉之大夫，德藝道行，皆身有之。上者以身教，而下者以躬行，是以後世無及焉。漢自文翁治蜀，遣蜀士來學長安，蜀人化之，有鄒魯風，蓋自武帝始詔郡縣立學，道之由上作也如此。今聖天子壽考作人，同符周文，多士漸涵化育，四紀於茲，而又得夫德行道藝如二公者以振而育之，矧密近聖人之居，若此其甚也，則又非若蜀人被漢化之遠且難者矣。故予於是慶密士之有造也。夫三物之教，布在方策，今之士者，視德行爲迂儒，以文藝爲捷徑，故雖名位顯於當時，而德業怍於古人，其所從來遠矣。密士慶於有造，盍亦反其本乎！是惟二公興學之意，謹申於多士。隆慶五年，總督劉應節請建三武學，設教授一員，科正二員，訓練武士，以備將選。劉應節新建武學記：國家自兩都而外，故無武學，三鎮武學，自隆慶五年始。先是，劉子應節奉璽書督鎮薊門，詔諸將，諮以戰守兵法，皆噤不應，或竊笑之。劉子詰以故，僉曰：禦邊者勇戰無方，習七家書，其何敢當！劉子撫膺歎曰：必若言舞干之格未能也勇，匹夫乎！蓋承平久，人不知兵，介冑之士罔諳韜鈐，而縉紳持文墨，議論率詘武力，志士又恥從甲冑。世廟中葉，詔求奇謀異能之士，卒無應者，迺命有司每三歲開科如例，羅士顧弓矢馬步之格，可幾倖收，入闈又糊名易書，若測景辨神然，故取人如揀金於沙，幸而得人，如呼之中博，弊在所用非所養，所養非所用耳。劉子既受事，謀之中丞楊公、都護戚公，上書力言今日武功宜儲將才，以備緩急。大司馬是劉子言，覆奏。制可之。由是密雲、遵化、永平三鎮，悉立武學，修廟立廡，給舍分齋，巍然宮牆，可並黌宇。奉祀仍崇武成王，反本始也。設教授各一，科正各二，隆師道也。講有堂，射有圃，課督有程，贍養有餼，首重韜畧之科，力剗舉業之陋，崇教養也。行之三年，得一士疏名以聞，得列將籍，於是諸士向風，致力於學。或曰：衛青以不學勝，括以讀書敗，兵在學與？劉子曰：學而敗者百一，不學而敗者什九，甯誤而爲括，毋倖而爲青，矧括正不知學而喜自用者！或又曰：談兵如談禪，在悟不在習。劉子曰：嗟乎，舛矣！禪之悟，果廢漸而能頓哉！得魚兔，忘筌蹄，可矣。必舍筌蹄以求魚兔，是緣木守株之智也，雖有良工，不廢繩墨，雖有良冶，不廢鑪錘，是故九流有師，百工居肆，矧兵戎之重事乎！夫郢人之運斤，其神凝也。楚人之承蜩，其智專也。業專則精，習久乃悟，故曰不學操縵，不能安絃，學兵者緣可尋之法。馴致至微至神之地，則應變制權，隨機運化，斯守則固，戰必勝，乃稱大將才云。時監司王子一鶚、孫子一元、宋子守約、王子之弼揖而請曰：願借公言以詔二三子。因述爲記。萬曆三年，改教授爲提調。十三年，總督蹇達置學田一十八頃。十四年，借充兵餉，廩餼遂廢。二十一年，知縣康丕揚建講學堂。四十一年，知縣尹同皋建尊經閣五楹。四十五、六年，總督薛三才、汪可受，户部郎中吴暐，兵備李養質、喻安性，通判馮繼京，知縣尹同皋重修。國朝順治二年，裁武學教官，其武生歸併文學教官管轄。九年，啟聖祠圮，兵備道衣惟孝，知縣張世爵，教諭谷起雲，訓導張漢，以舊址湫隘，移建學宮西北隅。十四年，裁後衛教官，其衛學諸生，歸併縣學教官管轄。十七年，知縣劉應奇，教諭李奇蔭，典史吉生光重修。

袁懋功重修儒學碑記：泮宮者，泮於璧宮，象璜也。所以持情理性，而積萬善者也。漢武威，蜀彬彬儒雅，一時稱盛。魏武下令，縣户滿五百卽置校官，選鄉俊造士而崇舉之。唐倪若水興州縣學，廣勸生徒。范忠宣公營學田，擇鄉之賢者以教其人，聽政之暇，親至勸誘。朱晦庵任同安兼學事，身率諸生，規矩甚嚴，勵以誠敬，開以義理，且爲學如不及，文以勸論之。古之賢者，有邦國之寄，則必以得人才、廣風化爲己任，道固宜爾乎！盧陵之言曰：學校，王政之本，致治之盛衰，視其學之興廢。宋興八十有四年，而天下之學始大立，此建之説也。南豐之言曰：當四方學廢之初，有司之議，固以爲學者人情之所不樂，及見此學之作，在廢學數年之後，惟其令之一唱，四境之内嚮應而圖之，此修之説也。由歐之説建之，如彼其難；由曾之説修之，如此其易。而吾以爲建之於未舉之先，物力漸蓄而易集，難固非難；修之於既廢之後，人情積弛而難，勉易亦未易。要之，宣德流化，必自上始，尤必自近始。成均首善，固其端本作則之地也。聖天子臨雍釋奠，論道横經，發帑金，新廟貌，爲天下先，而又下詔所在有司及時增葺，一如法式，然往往費百千之資財，積歲月之經營，增培無多，摧頹如故。密雲咫尺神京，金湯重地，其儒學歷百有餘年，已日就傾圮。維時昌密兵憲戴公，巡歷至邑，顧邑宰平六劉君曰：學宮鞠爲茂草，舉廢修墜，蓋賢有司事也，其留意焉。因出二十金爲之倡。時劉君蒞任甫匝月，慨然身任其事。謀諸紳士，出清白之囊，鳩登馮之役，財無侈溢，民不疲勞，三閲月而宮廟焕然改觀，可不謂敏焉！抑予又重有感矣。漁陽爲冀州屬邑，其視儆宜最先，而又等上谷危疆，其觀成宜獨後。劉侯顧易武健爲和平，霽威嚴於愷悌，其風俗日以醇，其人文日以茂。燕趙之慷慨，胥化爲鄒魯雍容，此固脱劍而祀明堂，建櫜而敷文德之明驗也。四海有截，萬國來同，其在斯乎！蓋始之於戴公之倡屬，成之於劉君之拮据，兩堪誌盛矣。且侯之新政，翦稂莠，植秀良，課畊桑，除螟螣，麥岐之歌，不在張君游治譜後，閟宮有恤，不日斯成，自非敬明其德，何克臻此！樹人樹木，其效果孰宏多與！恪庵鄭公同諸紳士請予言，賡奚斯之盛，而壽賢侯作人之德於不衰。因紀其左。

康熙四十一年，教諭劉炳增修學宮。

李掌圓重修學宮碑文：從來一方文運之盛，必得其人以鼓舞之，然後杞梓之材應時而出，是以澤宮茂草，子衿佻達，誠有志斯文者所必不能漠然者也。如我劉公是矣。公諱炳，字君昭，永平人也。公世代書香，及至公，潛心濂洛，熟晰程朱，典則鴻文，蓋近今之所未有。以公之才與公之文，宜黼黻朝廷，爲海内人文重望。振鐸一隅，非公志也。公以場屋蹉跎，屢試未利，於戊子歲，僅以明經膺密雲廣文。密雲屬古漁陽郡地，文武兩廟，建立多年，歲來風雨飄摇，榱桷頽圮，不堪瞻視。公甫下車，輒爲大息。但廣文夙號寒氊，公獨毅然捐俸重修，勸衆輸助，十錢之費，公居八九，前自大殿、兩廡、櫺星、戟門，後至明倫堂、尊經閣，以及武成王廟，鳩工伐石，峻宇雕梁，皆公親身督指。工起於己丑年孟春，告成於歲之仲秋。不數月間，而兩廟輝煌，俎豆燦然生色，則知向日公之仕途盤錯，莫非先聖之靈，留公爲今日地也。公謂既新廟貌，以壯其觀瞻，必興文教，以鼓其士氣，乃敦聘明師，率密雲子弟誦讀兩廡之下，而一時之執經就業者，不啻環橋觀聽之多。且不惟是，自我朝定鼎以來，列聖崇儒重道，凡民間子弟，一採芹茆，而父兄之差傜盡行優免，此誠合郡父母仰體宸衷之善政也。未有子弟既入泮宮，而父兄仍當里役者。不意密民不經優免者數年，斯文墜地，莫此爲甚。公向邑侯力懇，積弊方除。然則公之修廟布化，移風易俗，並波及士子之父兄，其用心蓋亦古矣。方今天子右文，崇祀闕里。而密之士子，叨蒙雅教，異日若能乘運之興，上而輔弼休明，下而克端士習，皆公之力也。故曰文運之盛在得人，於公而清風苜蓿，愈覺快然，卽是以觀，而公重道之心，豈在伊洛下哉！所以密邑士紳鐫碑誌盛，以垂不朽云。雍正二年，知縣薛天培重修學宮。同治元年，知縣張翰、張鵬雲、唐鉞、黃宗敬，教諭張慶壬，訓導姚翢，典史李振樞重修學宮，十年落成。光緒六年，教諭張慶壬重修明倫堂。

懷柔縣

學在縣治東。明洪武十五年建。正統五年重修。成化六年，教諭趙顒重建明倫堂，王華作記。王華重修懷柔儒學明倫堂記：自古聖王經理天下，宰制民物，新建學校，以立五常之教。如三代鄉學，有庠、校、序之異名，而國學則無異名，故孟子云，皆所以明人倫也，人倫既明，則風俗益美，其治教之隆，實非後世所能及也。降自漢、唐、宋，雖曰立學校以明人倫，然徒有其名耳，往往不擇賢以立教，故不得真才以致用，欲其治效媲美，蓋亦難矣。洪惟我太祖高皇帝，統有天下，首以建學育才爲務，列聖繼體守成，臨御之初，祗謁先師孔子廟，退卽□□於明倫堂，講經之餘，勸勵師生崇儒重道，至矣盡矣。然國學彝倫，乃六館師生公會，講道有春官以司其儀制，有冬官以備其規則，以時而修舉，所以教育天下英才而不敢少怠。在外郡邑以及武衛，亦皆立學，以收民間之俊秀，其有造就而後升庸太學，以俟録用，若明倫堂之創造，儀仗制度之詳，則皆有司之責耳，豈司教之儒官所能爲哉！懷柔乃京兆屬邑，切隣輦轂首善之地，貢賦雖不浩繁，民俗亦頗淳厚。往者常議修學，不果。而講堂歲久頃圮。成化庚寅，餘姚趙先生蒞教是邑，皇皇然欲鼎新重搆者，與諸生之賢者商確其事，已得一二，又募邑之仗義富室，得緡若干，用是夙夜殫力勞心，鳩工卜日伐石，掄才塗塈，黝堊煥然，有倍於昔，莫不稱采。其功豈尋常所能及哉！時諸生請立石以紀其績，先生固止之。暨先生秩滿，官轉閩政和，閱二三寒暑，因教諭池州葉君詢得明倫堂營繕之由，慨然嘆曰：先生搆斯堂，今無文以紀之，功不幾泯乎！遂執禮請予言以勒諸石。予曰：師儒之官，以教爲責，而講堂之廢舉，乃有司之責耳。先生之在懷柔，講明經典，校正文義，晨昏無倦，而生徒之聾瞶者皆變而爲聰明，人材之出，日新月盛，其教之概已優爲之矣。營搆斯堂，則以有司之責兼而行之，若分内事，可謂師範之超卓者矣。與世之居是職，而置書高閣，佁儗歲月，罔知教人之功者，賢否爲何如？有知教人爲績，而公宇濍漫，則委非有司，雖知而弗顧者，賢否又何如？先生盡責己而不責人，非敦善行而修善教者，其孰能哉！噫！成斯堂而阻諸生之立石，是不矜一己之善，於當時甯期後人思之而不志耶！今葉君司訓爲立石於悠久，其不肯没人之善，亦難得者。懷柔得二先生之善，則士風之振，倫理之明，人賢之出，不亦深有所賴耶！予亦聖人之徒，樂與人爲善，故不辭而記之。趙先生顒，字有孚，由明經初任山東五邑，秩滿陞是邑教諭；又秩滿，改授政和。葉先生勝，字挺柱，由貢生分教是邑。萬曆二十二年，知縣蔣守浩甃泮池。天啟三年，邑人楊克進等鳩資繕葺，三閱月而大成殿訖工，餘弗能給。知縣周道洽續成之。崇禎七年，知縣劉躍龍修拓，教諭王建極作記，歲久頹圮。國朝康熙五十五年，知縣吴景果重修。五十九年地震，復圮。六十一年，景果臮訓導于二酉重建。道光二十九年，知縣吕圮，訓導陸桓，紳士高守誠、杜廷賢、李富德，歲貢生曹振德、張克儉、王汝霖重修。光緒七年，知縣嚴暄，典史鄒毓坪，紳士歲貢生曹景彬，監生線際祥、線毓、李墅等重修。

涿州

學在州治東南隅。唐貞元五年，盧龍節度使劉濟剏建，韋稔撰碑。唐韋稔新置文宣王廟碑：天下郡縣，悉有文宣王廟，而范陽郡無者何？范陽本幽之屬，右碣石，左督亢，流水經其前後，有林麓陂池之利，至于闤闠井肆之大，關梁襟帶之固，自河達燕□比不過一二。先朝次列縣之級，第爲望，領户萬，流庸附占者如之。兵興人析，兹又獨阜，且陪幽之南百里而遥，居鄚之陰二百里而近，磅礴周廣，隱然名區。大曆初，詔剖幽之范陽、歸義、固安爲州，因涿郡之地，題爲涿，第爲上，以范陽爲治所縣，縣遂爲州治矣。然此爲邑者，率以多故，未遑建置。春秋釋奠，蓋伺州之已事，假籩豆，寄升降于故階。迨今幽州盧龍節度、觀察等使、工部尚書、御史大夫彭城劉公建中初假□□縣操長是邑，覩其遺闕，喟然嘆息，顧其寮老曰：□所以知君臣父子之義者，昔在三代，皆鄉里有教，兩漢以降，罔不述用三德。矧今朝廷頒宗祀之詔，郡邑畢置清廟，溥崇明祠。今州廷大張，縣署悉陳，而至先師時享無所，豈導人重道之意乎！彼劉琨□□□□禮，范甯養生徒興化，皆所以達萬類而朝□□□□吾宰三百里，作人父母，必權輿斯廟以爲人□□□縣前近里之爽塏，心規其制，目畫其地，度廣□□□平廬舍之區，發其居人，直以官俸給以瓦木□□之費，匠人作徒之要，又以家財散之人，不知役廟□云構聖賢之像，備饋奠之器具，庭除肅然，黎元翕□，皆不待施而悦，不待教而變，于是置食錢二百萬，徒三十員，洙泗之風，集于期月。時公年始弱冠方剛之日，克明古訓，君子是以知公奉若典謨，其將來者大矣。令廣平宋晙方，介直之士也，倚法不削，憂公如私，以能名。自薊縣而來，遷政率由舊，履公之躅守而勿失，覩公之爲政而不及，學舍異文翁之後，罔或繕修，琴堂挹子賤之風，恆餘蹈蹐，歌詠不足，願言發揚，見□微詞以載貞石，其所書者止于創州置廟之實，卽夫子茂緒隆德，蓋存諸史册，且溢于今人之口，豈余頑童敢記頌焉！銘曰：振頹周室，警寐殷楹。曠千百年，炯作世程。大唐御極，治致昇平。六五函三，是敦與同。聖王既興，夫子乃貴。□茅列爵，建廟崇位。蘋蘩截海，聾瞶革思。春誦夏絃，□□辨志。惟范之陽，巍焉建邑。朝命有作，州廷乃立。廟革新題，堂昇故級。縣寀寄奠，生徒罷習。崇崇大賢，昔歲臨茲。匪頒勞役，克就嚴祠。美矣像設，森然具儀。風化之源，一至雍熙。斷斷伊人，恪居所職。食蘖苦志，戴星任力。瞻我宏規，闡我明德。爰琢琬琰，阼階之側。

遼統和中，徙城西南隅。金大定間，汾陽郭預、顯武將軍梁儆先重修，黃久約作記。

黃久約重修文宣王廟碑云：昔吾夫子禀天縱之蘊，生知之聖，生于晚周，歷聘不遇，會其弟子門人傳道授業于洙泗之上，德至博無位而不得施，道至大無時而不得行。于是删詩、定書、繫周易、作春秋，使夫後世之人達三綱，明五常，知君臣父子之禮，夫婦長幼之序，仰事頫育，養生喪死，優游久長。而無鬥爭傷殘之患，不然則生人之類，異乎禽獸者幾希。是以孟軻氏稱其德，以爲出乎其類，拔乎其萃，自生民以來未有如孔子者。韓愈氏稱其尊，以謂天下通祀，惟社稷與孔子。然社稷其位所不屋而壇，未若孔子用王者事，巍然當座，以門人爲配，天子之貴，皆北面拜跪，禮如親弟子者，世靡然宗□，無有異議。孔子既没，秦漢以降，時君世主褒揚尊大，惟懼不至，崇飾祠宇，肅象容貌，春秋祭祀，務極以奉承之意，以稱徽烈。四方郡邑之廣，承流宣化，亦莫不然。蓋不如是則聖師範模，百代鈞陶萬類之功，安在其爲追敬而展報也。頃者黔黎失業百神之祀，前日之崇階宏構，或變而爲榛莽瓦礫之場，存者僅足庇風甫，過者徘徊咨嗟而去，可勝嘆哉！國家開創之初，方以混一車書，削平僭僞，除苛解嬈，易法更制，未遑庠序之事，然于吾聖人之道，未嘗不嚮意焉。今文□武熙，天下安乂，追述先猷，潤色鴻業，由是禮隆樂備，百蠱一新，乃詔有司，開設學校，教養士類，内自京師，外周藩府，士有常數，官給所須，方領矩步之徒，振振洋洋，抱負墳索，四方畢至，文風載郁，復見太平。自爾遠近慕傚，一時黌舍與夫宣聖祠廟，飾陋扶傾，稍見隆就，真至德之舉也。獨范陽舊有夫子廟，在城東南，唐貞元五年，盧龍節度劉公所建。遼統和始移置于此。年禩緜遠，不時繕完，將就傾圮。前爲守者，亦非無意于更新，徒以州治當南北之衝，四方行李，取道往來，十率八九，使客冠蓋旁午，晨夕疲于應接，又案牘簿書，視他州爲繁，倥傯日不暇給，故視之漠然，以爲餘事。大定二十三年冬，汾陽郭侯預，自尚書郎出殿是邦，下車之初，以令從事，伏謁祠下，既而周□□宇，憫其敝陋爲甚，愀然變容，退而嘆曰：爲政之先，得不在于斯乎！矧聖天子在上，闡彌文，緝墜典，凡所以尊禮先儒，誘進多士，纖微畢舉，發於誠心。而吾州近畿甸之内，迺不能欽識德意，助宣風化，況疏遠者哉！于是命工繪圖，亟議改築，計所當費，約用錢二十餘萬。卽日移文計司，久乃得報，減三分之二，止得其一，既不足于用，方左籌右度，未有以爲計。其僚有顯武將軍梁儆先者，爲主倉庫官，毅然以身任其責，造黃堂而請曰：儆先，里人也。上世以儒學取科名，享爵位。小子不肖，亦賴先人餘蔭入官，秩登五品。迹所由來，非治心行己，仰尊聖師遺訓，何以臻此？今廟在鄉里，廢毁如是，貽使君憂，心實恥之。願因斯時，會里中一二大姓，及子弟之業儒者，各出私財，以佐用度。

儆先雖不敏，苟畢力悉心，勸督工徒，期辦此事，若無難者，惟公圖之。侯聞其言而義之，即爲割月俸，并諸贖鍰，悉盡付之授之以成須厥效于後起，二十五年夏四月二十日癸丑，訖五月八日庚寅，總爲屋十有八楹，制度小大廣狹，悉因其舊，榱棟之腐撓者，撤而易之，垣墉之頹靡者，築而起之，階所之缺罅者，甓而完之，薅薙荒翳，涂䕶漫漶，中奠廟室，旁列東西兩□□□于大門，庖廩、齋舍，各有次第，皆備無缺。工募于民，厚與之直，役夫則用胥靡之徒，豐其飲食，皆不戒而勸。舊圖六十二從祀弟子及前代名儒之像於殿壁，十哲塑像之後，則改繪于兩廡。諸費除官給外，獨用錢四十餘萬，皆出于衆人之樂輸，非有所畏迫勉强而然者。落成之後，公私改觀，父老稱贊，咸謂不有刊勒，何以示久遠？侯乃遣人走京師，遺書其故人須昌黄久約爲記。屢辭不獲。記曰：嘗聞昔人有云，古者自天子之都，至于鄉邑，皆有學，奠先聖先賢于其中。近世立廟以事孔子，議其非是，且謂曾不足以尊聖而稱其德，徒爲變先王之法而已。今學之在鄉邑已亡矣，學者得見古人奠饗之禮，幸廟存焉爾。復又廢焉，將遂不復見也，則奈何？此侯所以日夜疚心，睠睠焉思有以脩復之，凡以此也。噫！能推上崇儒右文之治，而致之民，且使古人事吾夫子之禮不墜地于後者，侯也，能成侯之志者，儆先也，是故不可以不書，乃粗述其大略，而爲之銘，以諗夫郡人，使時歌之，以無忘侯之德，與梁之功。銘曰：卓哉素王，百世之師。出逢周衰，大道蔽虧。立言著行，是訓是彝。有國有家，政行令施。祇率軌範，永作表儀。生爲至人，没有嚴祠。衮衣煌煌，巍然面離。春秋奠薦，著令攸司。范陽遺宫，有年于兹。日毁月壞，風甫弗支。郭侯下車，經之營之。去故取新，付託疇咨。允毅梁君，造請以辭。願幹葺事，惟公之爲。市材傭工，費鉅不資。費足于公，競捐其私。屹然崇成，曾靡愆期。學者用勸，祀事以時。之德之功，去益見思。後來之人，尚敬勿隳。

元至元二十一年，御史趙天爵病其荒陋，因城東舊址重建，翰林侍讀學士李謙己作記。未見。至正二年，判官張珪重修，蔡欽作記。

蔡欽重修孔子廟碑：天生斯民，莫不與之以仁義禮智之性，惟爲氣稟之拘，人欲所蔽，不能以自達四德之固有，五典之當然，故有賴於聰明聖智者，繼天立極，作之君師，治而教之，以復其初也。大哉夫子之聖！生周末，未嘗得君師之位，是以祖述堯舜，憲章文武，删詩定書，贊明易道，制作春秋，以經法天，垂世立教，綱常民俗，亘千萬古而不泯，有國有家者，罔不通祀。皇元受命，首崇斯文，尤嚴祀典，天下郡邑，許建廟學，追王者之封，加大成之號，其崇奉之道至矣。涿，古之名郡，城之巽隅，故有廟學，自唐貞元歷金大定，興建顛末，先儒石刻俱有司徵。至元二十一年，御史趙天爵按部至州，憫其荒陋，割月俸，倡率郡寮，因故基創建殿宇。翰林侍讀學士李公謙已嘗文諸石，樹於廟廷，迨今幾六十年，緜歷歲久，而墍塗剥落，梁棟腐敗，弗蔽風甫。事經累□存意繕完者有之，以州治路當南北，輻輳之衝，使車旁午，朝迓暮送，事急政繁，未遑葺理。至元庚辰，東安張珪以廕補官，由大甯簿來判是州。視政未幾，總府聞其才幹，選徵赴都，命主郡牧，芻藁。出納有方，秋毫無犯。事竟還州，拜謁宣聖廟廷，顧其傾圮，慨然興歎曰：廟學者，善教化，正彝倫，人材攸出，首善之地，國家之所崇奉，致有崩摧，瀆神莫甚焉。知斯州者，不得不任其責。於是謀於監郡忽林赤，同知州事秃魯沙，幕賓吕忠、王元孝，以暨范陽屬官、監邑令簿，咸悅兹舉，各捐己俸以倡，於首郡之文儒衆吏，多士秀民，聞風慕義，樂輸私帑，雲集影從，翕然助之。保定張德輝，博文碩儒，適主郡校，始終其役，凡木石瓦甓之用，悉酬之以善價，至於民傭匠藝之工，亦皆給之以厚值。會計所費，餘數千緡，一毫未有擾於大農者。卽涓吉日，率作興事。榱題桷棟，朽者撤而易之，罅者補而完之，傾攲者正之，漫漶者飾之，殿制巍然，宏敞壯麗，十倍前規經理，聖門賢廡，講室齋廚，次第一新，非復疇昔之可比也。繼而房山王慶來賓州幕，展禮庭下，覩其廟貌尊嚴，甚稱敬仰。然而傳道先師配享位列，尚或□序其於奉祀之禮，情文不能無相戾者，乃遵盛□□金募匠，增塑郕公、沂公之容，改飾復聖、亞聖之□，歲春秋，月旦望，獻享釋菜，籩豆之列，升降之儀，無不修舉。是役也，經始於至正辛巳之秋，畢成於壬午之夏。釁衈禮成，校官張德輝，偕幕官張鵬翼，懇持安陸府教授郡儒王良所狀興造之蹟，謁文於欽，以誌歲月。欽謝不敏。其請益堅。謹摭其實而謂之曰：廟學廢興，固其時也，亦在守土之官向與否耳。方今文軌渾同，皇仁一視，惟務博選賢良，以充守令，期布宣風教，興學養士，變革民俗，以底雍熙之治。今通判張侯，職居倅貳，能以斯文爲已任，其用意有過人者。幕官王君，秉心樂道，繼成善續。矧其寮屬又皆卓越之才，炳炳相望，契會一時，恪勤官次，不負委任，深體聖上崇儒重道之意。雖王事鞅掌，簿書期會之煩，而拳拳於風化之源，振弊改作，同濟事功，爲悠久之計，觀政於斯，可謂知所先務也。噫！廟貌崇矣，仰聖賢之遺像，學校典矣，昭世教之大倫，將見比屋化鄒、魯之風，士子企淵、騫之德，民俗丕變，人材輩出，用爲邦家之光者，自茲始，不可已也。於戲盛哉！昔漢唐文翁、常衮之化，何以異於是！故爲一言，以叙作新梗概，以爲後□□帥於民者勸。銘曰：大哉孔子，垂教無疆。百王軌範，萬世綱常。堯舜文武，祖述憲章。漢唐而下，歷代褒揚。聖皇御極，化被遐方。□武宗文，吾道彌彰。加號大成，誕告多方。涿設廟□，□於有唐。金源作新，記石載詳。至元重建，經歷星霜。剥落墍塗，腐撓棟梁。葺理興思，前政靡遑。張侯至止，顧瞻彷徨。愀然改容，既懼且惶。亟謀更修，僉言允臧。悉捐俸金，葦木陶甋。郡耆士民，樂輸贊襄。補罅易朽，榱桷斯卭。屹然邃宇，崇彼穹蒼。王君繼至，樂道心良。兗、郕、沂、鄒，配享升堂。於穆睟容，冕服煌煌。春秋釋菜，宮懸樂張。禮器嚴陳，牲幣芬薌。肅儀獻酌，逢掖蹌蹌。通祀罔極，亦孔之光。美矣儒風，隆哉郡庠。學者趨向，日就月將。民俗熙熙，弦講琅琅。宏構落成，咸歌循良。曰事曰功，遺愛流芳。鑱石勒銘，永紀不忘。

大德五年重建，李元禮撰碑。未見。泰定四年，學正曹□置禮器，揭傒斯作記。

揭傒斯禮器記：古者祭器，犧象罍洗登豆之屬皆以木，簠簋籩筐之屬皆以竹。後世懼其速朽也，不能以時易者，範之以銅，取便于有司，而古先聖王之制僅存其名號焉。惟昔涿州孔子廟，皆尚陶，殘缺苦窳，將事者恥焉，觀者議焉，有司莫以異。泰定四年秋，廬陵曹君明則來領教事，始白于有司。馳數千里還廬陵，範銅以易之，及有事于先聖先師，齊肅秩栗，昔之恥者，誠敬之心生焉，昔之議者，慢易之心泯焉，遠邇來觀，俯仰嘆玩，雖非古先聖王之制，有不暇計，于是州太守命范陽令杜肅府而藏之，屬奎章閣授經閣傒斯文而志之。或曰：範金，非古也，其亦必有所受矣，胡莫之或改。以徒古也，禮有損益，器亦宜然，況世所寶三代彝鼎罍尊卣之屬，皆範銅爲之也，皆自天子至于公卿大夫所作，以貽子孫者也，雖不可盡信，然其來固已久矣，謂範銅之非禮，古人亦且爲矣，彼皆欲爲長久計也，皆欲爲法于後世者也。且觚不觚，固非觚矣，謂木之觚爲觚，金之觚爲非觚，可乎？學至孔子，可謂知禮也，然逢掖于魯，章甫于宋，舍麻冕而從純，非歟？必以古爲是而今非，則涿之用陶，蓋有虞氏之所上也，以木以竹皆非禮也，而可乎？夫敬者禮之本，器者敬之輿也，嚴其器所以存乎禮也，而恥焉，而議焉，則敬何由生，禮何由行歟？故泥乎古者不足以適今，膠乎器者不足以言禮，故記曰禮從宜。傒斯曰：祭器者所以交于神明者也，非飲食之謂也。苟知禮之本矣，雖從宜可也。嗚呼！曹君可謂達于禮乎！是器也，苟知有司其謹藏而時出之，仍刻其目于左方。

學正龔仁實築屋藏書，何伯琦作記。

何伯琦藏書記：自畿內至于海隅，皆有學，學必有師，而世之爲吏者，或不知學正所宜修，師或不知修其所宜教。于是無以厲其民人，而道義不得興也。蓋得其所教，雖窮陬昏蔽之俗，猶可與易，矧近在邦畿，以接道德之光華者乎！夫先王之道具于經，三代而下，政之治亂著于史，後之立言者，違是不足以名世，而學者亦無以正心術，而成士君子之材。龔君仁實，爲涿州儒學正，顧瞻學宮，經籍猶闕，于是捐俸市書，以資學者之講習，□得經史共若干卷，裝潢整飭，籤帙鮮好，州士大夫咸以爲美，遂搆屋大成殿之西，序庋儲之，丌閣齊平，披繙考緝，靡不宜稱。嗚呼！聖賢之遺言，非獨使人玩思，爲千世取禄之具也，設科取士，其制蓋曰詢于鄉以觀其行，考諸經以驗其學，較辭華于采覈之博，論政務于舉措之宜，其術精且詳矣。使從事者果能盡如其說，則人才甯有不足之嘆哉！龔君典教是州，既蓄書以待學者，又得賢大夫爲之鼓舞，苟得美質持行之士，克力于愛親敬長之實，由是而討論問辨，以求聖賢之學之傳，知本末始終，觀感興作，以致其極，而底于成，庶可謂無媿于其職矣。若使以先哲典籍，學校所宜有，尊而棄之，以爲觀美，則非予之所望乎州之士也。因爲記，勸諸石以勖來者。

明正統元年，知州朱巽重修，金問作記。

金問重修文廟碑：涿爲京輔郡，學校之設，非直外靡比也。其英才出而致用，宜不減於異時。而禮殿倫堂凋敝弗稱。國家□選賢良以惠幸茲土，政聲卓卓，前後相望，而未有□興之者。宣德初，姑蘇朱侯巽來守是邦，既展謁廟下，即有志於修復事。每斂於所急，久未就緒。皇上即位，□詔學校，有司宜加勸勉。侯曰：任師率之責，而於教養之地闕而弗圖，何以奉揚文治，以□□人乎？迺□□僚佐出私帑以爲師生倡。州人之樂從禮義者，亦□資焉。以正統元年夏四月肇功。殿堂門廡，齋廬庖□，棟桷之撓腐者，以堅良易之，弛於上者，密而覆之，□於下者，平而甓之，黝昧於其間者，皆藻繢而渙澤之。聖賢像設，又皆嚴飭而炳絢之。告成於秋七月，庭榮室疏，侈然增觀。既而監察御史涇川程君富以學校之在圻内者，奉命專督，謂侯茲舉不可使無聞於後。逮正統己未冬，學正王君穩請文以壽諸石。夫爲學之道，治其心而已。蓋心之實體，通乎天地，而酬酢萬變，通乎神明，舍是而他求，則無以成致用之功，而亦非聖賢之學矣。探事物之賾，而必審夫天理人欲之機，驗日用之常，而必篤於忠君孝親之實，精思力踐，期不失其本心焉，故取士之法，本操履以求其志節，考經訓以觀其學術，於治事之要，以懿其展濟，於適用之文，以究其才華，必有以得於聖言之微，心學之懿，而後謂之有成。夫如是，則雖載高位，享重禄，乘美□良，蔭崇藉厚，非幸也，宜也。若夫冒虛名以廁文學之場，飾浮辭以班掄擇之列，而於道有未聞，學有未□，伥伥然惟進取是務，□亦獨何哉！詩曰：濟濟多士，克廣德心。此亦泮宮落成而頌禱之辭也。故予□□諸君子誦之，有志於學者，可不深思於此哉！

成化十八年，知州張遜重脩，劉珝撰碑。未見。

嘉靖三十八年重修，楊

淪撰碑。未見。隆慶六年，知州沈應坤重修，大學士申時行、修撰張元忭撰碑。申時行沈侯修學均田碑云：涿守沈侯，既爲州之踰年，隆慶辛未，實始修學，越明年成，遂均田，屬其貳秦君庀事，浹月告竣。學凡展擴舊址若干步，增築師生廬舍若干楹，爲尊經閣一，爲堂三，表以綽楔，繚以周垣，隘者闢，圮者植，撓腐者堅，黮黕者麗，既成而民不知勞焉。田凡沃衍之地若干頃，岡阜水泉林麓之地若干頃，稅若湯沐之賜，營牧之場不與是，凡畝以步計，區以畝計，權畝以制賦，權賦以定役，無侵畔，無棄野，無漏籍，無溢稅，既成而民不知勞焉。涿人則相與歌曰：思樂泮宮，作之渠之。侯所作矣，髦士攸宜。又歌曰：倬彼甫田，我疆我理。惟侯甸之，嘻我婦子。于是秦君使來者告余，請記。余嘗按西漢長吏，京兆馮翊之治，大抵厲使少年，摧擊大姓，以明察武力，勝舉其職，愉快而已。而蜀郡文翁，修起學宮，招延博士弟子，士乃喟然嘆，興于學；召信臣循行阡陌，作渠治田，爲民興利便，南陽賴之。史家列之循吏。夫此兩人者，令與察士健吏絜智度力不同日語矣。要以順流躅疾，修廢舉墜，宣導其鬱滯，而孳孳務民，故足述也。涿爲州，隸京兆，其治視漢馮翊，侯之明察武力，足以爲治辦，樹赫赫名，乃獨先教化，急賦役，使操縵鼓篋之地，煥焉更新，民版賦籍，晝一可守，迹其所爲治，可不謂循良任職者乎！然文翁當蜀郡富饒之日，乃至減省少府用度；信臣固自首事時，而已立石田畔，防紛爭，蓋規設創置，其難如此。涿綰轂遠道，供億百需之所仰給，公私益貧。列侯貴人、奇衺大俠所侵奪，并兼甚重，蠹事不可勝詰，有司議征繕則憂咄乏，務蒐剔則畏怨言，此其勢尤有難者。侯乃從虛耗之後，興不資之功，承積弊之餘，終無窮之利，其功等而力倍，事成而上下安之，則惡用明察武力爲愉快哉！余謂涿人知謳歌頌嘆樂侯之成，不知侯身爲之之難也，故論著之，後有傳循吏者，得以覽觀焉。侯名應坤，山西蒲州人。秦君名登，吳江人。諸有事茲役者，並得書于左。萬曆四年重修，田汝麟撰碑。三十六年重修，馮盛明撰碑。未見。崇禎三年重修，朱大啟撰碑。未見。國朝順治四年，知州聶進貴重修，高旻撰碑。未見。康熙六年，知州李勷，十一年，知州傅鎮邦，十八年，知州曹封祖，先後修葺，封祖自爲記。未見。乾隆十七年，知州李鍾俾重修。二十二年，州人楊琨建議重修，知州吳世臣助之。道光八年，知州趙庭椿重修，學政潘錫恩作記。潘錫恩重修文廟記：自古明人倫，端士習，善民風，飭紀振綱，敬教勸學，上以儲國家經濟之才，下以收閭閻輯睦之效，豈非由學校之興也哉！夫學校之教，以禮爲先，學校之制，於禮經爲著。儀禮古經，有學禮一篇，見賈太傅傳，而今不傳。今小戴記王制、文王世子、學記、儒行、大學諸篇，其立教承學之規制，留遺不朽，後人得以因革損益，各臻明備者，實由東漢大儒鄭康成氏，從涿郡九江太守盧君子幹所敘署者，注之以行世。康成與子幹同事扶風馬季長，而子幹以禮記特多回穴爲之解詁，凡二十卷，洵如魏武所稱，學爲儒宗，士之模楷者。及後周盧君景宣，又爲大戴禮注，以纂前修。涿之代有名儒，專精禮學也，斷自盧氏始矣。然則官於涿及生於涿者，景仰先哲，必能深思古人所以立學之意，敬愛保護之，無使傾圮。涿於學，視他州縣爲易，其於修學之舉宜，衆視爲當然，非徒以爲趨義而已。雖然，涿於京府最爲衝要，冠蓋往來，結轍於道，涖茲土者，求供億可幸無過足矣，其孰以學校廢興爲兢兢，而修葺建造之是務也？錫恩奉命視學畿輔，三年於茲，按臨所經，出入於涿者凡七稔。知州趙君庭椿之賢，茲以重修學宫事來告，取其圖畧閱之，蓋州人部郎盧子端黻承其先宫保兩廣制府坤之志，首輸白金千兩以爲倡，率涿州士，咸欣躍相效，集資赴工。宫保故子幹、景宣之系裔，於此見訓行有自，遺澤孔長，又得賢牧董勸鳩工，充其費之不足者以蕆事，凡宫牆殿閣綽楔，庳者崇之，狹者廣之，缺者補之，亂次者正之，失地者復之，酌豐約之宜，盡規畫之善，以視前人之屢修而未當者，其相去何遠哉！君子學以致其道，涿士游於學大居於學者，内本鄉先大儒盧氏傳經之意，以端其志業，上體朝廷教士敦本務實，以善其身，修飭其行，昌、其文章，豈非涿俗之美，而賢牧及爲師儒於此者之所屬望歟！故爲記之，且以勗後之踵事而勿替者也。

咸豐八年，學正劉正思建齋舍十楹。

房山縣

學在縣治東南。元至元元年，邑人僉徽政院彌禮創建。大德八年，知縣王傑拓殿後地建明倫堂。延祐元年，知縣王恕建兩廡，規制始備，魏必復作記。

魏必復建學碑記：皇元大一統，憲章，百王，尊禮孔聖，加崇大成徽號，亘古無有，丕作新廟，亹亹穆穆，天都樂備禮嚴，皇惟首善新民，以警風天下。房山奠邦畿，既載宅朔方，距都城百里，任土置縣，肇金源六葉，隸名京畿曰奉先。國朝因茲山改命，距金百餘載，迄未有先聖、先師祀。至元甲子，命徽政院弭禮，於時篚員中省，幕本縣巽方舊基，地廣家羸，敏者再始潛心經度。禮縣人也。大德改造，俾直學料顯旬，監縣牙忽、辛宋世昌、簿楊政、尉本八剌、主吏鄭惟良咸自誦：此則我職，敢不敬應？于是庀工蕆役，禮偕縣人知湘潭州張汝楫輪楮幣以倡。是年正殿成，明年神門成，又明年，祁人劉仲勉工塑，設像大成，巍南面垂旒被衮兖、鄒兩公，十哲序位左右侍，準古範陶祭器，作器室，春秋釋奠，一如監學通祀儀。大德甲辰，辛王傑、簿史忠、尉小云失，隘殿地後不稱，繼續二畝有奇，搆明倫堂，傑作治甚力，甫畢，及瓜。延祐改元，春，辛王元恕念惟兩廡未備，考之故從祀闕，今歷年所，禮謂宜亟作治，不爾後視今，猶今愴前也。卽與捐俸，入疏，平昔交同志以相厥事，合楮幣餘三千緡，屬監縣民安答、辛元恕、簿伯住、尉張彥澤，起兩廡庖湢，内外門壝未備者。先是，詔罷不急役，令者謂方春事，東作宜弛廟繕修令，與監縣已下相謂曰：教化國家急務，風俗本原，奈何廢弛！矧是役也，斂弗及民，朽者梓者，悉疇傭以直，陶者斤者，悉以能售，茲俾遂事，則觀民以禮，勉吏以義，孰敢忽諸！于是胥徒隸兵，咸入役身蒞之，不兩月，煥然就敍，繪從祀七十二大儒、二十四新祔、十賢儼像攝齊東西，其冠冕服黼黻，並取式監學應圖，合禮靡有差。廟門夾兩翼致齋，室内外按圖制悉具，登降有度有數，士子謁廟事畢，掌石局事張彬亦縣人，亦目擊心悦，欽萃美，礲碑廟庭，請以是役前後發用之誠，作新之勸，具載金石，貽後人勿替今之功，其設心勸善有在矣。直學料顯督工既久，考敍始末，禮率民安答元恕伯住彦澤新，監縣哈魯丁，耆宿高榮弭祐，執簡詣必復，合辭懇銘。究觀吾黨職承宣者，其戮力風俗之本，非直爲觀美思作新一鄉之善士，思觀民以禮，思勉力以義，京輔密邇，子數子勗哉。廿祀而致其誠，兹義舉有始有卒者，始卒者何？大書屢書而已。屢書者何？持敬而已。持敬則義理日新，義理日新則父父、子子、兄兄、弟弟，人倫明于上，小民親于下，觀政官府，善俗比間，克復三物，賓興沐浴膏澤，歌詠勤苦，即事即物而教之，發見于日用，率是天下，何思何慮於一鄉乎。何有必復不敏在恂恂鄉黨，既不得以辭語淺薄，遊聖門者難爲言自解，謹齋沐作銘曰：元統天道，無外百世。以俟父子親君臣位，有苾通祀，崇門廡正陛所德禮稱是。敦化遠求，道邇邦民所止，禮之履，義之揆，勿亟勿己，躋俗美，講物軌，邑政數子□□□政相起齋栗，顒顒鄉校，倚頌聲企，文載攸始。明正德十年，知縣曹雍改文昌祠爲名宦、鄉賢祠，御史盧□命之徐縉作記。未見。嘉靖三十三年，知縣張汝能重修，陳以勤作記。陳以勤重修縣學碑記：房山附圻内最近，迺其徵斂冗擾，力役繁興，民之疲于輸作者，較他邑爲甚，以故學就圮敝，然吏嘗力有所屈，欲葺之而有所不暇也。頃濟南張君汝能來涖是邑，其才既足以勝其難，而又慨夫學之不足以興起士類也，蒞事無何，亟以序修舉之，文廟爲先，次明倫堂，次齋祠，次門墉，蓋始于嘉靖三十三年三月，成于三十四年九月也。於是學中弟子邱文實等，相與樂張君之賢而來請以記勒。竊謂先王爲治之道，今不可復見矣，所僅存者，唯學校之制而已。顧古之所謂學者，有六德六行以爲之教，有絃誦書禮，干戈羽籥之屬以爲之業，其行于中也，有飲射、合樂、養老、勞農、聽訟、受成、獻馘之事以習其所見，凡以磨揉而長養之，俾内復夫天命本然之性，外節夫耳目手足之欲，因示以天下國家之務，其豫有以知之而不惑于既用也，其教人之法可謂詳也已矣。陵夷至于今，其法固已盡廢，凡師之教于學者，惟專于章句文藝之末，而弟子亦靡然相與習學焉，以冀不失乎有司之尺寸，則與古之所以爲教不同矣。是以古之成材常易，今之成材也常難，間有一二稍稍樹立者，則皆以爲得諸氣質之自然也。由此觀之，學之于人材，其果無繫也歟？雖然，先王之立學也，所以成天下之材，而期於俛焉以盡其實者也。由今之制，而不失其古之實，又安可以泥于教法之同乎？嘗考文盧江之治郡也，修學于成都市中，既其所教，于躬自飭厲、造士受業外，一無所謂古之法也，而士人遂至于大化。至於魯仲尼廟禮器，儀章甚備，諸生咸以時服習其中，觀之者至低回而不能去，然卒未聞其有成就可數者也。卽斯二者而言，古法可以盡泥乎哉？亦在士之自盡其實而已。夫復性節欲，而不闊署于經世之用，此豈有難盡者乎？卽始于章句文藝之間，而兼致修内檢外之學，以達乎天下國家之務，則今制非所以爲累，而深有以喻夫爲教之實，及其材之成也，自與古人等耳。儻以教治殊異，而猥言夫今之學無繫于人才，是以一飽之故，絕穀不食，以一躓之難，輟足不行也，豈不惑哉！今張君之治房山也，獨先于學，亦庶幾乎識此矣。且房距京師僅百里，其風教常在于耳目，無所謂遺詣之勞也，諸士誠自盡其所教之實，與夫專守章句文藝如魯生之固于所習也，古稱和廉義勇而沈靜，迺其士必不委于法之靡而自盡其實，以振起一方之人材斌斌，由今日之學始矣。因是以推其材之盛，其士之自得也夫，其亦有以興起之也夫！斯可以論張君矣。迺爲之記，而併道夫古今之所以教也。隆慶四年，知縣李琮、邑人王禄重修。陳庭訓重修縣學碑記：房山縣建置學宮舊矣，嘉靖甲寅春，張侯汝能嘗議繕葺之，距今垂二十年，士木之工復就圮泐朽漶，士罔攸塈。會城武李侯以才名來蒞縣事，至之日謁視廟學，瞿然起嘆曰：昔鄭在王畿之內，學校弛壞，詩人爲子衿之篇以刺之。琮忝天子赤縣吏，修禮典學，職之大者，作新之役，其敢弗敬圖之！遂急具牒聞于督學御史傅公，既得請，于是捐廩斥羨，並取諸好義而樂助者。經既贍，乃鳩工掄材，諏日興事。首櫺星門，次殿堂，次東、西廡、戟門，次齋祠、庖舍之屬，盡撤其舊，而新是圖。既訖工，丹黝華絢，榱桷顯麗，豆籩笥篚，陳列有所，士鼓篋而游者，胥躍然以喜，低徊而不置云。李侯則以書來，屬余曰：願紀其成，且乞一言，以詔多士也。余惟甲寅歲，茲學之修，家大人在吏垣實記之懇懇焉，復性經世之旨，揭如星日，余不敏，何能復嗣音乎？既不獲辭，則爲之言曰：自故明定鼎幽燕，房山去京師不百里，諸士者，所謂皆京師之秀也。昔成周盛時，釁序宗師，教化宣朗，賢才之興，惟京邑稱最，故都人士之什曰：狐裘黃黃，出言有章。行歸于周，萬民所望。蓋美之也。夫不徒曰威儀言辭，而必有忠信之行，乃可以傑然振拔于萬民。由是觀之，詩人美都士之意，在此而不在彼，亦可識矣。惟故明祖宗列朝建學立師，嘉育士類，而首善自京師始，士環輦轂而生者，鎔鑄訓澤，蔚爲人文，往往惟視宇內，然而都會通達之區，利禄之談，腐目薰心，自非卓犖有立者多爲之汨没于中，而不知寤，故敝也。競而靡，通而易，澄而識之，道盡而忠信之真泆，亦其勢然也。房山密邇天光，縫掖之徒，被服文雅，與京師等。而邑獨僻左，衣冠車從之所不衡，貨貝綺組之所不集。士産其間，耳不習奇讕詼詭之談，目不習淫褻盛麗之翫，類皆專慤朴茂，呐呐純謹，有先生長者之遺風焉，蓋詩所謂行歸于周者，庶幾近之。夫士以德行爲楨幹，文所以翼行者也，孔子論文質彬彬，然後君子。至于用禮樂則崇先進，語躬行則謙讓而不遑，所重于敦實尚行者蓋如此。今諸生居文明之鄉，而又能全其朴，既彬彬焉追琢而金玉之矣。然余所願于諸士，尚當悉斂其盡飾者反而求諸身心性命之間，日𩞄𩞄焉，以綱常倫理相勸勵，禮樂經術相摩切，言必書實，毋譎以盜名，行必履素，毋矯以衒俗。務使道德之實，粹然純備于躬，則文章事業，胥由此出，異日者，離蔬釋屩，騰茂實而策休光，以臨民則爲良吏，以立朝則爲名臣，豈不巍然稱爲萬夫之望哉！若但裒冠裒褎，崇論閎語，而詡詡然自命曰都人士，則吾不知之矣。夫文王在上，而譽髦咸興者，感于時也。魯侯既作泮宮，卽有濟濟多士，以克廣德心，奮于地也。今當天子初御萬年之歷，方敦崇儒術以文太平，迺房山之學宮鼎新式逢其會，諸士得時與地若此，當必有碩大光明之才應期而出，以爲茲學寵重。此固李侯興起庠校之意，亦余所惓惓厚望者也，諸士其懋之哉！是役也，經始於隆慶五年七月，落成于萬曆元年四月。約其費不貲，而中貴王君禄獨捐二千金，終始其事。觀今日珥貂者，率靡財以飾浮圖氏之宇，而王君雅尚若此，因並書之。相是役者爲學官李守真、劉祖堯等。以李侯書來請余文者，則諸生馬欽、陳嘉謨、王大鵬、劉一鳳也。國朝康熙三年，知縣佟有年重修。田麟重修學宮碑記：房山古稱玉室洞天，幽燕之奧區也。以其右翊神京，三舍而近，幾務騈集，規畫孔艱，吏于茲者，鮮克以賢能著。佟侯有年，負卓越之才，綰符百里，于康熙二年來蒞此土，甫下車而鋒穎見，纔踰年而庶績熙。戴星出入，百廢咸舉，而于學宮尤加意焉。原房之建學，自至元甲午昉也，一修于嘉靖三十三年，再修于隆慶五年，曠世以來，歲久圮窳。佟侯于是軫念而繕葺之，鳩工必棘，選材必良，經始落成，必勤且毖。向也風雨飄摇，鞠爲茂草，今也層甍重所，鳥革翬飛，丹碧黝堊，美輪美奂。泐者堅矣，隳者飭矣，闕者增矣。是舉也，有數善焉：不捐官帑，不困民力，上以妥先聖之靈爽，下以安博士弟子員之肄業。豈弟君子，遐不作人，詩人所以致美也。維時，弟子員顒瞻黌序，愕貽而改觀，咸舉手加額，歸德于侯，思所以爲侯志不朽者，則旅而請余記其事，勒貞珉以詔將來。余迺進弟子員而諗之曰：學之有繫于風教也，尚已。四境無絃誦聲，國不可以爲國也。治化始于澤宮，民風視乎士習，自古盛王良佐，必以崇學爲先。誕惟世祖皇帝，肇膺洪圖，右文致治，暨今聖天子丕承歷服，覲光揚烈，嗣位之初，即黜王安石之制義，敦尚實學，俾天下學者習知古今治亂盛衰之故、典章制度之由、財賦錢穀利弊之微、禮樂兵刑機宜之要、陰陽五行之何以變遷、天運人事之何以通復，是故周悉乎經濟所從出，理義所由歸，淵通奥博，古學蔚興矣。向者浮夸靡曼之習，于焉一變。爾侯繕葺學宫之歲，適當功令敦尚實學之年，事會偶符，天人協應。且房邑密邇首善，化行自房之士，卽宜仰體君父立教之心，恪遵爾侯董率之意。誠使寢食典文，佩服曩訓，則有胡安定設教蘇湖之規條，朱考亭授徒白鹿之則例，大約不外于尊經、稽古、敦行三者。尊經則千聖之心法以傳，稽古則事理之源流皆見，敦行則孝友婣睦之風以起。是以進業者有小成、大成之別，不率者有東寄、西棘之擯，明敏者勇于自立，懈弛者愧而知懼，師必端嚴，友必直諒，故其涵養既深，展布自遠，任艱巨之事，履盤錯之途，定大謀，決大疑，禦大難，氣志謐如，而紛糾悉解。上之爲公孤九列，卑宜何則，其實學之素積者然也，如是斯無負君父之立教、爾侯之董率矣。房之士，歸而勗諸。記成，系之銘曰：倬彼聖風，肇其巽方。湯湯蘆水，峩峩大行。光融攸萃，蔚爲天章。大道不湮，載揚載緝。廣厲景休，永垂靡極。昭德紀功，有貞斯石。

□□□年，知縣李廷幹改建尊經閣，閣之南築堂五楹。

王圖重修縣學碑記：李侯之爲房山也，薄賦輕徭，鋤梗優善，振窮恤匱，樂眚澹災，政是以成，民用大戩。已迺進其父老子弟，問所宜興革者。博士諸生進曰：不腆敝色，左蘆河，右太行，山川迴環，獻奇露秀，其于形勝，亦奥區也。密邇首善，不百里而遥，草昧之際，張氏、盧氏，皆以相繼人材洊至鉅卿，而邇者當聖人作人，文教翔洽，山陬海澨之士，占一經、治一藝者，無不鱗集，仰流輻輳並進，以登天府。而吾房迺愈益索莫不振，青衿之徒遥取絀爲，在堪輿家言則學宫之以也，其陰蹙于民舍，逼塞而不行，其陽蔽于長垣，黮黯而不耀。且也廟之北爲明倫堂，堂之左爲尊經閣，閣與堂兩大並峙，主客强弱之義云何！若由是因循舊貫也，將終不利于吾黨小子，君侯其圖之。李侯曰：堪輿之言，君子所不道也。雖然，與其使二三子地脉是罪，而隤然有自廢之意者，吾何敢憚征繕、不以鼓爾二三子俾砥礪維新，庶幾獲茅茹之吉，而有所改觀，于否塞湮鬱之後也！于是首捐俸以倡，而一時學博弟子，若士紳之好義者，翕然從之，各助金有差。以百金購所謂民舍者，徙尊經閣而北之，閣之南搆堂五楹，以居絃誦。毁長垣，致爽塏焉。異時形勢家之所稱不利者，業已次第改觀。乃益繕治廟宇，若堂，若廡，若門，若祠，若庫，榱棟之朽蠹者易而堅良，瓦石之窳剥者易而貞潤，丹堊之漫漶者易而炳焕，而肅肅泮宫，于是乎新矣。博士諸生相與歡忭踴躍，舉手相慶，謂從兹以往，文事其有興乎！因結侶走都門，乞不佞一言，以揚李侯之績，且以昭示永久。不佞敬諾，因進諸生語之：今聖明在宥，自京師以逮郡國，莫不有學，將以尊道術乎？抑僅以興文事乎？士之從事于學，將以淑身心乎？抑僅以梯進取乎？以尊道術而淑身心，古人之學也。故曰古之學者爲己。以興文事而梯仕進，今人之學也。故曰今之學者爲人。古人之學，唯其有得于己，是故紛華無所攖其外，得失無所怛于中，其出而應世也，喜怒哀樂，是非毀譽之際，皆卓然有以自主，而不爲物役。不爲物役，故其特立獨行之概，足以砥頽波而楨王家。今人之學，惟其意主于爲人，是故當其屈首黌序，呻吟呫嗶，剽竊湊泊，以希異日之青紫，目若望羊，心若懸旌，比其得志，泛然無所挾持，若中流之無維楫，人喜亦喜，人怒亦怒，人哀亦哀，人樂亦樂，人是亦是，人非亦非，人毀亦毀，人譽亦譽，沉溺于噂𠴲噏呲波流茅靡之中，而莫能自拔。由前所稱，得一二人焉，足以稱盛；由後所稱，則雖連袂而登，接踵而奮，以侈科目之美談則可矣，將以稱爲士風之振，而無負縣官廣厲作新之意，則未也。堪輿家言，倘不盡誣，房山之士，將必有鵬搏鶚起，以應更始之會者，吾將拭目而觀之。第其本謀，僅出于興文事而利進取，未盡引于聖人之繩墨，吾故推古今人己之辨，使諸生瞿然自反于道術身心之正，他日有所挾持，不至追趨儕俗爲門牆羞，豈惟道學之光，在事者亦與有華寵焉。諸士歸，試以吾説質之李侯，倘有合于作人之微指，則三尺之石，姑取弁焉可也。李侯諱廷幹，關西三原人，甲午鄉進士。

□□□年，知縣母配坤、教諭何良策重修。乾隆四十九年，邑人重修。道光五年，知縣張翰仙、金鼎梅重修。張翰仙重修文廟碑記：房邑文廟，自乾隆四十九年重修，歷年久遠，風雨剥蝕，楝宇滲漏，不蔽風雨，余心甚悚。且月臺及兩廡、大成門各處，均無臺級，每逢祭祀，升降維艱。左右角門，亦皆傾欹。泮池壅涸，橋翅歪斜。若不亟爲修整，何以昭誠敬而肅觀瞻？遂商諸寅好，各捐俸廉，令邑紳張應宿、黄賢、李本業、劉燮堂等出勸士商，樂輸踴躍，卽擇吉三月二十一日興工，應添設者添設，應重新者重新，加以丹雘，不數月而廟貌焕然矣。惟櫺星外東西花牆及泮池，亦經修葺，工猶未竣，改調邯鄲。接任金君來涖兹土，卧勷辨理，成此大功。應將士民出錢數，並修理處所，誌鐫於石。

霸州

學在州治東。元元貞二年，知州劉甫、判官崔孝恭創建。至大元年，知州王崇道增修。皇慶元年，知州楊世彬、郭渥、王從善重修。王思誠重修廟學記：爲政之道，其所始在於厚風俗。厚之之本，必由於學校。是以教隆於上，則俗美於下，理之必然也。百里之邑，千里之郡，推而至於天下，豈異是哉！國家崇儒重道，内立監學，外而郡邑，皆設學官，誠以風化之所係也，人才之所出也。至正十一年春，奉訓大夫兖州王公從善來守霸郡，視篆之初，卽拜謁先聖廟。見其牆垣廢傾，齋舍罔有，講習無所施，迺顧瞻太息，謂學正孟之晉曰：學校不治，則風俗何自而易移？人才何由而作興？豈非承流宣化者之責歟！于是令民子弟之俊秀者，卽入學肄習，權葺一室，使之受業。公首捐俸金，以作新學校。而謀于同僚，同僚僉允，亦各捐俸以助。民之好義者效其力，不日而得錢若干緡。遂市瓦木，重修講堂三間，創建東西齋舍十有二楹，築牆周圍，務以堅固，改月而功畢。上不廢于公帑，下不擾于民庶。昔也荒蕪如彼，今也輪奐若此，使師生有所依，教養有所設，將見風俗淳美，人才輩出，公之承宣德意，可謂知所本矣。公前任松江府推官，治獄明恕，平反甚衆，人人頌其廉明，自南而來者，口不絶稱。今公之守霸郡，甫下車，善者趨而迎，奸者畏而遁。革弊起廢，號令一新。士庶歌于途，農民樂于野。修堤堰一十八里，及南、北兩關橋道，井井有法。民之感戴，其能已乎！之晉以狀來，盛稱公念念不忘于學校，不可不記其事，壽於金石，俾異時爲政者有所取法，幸爲之記。余聞而韙之，則復之曰：昔文翁治蜀，至今聲名照映簡册者，以爲治之有所本也。王公以學校爲先，其文翁之心哉！余亦有説焉。興作學校，固郡守之職，然典教者能以守之之心爲心，則教養可期其效，苟非其人，則亦徒爲虚舍，爲守者能不憾歟！今之晉乃鄒國公五十二代孫，德性純厚，文學充裕，則教養之施，公可無憾矣。公字仲祥，世居兖之滕邨，性鯁直，決疑剖事無留難，此特記其政事之大略爾。當有執筆者詳書之。至正十一年立石。明洪武三年，知州馬從龍撤而大之。正統四年，知州張需重修。成化五年，知州李延訓，十三年，知州蔣愷，二十二年，知州劉永寬重修。弘治十三年，知州劉珩重修。嘉靖六年，知州劉璋重修，並建尊經閣。賈銓重修廟學記：興道宏化，必資於人才，毓秀儲賢，必資之學校。古者黨庠塾序之法立，而智仁聖義中和之士出，治隆俗美，蓋有自也。洪惟太祖高皇帝，天挺聖智，動見幾先，故開國之初，即命郡縣建學，選秀俊以備生徒，擇師儒以重模範，畀之以經書，厚之以廩餼，約之以條教。程督之事，又責守令，良法美意，曲爲造就，即成周養士治理之意也。列聖相承，率由一道，其視漢、唐、宋歷世學校始備者，大霄壤矣。雖然，立法在君上，奉法在臣下。今茲劉侯以高明通達之才，用視郡事，政平人和之餘，留意教化，黜浮華，崇淳篤，民風士習翕然。侯下車之初，見廟貌圮壞，慨然欲圖修治。時兵備馬公命侯增建演武場，既命改建兵備道署，各爲經理，以次就緒。去冬初農隙，乃徧歷學宫，逐一相視，何者剥落，宜在修葺，何者傾壞，宜在增造，何者廢缺，宜在創作，規畫甫定，聚材鳩工，卜日經營。自大成殿而下爲兩廡，剥壞攲側，逼近殿庭，今乃東、西拓二步，上自覆庇，週及垣圍，下及踐籍，咸撤敝惡，聿新精美。廡之南爲大成門，門南爲櫺星門，一則方向失端，一則體格非式，况歷日既久，朽敗將作，今則釐之、正之，補益而潤色之，堅完雅麗，氣象森嚴，此增修之制也。廟後明倫堂五楹，堂下三齋各三楹，饌堂亦三楹，齋下門各一楹，門之外各爲路，而南又各門一楹，東曰昭文，西曰啟獻，是雖卽舊以更新，而皆飾陋以增華，軒豁壯觀，夐倍疇昔，此修葺之制也。堂後尊經閣五楹，疊柱層簷，雕斲采飾，崇曲籍也；中立屹然，崔巍鎮重，表靈秀也；閣後四十四楹，週迴序次，星列拱向，肅規度也；委曲深邃，幽静清虚，遠塵囂也；號之西廨宇四區，樸素整潔，聯絡依附，又餘功之致詳也，此皆創作新制。是役也，雖亦用財，用之有經而不費，然亦用民，用之有時而不勞。經始於丙戌十月，訖工於丁亥九月。從容計處，底期告成。士遊於此者，奠獻於殿廡之下，足以肅恭敬而收放心。執經於堂齋之前，足以析精微而廣聞見。有號舍以專進修，有高閣以便眺覽，足以發心思而成德業，漸涵既密，造詣彌深，一旦乘時彙進，而爲政善俗之用，攄悃効忠，利益非細，學校培養之功，劉侯貽謀之善，於斯爲大。侯諱璋，字尚德，陝西中部人，昆弟子姪，科第相仍，才猷氣節，爲世雅重。侯守霸，善政實多，興學校乃良有司第一事也，故記其梗概以垂永久。嘉靖六年立石。十四年，知州陳效古、袁廷相重新廟學。二十六年，副使周復俊建崇聖祠、敬一箴亭。萬曆二年，督學御史傅孟春、副使錢藻、知州郝汝松，改建崇聖祠於尊經閣後。十九年，州人尚書王遴，二十二年，知州錢達道各有修建。國朝順治七年，副使于變龍、知州田來鳳，八年，知州王來聘，十年，知州王度，十三年，知州程萬仞、訓導王嘉言，先後修葺。康熙五年，知州胡獻瑤、學正紀肇修，七年，州人郝惟訥、崔應鳳，十一年，知州朱廷梅、學正趙璧，二十二年，知州汪惟琦，復相繼繕治。惟訥重建名宦、鄉賢祠。乾隆二十六年，知州狄詠篪重修。道光七年，知州盧建基重修。同治四年，知州陳如瑤重修。

文安縣

學在縣治西。宋大觀八年建，舊有大觀閣帖，徽宗手臨上石。金貞祐二年，宣宗遷汴，焚燬殆盡。元皇慶元年，知縣楊潤、李祐，教諭董榮重修。尚□重修文廟記：文安廟學，貞祐甲戌，金主南渡，焚蕩殆盡，僅存大觀八行之碑。再歷周、宋，遼、金，祚終，皇元受命，聖□□□奄有中夏。戊戌垂恩，肇開貢舉，優復中選，草□□□世祖□藩，賓禮師儒，延問治道，務先學校。卽位□□特降詔條，欽崇玄聖，光賁儒宮。至元三年，勅工□□孔子廟，又以中書左丞許衡爲國子祭酒，以教國子，用敦化源，四方萬里，莫不知所振厲，黽勉從事。文安近在□內，獨無以應德意。二仲釋奠，卽其故基，□□草幕苟簡不恭，習以爲常，觀者惻然。八年，□□□□教諭以邑儒董君榮爲之。董君素有興復□□□能也。卽言于縣，以國家方事襄樊，爲平宋張□□軍旅，不獲所請，遂以自任營積。八年，江淮嶺□□□版圖，明年庚辰，以屋貸錢合若干緡，伐木□□□□千里，三歷寒暑，衆材始聚。瓦甓釘礎，黝堊

□□□所有，以後爲耻。卜曰其吉，工力並作，不期□□□□楹鼎鼎宏敞靚深，先聖、先師、十哲像設顯□□□徵，如一大府。惟從祀之室，大成之門，經畫□□□畢舉，若大司徒所謂在易之地力盡，而□□□□矣。其在官者，曰主簿姚元，縣尉張瑛，縣□□□□令李侯祐，感歎興起，相繼而輔成之。□□□□□□翼繪像七十二子，明年大門言言，□□□□□其子道清學正、孫禎，教諭承其事，如君存焉。□□□丑後以講堂，前以櫺星，至大四年，以雀育廡瓦□□以瓻。初，講堂有闕，至是户牖端朗，階址堅整，□□□□李侯伻來，謂予曰：文安縣廟學之廢，迄于□□□□之前，爲荆棘瓦礫者六十六年。更教□□□□□之議，未有一人及之者，董君之子祖孫□□□□□十餘年始終一意，卒成盛事，祐慮歲月之久，有攘□其美者，請文勒諸石，永資名教。野既允祐之請，且以廟學之本告之曰：古者民以君爲師，書曰惟皇上帝，降衷于下民，若有恒性，克綏厥猷，惟后是以二帝三王，繼天接統，修道立教，各盡君師之職，然生居大位，没享太廟，釋奠莫與焉。周衰，君臣之職廢，修道之□不立，天命之性，率性之道，幾與俱泯，孔子雖聖，無其位而綏猷修道之統不忍絶也，乃折衷六經，以教天下，以詔後世，人存政舉，其效至於天地位而萬物育，孔子之前，天□人付，受帝王立教同一理也。删定贊修之後，理寓于六經矣。六經卽天也，天卽聖人也。無處不有，無時不然，故曰孔子其氣如天，無遠邇之間，無古今之殊，故自天子至於庶人，無一人不得祀孔子，亦無一人不可學孔子。祀云者，王通氏謂通於夫子，受罔極之恩，昊天罔極，雖居中華，殫四海九州之品，不足以報之，惟學有可至之理，而祀□中矣。先之以大學、語、孟、中庸以會其極，而後循□□經以歸其極，反身而誠，以復乎五性之極，孟子曰：知其心者知其性，知其性則知天矣。存其心，養其性，所以事天也。知此，則知祀孔子矣。舍是而他學，追時□而取世資時謂違天，學廢而廟作，肖其像而事之□清微方將探性命之原，稽政事之本，求人心之正，□時事之變，體天地萬物之序，不息合同之和合乎天道，以自獻于先聖，得夫廟之制，而不失其學之實，非徒王安石所謂近世之法者。邑之令佐，于王事鞅掌之暇，與董君父子祖孫之成學，亦豈韓愈氏所謂不能修事者哉！雖然，學必久而後成，野喜其民牧，學官克協，而將行，又憂夫始勤終怠而中止，有哲有愚而不繼也，因併附此，以示無窮耳。翰林國史院檢閲李鼎賡而贊之曰：皞皞太古，赫赫斯文。三五尊諸，□稱聖君。天子崇崇，德穆道充。招而擴之，執其大中。□常既立，彝倫攸敍。萬物蒼蒼，咸得其所。尼於周衰，□於强秦。下來千載，或屈或信。皇元統一，尚儒惟實。廣建辟廱，焞耀星日。曩者太陽，學舍荒涼。茅茨階陛，葛藟垣牆。教官董公，憂心有忡。質宅營構，未遂而終。厥孫嗣事，傷焯先志。諮諏邑侯，侯忠其義。未幾落成，□屋峥嶸。邑侯之仁，郡教之誠。匪人不格，匪誠不感。宜勤堅珉，永爲勝覽。

明景泰二年，知縣何源重修。嘉靖十三年，知縣李時中重修。崇禎二年，知縣唐紹堯重修。國朝順治十三年，韓文重修。康熙十二年，知縣崔啓元，二十七年，知縣張朝琮，四十一年，同知楊朝麟相繼修葺，紀炅撰記。不録。乾隆四十四年，知縣葉和侃重修。道光十年，知縣吴斯壁重修。同治五年，知縣曹大俊重修。

大城縣

學在縣治西。金天會十二年，知縣姚璧建，劉光國作記。劉光國重修廟學記：昔王仲淹遊孔子廟，嘗歌曰：大哉乎！君君、臣臣、父父、子子、兄兄、弟弟、夫夫、婦婦，夫子之力也。蓋夫子之道，具於人心，而著於君臣、父子、兄弟、夫婦之倫。其教具於六典，而行於邦國、鄉黨、家庭之間。自漢唐以至於今，莫不知尊其道矣。其道尊，則其祀亦尊。廟貌之崇，垂之有承，前哲之所以形於歌詠，□於金石者，豈無謂哉！平舒公廨之西，孔聖舊宮在焉，規制太陋，瞻視未尊，歲久而就圮。天會十二年秋九月，邑令姚公下車未久，一日顧謂僚屬、諸士子曰：風化之地，衰敝若此，吾何以辭其責乎？乃積良材，運堅甓，集衆工以量度之，上而殿廡，下而庖庾，莫不繕治，而復賁之墁飾繚之垣堵，煥然其一新矣。余惟儒學之設，明人倫，育人才，非徒觀美也。唐虞三代之盛，蓋有自來。而秦火煨燼，聖階蓁蕪，視學宮爲傳舍者衆矣。昔范甯宰餘杭，惟質直，好儒學，風化大行於期年之後。自中興以來，莫之或先云。今公加意學校，可無愧於餘杭風矣。然范公之崇學敦教者，不止於修葺宮牆。公之教平舒也，豈無身先士類者乎！其於聖經賢傳之大旨，君臣父子之大倫，禮樂刑政之大法，講習討論於師友之間，勇往奮迅，洗濯刮磨，務臻斯道之妙。士習丕變，與學宮而俱新。度不負夫子之教，而造士作人之盛心，愈久而不泯也。於是乎書。元至正二十三年，達魯花赤楊甫重建，馬克忠作記。馬克忠重修文廟記：皇宋呂蒙正作孔子廟碑云，聖人之興也，能成天下之務，能通天下之志，然不能免窮達否泰之數。是故達而有位，則聖人之道泰，堯、舜、禹、湯是也；窮而無位，則聖人之道否，我先師孔子是也。此時之所值雖殊，而功之在天下萬世者則均爾。昔者大道既隱，其風漸漓。英靈始謝於衰周，德教方隆於大漢，闢邦家之正途，播古今之彝憲，百王取法，千古師宗。信乎夫子之道，消息兩儀，損益三代，立三綱而垂五教，正禮樂而辨中外，其有補於生民而垂之萬世者，蓋賢於堯、舜，而禹、湯莫之過也。郡縣各立學校，以吾夫子爲宗，而配之諸賢，所以崇德報功也。自兵燹之後，積有百年，祀典衰而文教微。平舒故有文廟，黝堊漫污，瓦甃剥落，廢毁殆盡，至今二十三年，達魯花赤楊公宰邑，下車之初，躬謁聖廟，覩草莽荒蕪之狀，咨嗟瞻顧，有戚於中。乃與其僚屬及諸士夫謀曰：聖廟未新，文風未振，尹兹邑者，甯無愧乎？於是命工計材，規辦貲費，相農隙，誅茅茨，即故基爲築垣墉，自殿廡以至齋舍，靡不聿新，宏敞軒闊，璀璨輝煌，視昔則加隆矣。故崇祀有所，而神得其依，授教有居，而士安其業。俎豆生輝，儒林生色。楊君功在庠序，亦偉矣哉！爰自經營之日，不期月而落成，蓋以侯躬親其事，榱桷磚植之類，積儲素具，無取給於民也，宜其成之速，而公無廢務，民不知勞也。邑人張温、劉澤等，遹觀厥成，而樂民之不擾，懇余書於石以揚其美，乃從而銘之。銘曰：聖道昭彰兮儒風慶延，崇彼廟貌兮厥功茂焉。雕甍畫棟兮金碧相鮮。琢詞貞珉兮奎壁星聯。春秋致祭兮陳其豆籩，人文宣朗兮億萬斯年。明洪武五年，縣丞王巒重修。成化二十年，知縣閻茂修重修。宏治三年，知縣張津重修，多所增建。正德十年，知縣石恩承、御史董建中重修，王瓚作碑記。王瓚重修儒學記：大城，霸州屬邑，歷五代而悉因之。太祖受天命爲中外主，興學校，明彝倫，詔修天下儒學，以崇祀夫子，培植人才也。至正德甲戌，以積雨而頹壞，乙亥冬，董侍御建中按臨，爰命石侯伯榮修葺之。侯承命惟謹，而不忍疲民之力，乃節縮常費，夙夜指畫，捐俸以倡，士民之好義者，出貲爲助，擇良鳩工，口咸樂趨，將未廢者葺之，己廢者復之，易腐以堅，朽隘而敞。始文廟，次兩廡，次明倫堂內外門，次講堂，次光風霽月亭，以至庖湢之所，宰牲藏器之房，靡不繕治。復念諸生肄業無所，增創齋舍入連，刻石揭扁曰文、行、忠、信，詩、書、禮、樂。飾以丹雘，繚以周垣，經營有方，規制有度。肇工丙子之春，迄夏卽竣事。君會學之師生，釋奠以落之，教諭階州李茂暘，訓導遼陽黃繼宗，彭澤陶圻謂君之興是學也，右文崇儒，厥功溥矣，不可無述以彰其美，遣庠生張昺來橋門，徵余言以記之。余惟大城爲京兆屬邑，奉化覃被，率先他邦，故有司之修學宮也，所以崇聖祀，端士習也。爾士之爲學也，乃不能亹亹焉殫其力，視學宮如傳舍然，不既負作養之意乎！學也者，將以學聖賢之道也。斯道也，精粗本末，具在方策，孰非吾心同然之理乎！學者究極淵微；而形之事，爲知必真知，行必真行，則自身至家以及於天下，何所施而不獲其當！此學校之所以爲教也。大城之士，由今伊始，尚銳志迅激，濯磨刻厲，培其本根，而末自茂，浚其源泉，而流自遠，上焉爲義理之學以蘄入聖域，次爲科舉之學以顯膺祿仕，務使士習之丕變，與學宮以俱新，不亦偉哉！君名恩東，魯青城人，明敏有守，嘗丞吾溫之平陽，蔚有聲華，進陟今職，美政可書者，如建譙樓，築城垣，練民兵，備賑濟，恤孤獨，均徭賦，皆其章章者，而修學則其先務也。張子然予言，請書以歸，將勒石學門，以示將來云。嘉靖四十四年，知縣張應武重修，主簿葉雲漢、典史阮英、教諭朱鵬、訓導牛利仁贊成之，張雲鶯作記。張雲鶯重修學宮記：大城學宮在縣治迄西，創建始末，莫之詳矣。稽之碑銘，重修於金、元之朝，迨至國初，以迄成、宏、正德，或修理，或增飾，咸有撰記可攷而識也。時至嘉靖癸亥，歷歲滋久，傾圮日甚。余嘗行縣謁先師，而見其頹敝若此，深用憫然。比時缺令，無所與謀。至甲子歲，張子應武來知縣事，瞻拜之餘，亦長嘆息，毅然思所以新之，乃首列其狀，請於兵備道羅公，獎而贊之，然張子欲力取於民而不勞，財出於公而不費，則難取給於用詘之際，績用弗克成也。歲乙丑春，張令以大計入都門，適治屬中貴之著者三五輩來，乃就而諗之曰：夫子之道，同於天地，夫子之祀，與天地無極，故尊其教，崇其祀，而祠廟之相望，不間於遐荒者，豈偶然哉！乃今吾邑一畝之宮，數仞之牆，日已就敝而不能新之，非所以昭示來茲也，其如吾責何！諸貴人聞言若勇，赴義若趨，各退而醵其貲，得四百金以贊成其美。比覲畢還邑，更以風於境內諸士，各捐所有，約百餘金，翕然佐之。其磚植芻糗，所費甚奢。張子捐俸以倡，僚屬而又爲之措置焉。無敢煩於民也。乃鳩工命材，卜日興役。公於聽政之暇，躬爲督視而晨夕匪懈，故子來之民，不愛其力。經始於是年之三月，越六月而告成矣。大成殿五楹，兩廡各十四楹，殿之兩傍，翼以祭器、神樂二庫，廡之南爲戟門三間，泮池一區，去門二丈許，門之左、右夾以名宦、鄉賢二祠，其外則爲櫺星門三架，以表通衢，皆故址也。廟之東構儒學門，由門以東，則爲學諭、學訓之宅，又進而北，爲啓聖祠三楹，轉而西，有儀門，扁曰道義之門。內有兩齋，東曰進德，西曰修業，峙其中則有明倫堂五楹。堂之後則敬一亭、尊經閣具焉。亦各仍其世而增飾之，輪奐之制，於今爲盛。故升其堂，則藻火黼黻，昭其度，而廟貌新矣；登其筵，則籩豆簠簋，致其潔，而禋祀虔矣。諸士揖讓於其間，則冠裳文物，躋躋蹌蹌，而教禮興矣。以數十年之陋，一旦而更新之，可爲一邑之望，張子其賢矣哉！學諭朱子輩，以新廟既完，成績未紀，何以永其傳也？乃來問記於余。余因申其詞曰：凡人之爲治者，政教固所當先，而聯屬人心，爲觀感興起之機，亦非出於政教之外。故善治者，不必煩其令，而惟孚之以心也。今張子加意儒術，以風化一邑，而興兹大工役，彼大衆以致君子之效其誠，小人之忘其勞者，非假强於術也，夫亦皇上作人之化，依被於畿甸，而莫不翕然應者，人心秉彝之不泯，有如此也。二三子生輦轂之地，沐聖人之化，儒衣儒行，可不思所以異於凡民也哉！昔孔子没百有餘年，觀其廟，習其禮，有低回而不能去者，是謂之善學。二三子知飾其廟以虔奉之矣，尚知學其道乎？蓋夫子之道，非有遠於人也，根之性命倫理，顯之庸言庸行，皆人所與能也，退而修藏，則砥節礪行，求無媿於身心，進而效用，則爲上爲民，期無負於國家，庶幾可稱髦俊，副有司作養之意。但今之學者，高談性命，闊略躬行，務虚名而鮮實效，及立朝臨民，又多疵累，其宫牆外望者乎？非敢望於二三子也。二三子其勗諸！是役也，主之者張令應武，贊而成之者主簿葉雲漢、典史阮英、教諭朱鵬、訓導牛利仁也，均效其勞法，當並記。國朝順治十七年，知縣徐伸重修。康熙二十五年，教諭黄華蕃重修。道光十六年，知縣何志清重修。同治十二年，知縣莊允端，教諭唐文智重修。

保定縣

學在縣治東。明洪武十四年，知縣張仲謙刱建。景泰三年，知縣王遂重修。嘉靖十四年，知縣冉崇儒重修。四十一年，典史黨世雄重修。萬曆十年，知縣孔承倜，二十七年，知縣張四聰，相繼修葺。國朝康熙初年重修。道光初年重修。

薊州

學在州治西北。明洪武初年刱建。正統九年重修。崇禎年，知縣王宏祚重修。王宏祚重修學宫碑記：

古者諸侯不得觀四方，故其爲學也缺東，以南半天子辟雍之制，而曰頖宮，至其所以立教，若詩書六藝之文，鐘鼓琴瑟，千羽絃誦之具，則無不與天子之學同。其後易分封爲郡縣，舉凡一方之長吏，號爲親民之官者，其禄與位，亦猶古之諸侯也。故自漢、唐以來，州縣皆得設學，置博士、諸生，一如三代諸侯之國。然而爲長吏者，率多從事於簿書期會，而以庠序之務爲不急，故其視學中之興廢，邑中之子弟率教與否，漠然若不相值，雖有飲射讀法之令，特具文耳求。如蜀郡文翁，潁川之韓延壽，能以教化爲首務者，亦僅僅已。我朝定鼎於燕，首稱善地，而其東則薊州，古漁陽重鎮也。昔人有言，其俗慷慨豪俠，其民沈鷙多材力。考諸圖經，則有崆峒山者，爲黄帝問道之處，至今土人傳之。此鄉之崇氣節，敦理義，固可想見。使長吏優游，漸漬之以學，而鼓舞振蕩之以三代之教化，則其風俗之美何如與！予昔年嘗守是州，值羽檄旁午之時，甫下車謁文廟，所見殿廡堂宇，漸就傾圮，乃捐貲鳩飭之，稍稍改觀。旋以内擢行，而薊州遂罹兵燹之厄。予前所鳩飭而改觀者，蕩然無復存矣。又十數年，予奉使黄花山，道經舊治，則學舍已鞠爲園蔬，欲求往時之規模，並不可得。欷歔太息者久之，謂安得賢有司來蒞兹土，以成予未竟之志，而且爲興廢舉墜者勸也？幸遼左胡公至，慨心凋殘，加意與民休息，拊循三載，百務畢舉。於是念學宫之廢墜，非所以成教化而美風俗也，乃出養廉之需爲首倡，茂材蔡君之芬復輸若干緡，而士民遂相率翕然助成之。其經始也，爲丁未之仲春，迄戊申孟夏而畢事。向之鞠爲園蔬者，今則有殿巍然，有廡翼然，至於齋祭之室，講讀之廬，休息庖湢之所，俎豆燕享之器，無不備具。而邑中之諸生，皆勸於學以求教化之成，風俗之美，將由一州以達諸郡邑，由畿輔以達諸天下，實惟胡公是賴。而説者則謂□令申倍嚴，大吏督責日甚，有司自錢穀簿書而外，可悉置勿問。顧胡公獨兢兢焉以學官爲務，殆迂遠而闊於事情者。而不知我國家崇儒重道，積有年所，世祖嘗發内帑勅修太學，今上亦允禮臣請，命四品以上捐俸修葺，皆班班見諸施行。然則是役也，正以奉揚朝廷右文之意，而欲蜀郡，潁川之治復見今日，豈非甚盛舉也哉！予既爲舊州守，又以使轍嘗經其地，學之興廢舉墜，固無日不往來於胸中者，今得胡公而克成予志，故樂爲之記。

十五年，毁於兵。國朝順治七年，知州于際清重修。

周體觀重修儒學碑記：大凡經營締造，有於一時而關於百世者，古人皆有碑記，以誌不朽，況學校之地，人材教化所關，詎有美而弗傳哉！薊郡之庠，其來舊矣，明季壬午，適遭兵火，堂陛坵墟，門庭茂草，時屆春秋，執事披星以陳俎豆，月逢朔望，諸生凝露而講詩書，雖大道難名，不存迹相，聖賢真義，具在人心，而紹述前徽，光啟後學，實賴有仁人君子修廢而舉墜也。前任守郡張公焴乾、王公皡，首議重修，捐俸倡義，皆因時絀任淺，不克舉事。嗣是東來于公際清，於順治四年來守是邦，謁廟之日，觸目傷心，決志修復，但值干戈之後，士庶凋殘，庫藏如洗，且生全安撫之不暇，奚治禮義重文教哉！及蒞任三載，治道化成，士有絃歌，民鮮菜色，公則思是役固不容以已也。遂謀諸博士弟子，爲修輯計，議定，請之部曹李公、兵憲劉公，爲好義首捐俸於己，公爾忘私，募化於人，聚流成海，糾材集衆，擇日興工。先建聖廟，次修明倫堂，創於庚寅之仲春，即落成於是歲之季秋。財不加派，而輪助者多，工不勞民，而子來者衆。仰瞻堂陛，鳥革翬飛也；俯觀門庭，美輪美奐也。雖規模氣象稍異於前，亦時爲之耳。而今而後，祭祀有宗廟之瞻，誦讀無風雨之嘆，累年之廢，新於一朝，半歲之功，垂及千載！孰非公之捐資勸義而搆此鴻業也哉！然公之初志雖遂，而公之期望甚遠，俾樂斯泮水者，以興起斯文爲己任，講孔孟之道，敦忠孝之節，勿荒爾學，勿隳爾修，覩廟貌而見聖心，大更始而蔚人文，又公之所期望於諸弟子員也，豈徒博一時之觀瞻已耶！是爲記。

康熙六年，知州胡國佐，十四年，知州余時進，三十四年，知州張朝琮，四十一年，知州陳廷柏，先後修治。乾隆三十七年，知州梁肯堂重修。嘉慶十三年，知州趙錫蒲重修。道光十六年，知州楊夔生重修。同治四年，知州劉枝彥重修。

平谷縣

學在縣治南。金□□張□創建。按：畿輔通志、縣舊志並云，元至元間建，今據納憐不花記文訂正。元至元二年，主簿范恕、教諭張貴買地建明倫堂。四年，教諭胡從置禮器。七年，教諭劉元皓重修，納憐不花作記。

納憐不花明倫堂記：元列聖相承，詔令國都州縣，設立學校，張置師牧，以行政教，開平萬世，何其規模隆古，軼越漢唐矣。蓋以聖由天縱，道自人宏，盛衰觀于風化，忠孝本于人倫，然後綱常正，義理明，而民生遂亘古今而不易。考之于經，班班可見已。惟時守令師儒，有賢有愚，有志存乎立功，事專乎報本，祇順德意，惓惓于聖門者；亦有志溺乎利禄，事狥乎苟且，徒拘文具，切切于肥家者。由其闇于君親大義，懵于聖賢至教，其于志道恢宏之士，霄壤不侔矣。況乎仕路繁夥，存道心者希；或有德好君子，功垂名教，若亂山求玉，乃千百之一二焉耳。詳憫吾友李敬、李明等重諗曰：平谷乃薊郡之屬邑，京師之僻徑，亦當有要路居是任，間報功于素王者，如己巳年監察御史鄭立建加號碑，設學田，增輝聖，日播文風。自丙子歲，主簿范恕、教諭張貴協謀合議，以謂斯邑有廟像而無講舍，基址狹隘，如羽不翼。于是出給俸資，鳩集衆緡，買地搆材，鼎新明倫堂洎學官居舍，朝夕有三德六行之修，歲時無一風半雨之憾。至戊寅間，有胡從先來諭是縣，仰瞻廟像，祭器慊然，俯親講席，書籍蔑如，于是命匠鎔鑄罇鼎，營飭籩豆，九經史籍，焕然一新，上供春秋釋奠，下給師生講習焉。此數君子，創作于前，可謂能矣。迨甲申際，劉元皓師職三年，建學門屏，以爲斯文之壯觀，增廣田畝，以備供需；立故金國張侯建廟記，以表首創之原，繼述于後，可謂勤矣。自是而後，肅恭寅畏，神人協和，師生有舍，庖廩有給，百爾器具，資之左右，愚故曰：有志存乎□功，事專乎報本，今得其人耶！經曰：故事半古之人，功必倍之。惟此時爲然。蓋將有興于斯，故仰聞是言而不惑于中。悲夫！愚故曰：亦有志溺乎利禄，事狥乎苟且，未暇論其人耶！驗吾友之言爲信。嗚呼！吾夫子之道，如太和元氣，流行于天地間，陶鎔品彙，綱紀羣生，儀範百王，師表萬世，其盛德大業至矣哉！凡有天下國家者，可不知所本乎？吁！微元皓不能明數君子之功，微數君子不能伸元皓之志，可謂克盡其行所當爲矣。予故欣然筆之，以紀堅珉，匪特敍二三子之功，抑亦可爲來今之勸。時至正七年丁亥三月丁巳也。

明成化五年，知縣郭銘重修，學故爲老子宮，淺隘卑陋，歲久頹圮。嘉靖二年，監察御史熊榮建議修拓，巡撫都御史孟春、巡按御史盧瓊、總兵馬永、參將呂昌、副使熊相捐俸助役，相作記。熊相重修本縣儒學記：平谷縣之儒學，在縣之離位，勝代以前爲老子宮，今之門尚因之。淺狹卑陋，加之垣墉棟宇率多傾廢，見者病焉。嘉靖壬午，監察御史熊公榮以清戎視學，嘆曰：有司之不職一至于此，何足以稱培養人文，育才興化之意！偶過邑人按察副使王公鏜及之，鏜曰：鏜爲諸生時，固嘗買地拓之矣，矧有觀風之責者乎！公乃命官度之，記費凡若干，倡以贖金，聞者響應。巡撫都御史孟公春、巡按御史盧公瓊、總兵都督馬公永、參將呂君昌，咸有攸助以相之，不穀亦與焉。既而兩載弗績，公自往督之。先修聖殿，次展賢廡，次建戟門，次易櫺星，次立禮門，次闢義路，次拓明倫堂，次實地之偏陷者，繚之以周垣，表之以綽楔，復以餘材建號十五間，以便講習省課有方，成之不日，輪奐奪目，士林爭氣，于是教官率生徒詣相，述知縣王謙之言曰：學雖隸縣，而博士弟子，軍衛居半焉，彼此坐視，忽成淪廢，不圖今日有勞諸公，敢乞一言以釋其愧，且以詔後人于無窮。予曰：崇儒重道，盛典祇奉于有司者，已不多見，宜諸君于此有不能自已者。夫天下之藝，有文有武，而學必曰儒者，何耶？蓋以文而非儒，則爲俗吏；武而非儒，則爲傖夫。俗吏、傖夫，可以興治戡亂之事望之乎哉！故人無擇于軍民，必以儒學爲先，官無分于彼此，必以興學爲重。皇明之長治久安，比隆三代者，未有不本諸此。謙輩曾知之悉乎！且儒者之道，不越乎彝倫日用之間，推而極之，無所不有，若上而爲教，下而爲學，亦道之所當然也。公之是舉，誠無所負矣。至于徒擁臯比，不能明是道以覺後人，徒衣章甫，不能體是道以光國家，而徒獲一科第，則施施然足矣，是果誰之責哉？其愧又有甚于有司者，尚相與勉之！公字以仁，號磨溪，汝甯光山人，起家進士，嘗以直言謫官，今清戎圻內，風力尤擅一時，而政之可久，皆視之茲學云。

四十年，知縣任彬撤故材重新廟廡，悉仍舊址，崇廣倍之，巡按御史秦嘉楫作記。秦嘉楫重修平谷縣學記：考圖籍，平谷嘗縣于漢，鎮于唐，復縣于金、元，國朝因之，古稱慷慨悲歌之區，信矣。元至元，乃立縣學，董之師儒，次行教化，凡以爲國家之根本計也。然止粗立根基，其于學校仁讓之風，猶未浹洽而遍滿也。自有明之初，臨御天下，不數十年間，漸磨德義，鮮不丕變。太宗文皇帝見幽薊王氣氤氳，形勢雄偉，允哉天府之國，遂相與重臣定鼎而遷都焉。故平谷遂爲畿服內地，其服從學官之教，不猶江河之就下，愈順而愈速耶！由是博士弟子奮起而登仕版者，蔚爲名卿，可概見矣。然廟學歷歲滋久，隳頹日甚，良有司敦治，從教者雖間有補葺，亦以費繁務劇爲懼，率皆苟簡，可歎哉！嘉靖辛酉夏，平谷縣知縣任子彬，卜日舍奠于廟，覩其庫陋毀墜，惕然改容曰：縣之廟屋壞，神不能妥，其誰責！乃與學官張汝言，諸生方文光數曹謀，咸曰：茲誠有司首務也，如財不贏何？又轉而謀諸鄉士大夫；鄉士大夫其謀同；又轉而謀諸耆庶，耆庶之謀亦同。于是舉邑向風慕義，視茲役若不可已者。官之吏于斯者捐其貲，耆庶之供億于上者捐其力，凡材木陶甓，黝堊丹漆之需畢具，工師、圬者擾 人顧僦之屬咸集，諏日舉事，或新或作。余適奉有代巡之命，以察吏安民爲務，遂攬轡莅平谷，詣學謁廟，不俟闔白，而知任子之所尚矣。乃移文所治，出其帑所贏以助傭費，不期月而告成。任子舉其緒而請曰，爰卽舊址建先師廟，兩廡崇廣皆倍昔，外有戟門，有櫺星門，有啓聖祠，有敬一亭，有文昌祠，有鄉賢、名宦祠，有校官舍三區；殿後建明倫堂，堂左、右翼以神厨庫，有崇德、廣業二齋；戟門前鑿泮池，甃三石梁；其外橫衢，豎二坊，東曰興賢，西曰育才；又于學宫旁地闢爲會講堂，左、右設宰牲、齋宿二所。計凡若干楹，所需之費凡若干緡，所役之工凡若干人，經始于壬戌冬十月，落成于癸亥六月。敢乞一言，以爲記。余欲以不能鑄辭爲解。非任子重學校意，亦非余廉察有司職也。嗚呼！孔子之功，德被千萬世，與天地日月等。聖自堯舜而下，俱莫能望，豈區區崇廟宇，修俎豆所能報哉！顧業儒者不敢忘其本耳。余爲諸生時，嘗見爲長吏者，一意于錢穀獄訟，典幹審畫，希聲采譽以求調補，視學校之事爲非簿書期會之所急，而抹撒漫漶者比比，每深陋之。今任子爲平谷，而以不任學校事爲懼，首興是役，完舊益新，立有成績，鬱然畿甸之偉觀，俾平谷之子弟益興于學化鄒魯于幽薊，更弦誦于悲歌，其功豈不偉哉！任子業儒而知本者矣。余亦業儒者，遂因其請而爲記，凡與是役者，皆得書名于石。

崇禎年，知縣王宏祚重修。國朝乾隆二十七年，知縣張蘭芳重修。道光三十年，知縣王乃謙重修。同治十一年，知縣馮瑋重修。

經政志九

學校下

山陰潘遹纂　江陰繆荃孫覆輯

學田

府學田：明畢懋康置學田四十畝，在黑龍廟之旁。畢懋康創置順天府學學田記：國家厲文教，褒經術，學校子衿之倫，蠲其徭，或既稟之，而又有學田，所以惠澤之者至周渥也。而順天之學故無田。余既奉璽書行鹺，按燕、趙、齊、豫，凡十八郡，每至輒檄所司創立書院，而稽田於學，或刱或增有差，若曲阜之孔、顏、曾、孟四氏，泗水之仲氏，則又爲置廟田若干，每歲供祀，尊矣。比至順天，乃慨然謂司理涂君，大宛令周、李二君曰：王畿故首善地也，士相與習于文，褒衣紆紳，容與嫺都，郁郁乎盛哉，然將無被褐不掩，藿食不充者乎？不佞之按諸郡，而皆籍田於學宮，缺有間矣。其任士之貧乏者，無乃親民者其有弛政乎！夫以七十子之徒，顏之簞瓢，憲之蓬樞，砥名服身矣，而窮夫士也，禮樂質文，先王之教在焉，其無以勸執政也，而猶是田也，以餼省，試以供毫楮，能無廢矣，則君遂營焉。於是乃召里老董忠等，履原隰，第邱畝，而得居民口口之腴畦。畦在黑龍廟之旁，先是在官籍畝有四十，計二千六百畦，其後或從畦間築廬舍、浚井者三，今僅存三十八畝有奇，畦亦僅存二千三百。既荒其地，度以丈尺，畫其週畛報可。余用捐鍰金二百餘緡市之，以屬學宮，而嚴其出納之司，著爲令曰：凡士有不能自食者，不能舉婚喪者，其以是衡貸之餘以給，多士歲月試藝之餼，毫楮之需，具詳存簿，且伐石記之，徵其數植於學中。是役也，始自今日，實以奉揚主上作人德意，而宣布其惠澤者也。雖然，順天故燕壤，肇封自召伯，而冠帶長中原矣。地傑靈鍾，其人喜慷慨自俠，況多士之覲光輦轂，二百餘年來，菁莪棫樸之所漸甯，無風前喆而興者乎？簞瓢可以樂飢，蓬樞可以分衣，士固有貧而不瘠於志者，今幸其贏而不憚慮，始下捐其守而不覬惠施。夫是田也，非士所爲籍也，而敢以爲功，奉官祇服以章勸學重士之意，可矣。崇禎間，府尹劉宗周買地六十四畝，坐落宣武門外天寶宮西南。大興張志。金鉉大京兆劉公念臺置順天府學學田碑記：觀頤之道與包蒙始終。天地養萬物，一而已矣。觀其所養，聖人事也，則有輕重大小焉。其曰政在養民，又曰養賢以及萬民，不亦厥敍哉！凡厥正入式穀者必富之，既有德有造，咸協于極，而後俾一夫舉獲所焉，爾德偏矣。故周官司徒職數典擾民，必先辨廣輪之數，樹之田主憂天下之生，而不使自憂其生生，然後因物施教，德行藝文，次第布焉。其樂育人材也，則曰中心好之，曷飲食之。而士之受茲介福也，則曰彼君子兮，不素餐兮。是以士之康邑好德者，菁菁焉如莪也。至若建學國，申明人倫爲天下表，其篤志鞠育意，宜錫百朋矣。有聲之歌，斯可以觀，當是時也，王者固求賢審官，愛士如慈母，而爲之卿大夫者，則皆應彼陰鶴不靳好爵之靡，勿敢以廛有取禾，庭有縣貆而無遑厥類也。後世井牧庠序，各有司存，發蒙由頤，遂貳以二，維時食禄之家，幸竊嵩高以爲適，故然耳，漫言惟士有恒，不復致慮，其仰事俯畜，碩鼠之風，恬于其身，二簋之羞，不以享士，雖士之弘毅有力者，蔬水自貞，不可以志，而舍爾靈龜，觀我朶頤者，比比是宜。青青子衿，與坎坎伐檀之并歌于世也，明興立學，育才稽古爲重，爰置弟子員，月各石餼，以爲鴻漸資。迨後化成天下，榛楛濟濟，議廣議附，大官不可以槩供，間有君子，心乎尊賢撫士者，當父母師保之任，或置田畝以豐弟子之匱者有之，其亦古司農養必先教之意耶？乃有鼓倡至義，萃小共大，共因以贏弘養士之籍者，則京兆劉公功，於今爲烈。公立朝三十年，大節清風，今世罕有其比，海内無賢愚，莫不景行行止矣。今上御極，特命公釐保畿甸。時值震驚，軍興旁午，公所以服人以德，畏人以威，志篤忠貞，襄聖天子光乃武乃文之功者，無所不至。彼都人士感公蹇蹇之誼，出涕嗟咨，各輸所有以佐軍，迨三輔晏然，而爲資尚芃芃侈矣。公乃加意造士，憂其生生，仰奉德音，大涣授粲之澤，古所謂體萬物于厥躬，而憂先天下者，其在斯人歟！鉉生雖晚，得沐公之化而佩公之德，且望公之盛德大業，日弘濟于天下，令物物得其養，如易詩書周官之所云者，豈止爲茲事識不朽哉！則茲事固其端也已。今無存。采訪冊。

良鄉縣學田：一頃零七畝六分，坐落西石羊趙家莊二邨二段，乾隆四十四年，石羊邨武生曹大成之母王氏捐置。張習曹母王孺人捐置學田碑：堯、舜、禹、湯、文、武、周公之道，亘億千百十年，而燦若日星，昭如雲漢，顯然於鍾鼓俎豆之上，而未嘗少變。何則？蓋利每輕於君子，而義亦重於鄉人。鄉人趨利如騖，烏覩鐘鼓俎豆之設者，卽所謂堯、舜、禹、湯、文、武、周公之道，留於億千百十年之後者哉！或見君子之所爲，大義之所在，莫不欣喜而樂道之，於斯見是非之猶在人心，而大道至今未墜也。良邑地當孔道，驛傳倥偬。戊戌之秋，來涖茲土，恭謁文廟後，未暇拭風塵，而絃誦之間，閱文卷，得武生曹大成之母王孺人願徹已産爲置學田，以備丹艧廡宇及兩學師講習之資，既以鳴於前任陸君，奉憲批而未即行也。余慨然曰：此卽君子之義舉哉！不爲之記，勒諸石，何以垂不朽？且無以鼓舞鄉人，使知大道有在也。嗚呼！非財之難，有財而善用其財實難；善用者非難，善用而出於巾幗者則尤難。且夫閨闥之中，耳不聞億千百十年之言，目不覩鐘鼓俎豆之設，一旦舍利取義，爲之子者，善承意旨而卽以鳴之官，則其在家庭間，又將何如也！若孺人與其子，雖未悟堯、舜、禹、湯、文、武、周公之道，抑不得爲鄉人中之君子乎哉！又五十畝，坐落任家營地一段，每年由學征租，移文縣庫，備周卹貧生之用。采訪冊。

固安縣學田：明萬曆二十三年，知縣李伯華置田四頃，邑人御史傅好禮作記。傅好禮新置學學田記：學舊無田，置自賢令李公始。公名伯華，山東掖縣人，登萬曆丙戌進士，筮仕中州之泌陽，銓部以公才堪治劇，得調固邑。既下車咨詢邑之廢者闕者，凡久湮而當以義起者，務圖修補振舉，俾爲完邑，以無曠司牧。初謁廟，見宮牆廊廡傾圮不治，謂所以崇先師、妥聖靈者，不宜若此，此有司責也。會督學楊公明知下葺學之檄，遂任其事。不越月而工訖，學宮稱改觀焉。邑士大夫諸生咸咨嗟嘆賞，謂公知首務，獨諸生中之貧苦無聊者尚未加惠，是必有待。蓋諸生多苦心勵志，恬澹自甘，不恥衣食，而恥千謁，公故不得聞。其所謂貧者，又敦尚氣節，藜藿而外，必修飭禮服，充斥襟度，初不示人以窘，以故諸生之貧苦，公又無因而窺其狀焉。師具道諸生之所以，因疏其貧極者，某某冬無完衣矣；某某日不舉火矣；某某居廬不蔽風雨，過時不能婚葬矣；至東西南北負笈遊學，略供俯仰者，不與焉。公壯其志，憫其窮，分給錢穀爲膏火費，既而曰：此非爲諸生計久遠也，學舊無田，獨不可以義起耶！遂查逃口所遺之田，得四百畝，蠲其租賦，而屬之學宮，歲可收租百餘斛，統其事于師，而分掌于諸生中之有行義者。因謂之曰：租特僅僅耳，甚不可濫動而泛施，貧而好修篤學者周之，不因貧而諂屈于富貴人者周之，有孝弟忠信之行、禮義廉恥之節，而貧如某某者，則周之，不然，雖困窮無依，不得與。諸生唯唯退，而請予記之。予曰：葺學宮所以崇先聖，創學田所以厚來學，亦無非崇先聖也。公之養士也，惠而辨，養士行也，諸生勉乎哉！異日者，修之家而獻于庭，不負所學，則不負所養矣。公治邑四載，清心寡欲，約己便民種種，載在口碑，茲不具述，姑述其養士之一端云。若田之畝數多寡，井段坐落，俱勒碑陰，以垂後日。今圈入旗地。固安陳志。

永清縣學田：地一頃，坐落冰窖邨，順治九年撥歸縣學。永清周志。

東安縣學田：原額學田一十二頃四十四畝，康熙九年，奉文圈去地三十三畝，實存地一十二頃一十一畝，各徵租不等，共征銀二十八兩八錢三分九釐。采訪册。

香河縣學田：明萬曆七年，知縣馮叔奇查出運河西岸淤地一頃有奇，撥隸縣學，歲收租銀六兩。四十二年，知縣李芳馨買王聘儒地一頃二十七畮，坐落西門外，歲收租銀一十六兩六錢三分。香河劉志。現存地十九頃二十二畝，坐落把務、張辛莊、郭辛莊、羅屯、安撫寨、雙王店、四城壑、萬辛莊、大王莊、劉莊、白廟頭、百户、北務屯、朱莊，共征租銀二百二十五兩六錢。采訪冊。

通州學田：元至元十三年，以榆河間田撥隸州學，後爲運官侵占。至治初，學政楊齊賢言于部，復原田，迄明中葉，不復可攷。萬曆四十四年，副使李養質置田十頃十六晦七分，今圈入旗地。漷縣舊有學田二頃八十一畝八分三釐，邑人張祥捐置，縣廢後，以一頃六十一晦撥充州學經費。通州高志。

三河縣學田：共地十三頃四十畝四分二釐，每年起租制錢二十六千有奇，坐落不淕淀。采訪冊。

武清縣學田：其地四十畝，坐落乂光邨南王家鋪。采訪冊。

寶坻縣學田：原額四十七頃二十八畝二分，內學院田一頃二十一畝，儒學田四十三頃三畝三分，久多所迷失。康熙年間，開荒地三頃三畝九分，又知縣張兆元置地六頃。寶坻洪志。現存蔡家鋪地三頃十三畝，工部莊地二頃三十畝三分，邊家莊地四頃，邢家莊地六畝，共九頃四十三畝三分，每歲納糧銀四兩四錢三分三釐。采訪冊。

甯河縣學田：南孟家莊地八十七畝，園地七畝。國朝乾隆三十三年置。甯河吳志。

昌平州學田：原額若干畝，今多影射不可考。采訪冊。按：舊志不載建置之年，並經始之人，今更無所考矣。

順義縣學田：地二十畝，在明倫堂後，明崇禎八年，知縣上官藎招民建屋，歲收地租。

順義黃志。

密雲縣學田：明萬曆十三年，總督蹇達置學田十八頃。十四年，借充兵餉，遂廢。密雲丁志。

懷柔縣學田：原額學田八十畝，奉文圈去，兑補肅甯縣，照依彼處科則，每畝征租銀二分六釐二毫，共征租銀二兩一錢零一釐。采訪册。按：采訪册又云，奏銷册内開：原額學田八十畝，奉文圈去，兑補肅甯縣，照依彼處科則，每畝征租銀二分六釐二毫，共征租銀二兩六錢零一釐。前件銀兩，賑濟貧生、附生尤青雲等九名領訖，等語。惟每年租銀，不特肅甯縣總未移解到縣，即懷邑官民，亦從未向肅甯縣移取，其始於何時，歷年久遠，無可查考。現時虛存其名，惟奏銷册不能不循例造報，遇貧生有事故，更換其姓名而已。

涿州學田：明天啟二年，州人馮銓捐置稻田四頃三十二畝，坐落邵邨，歲收租銀二百一十六兩，旱地十五頃七十八畝，坐落房山縣大學莊，歲收租銀七十八兩九錢，學使左光斗具題，至今勿替。道光十五年，民人竇樹藩等捐地四頃六十一畝八分六釐，坐落向陽、辛莊二邨。咸豐四年，民人王忠信捐地二十畝，坐落東鄉北務邨。五年，文生吴壽恆捐二頃零二畝，坐落東鄉永樂、楊家樓二邨。同治五年，旗人王德清捐地九十六畝七分，坐落東鄉西郭邨。民人李蔭喜捐地十畝，坐落東鄉向陽邨。六年，民人耿民捐地十畝，坐落東鄉堝頭邨。采訪册。

房山縣學田：明副使李養質置田二頃有奇。萬曆二十二年，教諭唐守禮捐俸買地，以資貧生。房山佟志。成基命房山縣學田碑記：嘗考三代無學田，蓋其時，田皆井授比閭族黨之中，塾庠序寓焉。所謂鄉三物者，郁郁乎盛矣。非若後世羣聚而別養之也。迨漢興，詔郡邑立學士甿，始分甿，連阡陌，侈蓋藏，而士或窶不能給朝夕，甚至枵腹露肘，不憚傭賃以自活。噫！鉼罊罍恥上之人，烏得不重爲之所耶！我朝學制，酌古盡變，鄉之中，簡其雋而員之；員之中，簡其雋而餼之；法備矣。顧其風氣日開，人文漸盛，在員之額者，業不難取盈于數，而諸不在餼之額者，其窶亦幾不可勝數。于是觀風者目擊寤嘆，慨焉賑發，而學田之制立。然亦必薪櫄爲職者，用以靖共爾位，廣其儒效，若文翁之于蜀，鮑德之于南陽云爾。未聞軺軒暫蒞，譽髦關心，重資疊頌，德意麗熾，如今憲副李公之于房者也。公故爲司空郎，受命榷石，倚干旌于房之三山，廉靜不擾，人争暱就，繼以秩滿，遷副密雲憲事，乃猶惓惓念房不置。初發羡鏹若干緡，爲創一祠，祀關壯繆，隸之田以贍祀事。尋復謂曰：廟孰與學急也？悉發所積淶水縣應支廩穀若干緡，爲增置學田。念房邑楊君昆祚，素循惠，有幹局，捐俸贖佐之，先後共得百餘金，置田二百畝有奇。于是房士之窶者驩若更生，曰：微公，孰寬我俛仰！其素饒足自給者，亦莫不踴躍曰：非公，孰作我士氣！卽諸廣文，撫子衿而熙遊，覩環橋之振邁亦乎，相忭舞曰：微公，孰光我芹藻！相率礱石，紀其事於黌舍，而署教諭李君庭芳，余姻也，屬使問記于余。余媿不文，何能爲公頌？第跡公所行事，類仁心爲質者，且士飽而後益知學，教與田兩得之矣。竊謂三代育才之遺意，正不過此耳。至房士所以報公者，亦無他術，房于畿輔當輦轂下，山川靈異，甲諸郡國，乃聞其賢書，自丁卯以來，登者寥寥，豈非士之習于婾耶？語云，水不激不鳴，士不鼓不奮，茲役也，房其可以興乎！不然，卽不甌脱其田，而第含哺以嬉，豈公之心哉！豈公之心哉！公名養質，山西蒲州人，丙戌進士。

霸州學田：置于元皇慶三年，坐落城北隅，明副使周復俊、梁有年復相繼增置，今歸州署。霸州周志。

文安縣學田：石溝里龍堂場水地二十二頃二畝四分二釐五毫，小屯邨地一頃六十二畝一分四釐九毫，勝芳里趙家泊地十二頃四十二畝，均圈入旗地；現存地一頃四畝六分四釐，坐落鄉哥莊，水地四頃七畝，坐落灦浪泊。采訪册。

大城縣學田：共地一頃七十四畝，每畝徵租銀二分，共徵銀三兩四錢八分，坐落四岳王口、南萬營、北萬營，並文安縣屬之里莊、伍邨莊。采訪册。

保定縣學田：地畝一頃九十畝，坐落西南辛立莊至南舍興兩邨。嗣于同治年間因開濬趙王河，卽爲河道，其地遂廢。采訪冊。

薊州學田：糧地一頃二十畝，坐落關廂里密河莊，河荒地六十五畝，坐落桑園莊。采訪冊。

平谷縣學田：元天順元年，監察御史鄭立置，至正六年，教諭劉元皓增，平谷朱志。現存本邑地四十一畝一分，宣化府延慶州地八頃一十六畝。采訪冊。

書院

金臺書院：在外城東南金魚池，舊爲義學，國朝康熙四十一年，府尹錢晉錫題建，御書樂育英才額。乾隆十五年，改爲書院，府丞梅瑴成作碑記。未見。道光二十二年重修。光緒八年，府尹周家楣重修。采訪冊。

畢道遠、周家楣、胡義質奏，爲修建京師金臺書院工竣恭摺奏陳，仰祈聖鑒事：查京師爲首善之區，書院爲育才之地，在前明有首善書院，爲東林諸儒講學之所。至我朝康熙年間，於崇文門外磁器口迤東，南小市，奏設義學，旋改建金臺書院。蒙聖祖仁皇帝頒賜御筆廣育羣才匾額，凡京師以及各直省舉貢生監肄業於是，設有學長、學副、上舍等額，順屬童生，亦並收課。溯自道光二十二年重修以後，迄今已三十餘年。臣家楣於光緒五年春課甄別之先，詣書院履勘，見堂宇頹敝，地脚已鬆，凸凹高低不一，士子課藝，就堂室簷宇，隨處雜坐，並無文場。急思整興恢廓，以崇地望，以育人才，而經費既無可籌，舉辦又未可緩。爰與前兼尹臣萬青藜，悉心商酌，知已繪有圖式，並經前給事中現官廣西左江道彭世昌，捐銀一千兩，款存臣署盈安庫，屢次修葺墻垣，並置地，動用銀三百六十五兩八錢，尚存六百三十四兩零，稍有憑藉，隨商派前通永道英良赴院估計，工需約在萬金左右，並據捐備木植，值銀八百餘兩，適督臣李鴻章到京，與之面商籌辦，由前督臣李鴻章捐銀一千兩，前兼尹臣萬青藜捐銀四百兩，臣家楣捐銀一千兩，復由臣衙門節省存公銀撥銀一千兩。一面派員購料，估工開辦，一面籌資接濟。於五年四月二十八日開工。臣家楣以是年五月二十一日丁母憂去官，至八月間旋籍時，工需尚未籌齊，深恐一有不繼，或至停工待款，臨行堅囑督工之糧馬通判陳象瀛、臣衙門經歷范思本，並住院監工之附貢生周玉衡，務卽一氣營建，萬勿間斷，如工需不給，已約明由阜康號商借墊，俟捐款隨到隨還。旋由督臣、尹臣各勸所屬捐濟，復經前尹臣梁肇煌捐銀四百兩，前天津關道鄭藻如捐銀一千兩，其餘司、道、首府及順屬各廳、州、縣、教佐等官，並順屬紳士，亦各捐款相繼。臣家楣恐接濟不時，復在京、在途、在里致書所知，經東海關道方汝翼捐銀二千兩，常鎮道沈敦蘭、甯紹台道瑞璋、奉錦道續昌各捐銀一千兩，陸續寄京應用。並由歷任兼尹府尹童華、李朝儀、游百川各有捐款。遂於光緒七年春間完工，除英長木植外計，共收捐款一萬四千六百三十一兩，臣衙門節省存公銀一千兩，除用工料並備桌櫈油飾等銀九千八百六十二兩零，置地等用銀三百六十五兩零，餘銀五千零六十四兩，交五城各當典分存，按一分取息，助諸生膏火等需。除已用及存典各項外尚存銀三百三十餘兩，作爲立碑等用之需。計建造朱子堂七間，講堂三間，大堂三間，垂花門一座，官廳六間，大門一座，南照房五間，車門一座，東、西文場二十間，東、西廂房十間，廚房、中厠、馬棚共七間，以上共房六十四間，影壁一座，週圍牆垣泊岸，現經一律工竣開課，每季甄別。臣等親詣書院，扃門面試，人文振興，士心歡洽。復經聘延主講，於官課外，月有師課。於制藝試帖外，並課經古性理，以冀學有用之學，成有用之才，砥礪既深，賢能輩出。如得學問淵懿，經明行修，經濟夙裕之士，確有所知，當由臣等據實疏薦，即有應課名次較後，而其人有學有行，足爲士林矜式，亦即臚陳實詣，敬舉上聞，以資觀感。所有捐助工需膏火銀兩各員，或有地方之責，或由好善之誠，均不敢仰邀獎敍，謹開具清單，恭呈御覽。應用各款，均由臣衙門經歷范思本覈實支給，毫無浮冒，亦請免造册報銷，仍將收放各款開單，由本衙門存案，並刊立碑石，以昭永久。此後如續有捐助，及如何整頓擴充之處，應由臣等隨時奏陳，仰副聖代作人之至意，伏乞皇太后、皇上聖鑒，謹奏。再：書院課士，向有定程，而講求實學，要在多識，前言庶幾藴蓄有素，則識力自充，其用諸世者，設施亦可期光大。金臺書院夙無藏書，爲多士計，自宜廣儲典籍，以備研摩。近年以來，若江蘇、江甯各省城及揚州府、浙江、湖北、江西、四川、廣東各省城，均設有書局，刊印諸書，各極精良，洵稱美富。京師爲天下文人所集，各該省士子留京待試，肄業書院，其本省大吏所欲裁成而奬進之者，既在遠而不遺，至於斯文氣脈之相關，首善地方之尤要，凡有心人所欲昌明而振厲之者，必用心之無異。可否由臣等分咨兩江、兩湖、兩廣、四川、閩浙總督，江蘇、江西、湖北、浙江、廣東巡撫，於各書局中，凡經刊印之書，每書檢備一部，開具目録，裝箱就水程運送蘇松太道彙收，再乘招商局輪船之便，運交天津關道彙收，由臣衙門派員往運來京，即存金臺書院。署簽列架，分類別門，用備肄業諸生研精致用之具。如蒙俞允，臣等遵即與各督撫及兩關道隨時往返商明辦理。理合附片具陳，謹奏。

卓秀書院：在良鄉縣東大街路南，原建在東門外，道光二十七年，知縣程仁傑移建於此，將隆峯寺抄産官租，分給書院，以爲修脯膏火之資。良鄉陳志。按：半入京師金臺書院。

方城書院：在固安縣西門内，咸豐八年，知縣李應選創置，至同治甲子落成。采訪册。王錫齡方城書院碑記：自古國家首重人才，而人才以培植爲本。嘗讀大雅文王之詩，誠以棫樸薪槱之化，作養於前，斯疏附先後，禦侮奔走之才，興之於後，師師濟濟，收爲國用，而美且多也。我朝定鼎，曉諭天下，各直省起立書院，各州縣起立義學，非卽庠序學校之遺意歟？如京之金臺，省之蓮池，每科登進者皆數十人，蓋培植久則觀感深，書院顧不重哉！方城舊有書院，在學宮左側，僅存故址，地狹不足所用，且廢久。再事創作，不有倡者，難爲功也。戊午冬，關中應選李公，來尹方城，察利弊，問疾苦，而尤重文事，每考課，誘掖奬勸，出於至誠，因與同人有起立書院之議。然而無顯宦，無巨室，則籌款難；舊基廢，新地少，則擇地難。久之，迺得城之西門内官房一所，雖傾圮而瓦木猶有存者，又從旁拓之，其地頗充，於是或仍舊，或改作，月餘之久。口授指畫，辛勞忘倦者，則郭玉初，辛景汾暨宋繡珊、陳竹樓諸生之力焉。既落成，則山長束修，諸生膏火，又其急者。方籌畫間，李公去任，繼來方城者則楊公應枚、余公汝修，見書院甚喜，且言一簣之功，切勿中止。奈楊公任内，兵差絡繹；余公任内，馬賊紛馳。擾攘之間，罕及文教。癸亥秋仲，李公復臨斯邑，下車卽諭同人曰：創立書院，余心志也，未成而去，我心歉然。今復得返，斯有莫之致而至者，必踵成其事方慊初心，至於力所不及，爾諸生協贊焉。同人爰各勸其所知，捐資置產，生息充費，以濟將來。此書院所由成也。未幾，李公復去，而莊公允瑞繼之。英才勃發，政教方新，士民沐樂只之德，豈有艾哉！諸生年富力强者，從茲振奮，將見科甲蟬聯，簪纓輝映，人才盛，文運興，垂之久遠，不負諸賢培植斯文之厚意，是更闔邑所共禱望者。

城南十里鋪邨地四頃二十一畝五分，琉璃、孟江兩邨地一頃七十二畝五分，王起營地四段一段六十五畝，馬莊鎮地四十九畝，圈頭邨地十六畝，永清縣龍虎莊邨地八十八畝，蘇家橋地二十四畝，又節婦馬趙氏捐本身地一頃三十七畝，東西地一段，二十畝，南北地一段，六十畝，又東西地一段，八畝；共三段，坐落大王邨西、朱各莊南。又南北三段，共三十七畝，坐落西魏邨。又莊窠一段，二畝，坐落朱各莊邨捐入書院，永遠爲業。采訪册。按：固安本有猶龍書院，在縣治東長員觀，今廢。

益昌書院：在永清縣治西南，同治七年，知縣李秉鈞始謀建設，規畫未竟，受代去。知縣邱銘勳踵成之，撥曹家務、胡其營、郭家埠、許辛莊、孟各莊新淤荒地二十頃有奇，以充經費，不久，沙壓，僅存地八頃四十七畝有奇，復將賑餘生息銀六百七十兩撥歸書院。永清李志。邱銘勳創建益昌書院記：鷲湖、鹿洞，宋儒講學之區也。其始一二人倡之，而天下之士淬濯磨礪，志孔孟志，心孔孟心，由南宋以來，七百有餘歲，名賢輩出，如日月焉，亘古常新，何其道之移人速而入人深也！人心莫不有不言而同然者，亦在迎其機而導之耳，豈有異術歟！永雖蕞爾邑，邇首善之地，際聖主右文之時，沐浴教化二百二十有餘年矣，而士也曾無環堵畝宮，爲朝夕藏修游息之所，吁！可怪也！銘勳捧檄，移權兹邑，數月以來，清理積獄，不敢一日安。因思風俗之美，成於教化。而端教化者，惟士爲四民先。欲有以鼓舞而作興之，猶慮邑人士狃夙習而莫吾信也。乃與韓、李二廣文集諸生於明倫堂，而告之曰：永邑地濱大河，遷徙靡常，淤復荒地，有飽豪右、吏胥槖耳。徵其歲入，以嘉惠我士林，所謂惠而不費者非歟！諸生僉曰：善。於是予率户、田二科吏，執繩丈走阡陌，勘出荒地二十餘頃，諸紳富亦踴躍樂輸，捐寫二千餘金，以半購民宅，新其衡宇，懸以扁額，顏曰益昌，焕然大觀矣。餘則發商生息，修膳、膏火，於是出焉。計自去冬以迄今兹，凡七閲月，聿觀厥成。始信前此廢而不講，乃迎機而導之者之未有其人，人心不言而同然者固未盡泯滅已。然則推此興事率作之心，於是而親師取友，於是而經明行修，處爲善士，出爲名臣，以古方今，何敢多讓？干事取禄云乎哉！是舉也，前任李君衡如已有此意，未及舉行而去；廣文韓君貞一、永清汛張君子班，誘掖奬勸，始終任其勤，君子成人之美，尤爲不可及。雖然，莫爲之前，雖美弗彰，莫爲之後，雖盛弗傳，來者鑒吾心，循而修之，恢而廣之，庶斯舉之不朽也。是爲記。

安次書院：在東安縣城内，本名金臺書院，明萬曆四十六年，知縣陸燧建，久廢。國朝乾隆十三年，知縣李光昭重修，未幾仍廢。嘉慶二十四年，知縣陳□□復建，改名。采訪册。陳□□新建安次書院碑記：聖天子勸學修禮，崇化勵賢，自京師及直省州縣，莫不有學。東安爲畿輔屬邑，前明萬曆間，邑令陸燧於東街三官廟西置書院曰金臺，久廢。我朝雍正時，張令拔於小西街別立義學。乾隆十三年，李令光昭重修之，仍名曰金臺書院，亦尋廢。嘉慶己卯夏，余來宰斯邑，訪其故址，欲踵而新之，水旱頻仍，未逮也。庚辰冬，購民屋數椽。辛巳春，始葺完之，以金臺舊額與府治書院同，乃易以縣之舊名，曰安次書院。籌膏火，立課程，延名師教讀其中。夫觀化於起化之地，則士氣易奮也。鄉里有哲人生，其後者可景仰而效法之也。東安爲邑，其前遠不可考，唐、宋以來，名賢輩出，如吕正惠、李中丞、劉少保諸公，功名事業，振耀古今。他如前之扈氏、韓氏，後之紀氏、施氏、許氏諸族，以詩書起家者，不一而足。士君子捃文，陳編訪典，父老知必臨風想望，慨然嶄進於古昔賢哲之林，而況生逢盛代，近依輦轂，視窮鄉僻壤觀感尤速，其可不争自濯磨以求不愧於名教哉！然則學校之設，官斯土者不可不爲之振興，居斯土者亦不可不善自樹立也。顧今特規模粗就耳，將欲增其式廓，俾多士雲集麐至，各得所成就，處則敦行砥節，表式鄉閭；出則展其學以效大用，勛業媲於前代，聲施垂諸無窮，則所厚望於將來者安有既哉！爰序而勒諸石，且酌定條規，附諸碑陰，以爲有志者之嚆矢云。嘉慶二十五年。

淑陽書院：在香河縣治西。經費銀二百零五兩六錢。采訪冊。

潞河書院：在通州天恩胡同。國朝康熙五十九年，倉督張儀朝、知州朱英創設于西門内。乾隆二年，知州韓亦詩重建于城東南隅之文昌閣。三十一年，知州萬廷蘭別建于空城基南。四十六年，河道李調元改建今所。通州高志。李調元新修通州潞河書院碑記：地官州長之職，各長其州之教，考其德行道藝，糾其過惡，以春秋會民而習射於序。序，卽今之書院也，州長，卽其所教之人也。漢詔郡縣立學，學宮，所以祀先聖、先師者。而書院之名不著。意卽納諸弟子於黌序之中，而授受之，不事更置堂廡。後世鵞湖、鹿洞，與夫經義、治事兩齋之名，不必盡出於官，然必得在上之人有以整齊而作興之，則其教易行，而爲化益普。我國家文明化洽，百有餘年，天下各立義學，在京有金臺書院，而直隸各郡州縣，自保定之蓮池書院而外，俱有義學，而通州爲三輔首善之次，沐聖化尤近，向無一定書院，誠有教民之責者之所急務也。今年春二月，恭膺簡命，監司此土，謁廟畢，巡視書院所在，而有司遥指東南城角上已廢之文昌閣以對，因至其地，則繚垣傾圮，屋舍坍塌，爲知命者所弗居。考州志，洪武年間，州學西舊有通惠書院。嘉靖四十二年，知州事張守中去之，卽其址改建明倫堂，而書院遂廢。康熙二十年，于公成龍牧兹土，以啓聖祠西空爲諸生課文所。二十五年，監司宋公犖因之，而州牧吴存禮又常借城西華嚴寺作義學，然所謂書院，實無其地也。今潞河書院，乃乾隆二十三年四月，監司王公檢，始詳明制憲方宫保，率東路遵化十州縣所捐九百餘金，以東南城角上文昌閣爲肄業之地，延庶吉士董元度爲院長，一時稱盛。後十餘年，所捐漸次不齊，故其數遞減爲八百、七百，至三十三年十二月，監司楊公開鼎以與其歷年不清，不如減其額爲五百金，尚屬衆擎易舉，奉行至今。然諸生以高閣臨城，登陟非易，且冬夏之交，風寒日烈，是以百無一赴者，而膏火束脩寥寥，書院之名，終成虛設。故近年來，雖延請院長，每多僦屋而居，又無生徒，祇狥八所薦，遂以五百金盡歸之。蓋通州書院之雖有，而實無也久矣夫。有作養之人，必先有作養之地，九百之舊，既難驟復，而就五百金計之，亦必先有書院，然後謀諸生膏火，定院長束脩，此必然之理也。余下車時，爰與諸牧令籌，且緩延師，先謀購地。於是酌算，除本年束脩支去三百金外，尚餘二百金，並請下年暫停開館，便可積五百金，預行支出，共得七百金。於通永道署西偏十餘步，買得陳氏絶房一所以爲基址，而規模未就，因自捐清俸一百金，再約諸君，各捐清俸，共三百金，交通州高牧董其事。鳩集工匠，高其閈閎，加以丹雘，築大門三楹，講堂三楹，學舍十間，内宅八間，庖湢悉加修葺，以本年六月初十日起工，至十月初十日落成，仍額之曰潞河書院，而堂則曰通惠，存其名，皆所以不没其舊也。又就五百金稟請制憲，每歲再各添捐八兩，共爲五百八十兩，著爲定額。並開立章程，於十州縣人文來通肄業者，額定十名，膏火計一名每月一兩五錢，共一百八十金；又再定附課十名，以次充額補食。其講席每歲束脩膳資等項共三百二十金，三節每節金六兩，又備賞花紅紙筆銀十四兩，月課湯飯銀十二兩，門役一名工食銀十二兩，茶夫一名工食銀十二兩，水火夫二名工食銀共十二兩，每歲束脩等費，俱交通州詳請給發。又擇教職一員，以爲監院，永遠奉行，無增無減。至院長爲諸生表率，必得經明行修之士，乃足立坊表而資就正，嗣後非由甲、乙科出身者，不得輕廁，非徒取重於科目，正以杜濫竽之漸也。恐年遠漸弛，因將新建始末，及捐廉諸君，各章程泐之石，此亦甚盛舉也。薪末易傷，成功勿毁，尚其共鑑此區區之心也夫。按：高志云，通惠書院在通州學宫之右，州舊志云，今明倫堂基地，明嘉靖二十七年，御史阮鶚建，今廢。

楊行中通惠書院記：書院，古無有也。有之，自宋始。自白鹿洞、嶽麓、嵩陽、睢陽四書院擅名天下而後，相繼建置，不下二十餘處，或以崇祀先賢以風鄉俗，或以延集生徒以講道藝。至我朝，天下郡縣建置尤多，雖邊隅海陬，亦間設之，聞者向慕，過者瞻矚，亦文教一勝概也。通舊無書院，雖建有儒學，而黌舍未備，士子有志向學者，往往僦僧房道舍，以時講習。嘉靖戊申九月，侍御桐城阮君，以督視倉庾，弭節通州，首造儒學，展謁先聖，既畢，升堂開講，聞諸生肄業無所，慨然念之，就學宫右地，大爲創闢，既成，名曰通惠書院，以地邇通惠河，且其河爲督倉察院所經理者也。嗣是侍御巴陵姜君、雲中温君，皆相代臨視，以稽比興廢。庚戌，阮君復奉天子命，督理京畿學政，闡道術以淑士習，崇節行以勵風俗，而通惠書院乃其所肇建者，尤屬意焉。檄州守陳君武宗，懇余記其事。余因是而歎夫道化之在天下，蓋有待而興，而地運之盛衰，亦有時而移也。學宫右址，舊爲佑勝教寺，正德壬申，巡撫都御史李君臨通，視學狹小，學制議撤寺以廣學宫，功未就而去，迄兹四十年，乃仍即其地爲書院，然則道化之與地運，當盛興於今日乎！夫古者大學之爲教也，時教必有正業，退息必有居學，所謂藏焉，修焉，息焉，遊焉，然後能安其學而親其師，樂其友而信其道也。今書院之置，實邇學宫，諸士子朝升於堂，得以正其業於師，退息於院，得以考其道於友，時修祀事，又得以景行先哲以起其效法之思，今而後，吾通人文之盛，將倍於往昔矣。阮君之所以嘉惠吾通者，豈小補哉！若或虚其祠，而俎豆不舉，曠其舍，而絃誦無聞，其或借他人以游宴，宿過客爲逆旅，則於建置之良意，不無有負矣，吾黨之士，其尚念之哉。

泃陽書院：在三河縣，咸豐元年知縣李朝儀創修，歲修經費，每月生童膏火，山長薪水，捐置地租東錢二千八百緡，鹽當生息東錢二千二百緡。采訪册。

奎文書院：在武清縣南大街，道光五年，知縣劉體仁以流抵舊宅購置，撥治東大士廟歸公田六百五十餘畝，爲膏火資。武清蔡志。劉體仁移建奎文書院並添置膏火地畝碑記：學校之設，三代重之，書院即其制也。邑有書院舊矣，但規模不廣，則無以備藏修，經費不充，則無以宏獎勸，爲之區處經畫，有土者之責也。城南有官房一所，廿餘間，移學舍於兹，以廣其規模，復撥出大士廟焚獻餘地，計六頃五十九畝有奇，添設膏火，以充其經費，邑人士藏修有所，獎勸有資，相漸相摩，蒸蒸日上，尤守土之願也。雖然，始事非難，善後爲難，現已酌定修規，申詳立案，誠爲久遠計耳。後此者，果如今日之存心，未必不更爲恢張，而何區區防弊之是云？所慮積久弊生，則先事立防者，不獨胥吏宜嚴也，司事不公，侵蝕在紳士者有之，肄業生徒可以公請更換也，又不獨紳士宜擇也，舉事不慎，侵奪在官宰者有之，經理紳士並肄業生徒可以公呈阻攔者，庶相與維持調護，以底於勿壞焉。夫而後人才之振興，亦籍以觀其效也夫。同治五年，知縣諶命年助五百金。九年，知縣李秉鈞助三百金，存典取息。光緒七年，知縣蔡壽臻撥諸葛隆昌歸公田一頃二十畝，增助經費。武清蔡志。

萃文書院：在武清縣王慶坨，舊名慶成書院，雍正二年，曹傳建，久廢。光緒七年，鎮人曹植桐等公捐田畝重立，因更今名，知縣蔡壽臻撥王慶坨、叉光二鎮每年雜稅，捐入爲膏火費。蔡志。

白河講院：在武清縣河西務。河西務舊有城，今城廢，院存，向歸東路廳考，久未舉行。光緒八年，同知吴廷斌購地畝，重爲經理。采訪册。

泉州書院：在寶坻縣，嘉慶元年，知縣陳鳳翔創建。采訪册。陳鳳翔創建泉州書院碑記：我朝文治昌明，光被四表，附京郡邑，近承聖澤，是訓是行，寶坻文風，尤稱日勝，然振興鼓舞，雖士氣奮揚，父師誥誡，抑亦長吏之責也。余前攝元氏篆，創建槐渠書院，爲諸生講習。嘉慶丙辰夏，蒞任兹土，親賢課士，正切培風，不意繁劇之區，幾同僻壤，書院亦自昔無聞，雖殷懷樂育，未嘗不慨羣萃州處之難也。是年秋，孝廉王君敏樹鬻城東舊居六十餘間，余購之，鳩工修葺，次第落成，規模視元氏更宏敞焉。夫學問之道，聚則相觀而善，散則孤陋寡聞，諸生砥礪廉隅，親師取友，以之成己，則鳳起蛟騰，而文章著以之進身，則龍驤虎步，而品望尊，余於諸生有厚望焉，而豈徒視虛文而已哉！然經營數月，相與有成者，貢生王振孫也，余復捐俸倡勸，共襄盛舉，勒名碑陰，以存稽考云。嘉慶元年孟冬。道光十五年，知縣許澣，咸豐六年，武生白龍田，輸捐置田畝，歲收息租制錢一千七百二十八緡，銀二十兩。采訪册。

渠梁書院：在甯河縣，國朝乾隆四十四年，侍讀吴肇元建，門臨大河。甯河關志。關廷牧渠梁書院記：國家立學興校以鼓勵多士，故自邦畿達于郡邑，非徒育之以膠庠也，又必廣立書院，而萃處之士，必得其講貫之所，故能爭自濯磨，以稱上意。自宋迄今，凡所以宏儲才之道而收得人之傚者，胥由乎此也。甯河距神京二百餘里，爲天子甸服，自憲皇帝分建以來，于今垂五十年，則書院固所宜亟講也。乃前之人，多因陋就簡，視爲泛常而罔加之意，將所謂藏修游息之道，竟置之弗論弗議乎？況今天子方以七旬萬壽，特開春秋兩闈，廣籲俊之恩，敷作人之化，惠至渥也。吾甯爲畿輔望邑，科名鼎盛，士多能文章，重儒素，苟萃其秀良，以講明乎先王之道，仿鷺湖、鹿洞之規而訓迪之，安見人文蔚起，不較前而增美哉！邑之東，有文昌祠，前臨方塘，後瞰潮河，文閣矗立於祠之左方，厥位爲巽，兆文明之象焉。爰與都人士謀卽祠之後，序離而二之，更築東西廂，爲講堂，爲齋舍，祠之旁別啟一門，以達往來，名曰渠梁書院。延碩儒而爲之師，諸生以時講習於其中，月有課，季有考，拔其尤者而獎進之，規模蓋粗備矣。雖然，吾於是更有厚望焉。夫有其舉之莫敢廢者，人爲之也。予令于茲五年矣，經營規創，今始得與都人士共觀厥成，而是歲之游于泮與舉于鄉者，適于書院稱最，豈非一時勝事！然日久則恐視爲泛常，而因陋就簡之見復起，因循苟且，漸卽荒廢，未可知也，尚其志此而勿失乎！繼自今登堂肄業之士，應思聖天子久道化成之治，互相切劘，經明行修，以仰承壽考作人之意於勿替歟！大學士杜立德捐地三段，一在文昌祠左，園地十二畝七釐五毫，一在祠後，窪園地六畝一分二釐五毫，一在東窪，園地九畝三分三釐五毫。同治八年，知縣彭瑞麒以賑餘銀三千五百餘兩發商生息，撥充膏火，歲收息銀三百十六兩七錢五分，又蘆臺鹽商捐銀二百兩，大高泊租銀三十二兩，淮漁淀租銀十六兩，李家廠租銀六兩四錢四分，楮櫟山租錢五十七千有奇，小坡淀租錢八十二千有奇，米廠租錢九千有奇，任士崑租錢七千。丁志。李誠蔚重修渠梁書院記：渠梁，文人之藪也，書院在縣治東，文昌祠後，初建自邑侯關公廷牧，經費無多，因勸薊六商人吴肇元每歲捐金，以助膏火，延師主講，育秀儲材。至邑侯王公朝渠，親課生徒，獎善而教，不能一時，文人蔚起，科名鼎盛，老師宿儒，皆可以教後世。嗣吴商落業，無人更襄義舉，遂使數十年來文運就衰。歷任王公蘭桂、朱公以升、喬公邦哲、吴公夢曾，皆捐廉興教，實意栽培，然旋舉旋輟，迄無成章。同治戊辰，邑侯吕公嘉端攝篆，慨然有興復之志，因以前任李公賡雲所勸捐賑濟銀三千五百金，稟請上憲，統歸書院，功未竣而卒任所。後邑侯彭公瑞麒踵成之，發商以權子母，又勸長蘆總商何，歲捐百金以爲常，酌定膏火及山長束脩薪水，量入爲出，雖經廢弛有年，而因事就功，規模畧備矣。行見蜚聲藝苑，聯袂蓬壺，髦士風蒸，杞梓雲蔚，於以仰承聖天子作人之雅化，而贊襄斯舉者，例得附驥以傳，後之君子，崇起隆規，廣培士類，是則所厚望也夫。

書鄉文社：在甯河縣北塘，光緒元年，邑人陳學曾創建。丁志。

燕平書院：在昌平州，本名諫議書院，元泰定間，爲唐諫議大夫劉蕡建，明景泰中卽廢。乾隆二十三年，知州芮泰元重建書院，改名燕平。四十五年，知州歸景照重修。昌平宋志。歸景照重修燕平書院碑記：昌平列服畿甸，山川雄秀，風物樸懋，沐澤鍾靈，賢才輩出。當今聖天子右文嚮道，樂育賢才，而歲時豊登，民氣安樂，士生其間，從容於詩書名義，自能昌文敦行，交相砥礪，爲首善光矣。而因勢善導，鼓舞而作興之，則守土者司其責焉。州有書院，置於元泰定二年，祀唐賢秘書郎贈右諫議大夫劉蕡其中，因以諫議名之。至明景泰三年，徙治於故縣東八里諫議祠，隨縣徙於儒學，而書院遂廢。夫書院爲儲養人材之地，本古者黨有庠、術有序遺義，顧聽其或存或亡，致資秉秀異者亦末由觀感，因樸茂而安於椎魯，是誰之咎歟？余不敏，承乏茲士，下車伊始，訪求故實，知前者知州事芮君嘗建燕平書院；旋就傾圮。余曰：是不可不亟爲興復，並廣而大之，以竟芮君之志者也。迺營度院制，得爽塏地於學宮西，爲舊校士館廢址，其居廣大，其象高明，其旁黌宮爲甚邇，其居城邑爲適中，改置書院，僉曰：宜哉！余首捐廉俸爲倡，好義者踵相接，諏吉興作，次第修舉，其中爲講堂，堂左右爲二亭，右亭有井，因其自然，堂之前，依門爲東西房，外爲門者二，各有榮翼，堂之內爲室，綴以連簃，居業有所，廚湢廊檻畢具，甎級丹雘，務固且整，由是有志之士誦習其中，景仰前規，爭自琢磨，以仰副聖朝作人之雅化，無煩不佞之丁甯告語矣。惟書院成而書院之名，論者猶齗齗也。或曰：是宜仍以諫議名，復古制而新士氣，於是乎在。余曰：是固宜。雖然，猶有說焉。夫諫議事蹟具唐書，其對策則學士大夫恆樂誦讀而稱述之，名在天壤，炳若日星，甯藉一書院爲標著？而芮君復興書院於既廢三百餘年之後，其用意之勤，圖始之不易，有百倍於元泰定間建置出於朝命者矣。芮君燕平書院舊額尚在，自當葺而新之，榜諸門，無俾湮没弗彰，當亦邦人士所樂聞也。衆皆曰：善。遂書其辭於石。是役也，經始於己亥之冬，落成庚子春二月，董其事者，王君寬功最多，備書以告夫來者。道光二十四年，昌平道張雲藻，知州雷致亨重修。采訪册。

蒙泉書院：在順義縣學宮明倫堂後，同治七年，知縣王爾琨建，膏火由義學地租項下動用。采訪册。

白檀書院：在密雲縣城内鄒大夫祠後，明萬曆二十二年，知縣康丕揚建，東有春華館，西有秋實館。密雲薛志。黃煇白檀書院記：白檀書院者，觀察使東齊王公創也。公始至檀，謁禮殿前，諸生問檀故，喟然曰：士不舉於鄉三十年矣，是不利形家言宜別求所以養之者。又越三載，部使者蜀梁公來視密餉，相顧歎息，乃屬邑侯康令，卜吉於巽方，地易諸民，貲取諸官，煥然而館之，東曰秋實，西曰春華，其前爲堂，稍進爲亭，庖湢具焉，嘉樹羅列，花石映發，囂塵不入，鳴鳥互應，於是拔士之雋者，講誦游息其中，身自課之，其後爲社學齋房，以訓童子。役不及民，費不淹時，邑人士欣欣向化焉。康令雅與余善，遺書俾爲記。記曰：爲天下者，嘗患乎上有所求，而下莫之應也。問物於土，無則曰無，卽產也弗良，徒曰有之，無慚焉。問才而無之，未有不瀄然嘿者，昔有而今無之，猶可詞焉，則又莫不前追後企，庶幾於一旦之復有。嗚乎！人才之重如此哉！物雖可用，只於所用而已；才之用，於天下也甚公，而其鄉若得而私之，無則輕，有則重，遠施於國，近染於家，使賢者易爲善，而不肖者恥爲惡，若是者，上之所求於鄉，而鄉之所欲應於上者也。四海之大，齊民之衆，自身力於耘以往惟上之所須，奔走而前，莫不效其所可用，羣視而學之徵之以明一經，而應都試者，寥寥乎無有。豈直其鄉之慚，守士者固且爲之瀄然矣夫。物不必產於一方，有無通易，雖遠且稱，咸可使爲用。士欲稱才，而必曰是士也，惡乎取之！且夫朝夕之籍，傳自千載，咫尺之說，行從萬里，斯亦坐而足自廣矣。而檀之人士，嘗拘僻守陋之爲患者，何也？師帥令長，皆以其儁才自致於國家，舉近畿要地而畀之，固天子所使，流通教化，以有濟無者也。黌宮誠不可卒遷，因謀爲社而業之，猶之乎學也，傳之，習之，優之，游之，俾不離朝夕耳，目之間，而自廣於千載萬里之外，檀雖無才，猶將崛起焉。又況底滯醞釀，至於三十年之久哉！自敵入古北以來，檀於武備尤重，諸君乃汲汲於文事之爲振，古稱得一士，賢於長城，甚矣，文之爲武也！凡文武之道，有所狃則敝，無所倡則靡，士之曠也，列而樹之，其穫十士之伏也，爛而祓之，其氣百倍，非有所易於其故，而耳目不得不新，心志不得不化，宜必有異材焉，出而應上之求者。檀不有寒谷乎！玉律一吹，自生禾黍，諸君子之爲吹律也大矣，黍禾雖微，厥衞象介士，厥德比君子。士誠有志乎世，卽所見無非經緯者，檀人士得無意乎？旦夕出而應上之求，其庶幾有之，以爲天下重，而無使鄉之人徒曰有之也。道光十三年，知縣李宣範重修。密雲丁志。李宣範重建白檀書院記：古者建學設校，所以興賢舉能，俾爲世用也。我朝重熙累洽，文教覃敷，生斯世者，既幸沐浴涵濡於郅治之隆，而州郡邑里間，推廣學校儲才之意，以輔訓俗型方之治者，小子之教有義學，成人之教有書院，蓋自金臺書院創於首善之地，而效法觀摩，胥天下而樂興於善，何其盛也！夫爲政之道，莫先教養。余宰檀邑，下車之始，孜孜焉以培養人材爲亟，訪新城東南隅，舊有白檀書院，前明令康公丕揚之所建也。其時士不舉於鄉者三十年，康公承察、王公見賓、部使梁公祖齡之屬，力思所以振興之，迺立書院，以萃翹材，卽其後爲社學以啓童蒙，立法至爲詳備。乃迄今二百五十年來，堂宇傾圮，夷爲平地，絃歌誦讀之聲不可復聞，欲求其遺制，僅有一碑屹立於菜畦麥隴之間，可以得其髣髴，爲感喟久之。爰進邑紳士邵自鏻等，謀所以新之，僉曰：善。因倡捐廉俸若千金，邑人士復踴躍好義，共集若干金。余以故址偪仄，更卜爽塏於學宮之西。道光十三年十二月鳩工，十四年二月落成，計屋若干區，門庭、齋堂，庖湢悉具，顔之曰白檀，從其朔也。且於其旁設立義學，凡貧不能就塾者，悉造焉。是舉也，自營基址，繕垣宇，備器用，費白金一千餘兩，餘金六千五百兩，分貯邑中質庫，權其子母，凡脩脯膏火及歲修之需，皆取給於是。既成，邑人士請記於余。夫記學之文，先儒備矣、韓、柳尊聖人之道，歐陽、曾、王詳古昔立學之制，教學之法，而朱子獨稱李泰伯之記袁州學，能從大處起義，至朱子自爲記，則示學者以治心養性修身理人之要，益詳且備，凡在學者，慮無不誦而習之矣。所望游於斯者，無徇俗學，無沾沾於詞章之末，在各明其固有之良，窺濂、洛、關、閩之奥，以誦法孔、孟，以無負聖天子作人之雅化，俾賢能輩出，而爲世用，是則余之所厚望也。是爲記。書院經費銀六千五百兩，每年得息銀七百二十兩。采訪冊。

温陽書院：原名螺峯，在懷柔縣署前，光緒七年，知縣嚴暄重建，經費銀二百兩，每年得息銀四十八兩。采訪冊。

鳴澤書院：在涿州治參府胡同，本名古洹書院，乾隆間建，久廢。道光五年，知州秦承霈建，重修，改名鳴澤。時陜西巡撫盧坤以憂居里門，捐資首倡，置地二十八頃有奇，歲收租錢八百緡有奇，承霈自爲記。涿州續志。秦承霈涿州鳴澤書院碑記：曩視涿州篆，於治之城南隅，見有古洹書院額，詢知爲乾隆間建，旋卽廢，慨然思復之，以代任去，有志焉而未逮也。歲乙酉，重攝茲土，都人士以此爲請。會厚山盧中丞以憂居里，問政之暇，首議及此。爰集閤屬紳士耆老，謀所以樂成之。余先捐廉俸，景從者衆焉。考舊址爲風雨所欺，無數椽存者，遂於適中之所，別購一區，從而修葺，不數月而講室闢焉，庖湢治焉，擁皋比者咨於衆，而詢謀僉同焉，夫然後向之所爲廢者，庶幾可以興矣。夫天下事創始難，卽修舉亦難，修舉而欲其速成且期其盡善也，則尤難，今不畏所難，而并樂爲其所難，此固治之人爭先慕義，亦守土者不敢辭其責也。是役也，計捐資六千餘金，其不足則請於中丞力任之。詩曰：維桑與梓，必恭敬止。中丞有焉。按：州治獨鹿山下，有鳴澤渚，爲涿水萃秀之區，遂取以顔其額，非徒以更舊名也。國家文運，蒸蒸日上，涿爲畿輔近地，人才輩出，自今以後，其必取益師資，共相砥礪，以副聖天子作人至意，是則余之厚幸也夫，亦卽中丞之厚望也夫。爰濡筆而爲之記。

雲峯書院：在房山縣學宮旁，雍正四年建義學，後改書院。荃孫案：志未詳何人所改。嘉慶丁卯，知縣黎德符重修。道光十五年，知縣楊鉅源重修。楊鉅源重修雲峯書院講堂碑記：蓋聞致治之道，風教爲先，風教之興，學校爲重，書院則擇學校之秀而養之，教之者也。粤自鷺湖，鹿洞肇立，條規遵行罔替，至我朝稽古右文，書院之建，遍逮郡縣，欽惟皇上御極以來，屢降諭旨，申訓大吏，勿以講席爲情面之局，勿以齋糧爲收卹之資，在在循名覈實。況房山密邇京師，書院之設，敢視爲故事乎？余於癸巳冬，簡授兹土，得雲峯書院於城東南隅，覽其堂廡齋舍，規模軒峻，而講堂闕焉，若有待也，尋思所以式煥新型者，而未得所發端。適邑紳李君心蓮馳介致書於余，具道敝邑親炙首善，而斯文不振，可造者有人，就學者無地，因指雲峯書院謂曾讀書於此，創造維艱，稟餼已薄，誠得父師修廢舉墜而作興之，邑中雖羸，必有慕義而好施者，當以三百金爲首倡。余欣然喜合千里同心，不謀而合，洵及今之要務也，亦捐三百金，以風示四境。曰：此李君之義，吾與諸君子其善成之。遂有馬君成玉、常君泰、李君咸一，率先踴躍，踰年甲午，益加敦勸，於是捐金幣者，捐膏腴者，爭先恐後，未匝月醵三千金，吾房亦尚義哉！材木既庀，貲用既贍，偕紳董悉心規畫，講堂籌備，脯餼酌其豐儉，計其長久，視從前經營舊制，則建造無多，而深注於膏火經費，爰擬章程，申之制軍，請旨於朝，重蒙天恩，以捐銀三百以上之知縣李心蓮紀録一次，紳士常滋、李楨等各賞八品銜，而鉅源亦濫叨議敍加一級，餘聽有司給匾，旌獎有差。仰見皇上嘉惠士林，風勵臣庶，雖微必録，凡以爲培養士子者勸耳。又踰年乙未，興役落成，立講堂三楹，器用咸具，實實枚枚，不離不繪，羨租並入舊租，胥歸膏火，定生童額凡二十人，有缺毋濫。在院肄業者，日有功，月有課，使之師師友友，敬業而樂羣，吾知偉器有成，而科名鼎盛者將在斯乎！且廣文，余舊職也，主講，余舊席也，今日一切經制，俱從閲歷有得者準之人地，而竭其愚誠，後有君子，更光大之，則吾房之厚幸也！時當勒碑，乃紀李君之首先倡導，與諸君子之樂善景從者，使刻石焉。按：房山王志云，文靖書院在房山縣西南七十里，元趙密、賈壤嘗從容城劉因游，歸以其學教授鄉里，乃建書院，立祠祀劉，詔賜額曰文靖。雍正間廢。

益津書院：在霸州東門外西街，舊在州治南十里宮家莊，元宮君祺建，明萬曆元年副使錢藻改建城中東嶽廟前。霸州周志。劉爲楫益津書院記：上御極之初，申飭功令，首以興賢育材爲務，一時海宇丕變，雲蒸濤湧，以應化育。維揚淑湖錢公實備兵吾土，仰承德意，謂國家造士，既録之黌序，文以衿佩，麗澤彬彬，非不足以成德而達材，第士匪澤，則良楛淆，教匪專，則勤媮溷，昔管子以區區之齊，猶令四民羣萃州處，毋爲異物遷業，矧奉敕大吏，坐鎮畿有，匡以俎豆，而以軍旅，如上右文之理何？於是度地庀材，卽郡之東北隅，有公館一區，傾圮湫隘，不足卽安賓旅，而徒爲榛莽蒙翳，爰命郡守鶴鉉郝公，因址宇加黝堊焉。遂巋然爲士林敬業樂羣所矣。匾曰益津書院，合道屬十三學弟子員，拔其尤者，聚肄於中，擇廣文學富行優者董其事，日省月試，餼饌豐旨。而郝公故上郡博雅士也，修政之暇，時與廣文遞相校讐，諄切提命，於以佐淑湖公作人美意，意甚篤至。士故虛者實，怠者奮，若水部杜君允繼、銓部王君樂善、河曲胡君永定、靈邱于君尚絅、孝廉勇君慎，咸出選列，駸駸乎與武彝、白鹿方駕焉。不佞爲楫，濫厠鼓篋，蒙受誨迪，亦成進士，讀中秘書，且叨簪筆侍瑣垣矣。由是觀之，文教興廢，存乎人耳。淑湖公、鶴鉉公相繼遷去，事漸墜落垂二十年，書院雖存，其榛莽蒙翳無異疇昔，濟翔之範不臨於堂，絃誦之聲不聞於舍，惟夕陽蟬噪，夜雨蛙鳴而已。兹姑蘇襟宇顧公，以備兵至，培垣錢公以守郡至，起敝維新，敦師選士，意者亦如錢，郝二公故事，且謂淑湖公理刱義起，楷模後進，弗可泯也，而屬記於不佞。余惟昔者子游宰武城，禮樂化洽，僅得澹臺子羽，其言曰：行不由徑，非公事不至偃室。所謂篤行君子非耶！夫羔雉特逢世之具，非涉世之資，惟砥節礪行者稱焉，故折衷于聖門。而今之士可知已。顯晦殊至，大小殊用，總之節行爲兢兢則士，不負所遭，而此一役也，即與武彝、白鹿並垂不朽可矣。不然，後之視今，猶今之視昔，顧、錢二公方嘉興士類，嗣美前軌，英遊之侶，象指顧化，必有如澹臺子羽也者出乎其間，謂吾黨何如也！不佞故樂爲之記，與同志共勗之。淑湖公名藻，如皋人；鶴鉉公名汝松，綏德人；襟宇公名雲程，培垣公名達道，俱常熟人，刱始、更新，功等也，得并書。

國朝道光二十年，知州許本銓改置今所，有地四十八畝，坐落城西曹家莊，歲收租錢三十三緡有奇。同治二年，知州曾世槐、毛慶麟撥公費六百緡有奇。周志。

毛慶麟益津書院記：霸州爲古益津郡，距京師百里而遥，人文之盛、甲於畿輔。歲在癸亥，余由漁陽捧檄來此，既視事，問先務之急於舊牧曾君，舉城垣，書院二事以告。余念教民必先衛民，州城爲水所嚙，傾頽之處若大路然，去冬省南寇氛漸近，風鶴時聞，有文事者不忘武備，乃倡議脩之，邦之人咸踴躍趨事，不數旬而城工已成。舊有書院在城東，因經費無所出，停課已久，曾君今春曾籌款爲膏火之資。余恐後將難以爲繼，乃爲之定其成規，量入爲出，朔有課，望有試，有稟餼以贍，有獎賞以勸，開課以來，於今三月，處其中者濟濟多士，敬業樂羣，憤易啟，悱易發，故學問文章，臻臻日上已。可見書院之獲益良多，而曾君經始之功爲不可没矣。夫書院之興廢，士氣之屈伸係之，即民俗之莠良，地運之盛衰亦因之。近來教匪猖狂，趙、魏、深、冀間，烽烟四起，無論通都大邑，書院之毁於兵火者，比比皆是，即規模猶在，亦僅爲屯軍糧、貯器械之地，而取其養士之費以養兵，彼都人士，莫不父子兄弟逼處鋒鏑之中，執干戈以衛鄉里，當此時也，巔無安巢，淵無恬鱗，此爲救死而恐不贍，奚暇計書院哉？而益津之學者，獨得從容燕處，誦詩讀書，又有書院以會友論文，相讓相親，絃歌先王之道以自樂，何其幸也！况閭閻之風氣，恒視學校爲轉移，書院肄業之士，果能經明行脩，先器識而後文藝，使鄰里鄉黨薰其德，而善良以勃興於禮義，而不爲邪説詖行所惑，又安有害羣之馬，侜張佻險於其間也。孟子曰：經正庶民興，庶民興斯無邪慝矣。即此意也。或者謂人情方其作，始多畏難惜力，及安受其成，又謂美名已屬他人，吾直寄焉，不復爲之，統大局以計長久，天下事所以難成而易敗也。余繼曾君後，權篆益津，凡當官守道，自視不及遠甚，即書院之得以不廢，亦籍曾君之功，而非余之力，然不敢視官如傳舍，而存諉卸之心，是則可以自信者也。

十一年，知州周乃大請于大吏，歲撥賑餘生息銀一百七十兩有奇，每年經費五百八十緡。周志。

廣陵書院：在文安縣治西偏，康熙三十九年，知縣楊朝麟建，置地五十八畝五分。文安楊志。紀昗廣陵書院月課記：文安漢縣，夙稱燕廣陵，邑乘舊有義學，徒存其名，問有能行之者，不過擇一老縫掖，督肆市十數童稚於黌宮廊廡殿角之間，句讀千文、百姓而已，然亦罷之且久。明府楊公下車以來，百廢俱舉，而於文教尤亟，乃闢廨宇之西偏，立書舍十數楹，繚以垣牆，規模宏敞，扁其額曰廣陵書院，延請邑士才名最著者師之，而厚其束脯，隆其體貌，課程規制，井井有條。又裒集多士數十人，每月試以制業，躬自閱視，校其殿最，文字精進者獎賞不已，短篇訛字者皆各爲摘示，俾知所改正。初得文若干首，即捐俸梓成，月課一帙，分布遠邇，而廣陵書院之學，溢于畿南矣。入夏以來，念鄉試伊邇，復行課士七藝之法，限以一晝匝夜爲期，糊名如棘闈例，願試者聽，有名籍太學不在諸生之列者，亦争入焉。屆期，公偕學博齊、張兩君分巡，堅坐達旦不倦，供給豐膳，辨自中厨，士子飽騰，千言立就。事竣，公默定甲乙，隨申呈大京兆錢公裁決。京兆大加稱譽，尅期發案，以元魁擬等第，鄰封艷羡。由是中丞、學使者以下各憲，無不知廣陵書院造士之速效也。每憶前之壬午，益津觀察趙公煇擻闔屬士子，文宗科考一等前列，而試以七篇，令儒官分校，自爲總裁，得士三十餘人。郝太宰惟訥，王大廷尉景祚，紀黄門愈，皆在彀中，而吾邑之胡貢士一敬實爲冠軍。緬思前事，恍然如昨。不意六甲一週，而更見作人之盛于今日也，豈非景運之丕昌，文化之茂著，卽云定數，亦必待鼓勵而始成歟！卽今科試，學使者取生童，首卷俱是會課中人，尤屬彰彰明驗。山人雖老耄聾瞶，尚能泚筆而書其前，扶杖而觀其後焉。是爲記。按：文安楊志云，崇正書院在文安縣城内，明萬曆四年建，今廢。

鳳臺書院：在大城縣東關，同治五年，知縣彭瑞麒建，撥墾熟蔡家窪沿莊等處荒地二十頃有奇，升科收租，以充經費。采訪册。

玉河書院：在保定縣，久廢，經費亦無存。采訪册。

漁陽書院：在薊州廣福寺西，乾隆五十七年，知州劉念拔建生祠以奉總督梁肯堂，命改作書院，久廢。薊州沈志。劉念拔創漁陽書院碑記：蓋有百年之事新於一日者，有一日之事規於百年者，新之善乎？因規之善乎？創一因一創之間，至遠至大之量該焉，君子務其遠者、大者，徵於漁陽今日之事尤信。漁陽，古北平之雄郡，名勝之繁，人文之富，得諸所記尚矣。然叢林巨刹，所在多有，而書院未建，缺典也。邇來人文日頽，名勝亦隨之中落，卽州城之廣福寺，且鞠爲茂草焉，遑建書院哉？節相石幢錢塘梁公，曩牧於薊，凡所以記於薊者，斬斬然唯遠大之是務，而寺擁州署，爲一州人文名勝根本之地，思振興再新之，嗣以遷任，事不果行。十六年，奉天子命，節制直省，因創之，規既已，百廢具修，靡不舉矣。薊屬舊治，前所未建者殷然，夙念尤關於懷，而不少恝也。乾隆辛未八月，大閱臨薊，遂捐俸千餘金，命余董土木之役。余以寺西餘地宏敞，並以創建漁陽書院請於節相，深許可之，以補從前之缺典，造諸士之有資，誠務遠者，大者之計也。昔蘇長公紀鳳翔八觀石鼓碑、真興寺，並登歌詠，蓋石鼓爲文章之典府，真興爲釋氏之殊因，二者相舉而不悖者也。君子所爲，不屑於近小，類如斯乎！自節相捐金爲倡，好義諸君子咸感慕節相之化，亦各踴躍輸將，醵五千金，而成茲盛舉。辛亥十月十七日興工，迄壬子正月十五日工竣。向之鞠爲茂草者，今則霞蒸雲蔚，名勝不磨，可一日即可百年，善爲因亦善爲創，培根固本，一舉兩成，在節相夙志竟償，而薊之受賜者其無窮也已。余承乏漁陽，操刀無術，本取法君子遠大之模，躬新百廢具興之盛，將見晨鍾暮鼓，大叩大鳴，人文名勝之振興，余將拭目俟之矣。茲謹按因創之原，而碑諸石誌不朽，且播爲治斯民者式。

膏火地一頃七十五畝二分一釐，歸入義學。道光十四年，知州華濬重修，沈志。華濬重修漁陽書院碑記：薊州古無終子國，後屬古北平，置漁陽郡，皆爲强兵勁馬之地，似易於奮武衞，而難於揆文教，不知盤山夭矯而插雲，泃水紆回而帶郭，山川雄秀，人物因之綜萃於其間。空同相傳爲黃帝訪道處，此猶荒遠難稽。若竇氏父子經猷代著，鮮于伯璣詞翰軼羣，則彰彰在人耳目，非其徵歟！今爲京府所屬首善之區，被化最早，當超軼乎前人，然徒恃地靈之助，而不知力學，無由追踪於前人也。欲人肆力於學，而不爲謀從學之所，向學之資，亦難使人之肆力於學也。從學之所莫如學校。惟餼廩之額無幾，則資不足，此書院之所以必設也。薊州之有書院，自乾隆年間梁公肯堂始，其後廢爲尉署，無復課士。濬到任後，尉署量移他處，捐資修葺屋宇，而諸生誦習有所矣。其經費向恃薄田數十畝，每歲約得制錢十餘緡，又爲義學之用。今則除修葺之外，餘銀二千五百兩，發商生息，歲可得三百金，以充膏火之費，諸生誦習有資，將來餘資充裕，則可以延山長，不惟有所資，而並有講習之人矣。因其落成，進諸生而告之曰：吾聞君子謀道不謀食，又聞無恆產而有恆心者惟士爲能，若是既無誦習之資，士亦不可廢學，况有資乎！薊州科第不振者已歷有年，甲午鄉試，李生友堂領解額，高生成均獲雋，皆平日肆業書院者，一時無不以此爲興復書院之效。然濬竊更有進也：諸生習文藝，尤必修德業，將見士風蒸蒸日上，與古比隆，又豈徒以科第爲閭里榮哉！

捐地六頃，以充經費。沈志。

光緒四年，邑人許有泰復行捐助。采訪册。劉枝彥薊州書院新捐經費置辦地畝碑記：蓋聞書院爲儲養人材之所，而書院即藉人材以傳。是以濂谿有周子，而濂谿書院傳；鹿洞有朱子，而鹿洞書院傳；他如安定、河南、鵞湖、嶽麓，以及龍谿、道鄉、宣城、淮海諸書院，無不因人以傳，是書院振興，則人材蔚起，而振興書院之人，與夫經理其事者，亦必因之以傳。薊州書院經費，舊有青池莊等處田畝，其租項所入，遇豐稔則尚敷用，遭荒歉恆苦不支。同治以來，司事者多賢能，認真經理，事事撙節，始歲有羨餘。然課期加獎而外，膏火無多，尚不足以鼓勵寒畯。光緒丙子季冬，余調權州篆，下車伊始，諮詢紳耆，悉其大畧，謀集資爲膏火費，而力有未逮。越二歲戊寅，值晉省大饑，邑人許有泰慨捐銀二千兩助賑，並同時捐銀二千兩，爲邑書院經費，當經并案具詳。蒙合肥爵相李公奏請獎勵，其所捐書院經費一款，即於是年飭董事置房屋二十一所，地十七頃，計租項歲可得東錢二千三百二十餘千之數，從此議加膏火，經費既充，生童無不歡欣鼓舞，洵盛舉也。余因之竊有慨焉。余自宦畿輔，數十年來，所歷郡邑，見席豐履厚之輩，惟知節嗇，爲子孫飽煖計，或布施僧道，或賽會祈福，亦每不惜多金，至以資財維持名教，嘉惠士林者，殆寂寂無聞。今有泰獨能以鉅欵捐助書院經費，是非素有識微見遠之畧，不能爲此恢宏慷爽之舉，邑之人士，從此向學者日益多，則其培植人材之意亦彌見，愈久而愈光也。嗚呼！可以傳矣。

按：薊州沈志云，洗心書院在薊州城外東北隅，嘉慶年間，知州趙錫蒲建，今廢，膏火地歸義學。

近光書院：在平谷縣治東南，道光二十二年，知縣曹擢新，因朝陽觀故基剏建。采訪册。

路德平谷縣創建漁陽書院記：吾友曹蓉舫進士尹平谷，下車月餘，士民信之。邑舊無書院，尹慨然有創建之志，謀於衆，衆欣然爭輸緡鏹，鳩工選材，不半年而蕆其事。院長脩脯，諸生膏火悉具。人之議之者或曰迂，或曰好名，或曰文人尚文，結習難忘也。皆非也。尹謁選時，逆夷勢方猖獗，踞我江海，尹手譔平夷方畧，上尚書龔公，未幾夷就撫，猶逼處粵東，與士民搆釁。尹謂時不可失，當乘機謀賊，上書總督伊公，此豈迂儒所爲，豈好名、尚文者所能夢及耶！有頌之者曰：黌舍肇開，人文蔚起。自茲以往，科名仕宦，永永弗替，尹之功也。此又流俗人之見，不足以知尹心也。余知之矣。余主講五書院，歷二十載，及門掇巍科、膺華選者，百數十人，客或以是譽余。余俯而慚，仰而歎，神惢形茹，不知所答。何也？余所望於諸生者，爲真儒，爲良吏，生有益於人，死有聞於世，如古所稱三不朽者，斯幸矣。科名仕宦，特一身一家，數年之富貴耳。鄉邑中增此數人，吾不見其益，更深抱隱憂焉。且今之黠商駔儈，其智力足以致富，宦途孔多，能梯榮階進者，類足以致通顯，奚待師儒培植哉！殫二十載之力，而品學修飭者不多覯，斯可慨矣。記曰：官先事，士先志。士之事不可見，志道德者爲仁賢，志功名者爲英俊，志富貴者鄙夫而已。古昔治平之業，仁賢倡之，英俊成之，鄙夫病之，鄙夫爲守令，則郡邑病，爲封疆，則一省病，爲公孤卿貳，則天下病，爲將帥，則懈軍心，張敵燄，損國威，其病且不可救療，以興賢育材之地，乃使幾輩鄙夫鬻卷倉囊，奮然興起乎其中，誠不如無書院之爲愈矣。書院者，所以化未成之鄙夫，驅之於仁賢英俊之路者也。不惟此也，凡竟內之人，不讀書、不入書院者，亦將以教士子者波及之，周南之野人游女，豈嘗釋菜鼓篋於學校中哉！濡染使之然也。曩與尹論及此，尹與余有同心，余因以是知之。然則教之之法當如何？余知之矣。先德行，後文藝，課誦讀，勤講貫，謹禮儀，杜驕慢，省勤惰，察靜躁，釐真僞，辨廉貪，榮之以優等，而戒其近名，贍之以月餼，而防其趨利。趨利者，重抑之，抑之而不知愧，則薄懲之；懲之而不能悛，則斥逐之；明其教者，院長也；贊其成者，監院也；操激勵之權，而鼓之舞之者，尹也。尹之鼓舞也神，而後院長之教行，諸生之志定，俾人人不自菲薄，知方寸爲至寶，外物皆垢塵，富貴不入於心，各殫精竭力，以求所謂不朽之三者，如行旅之遵康莊，鏃矢之赴正鵠，雖有不至者，鮮矣。余友教四方，常殷殷於是，而迄今不覩成效，手無斧柯故耳。是役也，經始於春，落成於夏，將伐石勒碑。尹郵書三千里，屬余爲記。余方抱沈痾，感兹盛舉，踊躍不自禁，爰力疾記之，因顏其齋曰辨志，繫以楹聯，持論無取乎高，要不敢作世俗語。質之於尹，或不河漢斯言也。置地一頃二十八畝，邑人牛鎮捐銀二百兩，歲收地租、銀息，以充膏火。采訪冊。

義學

願學堂義學，在正陽門內西江米巷。采訪冊。

正蒙義學，在大牌坊胡同彌勒菴，光緒元年，周世堃、朱櫟濟、劉永懷建。采訪冊。

誠正義學，在南鑼鼓巷內秦老兒胡同，同治七年，工部侍郎總管內務府大臣明善建。采訪冊。

勵學義學，並惜字紙局，在正陽門內東交民巷，同治九年，武清關勳建，光緒三年續增。采訪冊。

集善義學，在東四牌樓西大佛寺廟內，光緒三年，監尹萬青藜於廟設粥廠。詳廠局。五年，增建義學。采訪冊。

崇正義學：在崇文門內方巾巷，同治三年，廣西按察使國英倡建，原在觀音寺胡同，九年，移今所。采訪冊。

集賢堂，在西單牌樓頭條胡同，同治八年，花翎鹽運使銜候選知府王海建。采訪冊。

養正義學七處，一、在正陽門内半壁街，同治三年，王海建。采訪冊。

一、在錦什坊街武定侯胡同，同治十二年，王海建。采訪冊。

一、在宫門口内苦水井胡同，光緒二年，王海建。采訪冊。

一、在西直門内南草廠，光緒三年，王海建。采訪冊。

一、在西四牌樓北太安侯胡同，光緒元年，王海建。采訪冊。

一、在正陽門外琉璃廠南八角琉璃井，光緒六年，王海建。采訪冊。

一、在阜城門外四眼井，光緒八年，王海建。采訪冊。巡視西城御史順齡、邵積誠奏，爲職官捐建義學八處、四十七齋，歲費鉅萬金，獨任久持，有裨文教，恭摺會陳，籲懇天恩奬勵，以資觀感，仰祈聖鑒事：竊臣等據西城副指揮李發榮呈稱，西城外坊地面，向少里塾，貧苦子弟無力從師，遂多失業。經該副指揮向紳士花翎鹽運使銜候選知府王海商酌，在阜城門外設立義學，以廣教育而端風化。嗣據該紳覓得四眼井地方房基一所，勘明興建。旋因地基狹小，復購得西隔壁龍泉店房基一所，建蓋六齋及司事房等，一切工程，現已完竣，連購買地基以及工料，共用實銀五千一百二十兩零，擇日開館授讀。每齋學生二十四名，六齋共授學生一百四十四名。所有本學一切經費、束脩，每月需銀一百二十餘兩，均係該紳供給。懇請奏明立案。等情。隨查該員所建義學，尚有正陽門内半壁街，原係義學，因年久失修，另行折蓋，並添蓋房爲本旗清漢義學一處，凡設五齋。西單牌樓頭條胡同路北，義學一處。錦什坊街武定侯胡同路北，義學一處。宫門口内苦水井胡同路東，義學一處。西直門内南草廠路西，義學一處。西四牌樓北太安侯胡同路南，義學一處。正陽門外琉璃廠南八角琉璃井路南，義學一處。每處皆設六齋，每齋二十餘人，合凡四十七齋所，教課至千人之多，其規模均極壯闊，章程亦甚周嚴。計營建創立，所需約四萬數千金，歲需經費約一萬數千金，該員以一力任之，期於永遠，持循不廢，用資造就多士，孜孜不倦。自建學以來，有由幼學而習舉業名列膠庠者，推此以往，其所就且有日進無疆之望。臣等面見該員，更以士子所重先器識而後文藝，所延之師，既多文人端士，應進求理學經濟，庶臻實用，該員亦領會其意，向各學師徒日相勖勉。竊思爲治之道，教養並重，而學校、書院、義塾，皆爲教育人材之地，相輔而行。官之設教，與士紳之自爲教育，又相爲表裏，交濟成功。向來各處士紳所立義塾，或捐募而集事，或得一二以求效，似此恢廣周密，出之獨力，矢以久持，實所僅見。方今欽奉上諭，整頓八旗官學，實事求是，振興儒風，而籌辦之款，營建之謀，隨在有資帑項，須加計畫，該員悉力經營，身無其責而引爲己任，與我國家樂育人材之意，隱相維繫，先效涓埃。雖該員出于至誠，非求榮進，其所費創建巨資，及各義學遠或二十餘年，或十餘年，近亦數年，已捐歷年經費數逾十萬，並將已産旗地一百七十頃，每年得租四千二百兩，亦捐歸義塾永遠經費，於光緒五年十二月，由本旗奏明立案。似此殊行盛事，臣等身在地方，冀得有以風勵，謹此公同商酌，據實上陳，可否仰乞天恩，逾格獎勵，俾宇内聞風，觀感奮興，于文教人心，似有裨益。伏乞皇太后、皇上聖鑒。

廣仁堂義學，在外城爛麵胡同，光緒六年，府尹周家楣創建，六齋中兩齋，專課回民。采訪册。

興善堂義學，在梁家園壽佛寺側，嘉慶元年，都察院右都御史周廷棟建。采訪册。

惜字館義學，在梁家園，乾隆三十九年，施韡等建。采訪册。

懷少局，亦在惜字館内，光緒四年，江毓昌等建。采訪册。

勉善堂義學，在外城廣甯門内北線閣口，嘉慶三年，宛平蔡永清捐建。采訪册。

資善堂義學，在外城廣甯門大街，光緒五年，吏部尚書萬青藜建。采訪册。

西悦生堂義學，在外城皮庫營西，嘉慶二十三年，禮部侍郎吴烜創建，道光十五年，都察院經歷宋銘堯重修，現歸朱樑濟管理。采訪册。

□□義學，在廣渠門内育嬰堂，詳廠局。光緒元年，府尹彭祖賢重修育嬰堂，添建義學。采訪册。

篤正義學，在石駙馬大街，同治四年，大學士倭文端仁、府尹彭祖賢建。采訪册。

一、在外城紅土店，光緒九年，兼管順天府尹畢道遠、府尹周家楣設，歸廣育堂管理。

下同。采訪册。

一、在外城清慈菴，光緒八年，府尹周家楣設。采訪册。

一、在外城七井胡同，光緒八年，府尹周家楣設。采訪册。

大興縣義學：

一、在葛家邨，兩學，光緒九年，府尹周家楣建。采訪册。

一、在西紅門，兩學，光緒八年，府尹周家楣建。采訪册。

一、在長子營，兩學，光緒九年，府尹周家楣建。采訪册。

宛平縣義學：

一、在馬店，三學，光緒九年，府尹周家楣建。采訪册。

一、在藍靛廠，兩學，光緒八年，府尹周家楣建。采訪册。

一、在薛家營，兩學，光緒八年，府尹周家楣建。采訪册。

良鄉縣義學無。采訪册。

按：明府志云，萬曆十八年，知縣余鏜建社學六處，美化社在東門裏，厚俗社在小南關，燕谷社、舊店社、交道社、官店社，均在本鎮。畿輔唐志尚有城東、琉璃河、竇店，俱康熙五十八年建。縣南關、固節驛、西新察舊址，知縣張弘毅建，共五處，今亦廢。

固安縣義學：

一、在城北關。（涿州吴志。）

一、在牛堝壩，康熙五十四年建。（吴志。）

一、在周家務，咸豐五年，邑人張玉堂等即佛寺故基改建，有香火地七十餘畝，現充學中經費。（吴志。）

一、在寒塞邨，兩學，光緒九年，府尹周家楣建。（采訪册。）按：畿輔唐志，尚有柳泉、知子營、馬莊三處，俱康熙五十四年建，今廢。

永清縣義學：

一、在韓邨，康熙三十七年，知縣祖良屏建，久廢。乾隆三十七年，邑人劉運昌捐地二十一畝，房舍一區，元已湮没。同治十一年，知縣李秉鈞，因運昌捐屋舊基重建，查出祖良屏買地二十五畝，劉運昌捐地二十一畝，又新撥邨人隱種地畝四十畝有奇。（永清李志。）李秉鈞韓邨義學記：韓邨義學，不知創於何時，舊志載有房屋一所，地二十畝。康熙二十七年，邑宰祖君良屏，清出舊址，並勸令鄉衆買地二十五畝，合前共地四十五畝。迨乾隆二十七年，邨人劉運昌，捐入糧地二十一畝，房舍一區，即今學基是也。後以經理乏人，房屋傾頽，地畝隱匿，義學之廢，已數十年。詢諸里老，皆無可徵。僅於邑乘中，得梗概焉。予與同城諸公暨衆紳等，於本城創立義學，已經落成，延師教讀，而韓邨四達之區，舊有義學，置之不問，是未有者，尚欲振興，已有者聽其隳廢，非所以重文教也。用是根究原地，並鄉約隱種之地四十三畝，又查出乂口邨魏學源無糧地十五畝七分，統歸義學，合前地共一頃二十五畝六分，又房基一段，計歲入可得地租永錢四百二十三千，聊敷束脩之用。而學舍傾圮，授讀無所，乃勸諭紳士商民，共襄義舉，不數月間，堂構聿新矣。過廬聞誦讀聲者，咸推善於予。予曰：始則前宰之功，今則紳民之力，予何有焉！所慮行久廢弛，徒勞罔功，後之君子，葺而脩之，恢而廣之，不致如前此之廢墜也，則幸甚矣。是爲記。

一、在益昌書院，同治十一年，李秉鈞建，置地四頃七十二畝。李志。吴欽義學碑記：書院之南，有屋數楹，顔曰義學。前宰漢陽李公所創建也。夫君子之教，有本有末，書院爲樂育英才之地，操風化之原者，皆知興作焉。若夫小學，灑掃，應對，進退，則以爲末焉而忽之，忽之則已失其本矣。李公於邑置義學三，而本城爲最先，捐廉購民地，築學舍，勘得無糧地四頃餘畝，作脩脯紙筆費，其時爲同治辛未歲，倡捐者儒學韓君、少尉陳君，司事則監生孟昭盛、劉玉桂、文生劉孟培、賈如城也。越四年，余涖兹土，每赴書院課士，聞誦讀聲琅琅出金石，咸曰：此李公之遺澤也。若公者，可謂知本矣。爰爲記，而刻其學規、地畝於碑陰。

一、在曹家務，亦李秉鈞建，置地八頃六十三畝。李志。李秉鈞曹家務義學記：邑之北有邨曰曹家務，濱鄰渾河，漢回雜居，良莠不齊，前志所稱盜藪者也。比年盜風稍息，而樸野成俗，未知誦詩讀書，變化氣質，誰守此土，不思化頑梗爲善良？余固自悪焉，而有志未逮也。今秋查勘書院、義學、養濟院地畝，至其邨，傳集邨民，教以孝弟力田，朂勉子弟，民人馬昌太前請曰：氓聞城中創書院矣，鄉邨亦許立義學乎？余曰：鄉有塾，黨有序，自古皆然，何爲而不可，顧安所得經費耶？對曰：邨中舊有無糧香火地三頃餘，爲邨人崔邦慶隱種，復有邨衆新墾地四頃餘畝，升科議租，作膏火資，延師課讀，俾幼穉稍知詩書，民之幸也。余聞而喜曰：美哉！此固吾熟籌之而有志未逮者也。人之欲善，誰不如我！習俗其移人乎！隨准所請，捐廉爲之倡，築學舍，三月而落成。今而後，鄙俚之鄉亦聞誦讀之聲，從此移風易俗，變頑梗爲善良，彬彬乎仁里德鄰，未可量也。因善其成，爰爲之記云。

一、在北剳邨，一學，光緒九年，府尹周家楣建。采訪册。按：永清周志，尚有北大王莊、韓莊，均雍正八年建，今久廢。

東安縣義學：

一、在西門外，康熙五十四年建。東安李志。

一、在舊州。李志。

一、在王里邨，均雍正九年建。李志。王里邨義學碑記：知東安縣事臣杜琅爲欽奉上諭事：康熙五十四年二月二十三日，直隸總督趙弘燮面奉上諭：朕每年行幸水淀，近見民生雖不能家給人足，比之往時，似覺差勝；但邨莊之中，誦讀尚少。朕思移風易俗，莫過讀書，非此無可上進。況畿輔之地，乃王化所先，宜於窮鄉僻野皆立義學，延師教讀，以勉勵孝弟，可望成人矣。爾卽徧示莊邨，皆知朕崇文好學之深意。特諭。欽此。隨奉總督趙通行各府州縣一體欽遵到臣。臣琅遵卽捐俸設立義學於王里村，延師訓迪，務期人知孝弟，親遜成風，士各通經，書升有漸，以仰副皇上廣育人才至意。其王里邨一應差徭，永除科派，以爲廩餼膏火之資。臣琅稽首拜手，謹勒石以垂不朽。

一、在茨平邨，乾隆十年，知縣李光昭建。李志。義學碑記：古者家有塾，黨有庠，術有序，所以明人倫，端教化，美風俗也。茨平邨去縣治一十二里，邨之士民以耕讀爲業，服疇食德，涵濡聖化者，百有餘年矣。邨中向無義學，單寒之子，往往有志誦讀而未逮。乾隆九年，河南學政林奉請禁止設立三教堂，禮部議准，行文直省各州縣，一體遵照。邑侯李公奉檄清釐，凡境內有三教堂者悉毁之，因念至聖塑像，必擇精嚴寬敞之地，敬謹安設，始無褻越。而茨平舊有三教堂，地頗爽塏，宇亦整潔，遂奉聖像於此而敬禮焉。又蒙邑侯申請上官，改設義學，俾共洒掃，以課其鄉人，鄉人莫不踴躍從事，爲之核其經費，酌其多寡，一切廩餼膏火之資，僉議已定，呈之邑侯，並請批免闔邨徭役，以佐不給，庶爲經久可長之計。侯欣然許之，於是重加修葺，建坊於學門之外，延師聚徒，規模具備。他日者，文教振興，野多秀士，皆侯之力也。至於無廢前規，恢宏而式廓之，尚有望於後之繼起者。謹勒石以垂不朽。侯諱光昭，號潛巖，浙江紹興府山陰人。時乾隆十年乙丑夏月，同里公記。

一、在縣治小西街，知縣張拔建，久廢。乾隆十三年，知縣李光昭重建。李志。李光昭碑記：余未至東安時，五年之間，八易其令，事多叢積，務悉廢弛。令之於民，如一宿郵舍，曉卽起去，杳不知其爲風俗利病也。今余涖東安已五年矣，才短而拙，無所設施，幸上官廉明，民氣樸厚，搔癢櫛垢，因勢利導之，頗與民便，無他習焉故也。東安地皆沙瘠，間有膏壤，旗莊十處五六，故其民多貧。永定河自邑之西北，流繞東南，每遇淫潦，漫溢田舍，地爲藪澤，民益病之。比年頗獲豐稔，户有羨糧，又蒙皇土如天之仁，普蠲直省田賦，飲和食德，萬姓樂康，卽一邑而知天下之熙熙皥皥於無窮也。夫農荒於田，則野有奧草，士荒於學，則俗鮮偉人，余觀東安邑志，自宋、明以來，如吕正惠公、李希正公輩，立朝風節，麟炳史書，其他科第起家者，不一而足。迄今士氣未揚，簪纓者寡，豈盛衰不常，風會使然歟？抑鼓舞作成，教化之弗先歟？我朝府州縣治，各立學校，又詔城邑鄉閭，設有義學，陶冶人材，至周且備。東安當前明時，邑令陸𧒈舊有金臺書院，鞠爲茂草，而前令張拔所建義學，亦日就傾圮。余捐俸修葺，環以垣牆，樹之坊表，仍其名爲金臺書院，延文行兼優者以爲之師，並置地若干畝，以資膏火，俾秀出齊民，單寒有志之子，皆得誦法聖賢，學爲孝子、忠臣、悌弟，匪徒文藝是工而已，而奮揚皇路，繼跡邦賢，風俗之轉移，甯不於此有厚望也哉！是爲記。

一、在磨乂港，曰興仁。

一、在洛圖莊，曰崇德。

一、在宋六口，曰正誼。

一、在淘河，曰廣業。

一、在户子濠，曰宏文。

一、在大益留屯，曰彰化。以上六處，均同治十三年，知縣劉枝彥建。采訪册。劉枝彥東安縣義學記：古無有義學之名，然而國學，家塾，黨庠，州序，無地無學也。春誦夏弦，秋禮冬書，無時非學也。教孝教忠，舞勺舞象，無人不學也。今則士無恆産，人不尊師，窮鄉僻壤，雖有聰敏之資，往往從事於市井徵逐，間或有志讀書者，每以無力延師而自廢，即有塾師設館授徒，又以館穀不敷，不能經久。甚矣，義學之不可不設也！直隸東安，古稱安次，唐、宋以來，名賢迭起，第濱永定河，水患頻仍，農業失時，居民廢學，雖有館塾，終歲不聞誦讀之聲，蓋其相率爲故常者，已非一日矣。余自同治甲戌歲來莅兹土，城鄉館塾，則惟縣城西關、舊州、王里、孫家坨、茨平五處舊有義學，然皆創自康熙、乾隆間，閲時既久，有名無實，爰亟爲振興之，規復其舊，而此外各邨，相離較遠，就學甚難。會適有磨又港邨劉玉香、王書長等，互控隱佔天齊廟等香火地畝，争訟不休，又據洛圖莊、宋六口、淘河、户子濠、大益留屯等邨耆民等，控各邨廟宇香火地畝，或因遊僧竊據，或被司事侵吞，經先後勘斷，令各就廟中隙地，添蓋房屋，設立義塾，即以香火地畝所出作爲經費，而仍以每歲羡餘修葺廟宇，因顔其額磨又港曰興仁，洛圖莊曰崇德，宋六口曰正誼，淘河曰廣業，户子濠曰宏文，大益留屯曰彰化，於是與舊州等五處義學同。夫義之爲言宜也，取其能通經而達權；學之爲言覺也，取其能移風而易俗。果使爲之師者，因材設教，爲之徒者，曰就月將，大之立禮義廉恥之防，小之以識字窮經爲務，先閑其乃逸乃諺之萌，漸致於有物有恆之域，斯則起靡振頽，培厥本源之微意也。惟是事屬創興，恐難畫一，乃爲妥議規條，併地畝租花數目，詳請立案，並曉諭各邨館塾，特再書懸書院，昭示來兹，以垂久遠。是爲記。

一、在伊指揮營，一學，光緒九年，府尹周家楣建。采訪冊。

香河縣義學：

一、在城内東街，雍正二年建。采訪冊。

一、在香椿營，兩學，光緒八年，府尹周家楣建。采訪冊。

通州義學：

一、在崇聖祠西堂舍，康熙二十五年，河道宋犖、知州傅澤洪建。通州高志。

一、在舊城華嚴寺，康熙三十五年，知州吴存禮建。高志。

一、在舊城藥王廟。

一、在接待寺。

一、在燕郊東嶽廟。

一、在新城舊義館基。以上四處，俱康熙四十年知州靳讓建。高志。

一、在南門内。

一、在張家灣。

一、在燕郊鎮。

一、在新城紅牌樓西。

一、在小東各莊。以上四處，俱康熙五十四年知州王友直建。高志。

一、在南關王恕園，道光二十七年建。高志。

一、在城内北街，道光二十九年，州人王士銜建。高志。

一、在永樂店。

一、在城東南隅禮拜寺。

一、在城西北隅勝教寺。

一、在平家疃。

一、在岳家莊吕祖祠。以上六處，俱州人藺福昌、劉鳳苞建。高志。

一、在新城敦化堂，同治六年建。高志。

一、在東門外法蓋莊，同治八年，藺福昌建。高志。

一、在新城正陽祠，同治九年，州人萬光暉建。高志。

一、在右營衙署，光緒二年，守備王名岡建。高志。

一、在東關慈雲寺，光緒三年，州人薛淩漢建。高志。

一、在後北街葉烈婦祠。

一、在堰上邨。以上二處，俱滕玉山建。高志。

一、在水火堡營。
一、在馬駒橋，兩學。
一、在長營，兩學。
一、在于家務，兩學。
一、在普濟閘，兩學。以上五處，俱光緒八年，府尹周家楣建。采訪冊。

三河縣義學：
一、在書院東，咸豐元年，知縣李朝儀建。采訪冊。
一、在北務邨，兩學，光緒九年，府尹周家楣建。采訪冊。按：三河陳志云，崇聖祠東義學，康熙二十八年，知縣彭鵬建，二十九年置田二頃二十五畝五分，坐落北鄉果各莊，東北鄉，芮家營，有記。乾隆年間，知縣薛如春以泗河淤地四十八畝撥充經費，城西街，南關，夏店，東南店四處義學，俱康熙五十四年建，久廢。段家嶺一處，雍正七年建，縣治東彭公祠一處，乾隆二十四年，知縣陳昶設，今俱無存。

武清縣義學：
一、在縣前，康熙五十四年，以祖公生祠改建，久廢。光緒七年，重建於文門閣旁。武清蔡志。

一、在楊郈，康熙五十四年建，久廢。光緒元年，鎮人郝慶瀾等重建。蔡志。

一、在蔡郈碧霞宫，同治八年建。蔡志。

一、在大王郈，咸豐三年，鎮人石楨等建。蔡志。

一、在叉光，咸豐年間建。蔡志。石衡叉光義學碑記：古之學者，家有塾，黨有庠，州有序，國有學，命鄉論秀士升諸司徒，司徒論選士之秀者升諸學，升諸司徒者不征於鄉，升諸學者不征於司徒，謂不以征徭煩擾之，使得優游涵養，以成其德。漢、唐以來，學宫授業，除其征徭，文學廣招，豐其廩禄，遐觀往牒，其賾可探也。我朝京都有太學，八旗有官學，九城有義學，各直省、府、州、縣有書院，郈坊有義學，力田者敦孝弟，坐甲者事詩書，文教蒸蒸，於今爲烈。余承乏武邑，下車伊始，留心學校，以育人材、培風俗爲念，適叉光紳士等，以立義學來請，並請寬免雜差，爲薪水費，余不禁躍然曰：善哉是舉！是誠先得我心也。邑近京都，爲首善之區，以文學顯，以德行顯，以經濟顯，其流風餘韻，私淑未艾，今豈無特出之才可接心傳者！而就學無資，率難成業，諸君此舉，引誘後進，景念先型，下可培桑梓材，上可儲棟梁選，余甚嘉焉。因與諸君約，唯東巡大役，軍務急需，不得請免，此外徭役，悉與罷之，爲義學膏火資，並給執照，以垂永久。唯願肄業諸生、先器識而後文藝，説禮樂而敦詩書，人才於是成，風俗於是美，更望諸君子妥立規條，時加整飭，勿使善舉轉瞬視爲具文，庶不負建立之初衷，亦將有以副余望也。事既竣，請記於余。余悦是舉之先得我心，故弁數言，以誌巔末，並臚列義舉諸君銜名於左，里中捐資襄事若干人，書諸碑陰，俾後之學者有所攷云。按：舊志云，大中丞于公鎮撫三輔，檄州邑修復社學，邑人李煒割其園基一隅，築室搆舍，趙之符捐資襄事，閲二月而落成，有田百畝在縣治東北郭邱家莊里三甲，並李氏捐助。劉潤義學記：古之教者，家有塾，黨有庠，術有序，國有學。書大傳曰：十歲入小學，見小節，踐小義；十八入大學，見大節，踐大義。人有穉長，教以因之。顧不重哉！自制科設，而學者以應事爲急，小學，大學，無所區别，教法疎已。然郡縣學校外，復有社學，有鄉學，視古黨庠、術序之義未遠。其制雖秉於令甲，其事則責於守令，漢文翁爲蜀郡太守，令諸郡縣小吏受業博士，起學宫，招下縣子弟爲學官弟子，蜀之文風，至今爲盛。然是事也，邦大夫責也。若夫邦大夫不能爲，不及爲，而鄉之薦紳先生爲之，則其裨於政教，而嘉惠後學，功豈淺鮮哉！余以菲材宰武清。武清，漢雍奴地，昔賢代起，有明三百載，近在京甸，道德文學，尤彬彬焉。皇清定鼎之初，應運而通籍者，數有名宿，蓋人文淵藪也。迺者不無讓美於前人，余恆咨之鄉士大夫，咸曰：昔比户而絃誦，今廢書而他徙，大抵貧家子弟乏束脡之資，鮮横經之地爾。余不勝慨歎，而思有以興起焉。未幾，大中丞于公膺特簡，鎮撫三輔，興古教化，百爲釐舉，檄下州邑，尤以修復社學爲急。余因討古籍而稽之，或邑或野，非瓦礫場，卽草萊徑也，諏吉集邑紳士於頖宮，籌畫久無一當，載謀興復，厥惟艱哉！而鄉先生峻公李君諱煒，負才卓犖，嗜義濟人如不及，自癸卯登賢書，迄今待銓京邸，行善如一日也。以書遺余，且以達鄉紳士曰：見義不爲，無勇也。時哉不可失也。願割其園基一隅，計畝半有奇，築堂搆舍，延師授經其中，俾邑之英秀貧而嚮學者，朝夕肄業，庶幾業傳而材成上者，以道德文學顯名當世，次亦不失爲名人魁士，庶幾人文其興起乎！余爲之贊美不已。會僉憲趙公爾合聞之，欣然而有同心也，亦捐資襄事。於是聚材鳩工，閱二月而落成，事訖，爰告之太翁克生公，太翁色喜曰：固吾志也，不謂汝能成之。書曰：肯堂肯搆。爲私言也。汝且爲公乎！雖然，古之入學必束脩，又羣居講習，宜有餼廩，資饘粥，不然，聚而易散也。吾家有田百畝，在縣治東北郭，舊隸邱家莊里三甲，盍捐之爲館穀地。是田也，卽登之赤歷，曰：義學田。凡設教者，得其租，卽輸其課，尤便而永也。峻公拜而從之。於戲！興賢育材，賢有司之職也，嘉惠後學，鄉大夫之美也，余儼然握百里之璽，而乃窘於地，困於時，謂職守何！然幸有鄉士大夫之足以匡予不逮也，故樂從而記之。又河西務、王慶坨兩處，均康熙五十四年建，今亦廢。

寶坻縣義學：

一、在縣西街，康熙二十二年重建，邑人趙興治捐田一頃，知縣路坦有記。寶坻洪志。路坦義學記：古昔治平修養之後，欲敷文德而善風俗者，莫不由學。第今之爲學，與古之爲學不同。古有大學焉，上自天子之元子，公卿大夫之適子，莫不入學與士齒，其所學者，天德王道，格致誠正修齊治平之要。有小學焉，亦教之以洒掃、應對、進退之節，孝弟謹信、愛衆親仁之行，以爲大學之根柢。故家有塾，黨有庠，遂有序，國有學。學之大小不同，其敷教則一也。今天下皆有學矣，然率家自爲學，上者從事制舉科文藝，以登秀茂，取科第；下者汩没於市井傭販中，童蒙呫嗶，僅以記書契姓名而已，古之所學者，孰過而問焉！學宮之齋舍，生徒尚不及治，遑恤其他！則言學於今日，難矣。言義學於今日，倍難矣。不佞承乏茲土，民社之責，惟恐不勝，初下輿，見生民之凋瘵未復也，田疇之汙萊未治也，地廣人蕃，而務學者尚寡也。夫寶邑地近畿輔，故人交禮義之鄉，雅稱多名公卿，然值土滿民貧之後，養給未優，惟世族舊家，文翰繼蹟，方不廢學，欲其家絃誦而户詩書也，不綦難乎！不佞且戚戚憂之，時欲興鄉塾以育俊秀。會學憲牒下，檄縣立義學，實契私心，竊虞力有未逮，乃捐俸先之，集闔邑紳士公議，無不樂捐者，趙君興治所捐獨多，且出田百畝爲延師費，議工之始，於紳衿中擇請方君宗璉、劉君祚永爲之督竣，度費鳩工，不兩月而告成焉。堂室庭廡，以墍以塗，有師有儒，髦士愉愉，小子瞿瞿，亦足爲育材發軔之區也哉！然不佞更重有望矣。藐茲一邑，方諸古先特塾庠，小學之末耳，豈足以闢榛蕪夫！惟自天降福，穰穰膴膴，困者以蘇，急者以紓，比屋皆富，方穀可圖，將由一學而及於衆學，由小學而進於大學，學道明備，俗美風淯，户範陶甄，而可易量其彬彬也耶！此非旦暮事也。愚於此爲所得爲，後之人誠能增修不廢，而循循繼其後焉，以無負此日創始之勞，屬望之意，是又不佞之志也，夫亦邑紳士捐資助修之志也夫。乾隆十五年，吳克明重修。洪志。劉燉義學記：寶坻居都會之東，前令路公建學於西門，北向而拱神京，蓋遵古者諸侯之學由內升京義也。今七十年矣，室宇垣墉，頹壞穿敝，泄落風雨，絃誦寂然，門內存一舊碣，屹塵滓中，漫漶磨滅莫可辨，耆叟過之，多欷歔太息，感興廢焉。歲次戊辰，單父吳公克明，以鄒魯名儒蒞茲土，和恆泰謐，防民之淫而導其性。越歲餘，遠近親之，乃葺學舍，復舊模，命諸生莫與京、王福謙、楊郴同創始。趙君興治曾孫霦董其事，凡度材治基，塗茨塈澤，舉以不侈不陋為準。工既竣，余周行階所，流覽庭堂，窗几無塵，琴書有序，棗花杏子，纍纍芬芬，心竊感之。今金川銘績，蠢醜歸心，行俾國之子弟，安習絃縵，洗甲兵焉。學不可以已也。公甯無善其所以教學者乎！抑又聞之，韓文公曰：上之性就學而益明，下之性畏威而寡罪焉。公之舉，符廟算矣。寶坻多循吏，即今學之基，去袁、莊二公報德祠相距不數武，從公學者，證二公軼事，可以奮然興矣，是又數百年來涖茲土者之莫逆於心者也。彼路公者，不亦赫然如生也哉！乾隆十五年孟夏。光緒六、七年，陸續置地八十七畝。采訪冊。重修義學記：古者家有塾，黨有庠，遂有序，國有學，所以敷教養蒙者也，此設學之義所自來歟！寶坻縣西門內，舊有學舍十數間，北拱神京，蓋取掄秀升朝之義也。創自康熙二十二年，前邑令路公坦。越七十年，吳公克明因室宇垣墉，頹壞穿敝而整修之。歲庚辰，余承乏茲土，既視事，訪求掌故，詢所謂義學者，則頹壞穿敝，甚至不蔽風雨。因思路公創於前，吳公繼於後，二公勗民向學之忱，可謂至矣。廢敗至此，不禁為之憮然。爰集資鳩材庀工，頹壞者重建之，穿敝者修補之，不蔽風雨者葺治之，為門廳，廳內甃牆，餘均規復舊制，工成而煥然一新焉。學舍凡三進，最後復有隙地，向於第三進之南簷闢一門通之。余以舍既北向，而南面復有門，於義無取也，乃改為短窗，而於屋左之夾道別啟一門，以通隙地。工既竣，會新捐入陳家庵莊地八畝，又魚坑一座，泗河莊地六畝，馬營莊地二十七畝，五登莊地二十畝，寇莊地二十畝，王辛莊地六畝，宜城灘地十二畝，齊各莊灘地十八畝七分五釐，因以魚坑及泗河莊地所出為每年歲修費，而以陳家庵、馬營、五登、寇莊、王辛莊、宜城、齊各莊等邨地所出，及彌勒庵鋪租，作義學經費，較前已增四之三矣。所願司其事者，率以為常，是則余之志也。至於養育人材之至意，陶成俊彥之深衷，路、吳二公已剴切言之，但使學舍完好，家絃誦而户詩書，久而不廢，則二公惓惓之心庶幾乎不負。是為記。

一、在大口屯興仁義塾，光緒七年建。采訪冊。

一、在文昌閣，知縣洪肇楙建。采訪冊。

甯河縣義學：

一、在城內大街，雍正九年建。甯河丁志。

昌平州義學：

一、在城南街，雍正五年建。昌平宋志。

一、在城内，同治八年，州人范仲麟、王天香、朱藝建。宋志。

一、在于家新莊，同治十二年，州人王祖榮建。宋志。

一、在居庸關，一學，光緒九年，府尹周家楣建。采訪册。

順義縣義學：

一、在縣治東門内，雍正五年建，有地二頃五十畝，坐落東府郈高梁橋。采訪册。

密雲縣義學：

一、在舊城東街，係書院籌備經費。密雲丁志。

一、在城北真武廟東院，邑人劉傑建。丁志。按：畿輔通志有城内、石匣、古北口三處，今久廢。

懷柔縣義學：

一、在城内文昌祠，邑人余永福捐地三十七畝，永充經費。采訪册。

按：舊志云，雍正五年所建，義學久廢。

涿州義學：

一、在城内書院旁，各爲一院，道光十四年立。先是，前知州林靖光以涿既立書院，必應有義學培植幼童。而苦無經費，乃自捐廉俸，按月給師徒膏火，並函兩廣制軍盧坤，共襄義學。後林牧升開州，猶按時寄涿。倪謦、趙庭椿相繼牧涿，十四年，乃集官紳，共捐京錢九千緡，發商一分生息，設大、小兩齋，共房二十八間，每齋學生二十人。後以經費有餘，於北街添小齋一所，齋房八間，在北門内小頂胡同。咸豐三年，奉旨，團練在城，官紳商之知州郭賓勳，提此項本錢五千緡爲辦團經費，因裁北街小齋。同治三年，知州郝聯薇履任，又倡捐，並紳富共捐銀二千五百五十兩，京錢五百緡，置地六頃四十餘畝，收租作爲經費，復設北街小齋。涿州吴志。劉正思涿州興復義學碑記：同治甲子春，既稽於衆，捐興萬壽宮之功，因與義學之經費並籌焉。初慮其難，既而樂輸者踵至，越明年乙丑，宮功成而義學之經費亦裕，以是知事之興廢，莫不有時，而涿人之好義猶昔也。嘗考州志，城内舊有義學四，俱已久廢。道光庚寅，前牧林君振而興之，於書院東偏附設經生蒙徒太、小兩齋，齋各二十人，延師教讀，凡夫修膳薪水與楮墨膏火，一切之需，皆捐廉供給，規程已具矣，復汲汲爲永久計，勸捐籌款，事未竟而調任去。嗣倪君繼而成之，得制錢四千五百緡，發商生息，數年積有餘貲，乃於營街左近，添設小齋一所，而義學於是乎有三焉。咸豐癸丑，畿内有粤匪之警，邑人志切敵愾，辦團設防，倉卒之際，費不及籌，因提用息本之半，而大齋輟講矣。迄乎己未，軍書旁午，兵徵絡繹不絶，當事者供億支絀，復假所餘之半以應急需，惟月以廉俸給齋費，於是小齋亦岌岌乎名存而實亡矣。夫義學爲培養寒素子弟而設，教化攸關，以林、倪二君之相先後規畫，數年始得成此義舉，乃頃緣時難接踵而廢之，誠出於不得已。然古人有投戈而講藝者，今幸四境無虞，可弗急務歟！予也承乏是邑，有志於修舉，而力恐未逮，賴同寅之襄助，衆紳之贊理，與夫士民之向義輸將恐後，抑既集有成數矣，因鑑於前覆，變而通之，易生息爲地租，爰置學田五頃七十餘畝，歲收預租六百八十餘緡。經費有資，乃葺牆屋，整几席，延明師，聚生徒，凡所設施，皆由前人之陳軌，而三齋之學，於以復興。由是觀之，豈非圖新者難爲功，而仍舊者易爲力乎！雖然，天下事善於始者，不必克全於終，而開於先者，惟賴有繼於後，在昔林、倪二君，鑑於四學之廢，籌款生息，方其經營伊始，思深慮周，非不並計久遠，乃年未及世，而卽不免於中替，則今日三齋之興，雖亦斟酌變易，先事而防，使非有人焉維持於其後，能保其勿壞乎？吾故備敍興廢之由勒諸石，既以表一時好義者衆，至成功之易，有藉於前哲，而經久之難，又不能不望於後賢也已。是爲記。

一、在州西南孫家莊，生員康斌捐建，共置學田一頃六十畝有奇，每年得租，作爲公費，自乾隆四十六年，現已屆八十餘年。吴志。包棻孫家莊義學碑記：天下有人心而後有風俗，有教化而後有人心。攷周禮大司徒，以鄉三物教萬民而賓興之，自州長黨正以及族師閭胥比長，牖民之法甚詳。然則義學之設，亦猶行古之道也。或曰，國家設學不一，縣有學，郡有學，國又有學，立官以董之，歲時以課之，其制亦綦詳且重，復何用義學爲？雖然，郡邑之學，爲諸生設，而兼教童子，則未也。夫善可化鄉，固宜加意於寒素，物不終穉，必先端養於童蒙，此義學之所由重歟！道光壬午，予涖任涿州，訪諮政務，兩學廣文爲予言，州西孫家莊有東務本義學，係康生斌字憲周所建，自嘉慶丁卯於莊之西南隅購地三畝，前臨溪水，砌石成橋，築土圍牆，環牆植柳，設大門一，門建正屋三楹，爲先生講藝之所，左邊別院，又建屋三楹，作館師榻所，廚房二間，門房二間，設館役一人，凡門廡井竈以及諸器用皆備。置膏火地七段，共一頃四十六畝七分，盡爲學師館穀及月課供給之需。附近旗民子弟，概許來學。束脩膏火，全無取焉。道光元年，業將學內膏火稟明前任知州盛立案，乞永遠存照，以防後人盗毁。康生之爲斯學計者，誠意深而慮周也。越歲，夏生來謁，請示爲學之要，勒石明諭，立後學階梯。予嘉其志，而重其請，因思，學以義名，蓋取一方之佳子弟而誘掖之，陶成之，凡師之所以爲教，必識其所重，子弟之所以爲學，必慎其所趨，由是俯仰有容，升降有節，坐作有法，明乎孝弟廉恥之道，曉然於性之本善，而不可爲非，少而習焉，其心安焉，不見異物而遷焉，他日修己治人之要，服官行政之方，自可循序而漸進，詩不云乎：成人有德，小子有造。固予之所深期，而樂與康生共觀其盛也夫！爰摭其本末，而紀之於石。

按：州志尚有學宮東，順治十七年，知州李勳重修義學。南關、北關，有康熙五十八年所建義學。城内文昌祠，有雍正四年所建義學。南塔寺右，乾隆四年，有知州張德榮所建義學，今俱廢。

房山縣義學：

一、在學宮旁，雍正四年建。房山王志。

霸州義學：

一、在繩各營。

一、在西沙里邨。

一、在白枚邨。

一、在宮各莊。以上四處，均同治十一年建。采訪冊。按：明府志有社學四處：一、在城隍廟東，一、在東嶽廟前，一、在州治前，一、在儒學東，今俱廢。霸州周志云，學宮旁南孟鎮、煎茶鋪、苑家口、高家莊四處義學，俱康熙五十四年建，今亦廢。

文安縣義學：

興仁義塾在城内，同治十一年，編修吴大澂、工部主事顧肇熙倡建。東齋曰養正，西齋曰崇正。次年以經費未充，併爲一齋。後大澂復捐資接濟，知縣丁符九助之，以正款發商生息，復設兩齋。采訪冊。按：文安楊志載，義學六處：城隍廟、蘇橋大寺、勝芳鎮關帝廟、圍河、梁莊狼虎廟、左家莊玄帝廟，俱康熙五十四年知縣楊朝麟建，設蘇橋、勝芳兩學，同治初年猶存，今俱廢。

大城縣無義學。訪采冊。按：大城張志，有學宮西、東關義學二處，俱康熙五十四年重建，今廢。

保定縣義學：

在書院内，亦無經費。采訪册。按：畿輔唐志云，察院西、縣治東街兩義學，雍正九年建，今俱廢。

薊州義學：

養正義塾，在城内書院西，同治十一年，知州宋彭壽創修於牛市口，光緒二年，知州劉枝彦移於今所。采訪册。劉枝彦薊州新建義學記：舊城舊有義學一所，傾圮多年，故址迷失，其所有房地租，久經歸併作書院經費。同治十一年，前州牧宋君彭壽籌款於牛市口，就廢倉基修造塾房五間，規模粗具，而未及延師。繼其任者彭君爵麒始捐廉設館，甫將一載，歲丙子，余自東安調權斯邑，既視事，閱地方公所，竊歎義學之興廢無常，而經費惟藉捐廉，亦難久恃，且塾臨牛市，每遇集期，喧嘩嘈雜，殊不足爲童蒙就學之所，擬遷地而集資未就，建造爲難。旋經陸續籌款，乃購得書院西偏孟姓屋十餘間，因以其東院之北房三間，東、西廂房四間，並建門樓一間，南房兩間，爲義學公所，其西院之南房五間，大半殘缺，因拆舊建新，以作里仁倉，爲積儲捐穀之所，於是義學成。至其經費，則以從前併入書院之房地租撥回，第爲數甚尠，延師修脯，尚復不敷，得邑人王琴等陸續捐資、捐地，並將義倉廢地基租及牛市口舊義學房租一併歸入，費既充矣，遂延品端學正之士爲師，開塾訓讀，而顔之曰養正，蓋取蒙以養正之義，惟期邑之後起俊英，通經勵行，爲名賢，爲碩儒，以時掄秀升朝，經猷展布，庶幾不負所學，是則余之所深望也。

興仁義塾，在城南龍灣。按：畿輔唐志載，薊州文化街財神廟西兩義學，康熙三十九年，知州陳廷柏建，城内、別山、馬伸橋三義學，雍正二年建，今俱廢。

平谷縣無義學。平谷續志。按：畿輔唐志云，城内北街、馬神廟兩義學，俱雍正四年建，今俱廢。

經政志十

營制

德清傅雲龍纂　江陰繆荃孫覆輯

順天府屬營汛，有府尹兼轄者：拱極營、良鄉營、舊州營、通州協、三河營、武清營、寶坻營、昌平營、順義營、密雲營、涿州營、房山營、霸州營、大城營、薊州營，其大較也。而拱極營、良鄉營、涿州營，又直隸總督所轄。直隸提督駐密雲之古北口，轄本標中、左、右、前等營，古北城守營，密雲城守營，又昌平營，鞏華城順義營，懷柔營，皆順天境也。它如曹家路、牆子路、薊州城守營、黄花山等營，則馬蘭鎮總兵轄。沿河口房山營，則泰甯鎮總兵轄。采育營、通州協、張灣營、三河營、武清營、務關路寶坻營、霸州營、大城營，則天津鎮總兵轄。其在河工者，則河道轄焉。駐防官兵，初惟協領官轄之，雍正十年，改轄于相近大臣。無相近者，派察無虚年，地嚴分汛，職紀專司，方志例也。前代兵制之可稽者，坿箸于篇。志營制。

四路捕盜營：各把總四，經制外委十有二，額外外委十有二，兵六百，此同治二年定制也。據府奏。初，康熙二十七年，置四路千總、把總各一。雍正十一年，增外委各一，據會典事例四百三十。額外外委各三，據會典事例四百七十。厥後增省不一。采訪冊。同治二年，增經制外委、額外外委各一。據府奏。其兵五人爲伍，二伍爲隊。一馬隊，一步隊，合爲一哨。外委領之。先是，東、南各八哨，西五，北六，北路後亦爲八。東路營駐通州，其駐兵所，有通州之馬頭，武清之河西務、標垡，香河之渠口，三河之夏店，薊州之邦均，寶坻之白龍港。南路營駐黃邨，其駐兵所，有大興之青雲店，宛平之榆垡，固安之曲溝，霸州之苑家口，大城之邢家林，永清之雙營，東安之褚河港。西路營駐盧溝橋，其駐兵所，有良鄉之十三里，涿州之澤畔邨、三家店。北路營駐沙河，其駐兵所，有昌平之龍虎臺，順義之牛欄山、楊各莊，懷柔之羅山，密雲之九松山。其次要處，撥兵巡緝，賞罰有章。捕盜營章程，其略曰：一、兵餉由東南兩路州縣地糧內撥解，上忙定於四月，下忙定於十月，照額解齊。把總每月養廉京平銀七兩五錢，俸銀三兩。經制外委養廉京平銀一兩五錢。外委兵丁餉米庫平二兩三錢，春冬馬乾庫平銀一兩二錢，夏秋馬乾銀九錢，銀匠照製銀模鎔化成錠。一、發餉以每月初五日爲期，居期調弁一，帶兵一伍領回，各州縣總於十一日監放。一、營兵五人爲伍，伍有長；二伍爲隊，設隊長；一馬隊，一步隊，合爲一哨，以外委爲哨長。馬兵爲前後兩伍，每人鳥鎗一，腰刀一，隊長亦然。步兵爲左右兩伍，每人鳥鎗一，腰刀一，右伍三人持長矛，二人持雙手帶，步隊長亦用雙手帶。守庫兵每人鳥鎗一，腰刀一。東路把總一，經制外委三，額外外委三。分前、後、左、右、中游巡，備八哨，一百七十六人，以二人記名補哨長之數，餘步兵一名，作爲營書。東路把總統之。共馬兵九十人。把總例馬二匹，各哨哨長、馬隊長、馬兵前伍各給馬一匹，中哨駐本營馬兵後伍，亦各給馬一。共例馬二，官馬六十一，鳥鎗九十，腰刀九十。步兵八十八，鳥鎗四十，腰刀四十，長矛二十四，雙手帶二十四，號帽百七十九，衣百七十九。南北路同西路，把總一，經制外委三，額外外委三。分前、後、左、右、中五哨，計一百十人，餘步兵三，以二人庫外巡更，一人爲營書。馬步五十五，把總例馬二匹，哨長、馬隊長、馬兵前伍各給馬一，中哨馬兵後伍亦各給馬一，餘外委一，給馬一。共例馬二，官馬四十一，鳥鎗五十五，腰刀五十五。步兵五十八，鳥鎗二十七，腰刀二十七，長矛十五，雙手帶十五，號帽百十三頂，衣百十三件。本衙門暨四廳，各置抬鎗四。共抬鎗二十，鳥鎗四百七十二，九龍袋、藥管、藥葫蘆、鉛子袋，全腰刀四百七十二，長矛八十七，雙手帶八十七，號帽六百五十，衣六百五十，例馬八，官馬二百二十四，馬步兵二十九哨，計六百五十人。西、南、北三路，各調兵一哨，在本衙門差遣。並調西路之經制外委一員督帶，一同伍同隊，當取連環保結，如有强買、盜竊、虚捕、縱賊、包賭、酗酒，即時舉發者，免坐；如代隱庇，治以連坐之罪。一、弁兵分駐要隘，東路馬步兵八哨，南路八哨，西路五哨，北路六哨。東路通州之馬頭，武清之河西務、標垈，香河之渠口，三河之夏店，薊州之邦均，寶坻之白龍港；南路大興之青雲店，宛平之榆垡，固安之曲溝，霸州之苑家口，大城之邢家林，永清之雙營，東安之褚河港；西路良鄉之十三里，涿州之澤畔邨、大三家店；北路昌平之龍虎臺，順義之牛欄山、楊各莊，懷柔之羅山，密雲之九松山，均係嚴要處所，各駐兵一哨。東路通州本營，南路黄邨本營，西路盧溝橋本營，北路沙河本營，各駐一哨。其餘次要，即在各駐兵内就近撥馬兵一伍，步兵一伍，往來巡緝。一、馬匹加一火烙印記，其應用鳥鎗、長矛、腰刀、雙手帶、九龍袋、火藥葫蘆、火藥管、鉛丸袋、馬鞍、號衣，須分東、西、南、北，各以字編號，立簿四，按四路所領器械軍裝之弁兵姓名填註。一、養馬考驗等第，以定賞罰。捕盜兵由各州縣每馬日幫貼乾草八斤，麩三倉升，除保定、平谷無庸幫貼外，餘按日領給。一、四路弁兵在本營駐紮者，由四路廳操演，在各州縣駐紮者，由各州縣操演，均定月之十一日操演。營總月操一次，哨長月操六次，本隊日日習練。每季本道定期督廳，在適中處，先調一半弁兵閲視，留一半防範地面，再定期閲視。一、馬步弁兵分别第等，以定賞罰。一、火藥、鉛丸、火繩，均按定數發給。一、馬步兵弁，梭織巡緝，仍分大道、尖、宿處所，協同地方兵役，護送行旅，如：宿站兵丁送至尖站，再由尖站兵丁轉送下站；製循環木籤，更换爲記。循照舊章，黎明放礮爲號，咸至栅欄，一同放行。一、弁兵如擒馬賊一名，賞銀四十兩；尋常盜犯一名，賞銀二十兩。惟不得以抄窩爲名，私行入邨攪擾。一、弁兵不分畛域巡緝。一、民團隨兵操練。一、每月定期會哨。一、四路拔補兵丁，向由各廳送道考驗補充，往往書吏留難索費，此等積弊，亟宜革除。

初調三哨駐府尹署，同治十年，於尹署奏添中營，即令三哨弁兵各回本營，据同治十年順天府奏，捕盜中營，詳京營。兵數視昔異矣。同治十年奏：同治二年添兵四百，連原設馬步兵，共六百名。按：會典事例四百七十，東路兵九十有七，南路兵九十有六，西路兵九十有一，北路兵九。畿輔唐志：四路各馬兵六十，步戰兵二十，守兵二十。每歲俸餉，馬乾米折銀三千四百十一兩四錢。中樞政考云：東路馬兵五十四，步兵二十，守兵二十二；西路馬兵五十四，步兵二十，守兵二十；南路馬兵五十四，步兵十五，守兵二十；北路馬兵五十四，步兵十五，守兵二十。大興采育營，按：營在縣東南二十里許。都司一，千總一，把總二，外委額外外委一。會典事例四百七十。初，康熙二十三年，置守備以下官。乾隆二十六年，移外委一駐白塔邨，撥外委一駐王平口。据會典事例四百三十一。兵一百有八。會典事例四百七十。按：中樞政考，采育營馬兵七，守兵四十七。青雲店汛把總一，按：汛在大興東南十里。鳳河營汛把總一，按：汛在大興東南八十里。白塔邨汛外委一。按：汛在大興南二十里，外委于乾隆二十六年移自采育里。已上据畿輔圖說、采訪册。宛平拱極營，游擊一，按：拱極城在縣西卅里，兼轄良鄉營。千總一，把總二，外委二，額外外委二。會典事例四百七十。初，順治元年，置叅將一，防守一。二年，改都司以下官。三年，增守備一。十年，裁守備。康熙十七年，移都司駐天津，改設游擊等官，據會典事例四百三十一。兵三百一十有六。據會典事例四百七十。按：中樞政考云，拱極營馬兵五十，步兵八，守兵一百五十五。沿河口都司一，把總二，外委一，額外外委二。據同上。按：沿河口在宛平西二百里。畿輔唐志云，轄平羅營。初，順治元年，置守備一。雍正十年，改設都司等官，據會典事例四百三十一。兵一百八十有一。據會典事例四百七十。按：畿輔唐志云，馬戰兵五，守兵一百五十一。平羅汛把總一。按：汛在宛平西。初，置守備一，順治十年裁，據會典事例四百三十一。兵五十有八。畿輔唐志：馬戰兵五，守兵五十三。天津關外委一，按：此在宛平西二百一十里，據畿輔圖說。王平口外委一，移自采育營，按：此在宛平西，据采訪册。磨石口汛千總一，五里沱汛把總一，按：此二汛並在縣西北。龐各莊汛、榆垡汛把總各一，趙邨店汛把總一。按：汛在縣西南。已上據畿輔圖說。良鄉營守備一，兵部册。把總一，据會典事例四百三十一。外委一，額外外委一，兵一百十有七，據會典事例四百七十。今存六十有九。良鄉陳志：綠營駐城内原設馬兵三十，步兵五，守兵六十三，官馬六，營馬三十，撥委一，兵八，駐黄新莊，守護行宫。嗣撥永定河防汛守兵一，裁營馬五。同治六年，調赴保陽練軍營馬兵七，守兵二十一，現賸兵六十九名，馬三十一匹。按：中樞政考三十七云，良鄉營馬兵十六，步兵五，守兵四十。竇店汛把總一，兵二十有九，嗣撥蘆臺鎮兵二。良鄉陳志：竇店汛駐舊店，係涿州營分防。把總一，馬守兵二十九，撥蘆臺鎮兵二名，賸馬兵九，守兵十八。琉璃河汛把總一，兵二十有九。良鄉陳志：琉璃河汛駐燕谷店，係涿州營分防，把總一，馬兵七，守兵二十二，馬六匹。十三里邮捕盜營外委一，兵二十。同治二年置。良鄉陳志：捕營駐十三里邮，同治二年設外委一，馬兵六，無馬馬兵五，步兵九。黄新莊千總一，外委一，兵七。係内務府撥護行宫者。良鄉陳志。固安麟窩、信安二汛把總各一，康熙六年，徙自霸州、文安二營。春夏則麟窩汛把總駐縣治，秋冬則易以信安汛把總，兵凡五十。據固安陳志。永清汛把總一。據永清周志。初置守備、把總各一，康熙二十六年裁守備，移把總入霸州營，移霸州營千總入永清營。據會典事例四百三十一。乾隆六年，改爲把總，兵五十有一。四十二年，調撥文安汛兵三。據永清周志。又云：馬兵八，守兵四十三。乾隆四十三年撥文安汛守兵三，實存四十。餉銀由霸州營給散。東安營都司一，千總一。東安李志。初，順治元年置游擊，十年裁。據會典事例四百三十一。按：東安李志稱，游擊自六年始，非也。後增守備一，康熙二十三年裁。據同上。兵二百三十有一。東安李志：都司領馬兵四十七，守兵一百八十五。舊州營守備一，采訪册。初，順治元年置守備，六年改都司，據會典事例四百三十一。尋復守備。采訪册。香河把總一，順治年置，康熙十四年增守備一，把總一。香河劉志。四十年裁守備，改把總一，爲務關營官。據會典事例四百三十。通州協副將一，順治七年，改自總兵官。通州高志。國初設十三營總兵官統之。順治七年，改副將，領都司以下官，轄通州、三河、玉田、豐潤等營。嘉慶五年，豐潤、玉田改撥提標三屯協，而通協僅轄通州左右標、張灣、采育、三河五營。又見會典事例四百三十一。左營兼中營都司一，千總一，把總二，外委二，額外外委二，兵二百二十有八；右營守備一，把總一，外委二，額外外委一，兵二百二十有五。初置游擊一，順治十一年裁。又通州道標守備一，順治十六年裁。據會典事例四百三十一。張灣都司一，駐張家灣，在州東南。把總二，外委一，額外外委一。據會典事例四百七十。初，順治元年置守備一，雍正十年裁守備，改設天津河標右營游擊，仍駐張灣。乾隆七年改河標右營游擊爲張灣營都司，並置參將以下官，仍屬通州副將兼轄，據會典事例四百三十一。兵一百五十有一。據會典事例四百七十。馬頭汛把總一。按：此在通州東南，據采訪册。馬駒汛千總一。通州高志。初置守備一，康熙二十三年裁。會典事例四百三十一。兵四十有二。中樞政考：馬駒汛馬兵五，守兵三十七。三河營都司一，把總二，外委二，額外外委一。會典事例四百七十。初，順治元年置守備一，雍正十年改置都司以下官。會典事例四百三十一。兵一百三十有五，會典事例四百七十。中樞政考：三河營馬兵三十五，守兵八十六。馬坊鎮把總一。按：此在三河縣北。武清營都司一，千總一。初，順治元年置游擊一，守備一，後改游擊爲都司，康熙二十三年改守備爲千總。采訪册。左司把總一，分汛蒲溝，雍正十年，收歸河標。右司把總一，康熙三十二年改汛鳳河，據武清吳志。外委二，額外外委一，兵一百四十有五。據會典事例四百七十。按：畿輔唐志，馬戰兵三十七，守兵一百四十四，原係通協轄，康熙四十年改天津鎮轄。鳳河汛，順治元年置游擊一，後改副將。六年，改置游擊、守備各一。十二年，裁游擊。康熙十六年，裁守備，改置千總。二十三年，改置把總。據會典事例四百三十一。永樂店汛把總一。本隸務關路，雍正十年改屬武清營。據武清吳志。務關營，按：此在武清東北三十里。參將一，中軍守備一，千總二，把總六。漢名臣傳：天津總兵潘育龍疏。初置游擊一，康熙四十年改參將，增千總一。改漷縣營守備一、把總二，楊邨營把總二，香河營把總一爲務關營官。又改寶坻營守備、崔黄口守備、把總，俱歸務關營。据會典事例四百三十一。雍正十年，改參將爲河標中軍兼管左營副將，改守備爲左營中軍守備，據武清吳志。兵五百四十有一。（會典事例四百七十。）楊郈汛千總一。（兵部册。）初置守備一，康熙四十年改置千總。（畿輔唐志。）崔黄口汛把總一。初置守備、把總各一，涿州營轄。康熙四十年，改隸務關營。雍正十年，改守備爲右營守備，移駐天津，崔黄留把總一。十二年，歸天津鎮轄。乾隆七年，改河標右營守備爲崔黄營守備，（據會典事例四百三十一。）後裁。其把總歸寶坻管轄。（采訪册。按：楊郈、崔黄二汛，並在縣東南。）王慶坨，把總一。初，順治元年置副將一、游擊二。九年，改設參將以下官。十年，裁參將一、守備二，改設都司一。雍正十一年，置都司以下官。乾隆十六年，移都司一駐靜海汛，止留千總一，（據會典事例四百三十一。）後改把總。（采訪册。）蔡郈汛，把總一。（按：汛在武清東南。）安平汛，把總一。（按：此在武清北。）黄花店汛，外委一。（按：此在武清西南。）桐柏鎮汛，外委一。（在武清西。武清吴志：墩撥營房水路三處：王家堡、蔡郈、老米店。陸路七處：瓦屋、沙河、張家莊、王家莊、韓家營、頓邱、黄莊。營汛十一處：東沽、港叉、光泗郈店、大營、黄花店、修家莊、空城、郭家莊、掘河店、東義郈、東柏。）寶坻營，都司一，把總一，外委一。（寶坻洪志。）初，順治元年置游擊一，十一年裁游擊，止設守備、千總等官，通州協兼轄。康熙四十年，改隸務關營。雍正十年，改設都司以下官，隸天津鎮轄，（據會典事例四百三十一。）兵一百五十有五。（據會典事例四百七十。畿輔唐志：雍正十二年，增馬兵六，步戰兵二十四。）甯河營，把總一，雍正十二年置。（駐劄縣治。）兵二十有一。（甯河關志：馬兵四，步兵十七。）初爲梁城所，三年，增千總一。（滿洲名臣傳。）海口千總一，（駐劄北塘。甯河關志：北塘濱大海，南通山左，東達遼陽，風帆出没不測。明季築雙壘于海口，駐兵鎮之。今置千總一。）南海灘，外委一。（駐劄新河。）兵二十有七。（甯河關志：馬兵三，守兵二十四，内分撥南海灘守兵十。）道光二十三年，增設通永鎮總兵一，駐蘆臺，（甯河丁志。東溟文後集：道光二十二年，新設通永鎮，駐蘆臺，每歲五月至八月，通永總兵移駐北塘，與奉天會哨于天橋廠。中軍兼左營游擊一，左營中軍守備一，千總二，把總二，外委四，額外外委四。右營都司一，千總二。分汛蘆臺千總一，把總二。分汛營城汛把總一，外委四，額外外委四。北塘營游擊一，中軍守備一，把總二。分汛新河汛把總一。據甯河丁志。按：北塘營在甯河縣東，營城汛在縣南六十里，新河汛在縣南九十里。昌平營，參將一，會典事例四百七十：昌平參將駐劄州城，兼轄居庸路、鞏華、懷柔路、湯泉四營。按：居庸路不盡順天境，懷柔路在懷柔縣治。中軍守備一，千總一，把總二，外委三，額外外委二。據同上。初，順治元年置昌平協副將一，及游擊、參將、守備等官。五年，裁中營游擊一，前營參將一，右營參將一，守備三。六年，裁左後二營游擊，止留守備二，分爲左右二營。八年，裁副將並守備一，改設參將以下官。康熙五十四年，裁千總、把總各一。雍正二年，復設千總、把總各一，據會典事例四百三十一，畿輔唐志。兵三百一十有六。據會典事例四百七十。昌平道標守備一，順治十八年裁。據會典事例四百三十一。鞏華城營按：鞏華城一名沙河店，在昌平州東南二十里。都司一，千總一，把總二，外委二。據同上。初，順治元年置守備一。六年，裁守備，改設操守。十年，復設守備一，把總一。康熙三十六年，移黃花路都司帶千總、把總各一，駐鞏華城。移鞏華城守備駐黃花路。嘉慶十七年，以鞏華城額外外委撥駐白洋城汛，據會典事例四百三十一。兵一百七十有一。會典事例四百七十。湯泉營在昌平州東。守備一，把總一，外委三，兵一百三十有七。據會典事例四百七十。高麗營汛，外委一。牛房汛，把總一。前屯汛，把總一。按：三汛在州東。前營汛，把總一。藺溝汛，外委一。按：二汛在州東南。貫市汛，把總一，按：此在州西。

今移沙屯。北旺汛，把總一，今移皂角屯。黃花汛，把總一。按：此在州東北。初，汛爲路。順治元年，置參將一。六年，改設都司。康熙三十六年，移都司帶本標千總、把總各一駐鞏華城。居庸路都司一，標下千總一，把總二。八達嶺，千總一。鎮邊城汛，把總一。初，汛爲路，順治元年，置參將一。六年，裁參將並守備一，改設都司、千總。嘉慶十七年，裁千總，以白洋城把總撥駐。據會典事例四百三十一，畿輔唐志。奤夿屯汛，橫嶺城汛，外委各一。按：以上三汛在昌平西。

順義營，都司一，把總三，外委一，額外外委一。會典事例四百七十。初置守備一，順治六年裁，又置游擊一。雍正七年，移自石匣營，增把總一。據畿輔唐志。尋移把總駐楊各莊。十一年，裁游擊。乾隆四年，移提標前營之左軍都司一，把總二，駐順義，爲城守營，增把總一，移順義守備爲提標前營守備，據會典事例四百三十一。兵一百有八十。會典事例四百七十。畿輔唐志：雍正十二年，裁馬兵三十六，守兵一百四十四，時守備領馬兵二十四，守兵九十六。漕河汛，把總一，大清一統志：漕河營在縣東北，牛欄山東南。初置守備一，順治六年裁，會典事例四百三十一。設操守。畿輔唐志。康熙元年，改置把總，會典事例四百三十一。兵七十有五。畿輔唐志。楊各莊汛把總一，按：此在順義東三十里。雍正七年，移自順義。十三年，定爲順義營轄。會典事例四百三十一。

密雲古北口，直隸提督駐劄處也，在密雲東。會典事例四百七十：提督一人，節制五鎮，駐劄古北口，統轄本標中、左、右、前四營，兼轄河屯、三屯、山永三協，八溝、昌平、古北口城守三營。中營中軍參將一，中軍守備一，千總二，把總四，外委六，額外外委八，兵八百二十有九。左營游擊一，中軍守備一，千總二，把總四，外委六，額外外委七，兵八百一十。右營游擊一，中軍守備一，千總二，把總四，外委六，額外外委七，兵亦如之。按：左、右營駐劄古北口潮河關，城在密雲東北二百里。前營游擊一，按：此駐劄西匣，城在密雲東北六十里，兼轄密雲城守、順義、石塘路三營。中軍守備一，千總一，把總三，外委三，額外外委四，兵四百六十。初，古北口置參將、守備各一；順治六年改都司；康熙二十九年置總兵官並左、右二營游擊二，守備二，千總四，把總八；撥宣化鎮統轄之石匣協標二營，並協標兼轄之石匣，城守等五營，並兼轄之湯泉等六營，隸古北口鎮統轄。雍正元年裁總兵，改設提督；改中軍游擊爲中軍參將；裁左營游擊，改置參將以下等官；置右營游擊以下等官。九年，改左營參將以下各官爲中營，增設提督左營游擊以下等官，改中軍守備爲都司；十二年裁城守營都司，千總各一，改署提督標前營右軍都司以下官；乾隆四年，移右軍都司一，千總一，把總二爲城守營。十三年以左軍都司兼管中軍，裁撥協標千總、把總二人爲左哨，石匣城千總、把總二人爲右哨，其石匣城，自順治元年置副將並參將以下官；六年裁參將一，游擊一，都司二，仍置守備二；康熙八年裁副將一，守備一，改置游擊；二十九年復置副將，並左右營守備以下官；屬宣化鎮轄。五十三年撥左營千總一，右營把總一，爲河屯營官；雍正二年裁左營把總二，右營把總一；七年移城守營游擊一，守備一駐順義營；十二年裁副將、守備、千總各一，把總三，改置提督標前營游擊，及左軍都司以下官，又移守備一駐天津，又古北口外安匠屯、紅旗營、十八里臺坡、賴郇四站把總各一；乾隆七年裁据會典事例四百三十一。密雲城守營都司、千總、把總、外委、額外外委各一；會典事例四百七十。初，順治元年置參將一；十六年改置守備一，把總一；雍正十年改置都司以下官，据會典事例四百三十一。兵二百有四十，會典事例四百七十。按：中樞政考云：馬兵三十三，守兵百九十三。密雲道標守備一；順治十八年裁會典事例四百三十一。曹家路營都司一，千總、把總四，外委一，額外外委六；兵部冊。初，順治元年置游擊一，六年改置守備；雍正十年改守備爲都司；乾隆四年移黄花路營千總一入焉；嘉慶十三年增額外外委一，据會典事例四百三十一。兵二百二十有五。牆子路都司一，千總一，把總二，外委、額外外委九。會典事例四百七十。初，順治元年置參將等官，六年裁參將、守備、提調各一，改置都司以下官。雍正二年，由古北口屬改隸馬蘭鎮。嘉慶十二年，移把總一，駐楊家堡；十三年，增額外外委一，据會典事例四百三十一。兵二百五十有七；司馬臺城把總一，按：此在密雲東北百二十里。吉家營城把總一。按：此在密雲東北百二十五里，見會典事例四百七十。初，吉家莊置提調一，順治六年改置操守一。康熙元年，改操守爲把總。會典事例四百三十一。楊家堡千總一，按：此在密雲東北。据會典事例四百七十。額外外委移自牆子路，會典事例四百三十一。石塘嶺、堡鎮、羅堡、黑峪堡，把總各一，黄崖口汛，外委一，會典事例四百七十。初置守備一，順治六年改置操守一，康熙元年改置把總；嘉慶八年，移把總駐大窪汛。會典事例四百三十一。大水峪口汛，外委一，會典事例四百七十。初置守備一，順治六年裁。會典事例四百三十一。懷柔路，會典事例四百七十。都司一，把總三，外委二，額外外委一，會典事例四百七十。初置守備一，据懷柔吴志。順治六年裁，康熙六年，復移八達嶺守備及把總駐此，畿輔唐志。雍正十年，改守備爲都司，會典事例四百三十一。兵一百七十有二。涿州營，參將一，中軍守備一，千總二，把總四，外委三，額外外委二，兵四百十有八，据會典事例四百七十。今存三百有九。涿州吴志：原額馬兵七十四，步兵十，守兵二百七十三。道光元年，裁撥馬兵二，守兵十；十一年，裁撥馬兵一，守兵六；二十一年，裁撥馬兵四，守兵二十五，營内實剩兵三百九名。原額馬七十一，除外委騎馬五，裁十三；咸豐三年，調河南軍營馬三十四，存兵丁騎操馬二十。三家店千總一，兵二十有九。按：此在涿州南三十里。墩臺三處：鎮安寺，南皋店，泥窪鋪。松林店把總一，兵三十有七。按：此在州西南十八里。柳河營外委一，兵七十。按：此在州東南三十里。已上据涿州王志。馬頭汛外委一；按：此在州北三十里。長溝汛外委一，按：此在州西北十八里。据采訪册。兵十。涿州王志。房山營，乾隆元年置守備一，把總一，据會典事例四百三十一。外委一，据房山王志。乾隆四十二年，增額外外委一，會典事例四百三十一。兵八十有七。据會典事例四百七十。半壁店外委一，兵十。据房山王志。霸州營，守備一，千總一，把總四，外委一，額外外委二。兵部册。初，順治元年置游擊一，會典事例四百三十一。改守備。兵部册：道光二十年十二月，直督奏：霸州營游擊推缺，改爲葛沽營游擊，宣化鎮屬右營永甯營守備推缺，改爲霸州營，仍爲推缺。信安汛把總一，按：此在霸州東北。霸州道標守備一，順治十八年裁。會典事例四百三十一。文安汛千總一，采訪册。初，順治元年置守備一，六年增游擊一，會典事例四百三十一。康熙二十三年，裁守備，据文安楊志。乾隆十八年，裁游擊，改置守備、都司、外委。二十二年裁，改營爲汛，以周四溝外委移駐，會典事例四百三十一。把總三：一、分汛固安平駝鎮，一、分汛保定縣，一、分汛大城營。兵五百，今存三百七十有五。据文安楊志。大城營千總一。采訪册。初，順治元年置游擊一，千總一，把總一，十一年裁游擊、千總，留把總一，會典事例四百三十一。又云：把總，涿州營轄，康熙四十年改歸文安營兼轄，仍隸天津鎮。後改千總，采訪冊。兵一百有八十。大城張志：馬戰兵三十八，馬守兵一百四十二。保定營千總一，把總一，兵五十。保定成志：順治十二年，知縣陸光旭添防官，題准移文安營兵五十，防官一員，分汛保定，把總一，千總一。薊州城守營都司一，千總一，把總二，薊州沈志。外委五，額外外委一，會典事例四百七十。初置總兵以下官，順治四年裁總兵官及中軍游擊一，旗鼓守備一，六年裁中軍營參將，止置左、右二營，天津鎮轄。裁城守營參將一，置守備一，又裁協標左營游擊一，右營都司一，將左營守備改爲中軍守備兼左營事，十一年改城守營守備爲都司，十二年裁協標守備，嘉慶十七年移右營外委駐松棚路，會典事例四百三十一。兵二百四十有六。會典事例四百七十。薊州沈志：兵四百十二，減一百七十五，康熙四十四年後添兵二十九，嘉慶十六年裁馬守兵，存馬兵百十八，守兵一百八十八，馬六十五匹，向屬三屯協轄，嘉慶五年改馬蘭鎮轄。盤山汛，守行宮千總一，外委二，兵四十。在州西北。桃花寺汛，守行宮外委一，兵十。在州東北。隆福寺汛，守行宮外委一，兵二十。在州東北。白澗汛，守行宮外委一，兵七。在州西。邦均協巡外委一，已上五汛，薊營統轄。黃花山汛，在州東北。順治十五年置守備一，又千總二，調汛馬蘭鎮外委二，兵百，裁四十有九。据薊州沈志。又云：向係薊營統轄，後歸馬蘭鎮。十年，千總調馬蘭鎮，未復。朱華山汛，乾隆八年置守護端慧皇太子園寢千總一，外委一，兵五十有四。薊州沈志：馬兵七，守兵四十七。黃崖關在薊州北。千總一，初置把總，嘉慶十二年移把總駐大窪汛，移黃花山千總駐此，据會典事例四百三十一。外委三，兵一百十有七，裁三十有二。將軍關把總一，外委一，兵九十有九，裁四十有四。薊州沈志：黃崖關、將軍關二汛，向屬馬蘭路鎮，順治十七年改隸薊營，雍正二年仍歸馬蘭鎮轄。青山嶺汛，千總一，按：此在薊州東北。平谷營把總一，雍正十三年屬張家口協。據會典事例四百三十一。

永定河營都司一，駐劄盧溝橋東路南，嘉慶十六年置。聽河道節制，轄守備、協備、千總、把總、經制外委、額外外委。南岸守備一，乾隆四年置固安縣城。總河顧琮乾隆四年奏，南北岸兵千二百名，石景山河兵三十，兵額衆多，千、把難任，請于永定河添守備一員，令其駐劄適中之固安縣。先是，一守備兼管北岸，五十六年，增協辦守備一，駐北岸三工堤上，管理北岸，自是守備專司南岸。據會典事例四百七十，參永定河志。南、北岸千總各一，把總初四，改二。永定河志：康熙三十七年，原設把總四員；四十四年，以二員加千總銜。雍正四年，撤加銜千總，留把總二員。八年，仍加千總銜，一爲南岸加銜千總，隨轅管兵；一爲北岸加銜千總，管北岸上七工汛。乾隆三年，撤回七工加銜千總，與南岸加銜千總分管南北岸河兵。把總二員，一爲北岸把總，管石景山工程；一爲南岸把總，管南岸下七工汛。乾隆三年，調北岸把總北岸上七工汛。十六年，改移下口，南、北兩岸把總撤回，分巡南、北岸堤柳，分隸南、北岸同知。按：會典云，把總三，常是合鳳河東堤把總而言。鳳河東隄把總一，永定河志：乾隆十九年，調石景山水關外委管理鳳河東隄，隸三角淀通判。五十六年，浚船把總改歸東隄，其外委仍歸石景山關。總督方觀承乾隆十九年奏：鳳河東隄長二十六里，設堡房十三，每堡兵二，統以外委，把總一員專管修補守護，有永定河水關外委把總，係於上游用皮鞸飩順流報水。今盧溝橋已有汛防千總簽報，應將該弁移駐鳳河，所需堡兵，酌撥。石景山水關外委一，永定河志：雍正十一年，原設水關外委；乾隆三年，添設千總；十九年，調水關外委管理鳳河東；五十六年，裁千總，仍設水關外委。淀河南、北岸外委各一，畿輔安瀾志：外委一，駐淀河南岸，一駐淀河北岸。永定河志：乾隆三十八年，增設淀河外委，管理浚船。四十七年，裁浚船，仍司疏濬事務。經制外委九，永定河志：雍正八年，設外委一，外委把總三。乾隆三年，添外委千總一，外委把總三。七年，添外委千總一，共九員，隨轅差委。按：隨轅云者，隨永河道也。會典云，外委十二，蓋合石景淀汛言也。額外外委十有五，永定河志：乾隆二十七年，奏調額外外委，留本河四名。嘉慶十六年，添十一，共十五名，協防南、北岸十五汛。其兵一千五百八十有九。會典事例四百七十。初，康熙三十七年，設兵二千。四十年，巡撫李光地請裁千二百名。李光地奏：永定河一年之內，惟桃、麥、伏、秋各汛，修防最急，十日、半月不等，河兵遇工程緊要，率多避匿，水緩工停，嚴冬無事，又坐糜糧餉，請於前設二千名中，擇精壯熟練誠實有籍貫者八百名，分給各工，以爲釘樁、下埽、守隄之用，餘兵一千二百，全行裁汰，所餘餉銀萬六千四百餘兩存道庫，遇有要工，分司僱募坿近民充用。四十九年，工部奏派章京一員，於八百名内撥三十名，巡防衙門口邨、莫武廟、紀家莊等處隄工，永定河缺額，另募補充。畿輔安瀾志。雍正三年，總督李維鈞又請裁二百名。李維鈞奏：河兵不無坐食之時，應再減二百名，每年節省銀二千八百餘兩存庫，遇工僱夫充用。乾隆四年，總督朱藻同理河務顧琮奏復兵六百。總督朱藻同理河務顧琮奏：永定河汛臨之際，惟有沿河州縣民夫上隄看守，多係老弱貧民，勢難藉其防護，請添六百名，連現存共一千二百名，除派坐糧等項去兵三十，兩岸河兵一千七百七十，酌量隄工長短段落，分撥一十八汛。則汛期搶築，民皆素習，汛過又可補隄工之殘缺，填水溝之浪窩，堆積土牛，搜尋鼠穴。河兵既添弁，少管束不周，應將分防石景山把總一員撤回，仍歸北岸，專管上七工汛地；其北岸千總，照南岸千總之例，專管兵丁；石景山汛即於把總員内拔補千總一員，照舊管理。嘉慶七年，署總督陳大文奏請益兵四百。陳大文奏：永定河南岸，隄長一百五十四里，北岸隄長一百五十五里，又有下口之南大隄八十餘里，北大隄四十餘里，鳳河東隄斜埝五十九里，工段綿長，需兵保護。兩岸額設戰兵一百十六名，守兵一千四十七，共兵一千一百六十三。工長兵少，伏秋大汛，不敷差遣，請添戰兵六十，守兵三百四十，分派南岸守備、北岸協備經管。督標額設馬步守兵五千六百八十六，提標額設馬步守兵八千八百一十六，宣化鎮額設馬步守兵七千九百二十七，天津鎮額設馬步守兵六千七百六十九，應請每處抽撥戰兵十五、守兵八十五，共兵四百，撥交永定河道，分防各汛。派差而外，額存兵五百八十有九。畿輔安瀾志：食戰糧者一百七十九，食守糧者一千四百十名。凡此皆永定河道轄也。北運河務關廳屬：千總一，把總一，外委二，額外外委二。楊邨廳屬：千總二，把總二，外委二，額外外委二，兵五百八十有二。通惠河漕運廳屬：外委二，兵四百，据會典事例四百七十。裏河外委把總一，外河千總一，外委六，此外又有平家疃外委一，管河兵十有六，是同治十三年增置者，凡此皆通永道轄也。据通州高志、采訪冊。又薊運河，雍正七年添薊糧千總二。漢名臣傳：雍正七年二月，漕運總督張大有奏，請添設薊糧千總二員，輪流領運，抵薊日交糧，守候責成千總。其駐防，則大興采育里，防守尉一，防禦二，順治二年置。嘉慶三年，裁防禦一。据會典事例四百二十九。兵，自順治二年，設鑲白、正藍二旗，滿洲、蒙古各五十。十二年，移鑲白滿洲蒙古兵五十於寶坻。乾隆二年，於五十名馬甲內，設領催五。据會典事例八百四十九。良鄉防守尉一，防禦二，順治八年置，驍騎校一，乾隆元年增。嘉慶三年，裁防禦一。据會典事例四百二十九。兵，自順治八年，設正紅旗滿洲五十。乾隆二年，於五十名馬甲內設領催五。据會典事例八百四十九。按：良鄉楊志云，舊兵稱一百七十八，蓋合滿洲而言。固安防守尉一，防禦二，順治二年置，驍騎校一，乾隆元年置。嘉慶三年，裁防禦一，据會典事例四百二十九。兵，自順治二年，設鑲紅旗滿洲兵五十。乾隆二年，於五十名馬甲內設領催五。据會典事例八百四十九。東安防守尉一，防禦二，順治六年置。驍騎校一，乾隆元年增。据會典事例四百二十九。按：東安李志，設增年分均誤。十五年，於領催五名內作爲副驍騎校二。据會典事例八百四十九。嘉慶三年，裁防禦一。据會典事例四百二十九。兵，自順治六年，設鑲藍旗滿洲五十。兵部册。乾隆二年，於五十名馬甲內設領催五。据會典事例八百四十九。三河防守尉一，防禦二，驍騎校一，順治六年置。康熙三十四年，增驍騎校一。据會典事例四百二十九。兵，自順治六年，設正白旗滿洲五十。康熙三十四年增兵爲百，領催一，馬甲九十。乾隆四十八年，議准密雲副都統兼管。据會典事例八百四十九。又云：原設三河駐防部選筆帖式一，改由本處兵丁內考選補授。寶坻防守尉一，防禦二，順治十二年置。驍騎校一，乾隆元年增。嘉慶三年，裁防禦一。据會典事例四百二十九。兵，設鑲白旗滿洲、蒙古五十。順治十二年，移自采育里。据兵部册。會典事例八百四十九：順治十二年鑄給寶坻防守尉關防，增筆帖式一。雍正十年裁筆帖式。昌平防守尉一，防禦二，順治二年置。驍騎校一，乾隆元年增。据會典事例四百二十九。兵，自順治八年，設正黄旗滿洲三十有七，蒙古十有三。乾隆二年，於五十馬甲内設領催五。据會典事例八百四十九。三十二年，張家口之察哈爾都統兼轄。四十八年，改密雲副都統轄。順義防守尉一，防禦二，順治六年置。驍騎校一，乾隆元年增。据會典事例四百二十九。兵，自順治五年，設鑲黄旗滿洲馬甲五十。乾隆二年，於五十名馬甲内設領催五。五十八年，議准順義官兵由密雲副都統兼轄。据會典事例八百二十九。密雲副都統一，協領四，佐領、防禦、驍騎校各十有六，乾隆四十五年置。五十四年，裁佐領四，其佐領事務，令協領兼管。据同上。兵，自乾隆四十五年，設八旗滿洲蒙古兵二千。會典事例八百四十九：兵二千，内滿洲領催六十，前鋒八十八，委前鋒七十六，馬甲六百九十二，鳥鎗馬匹三百六十，礮甲一百三十六，養育兵八十八；蒙古領催二十，前鋒三十二，委前鋒二十四，馬甲二百二十八，鳥鎗馬甲一百二十，礮甲四十四，養育兵三十二；以副都統、協領、佐領、防禦、驍騎校管轄，設印務筆帖式二，每遇聖駕駐蹕避暑山莊，差使繁多，由前鋒内挑選委署藍翎長五人，並揀選協領一員、佐領二員，俱戴孔雀翎，作爲翼長。前鋒參領管理駕幸熱河時經過道路。四十八年，裁馬甲五十，增養育兵一百。又五十三年，裁甲增兵，數亦如之。据同上。其駐防官馬二百八十四，兵馬五百，乾隆四十五年原議官畜，四十八年奏准分兵拴養。嘉慶六年，奏撥古北口馬十六，三河馬十，昌平、順義馬各七，出場時仍留密雲牧放。据會典事例五百三十一。古北口防禦二，順治二年置。康熙二十三年，增防禦二。雍正六年，裁防禦二，增防守尉一。乾隆元年，置驍騎校二。五年，增驍騎校二。据會典事例四百二十九。兵自順治二年設四名。九年增八名。乾隆二年，又增二十。四年，增爲二百。据會典事例八百四十九。五年，歸獨石口副都統兼轄。三十二年，改熱河副都統兼轄。三十五年，奉旨：從前古北口官兵，祇係該處四品協領管轄，並無大員，特命熱河副都統兼管；今密雲現設有駐防副都統，古北口相距甚近，所有該處官兵，即著密雲副都統兼轄。兵部冊。三十六年，奏准古北口駐防兵二百名內，以十名馬甲錢糧分作二十名養育兵錢糧，爲養贍孤寡之用，仍不開馬兵額缺。据會典事例八百四十九。又云：四十八年奏准古北口駐防原設部選筆帖式二，汰一，其一員改由本處兵丁內考選補授。霸州防守尉一，防禦二，康熙十二年置。据會典事例四百二十九。嘉慶三年，裁防禦一。兵自順治九年，設正黃、正紅二旗滿洲、蒙古兵五十。乾隆二年，於五十名馬甲内設領催五。据會典事例八百四十九。已上駐防，每年派員稽察一次。會典事例八百四十九：獨石口、千家店、張家口、古北口、昌平州、鄭家莊，六處爲一路；良鄉縣、寶坻縣、固安縣、東安縣、霸州、采育里、保定府、雄縣，八處爲一路；由在京派護軍統領或副都統每路各一員，於每年秋季前稽察。嘉慶七年，奉旨：從前巡查寶坻九處駐防，惟派一人，未免需時，嗣後著該部將寶坻縣、保定府、滄州、霸州、良鄉縣、雄縣、固安縣、東安縣、采育里等九處，分爲左右兩翼，臨期聽派二員分巡。据會典事例四百二十九。遵旨議定寶坻縣、東安縣、采育里等處在左翼；固安縣、良鄉縣、霸州等處在右翼，按：會典，左翼中有滄州，右翼中有保定府、雄縣，非順天境，故不及。其官補授，各有定章。會典事例八百五十二：補授駐防協領，康熙七年奏准順義 三河防守尉內，揀選該副都統，按旗按翼，分別滿洲、蒙古，擬正送京，該旗選一人擬陪，引見補授。如該處無可保送，即於在京人員內選擬正陪引見。四十七年，覆准密雲縣滿洲、蒙古協領員缺，各於本翼四旗佐領內選擬正陪，咨送該旗帶領引見補授。五十九年，議准古北口、昌平州、三河、順義四品協領缺出，由防禦內揀選；密雲縣三品協領缺出，即將四品協領按翼與應陞之佐領等一體合選補放；四品協領內若不得人，咨取在京出缺旗分人員，由該旗揀選，帶領引見補授。嘉慶三年，議准寶坻縣等七處協領員缺，由保定、滄州等九處防禦內擇擬正陪，咨送該旗，帶領引見補授，如不得人，咨在京該旗遴選，奏請補放。七年，議定寶坻等處分左右翼，遇該翼協領缺出，不論旗分，各於本處防禦內合選，擬正咨送該旗，帶領引見補授；防禦缺出，照此辦理補授防守尉。乾隆六年，奏准順義縣防守尉屬鑲黃旗，昌平州防守尉屬正黃旗，三河縣防守尉屬正白旗，良鄉縣防守尉屬正紅旗，寶坻縣防守尉屬鑲白旗，固安縣防守尉屬鑲紅旗，采育里防守尉屬正藍旗，東安縣防守尉屬鑲藍旗，霸州防守尉屬正黃、正紅兩旗，各員缺由該旗都統會同領侍衛內大臣，前鋒護軍統領，於該旗前鋒侍衛、護軍、驍騎營副參領、佐領、二三等侍衛及軍政卓異保舉記名之德州各城防禦內，遴選正陪，引見補授；如應一旗專補，於本旗選正陪，應兩旗公補，輪選正陪。嘉慶三年，覆准寶坻等七處防守尉缺出，於保定、滄州等九處防禦內，擇其管轄嚴肅、熟諳事務者，擬定正陪，咨送在京旗分引見，如不得人，行文在京本旗，揀選補放，補授駐防佐領。康熙四十五年，覆准密雲縣蒙古佐領員缺，不必按翼於蒙古八旗應陞人員內，通行遴選，咨送該旗引見補授。四十七年，覆准密雲縣蒙古佐領員缺，於本翼滿洲四旗應陞人員內，選擬正陪，咨送該旗，引見補授。五十四年，覆准密雲縣滿洲兩旗合併，佐領員缺即行裁汰，按翼令協領兼官補授防禦。康熙六年，奏准順義縣防禦二員屬鑲黃旗，昌平州防禦二員屬正黃旗，三河縣防禦二員屬正白旗，良鄉縣防禦二員屬正紅旗，寶坻縣防禦二員屬鑲白旗，固安縣防禦二員屬鑲紅旗，采育里防禦二員屬正藍旗，東安縣防禦二員屬鑲藍旗，霸州防禦二員正黃、正紅旗各一，以上員缺，各該處於驍騎校內遴選，或軍政卓異，保舉記名者，不論滿洲、蒙古，保送一人來京擬正，在京各該旗於雲騎尉六、七，八品官護軍校、驍騎校內，揀選擬陪，引見補授；如無可保送，行文該旗，遴選正陪，引見補授。四十七年，覆准密雲縣滿洲防禦員缺，於本翼滿洲四旗應陞人員內選擬正陪，咨送該旗，引見補授。後議准保定、寶坻等九處防禦缺出，於九處本翼四旗之驍騎校內，遴選正陪，擬正咨送在京旗分，引見補授。又議准寶坻等七處，向各設防禦二員，嗣後遇有缺出，俱裁汰一員，隨時咨報部旗，停其補放、補授駐防驍騎校。乾隆元年，奏准霸州驍騎校一員屬正黃、正紅兩旗，順義縣驍騎校一員屬鑲黃旗，昌平州驍騎校一員屬正黃旗，三河縣驍騎校二員屬正白旗，良鄉縣驍騎校一員屬正紅旗，寶坻縣驍騎校一員屬鑲白旗，固安縣驍騎校一員屬鑲紅旗，采育里驍騎校一員屬正藍旗，東安縣驍騎校一員屬鑲藍旗，以上員缺，於該處領催馬甲內，不論滿洲、蒙古，擇其効力年久，材技優長者，擬定正陪，送該旗引見補授。此內霸州驍騎校，係兩旗公補，應輪擬正陪。

馬場之在府境，有鑲黃、正紅、鑲白、鑲紅、正藍、鑲藍等旗。乾隆二十一年，給民爲業。

會典事例八百四十二。國初，於畿輔設牧場，鑲黃旗坐落武清縣、寶坻縣，東自唐畦，西至陳林莊，南自張家莊，北至上馬臺；正紅旗坐落甕山盧溝橋、西陵；鑲白旗坐落通州；鑲紅旗坐落順義縣天主馬房郇盧溝橋；正藍旗坐落豐臺王蘭等莊；鑲藍旗坐落草橋廊房。順治六年，題准順義、清河、灤縣、沙河、盧溝橋五處荒地一千四百十八頃四十四畝，潞河、沙河、清河、桑乾河兩岸，各長五里，闊三里，皆令丈作馬場。乾隆二十一年，議准清丈直隸馬場地，給民爲永業，改名恩賞，而馬場遂廢。

衛則

國初，以涿州三衛併良鄉興州衛、香河營州衛合爲一衛，名涿鹿衛，設守備一，康熙二十八年裁。日下舊聞考，涿州吳志。又密雲中衛亦廢。昌平山水記：密雲中衛與縣同城而居。日下舊聞考：今廢。按：又有延慶衛。大清一統志：延慶衛西至昌平州界二十里，北至宣化府延慶州界三十里，府境諸衛皆裁，唯此仍設。日下舊聞考：昌平州延慶衛，乾隆二十四年改歸州屬，其居庸關外等處，撥入延慶州。

坿前代兵制考

漢建光元年十月甲子，初置漁陽營兵後漢安帝紀。千人。伏候古今注。

唐幽州范陽郡大都督府，有府十四，曰呂平、涿城、德聞、潞城、樂上、清化、洪源、良鄉、開福、政和、停驂、柘河、艮杜、咸甯。城內有經略軍，又有約降軍，本納降守捉、城，故丁零川也。西南有安塞軍，有赫連城，有宗王、乾澗、殄寇三鎮、城，石堆、車坊、蒿城、河旁四戍。檀州有威武軍，萬歲通天元年置，本漁陽，開元十九年更名。又有鎮遠軍，故黑城川也，有三叉城、橫山城、米城，有大王、北來、保要、鹿固、赤城、邀虜、石子䡆七鎮，有臨河、黃崖二戍。薊州有府二，曰漁陽、臨渠。南二百里有靜塞軍，本障塞軍，開元十九年更名。又有雄武軍，故廣漢川也。東北九十里有洪水守捉，又東北三十里有鹽城守捉，又東北渡灤河有古盧龍鎮，又有斗陘鎮。新唐書地理志。按：唐兵志云，唐初兵之戍邊，大曰軍，小曰守捉，曰城，曰鎮，而總之曰道。其城、鎮、守捉，皆有使，而道有大將一人，曰大總管，已而更曰大都督。唐開元八年八月，選驍勇一萬，充幽州經略軍。玉海一百三十八。天寶元年，范陽節度臨制奚契丹治幽州兵九萬一千四百人。玉海地理通釋二。按：通鑑補云，兵九萬三千五百人。

宋霸州防禦，本唐幽州永清縣地，後置益津關。周置霸州。政和三年，賜名曰永清，信安軍同下州。太平興國六年，以霸州淤口砦建破虜軍。景德二年，改爲信安。元豐四年，霸州鹿角砦始隸軍，保定軍同下州。太平興國六年，以涿州新鎮建平戎軍。景德元年，改爲保定軍。宣和七年，廢軍爲縣，知縣事仍兼軍使。宋地理志。其禁軍曰雲翼，舊指揮保定二霸，一曰振武，舊指揮霸，一曰招收，霸、信、安各三，曰歸明羽林。太平興國四年，征幽州，獲其兵，立其步軍曰招收，霸、信、安各三。熙甯五年，霸、信、安各二，併爲一，其廂兵之騎軍，則霸保定有廳直，信安、保定有保節，其鄉兵選自户籍，曰忠順，霸州保定軍置，曰强壯，五代時，霸州置。咸平二年，詔家二丁、三丁，籍一；四丁、五丁，籍二；六丁、七丁，籍三；八丁以上，籍四。其義勇，熙甯初，詔歲閲分番霸爲二番。据宋兵志。

遼南京兵制：析津府則析津縣丁四萬，宛平縣丁四萬四千，昌平縣丁一萬四千，良鄉縣丁一萬四千，潞縣丁一萬一千，安次縣丁二萬四千，武清縣丁二萬，永清縣丁一萬，香河縣丁一萬四千，玉河縣丁二千，漷陰縣丁一萬；順州則懷柔縣丁一萬；檀州則密雲縣丁一萬，行唐縣丁六千；涿州則范陽縣丁二萬，固安縣丁二萬；薊州則漁陽縣丁八千，三河縣丁六千。據遼兵衛志。

金大定二十七年，集諸軍，講武于宛平。大金國志。

元於昌平黄花鎮置千户所，今州治北八十里有故城，即此。又於白羊口置千户所，亦有城，在今州治西北四十里，距居庸南口二十里。方輿紀要十一。通惠河運糧千户所，至元三十一年置，中千户一，中副千户二。元百官志。又云：千户所秩正五品，掌漕運之事。

明洪武二十六年，定衛所，其隸北平都司之在今順天境者，有大興左衛，永清左、右衛，通州衛，薊州衛，密雲衛。永樂元年，罷北平都司，設留守後軍都督府，明年更定衛所。其後措置不一，有可稽者，燕山衛凡三，曰左，曰右，曰前。據明職官志。如大興左衛，永樂四年陞親軍。據明兵志。宛平西有沿河口守禦千户所。明地理志。良鄉有興州中屯衛，在縣治東，永樂四年移自舊開平衛境，據方輿紀要十一。軍士二千餘，城操六百。良鄉陳志。永清左衛、右衛改常山護衛，宣德初復爲本衛。明兵志。香河有營州前屯衛，在縣治東。永樂元年移自舊大甯衛境。據方輿紀要十一。按：明兵志，永樂元年調營州五屯衛於順義、平谷、香河、三河。開屯正軍八百餘，貼軍餘丁六百五十。成化八年，屯軍調發石塘、古北二路。嘉靖三十二年，新軍官下舍餘抽垜新軍。五十三，調發石塘路防守，本衛存老幼餘丁三百餘。据同上。又云：萬曆年，縣庫貯虎蹲砲四，大鐵礮十，佛郎機三，三眼銃五十四，單眼銃四百五十四，鐵斧二十七，撓鈎十四，鈎鎗十一，鉛彈二千九百，火藥四百八十斤，俱舊存。長鎗五十，鉛彈四千八百七十，火藥二百斤，灰瓶萬，萬曆四十七年置。通州，永樂中命勳貴鎮守，或提督，或都指揮，成化中裁鎮守，通州高志。設分守參將，据明職官志。以本州五衛指揮陞任，通州高志。又設守備。据王瓊疏。其衛曰通州衛，在治南，建文四年，燕王置，据方輿紀要十一。舊爲安吉衛。永樂四年，陞爲親軍，後改右衛、左衛。明兵志。又神武中衛，在州治南，建文二年，燕王置。据方輿紀要十一。神武右衛，永樂初置。明兵志。定邊衛在州治西南，建文四年置。据方輿紀要十一。三河興州後屯衛在縣治西，營州後屯衛在縣治東南，並永樂二年改建。武清衛在縣治東，永樂四年置。据方輿紀要十一。按：明兵志亦有武清衛。寶坻梁城守禦千户所，明地理志。在縣治東南百四十里，即今甯河縣治，建文二年，燕王置。据明兵志，甯河關志。昌平鎮守總兵一，舊設副總兵，提督武臣。嘉靖三十八年，裁副總兵，以提督改爲鎮守總兵，駐昌平城，明職官志。昌平宋志：昌平城提督一，嘉靖二十九年改鎮守總兵一。崇禎七年，以天壽山内守備改察飭軍門一。十年改總監昌宣二鎮軍門，新標營參將一，兩翼營參將一，健左營參將一，健右營參將一，火攻營參將一，左騎營參將一，右騎營參將一，中營參將一，左車營參將一，右車營參將一，守備六，千總十，把總二十。參將十，守備六，千總十，把總二十，注詳上。兵三千。初，三十七年，設統游兵游擊一，兵三千。四十二年，又設標兵游擊一，兵三千。四十三年，又設坐營中軍官一，郡國利病書：嘉靖三十七年募軍三千，立游兵一營，統兵游擊一。四十二年，兵部議添昌平總兵標兵三千員名，立一營，總兵游擊一。四十三年，總兵標下添坐營中軍官一，以都指揮體統行事。分守黃花鎮參將一，据明職官志注。標下守備一，千總一，把總二；慕田峪守備一，千總一，把總二；黃花鎮守備一，千總一，把總二；居庸路參將一，標下守備一，千總一，把總二；八達嶺守備一，千總一，把總二；石峽峪守備一，千總一，把總二；龍嶺口守備一，千總一，把總二。昌平宋志。又鎮邊路昌平西北。參將一，標下守備一，千總一，把總二；橫嶺城守備一，千總一，把總二；常峪城守備一，千總一，把總二；白洋城守備一，千總一，把總二。昌平宋志。鎮邊路兵四千，白洋兵三千。又鞏華營游擊一，初置守備，改副總兵，又改分守，以指揮推補，又改游擊。据郡國利病書。把總一，昌平宋志。兵三千。郡國利病書。置守禦千户所四，一在鎮邊城，正德十年置；一在常峪城，置自十年；一在白洋口，亦正德年置；一在渤海所，弘治年置。据明兵志，地理志，方輿紀要十一。嘉靖中，渤海所設兵守，與京軍相夾制。明兵志。萬曆初，移于慕田峪關，四年，復舊。方輿紀要十一。順義有營州左屯，在縣治東，明一統志，方輿紀要十一。本屬大甯，永樂元年移此，領左、右、中、前、後五千户所。昌平山水記。密雲衛改中衛，在縣治東，洪武四年置。据明一統志，方輿紀要十一。按：昌平山水記，與縣同城而居。領左、右、中、前四千户所。昌平山水記。密雲後衛，在縣治東北百二十里，即古北口也，洪武十二年置守禦千户所，三十年改建後衛。据明地理志，方輿紀要十一。石匣營副總兵一，隆慶三年設，即薊鎮西路協守。分守牆子嶺、古北口參將各一。据明職官志。密雲設總兵官，崇禎十六年五月汰。明曹變蛟傳。海口，明季築雙壘，駐兵鎮之。甯河關志。懷柔於隆慶前置把總一，二年置守備一，据昌平山水記，懷柔吳志。涿州有涿鹿衛，在州治西北，永樂七年建。据方輿紀要十一。其舊爲甯國衛。明兵志。又涿鹿左衛，在州治西，永樂八年建。涿鹿中衛在左衛西，十一年建。据方輿紀要十一。指揮等官而外，又有參將、游擊、守備。涿州吳志。霸州守備一。神宗實録：萬曆三年，巡撫順天都御史王一鶚條上弭盜六策，一議定守備汛地，漕河一帶崔黄口與霸州二守備，分河東西岸守之，彼此互諉，不若盡屬崔黄口，而霸州則專以近京要路責之。薊州總兵官一，隆慶二年改爲總理練兵事務兼鎮守。明職官志。又西路協守副總兵，即石匣營副總兵也。詳上。按：明職官志，鎮協守副總兵三，其東路駐建昌營，中路駐三屯營，皆非今境。設團練營城操兵八百。据薊州沈志。薊州衛在州治東北，洪武八年置。又鎮翔衛在薊州衛西，永樂中置。又營州右屯衛，在州治北，永樂二年移自大甯衛境。据方輿紀要十一。又黄崖關置守備，隸馬蘭路。又將軍石關亦置守備，近關民謂之軍餘，以武職行文職事。据薊州沈志。平谷有營州中屯衛，在縣治東，永樂元年移自故龍山縣。据明地理志。備邊録：平谷縣西北十里有故城，今營州中屯衛戍此，與黄松峪等關、熊兒等營官軍，互爲屯營，常近數千人。按：方輿紀要，二年移。各衛並置掌印指揮使及同知鎮撫經歷、正千户，副千户，五所百户等官，有驛者，或置管驛百户。据良鄉陳志，香河劉志，寶坻洪志，通州高志，涿州吳志。香河劉志又云：大甯都司營州前屯衛爲所五，爲屯五十，爲驛三，原設指揮九員，後存四。五所掌印千户五員，副千户五員，後存五。五十屯掌百户五十員，後存四。興中驛、青鑾驛、資廣驛，管驛百户三員，俱缺。總旗四員，俱缺。經歷司經歷一，鎮撫司鎮撫一。通州、良鄉等處，設有軍衛，委官巡捕。三年一差御史、錦衣衛官分巡。御選明臣奏議十五王瓊傳奏疏。先是，兵五千人爲指揮，千人爲千户，百人爲百户，五十人爲總旗，十人爲小旗。天下既定，係一郡者設所，連郡者設衛，大率五千六百人爲衛，千一百二十人爲千户所，百十有二人爲百户所，所設總旗二，小旗十，此其大略也。据明兵志。洪武二年，薊州密迤西，皆置戍守。明兵志：洪武二年，備北平邊，華雲龍言，自永平、薊州、密雲迤西二千餘里，關隘百二十有九，皆置戍守。三年，故元八翼軍士千六百入燕山諸衛，補伍操練。明華雲龍傳：洪武三年，華雲龍言，故元八翼軍士千六百人屯田，人月支糧五斗，所得不償費，宜入燕山諸衛補伍操練。從之。弘治十七年，納京東兵，密雲、薊州爲東衛。明劉大夏傳：弘治十七年，兵部尚書劉大夏請遣還操軍萬人爲西衛；納京東兵，密雲、薊州爲東衛。報可。正德十一年，議順天府州縣衛所管軍民官員，今後非奉明文，一夫不許擅起，一錢不許擅科。御選明奏議十五王瓊傳奏疏。薊之稱鎮，自嘉靖二十七年始。据明兵志。薊南營兵，戚繼光所募也。明董一元傳。隆慶中，繼光守薊門，奏練兵車七營，以東、西路副總兵，撫、督標共四營，分駐遵化、石匣、密雲、薊州，遼總兵二營駐三屯，昌平一營駐昌平，每營重車百五十有六，輕車加百，步兵四千，騎兵三千。十二路，二千里間，車騎相兼，可禦敵數萬。上韙之，命給造費。明兵志。天啟元年十二月，御史李日宣議於都門抵良鄉界五十里，如長店、大井、柳巷、五里店、太平堝等處，每五里築墩堡，宿兵十名，遇有竊發，協力出救。又盧溝橋至趙邨十里，趙邨至良鄉二十里，僅有盧溝橋巡檢兵二十，宜設備。得旨，即行。明實録。崇禎元年，停薊密昌等鎮新增鹽菜銀。明畢自嚴傳：崇禎元年，户部尚書畢自嚴，以度支絀，請停薊、密、昌、永四鎮新增鹽菜銀二十二萬。報可。

經政志十一

德清傅雲龍纂

驛傳鋪坿

騎曰驛，車曰傳。然攷説文：驛，置騎也，从馬；傳，遽也。驛遞曰傳。昭二年，左傳：鄭子産乘遽而至。釋文，以馬曰遽。此用騎之證。史記：田横與客乘傳詣洛陽。則以車也。鄭當時、王温舒私具驛馬，厥後多用馬。漢之驛傳，率三十里一置，本周官遺人三十里有宿之意。唐制亦然，或一日而馳十驛，是三百里也。或曰：站卽傳之聲轉，非也。蓋站有立意，爲車騎駐足處，亦驛傳别名。曰鋪，則步遞之謂也。元許謙曰：馬遞曰置，步遞曰郵。是以郵爲鋪遞權輿。然孟子：置郵傳命。古注：置，郵也；郵，馹也。説文：馹，驛傳也。郵非步遞，明楊慎曾辨之。漢書黄霸傳師古注：郵亭書舍，謂傳送文書所止處。曰傳送文書，則猶今鋪遞也。金史：泰和六年初，置急遞鋪，腰鈴傳遞，日行三百里。按：金史圖克坦鎰傳又云，泰和中，圖克坦鎰言，初置急遞鋪，本爲轉送文牒，一切乘驛非便。上深然之，始置提控急遞鋪官，自中都至真定、平陽置者，達於京兆。元史：設急遞鋪，每十里或十五里、二十五里設一鋪，置鋪丁五。鋪兵一晝夜行四百里。大都路置總急遞鋪，提領三。此設鋪源流也。今驛或亦有車，不第以騎，鋪則坿箸。志驛傳。

順天府境，驛凡二十有七站：一、按：兵部會同館乃皇華驛也，見京師衙署門。其在良鄉曰固節驛，據會典事例五百二十八。在治南，一統志五：在縣南門內。馬二百二十有一，今存百六十有二，兵部冊。車二十，據會典事例五百二十八。舊有遞運所丞一，置自明，萬曆年廢。良鄉楊志：遞運所在固節驛西，萬曆年改察院，今改義學。又曰長新店驛，據中樞政考三十八。馬二十。兵部冊。固安曰固安驛，馬十有二。永清曰永清驛，馬八。東安曰東安驛，馬十。香河曰香河驛，馬八。據會典中樞政考同上。按：明香河驛馬二十六。天下郡國利病書云：香河縣走遞，原馬額十六，每年挨里順甲應役，每匹領庫銀二十四兩，外甲內按地私貼至五六十兩。萬曆三十一年，增十匹，別招養馬走遞，名曰馬商，民便之，遂爲例。之四驛，並在縣治。通州曰和合驛，在州東南三十五里，舊名合河驛，以白、榆、渾河，三河合流而名。明永樂中置。萬曆間徙張家灣，更今名。有丞。据一統志五參兵部冊。先是，有潞河驛，在通州故城東關外潞河西，亦置自永樂中，有遞運所丞一。據會典事例五百二十八。滿洲名臣傳：康熙二十九年，直隸巡撫于成龍疏，增通州、昌平、順義及榆林等驛馬匹。從之。通州高志：順治初，兩驛馬各二十五。十七年增三十。康熙十四、十五年裁二十三馬。二十九年增四十。三十四年又增四十。凡馬一百三十七。

國朝因之。康熙三十四年併之和合驛，據通州高志。馬一百三十有七，其夫有置之水驛者。攷元史，至元四年七月丙戌，朔，勅自中興路至西京立水驛十，其綿蕞與？據元史本紀。會典事例五百二十八，通州驛水驛夫三十五。三河曰三河驛，在縣署西。舊有驛二，東曰公樂，西曰夏店，去縣各二十里。明正德七年廢，移併於南店遞運所，在驛西，有丞一，即一統志所謂在縣南門外者是。國朝康熙年徙今所，遞運所廢。據會典五百二十八，一統志五，參三河陳志。明李貢併三河驛記：三河縣東有驛曰公樂，西有驛曰夏店，皆去縣二十里。使者東、西至，以驛在野且隘，恒不止宿，必抵縣以息。用是，巡撫平湖屠公勳請併於縣，爲三河驛。爲衆議所格。正德辛未，貢檢舊牘，得公疏，歎曰：此非節財裕民之大者與！疏入，報可。會邑人争請運二驛舊材併作，而王守備玉巖、任知縣濟、崔指揮昂疏請成之，縣釋重累，爰刻石以銘曰：漁陽之西，潞河之東，有三河縣，界乎其中。使者不留，必縣是止。前賢謀國，節財裕人。并二爲一，道里亦均。我聞于朝，天子曰可。經之營之，有堂有厦。昔者候使，輟食而嘆。今領于驛，寧其室堂。昔者邑民，苦于帳具。今領于縣，有害斯去。事雖由我，恐蔽前賢。刻銘于石，冀永歲年。馬八十有七，車馬十有六，車二十有六。據會典同上。武清曰河西驛，在縣東北三十里河西務，據武清吳志。馬三十有三。據會典同上。元史所謂至元二十四年月置河西務馬站，即此地也。據元史本紀。又曰：楊郈驛在縣東南五十里楊郈務，據方輿紀要，參武清吳志。馬三十有四，據會典同上。此二驛，並置水驛夫。按會典事例五百二十八：河西水驛夫九十九，楊村水驛夫九十九。舊又有楊青驛，在縣東一百五十里，并置遞運所。明嘉靖十九年，改置天津衛。據方輿紀要。寶坻曰寶坻驛，僻遞也，寶坻洪志：驛有極衝、稍衝、僻遞之分，寶坻乃僻遞也。馬八。昌平曰本城軍站，馬三十，據會典同上。又曰：榆河驛在州治東，舊在州南三十五里榆河店，明嘉靖三十六年徙此，丞一。國朝順治十六年裁丞，驛務掌之知州。馬九十有六。又由宣化、雞鳴、懷安、萬全、榆林、土木六驛，協濟馬十有五。曰迴龍觀軍站，在州□□里，馬三十。據會典同上，一統志五，昌平山水記，昌平宋志，兵部冊。順義曰順義驛，馬三十有五，據會典事例五百二十八。康熙二十七年，知縣吳元臣請增驛馬，按：順義黃志云：前驛馬十五，吳元臣請增七十四。懷柔吳志云：康熙二十七年，部議順義差繁，奏添驛馬。其説相符。惟云前馬十五，又與會典異。向無站，亦增于康熙年，順義黃志：治西從東直門出京，往古北口驛路一道，境内計四十八里，自大興界枯柳樹起，十二里至治西三家店，有行宫駐驛，二十里至牛欄山鎮，有邸肆，十六里至懷柔界耿家新莊，有旅店。又治西北發暢春苑往熱河驛路一道，境内計程二十五里，自昌平界官莊十二里至治西北南石槽，有行宮駐驛，十里許至昌平界橋子里交跕；又驛路一道，從德勝門出京，由昌平界湯山起，經白浪河、聶山營十一里至南石槽行宮西角門。其驛館非元至元十八年創建舊址矣。梁宜順州公廨記：至元十八年創驛館。密雲曰密雲驛，在縣治西南，有鳳凰驛之目。明洪武十二年置。國初省，尋復。據會典同上。元中統二年八月，所立檀州驛，據元史本紀。非今所矣。又曰：石匣驛，在石匣城，明洪武十有一年置于石匣城東。宣德四年徙此。國初省，尋復，以石匣縣丞職之，後掌于知縣。又曰：古北口站在古北口城北，康熙三十九年置。攷元史，中統三年九月丁亥，立古北口驛，四年正月罷。據元史本紀。當即今所。此三驛馬各三十有五。據會典同上，一統志五，密雲周志。按：中樞政考稱石匣站。懷柔曰懷柔驛，在縣治，據一統志五。馬七。據會典同上。乾隆三十八年五月辛巳，諭：本月二十日，在京所發本報，應於二十一日巳午之間遞至熱河行在，今于二十三日辰刻始行遞到，較常遞隔兩日，查係因懷柔、密雲一帶水發所阻。現值三伏，雨水原所時有，懷柔、密雲各處橋梁、道路，自應隨時查察料理，以利遄行，未便任其阻滯。但該縣等職分輕小，其餘武職員弁，未免呼應不靈。霸昌道駐紮昌平，距懷柔不遠，該道並無緊要事務必須在署坐辦，若令暫駐懷柔，亦與昌平無異。著傳旨，令盛住即移住懷柔，並于密雲一帶往來查察，如遇軍報或偶因雨水間阻懷柔，原有繞道可行，密雲白河亦有上哨淺處可渡，該道即督率地方員弁，悉心照料妥辦，毋致再有延誤。嗣後朕夏間駐蹕熱河，總派霸昌道分駐懷柔一帶辦理。涿州曰涿鹿驛，在州署西。舊驛在州西南館驛街，置自明；涿州吴志。或曰，始遼。攷遼史統和六年七月癸丑，巴雅爾請置涿州驛傳，其卽是歟？據遼史本紀。國朝康熙年，郭子治重修之。初置丞一。雍正五年，裁丞，驛徙今所。涿州吴志參續志。按：御覽郡國志：嬀州涿鹿城，卽黄帝擒蚩尤處。嬀州今保安州，距涿州甚遠。涿州吴志云：邑名涿鹿，由洪武初詔令天下驛名不典者，以古地名易之。或以涿鹿山在涿州境，失之矣。馬一百九十有一。會典事例五百二十八。又房山曰吉陽驛，會典事例五百二十八。在縣□□□里，采訪冊。馬五十有三，車二十。據會典事例五百二十八。按：房山佟志：房山驛馬爲民重累，原額二十匹，順治四年，知縣婁慶奎申文裁十餘匹。據知原額尚無五十三匹。霸州曰霸州驛，卽舊所謂益津驛者是，在州署東，原馬十有二，撥入大興、宛平、固安、甯河者四，今馬凡八。舊有大良驛在州東八十里，明置。又有河泊所，在州東二十五里，並廢。據一統志五，會典事例五百二十八，霸州周志。文安曰文安驛。大城曰大城驛。馬各十有二。保定曰保定驛，馬二。兵部冊參會典同上。薊州曰漁陽驛，据會典事例五百二十八。在州□□□里，馬八十有五，驢三，車二十有六。平谷曰平谷驛，馬八。據會典同上。

其費則馬以驛異，如良鄉固節驛，通州潞河驛、三河驛，武清河西驛、楊邨驛，昌平本城、迴龍二軍站，榆河驛，順義驛，石匣驛，古北口站，涿州涿鹿驛，房山吉陽驛，薊州漁陽驛，每馬日給銀七分九釐四毫七絲；良鄉長新店驛每馬日給銀六分一釐二毫；固安、永清、懷柔、房山、霸州、文安、平谷諸驛，每馬日給銀七分二釐；東安驛每馬日給銀五分八釐五毫；香河、寶坻等驛，每馬日給銀五分；密雲石匣驛、大城驛，每馬日給銀七分五釐；保定驛每馬日給銀六分五釐。據兵部冊。夫亦以驛異，有馬夫，中樞政考三十二：馬夫內有馬夫、軍夫、馬牌、回馬、背包、探餧、鍘草、傳報、看差、煮料、飛遞等名目。又二十八云：良鄉固節驛，一百十五名半，固安驛六，永清驛四，東安驛五，香河驛四，通州潞河驛六十八名半，三河驛四十三名半，武清河西驛十六名半，楊郵驛十七名，寶坻驛四，昌平本城軍站十五，迴龍觀軍站十五，榆河驛五十五名半，協濟本州七名半，順義驛三十，密雲驛二十七，石匣站三十一，懷柔驛四，涿州涿鹿驛八十八名半，房山驛一，吉陽驛三十四，霸州驛六，文安驛六，保定驛一，大城驛六，平谷驛六，薊州漁陽驛四十二名半。按會典事例五百二十八云：固節驛馬夫一百九名半，河西驛十五名半，楊郵驛十六，順義驛二十六，密雲驛二十一，石匣驛二十一，懷柔驛三名半。餘同中樞政考。霸州周志云：馬夫五，較前減其一。每名下倣此。良鄉日給銀六分；密雲五分五釐九毫七絲二忽；通州、三河、昌平、順義、涿州、營州、密雲之石匣、房山之吉陽等驛，古北口站，日給銀五分四釐；武清縣楊郵驛，日給銀五分二釐九毫九絲九忽；固安、霸州、大城日給銀五分二釐；文安日給銀四分五釐；平谷日給銀四分三釐；懷柔日給銀三分八釐七毫；香河、東安日給銀三分六釐；永清日給銀二分九釐九毫九忽；房山日給銀一分五釐三毫；寶坻、保定日給銀一分五釐。據中樞政考三十二。又云：密雲續增馬夫，每名日給銀五分四釐。馬牌夫，日給四分。昌平之協濟馬夫，日給三分七釐二毫。順義探餧夫，日給三分八釐七毫。馬牌夫，每名日給銀七分二釐，內有一名日給三分六釐。吉陽驛馬牌夫，日給六分三釐，石匣站馬牌夫，日給三分六釐，武清縣內有一名日給四分五釐。馬夫頭，日給九分，楊村驛馬夫頭日給九分。有車夫，據中樞政考二十八：內有車夫、車牌等名目。長新店十名，吉陽驛十三，河驛三十二，漁陽驛二十九。三河縣，良鄉之長新店，房山之吉陽等驛，日給銀五分四釐。同上。又云：三河續增夫，每名日給銀六分。有驢夫，中樞政考二十八：固節驛一名。良鄉日給銀二分六釐六毫六絲二忽。有長夫包軍募夫，按：募夫卽今擯轎夫也。中樞政考二十八：固節驛一百二十八，潞河驛七十六，三河驛四十一，河西驛二十七，楊郵驛二十七，順義驛五，密雲驛七，石匣驛七，涿鹿驛一百十二，吉陽驛二十，漁陽驛三十二。按：會典事例五百二十八云：固節驛擯轎等夫一百三十八，通州驛八十七，三河驛四十四，河西驛二十八，楊郵驛二十八，順義驛八，密雲驛十三，石匣驛二十七，涿鹿驛一百十一，吉陽驛二十四，漁陽驛三十五。通州、房山之吉陽驛，日給銀五分四釐；良鄉、三河日給銀五分；涿州、武清、薊州、武清之楊郌等驛，日給銀四分五釐；順義日給銀三分六釐；密雲縣石匣站，日給銀三分三釐三毫三絲三忽；古北口站，日給銀三分六忽。同上。又云：通州夫頭，每名日給銀九分，小夫頭日給銀七分二釐。良鄉縣内有十六名，每名日給銀六分；三河縣内有八名，每名日給銀六分。夫頭每名日給銀七分二釐，武清縣並楊郌驛夫頭，日給銀五分九釐九毫九絲。有皁，中樞政考二十八：有遞夫、接遞皁隸、驛皁等名目。會典事例五百二十八：固節驛皁三十五名，通州驛十六，三河驛五，河西驛八，楊郌驛八，榆河驛四，順義驛四，密雲驛三，石匣驛三，涿鹿驛二十八，漁陽驛十二。密雲之石匣站，日給銀四分五釐，驛皁日給銀四分；密雲、三河、薊州，日給銀一分六釐六毫六絲；涿州日給銀一分五釐八毫七絲三忽；良鄉日給銀一分五釐八毫二絲三忽；驛皁日給銀六分二釐五毫；古北口日給銀一分五釐三忽；順義日給銀一分五釐；武清、昌平、武清之楊郌驛，日給銀一分四釐九毫九絲九忽。有縴夫，中樞政考二十八：和合驛四十六，河西驛九十九，楊郌驛九十九。通州日給銀五分二釐六毫七絲五忽；正、十一、十二等月不給，夫頭日給銀七分二釐。武清縣楊郌驛，日給銀三分六釐。夫頭日給五分九釐九毫四絲。有驛書，會典事例五百二十八：固節驛書一，固安驛一，潞河驛二，三河驛二，河西驛一，楊郌驛一，榆河驛一，順義驛一，石匣驛一，涿鹿驛一，吉陽驛一，漁陽驛二。中樞政考卷三十二：驛書内有字識、抄牌、抄號、造册等名目。通州房山之吉陽，日給銀五分四釐；固安、三河、薊州日給銀四分五釐；涿州日給銀三分六釐；内有一名日給一分八釐，又一名日給銀二分五釐。武清楊郌驛日給銀二分九釐九毫九忽；昌平日給銀二分二釐五毫；良鄉日給銀二分；順義日給銀一分七釐五絲；密雲之石匣站日給銀一分六釐六毫六絲六忽。内有一名日給銀一分。據中樞政考三十二。有獸醫，會典事例五百二十八：固節驛獸醫二，固安驛一，永清驛一，東安驛一，潞河驛二，三河驛二，河西驛一，楊郌驛、榆河驛一，順義驛一，密雲驛一，石匣驛一，涿鹿驛三，吉陽驛一，霸州驛一，大城驛一，漁陽驛二。通州、房山之吉陽日給銀五分四釐；良鄉日給銀五分；三河、武清、昌平、涿州、薊州、武清之楊郵等驛、古北口站日給銀四分五釐；霸州日給銀三分七釐五毫；固安日給銀三分；永清日給銀二分九釐九絲九忽；密雲、大城、密雲之石匣站日給銀二分五釐；東安日給銀一分；順義月給銀二錢五分。據中樞政考三十二。有雜夫，中樞政考三十二：雜夫內有聽事、執事、答應、吏旗、運柴、挑水、燒火、廚子、買辦、庫子、門夫、看廳、看茶、看差、看倉、看囚、館夫、防夫、鞍屉、匠役等名目。又卷二十八：固節驛三名，涿鹿驛二名，吉陽驛三名。良鄉日給銀六分；房山之吉陽日給銀五分四釐；涿州日給銀四分五釐。

設鋪凡一百九十。窩鋪不計。大興曰在城、曰朝陽、曰西流、曰正陽、曰紅門、曰黃郵、曰下馬、曰白郵、曰青雲、曰安定，凡十。據會典事例五百三十二。按：大興張志稱：在城鋪曰縣前鋪，在縣署西；正陽鋪在正陽門；朝陽、西流並在朝陽門；安定鋪在安定門；紅門、黃郵並在海子西；下馬在海子東。稱白郵曰曹郵，青雲曰青潤。鋪司、鋪兵共三十。兵部冊。舊有翦莊鋪，廢。據大興張志。在城鋪東十里至朝陽鋪，八里至西流鋪，十八里至通州大黃鋪，在城鋪南，十里至正陽鋪，又西南三十里至紅門鋪，又北二十里至宛平石橋鋪，南十里至黃郵鋪，十五里至宛平天宮鋪，又正陽鋪東南十五里至下馬鋪，二十八里至白郵鋪，二十二里至青雲鋪，十里至東安李家鋪。在城鋪北，三里至安定鋪，八里至宛平縣胡渠鋪。宛平曰在城、施仁、石橋、彰儀、大井、盧溝、長新、天宮、龐各、黃垡、石牌、雙泉、胡渠，凡十有三鋪，司鋪兵共五十一。在城鋪南，八里至施仁鋪，五里至石橋鋪，二十里至大興縣紅門鋪。又施仁鋪西三里至彰儀鋪，十五里至大井鋪，十二里至盧溝鋪，五里至長新鋪，十八里至良鄉縣長陽鋪。又施仁鋪西南六十里至天宮鋪，天宮鋪南十二里至龐各鋪，十二里至黄垡鋪，十八里至固安縣十里鋪。在城鋪北，三里至石牌鋪，十二里至雙泉鋪，五里至昌平州清河鋪。在城鋪東北十里至胡渠鋪，十五里至順義縣葦溝鋪。良鄉曰在城、重義、竇店、燕谷、長陽凡五據會典事例五百三十二、采訪册。按：良鄉楊志稱，在城鋪曰坊市鋪。鋪，司鋪兵共二十五。在城鋪南十三里至重義鋪，十二里至竇店鋪，十五里至燕谷鋪，五里至房山縣界溝鋪。在城鋪北十里至長陽鋪，十八里至宛平縣長新鋪。固安曰在城、西内、柳泉、沙垡、牛駝、馬邨、宫邨、十里，凡八鋪，司鋪兵共二十。在城鋪東二十里至西内鋪，十五里至永清縣于林屯鋪。在城鋪十八里至柳泉鋪，十二里至沙垡鋪，十里至牛駝鋪，二十里至霸州南孟鋪。在城鋪西，十五里至馬邨鋪，十里至宫邨鋪，十五里至涿州刁窩鋪。在城鋪北，十里至十里鋪，十八里至宛平縣黄垡鋪。據會典事例五百三十二。永清曰在城、于今、大站、八里莊、李家口、于林屯，凡六鋪，司兵九。永清周志：東路縣前鋪司一人，于今鋪司一人，大站鋪司一人，南路縣前鋪司一人，南八里莊鋪司一人，李家口鋪司一人，西路縣前鋪司二人，于林屯鋪司一人。北路不通鋪遞，文移之至北路者，均由西路遞送，是以西路鋪司二人。按：縣前鋪，即會典所謂在城鋪是，今從之。會典云：司兵八，今實九名。在城鋪東二十八里至于今鋪，十二里至大站鋪，十里至東安縣西儲鋪。在城鋪南十二里至八里莊鋪，十里至李家口鋪，十里至霸州辛莊鋪。在城鋪西北十里至于林屯鋪，十五里至固安縣西内鋪。東安曰在城、西儲、各莊、李家，凡四鋪，司兵十有六。在城鋪東三十五里至武清在城鋪。在城鋪西八里至西儲鋪，十里至永清大站鋪。在城鋪北四十里至各莊鋪，二十里至李家鋪，十里至大興青雲鋪。香河曰在城鋪，司兵十，東六十里至寶坻在城鋪，西南二十五里至武清河西務鋪，東北五十里至通州德仁鋪，北四十里至三河杏仁鋪。據會典事例五百三十二。今增鋪二：一爲宣教寺鋪，縣東十五里；一爲王家鋪，縣西十五里。又廢鋪二：一爲戴家閣鋪，縣東三十里；一爲高家鋪，縣西三十里。據香河劉志。通州曰在城、召裏、煙郊、東流、大黄、王各、草寺、高力、郭家、漷邑、黄場、德仁、三垡、兩家，凡十有四鋪，司兵五十有四。在城鋪東十二里至召裏鋪，十二里至煙郊鋪，八里至三河縣馬起乏鋪。在城鋪西十二里至東流鋪，八里至大黄鋪，十八里至大興西流鋪。在城鋪北十里至王各鋪，十里至草寺鋪，十五里至順義李家橋。在城鋪南十八里至高力鋪，十五里至郭家鋪，八里至漷邑鋪，十里至黄場鋪，十里至德仁鋪，十里至三垡鋪，十里至兩家鋪，三十里南至武清河西務鋪，又兩家鋪東三十里至香河。在城鋪西三十里至采育營，據通州高志、采訪册。高志：額設八鋪，鋪司兵三十名。漷邑歸併六鋪，鋪司兵二十四名。按：會典事例五百三十二云，十三鋪者，無煙郊一鋪也。裏，通州志作里，今依會典。寺，會典作次，里數亦微有異，今依志册。三河曰在城、石碑、段家嶺、百福圖、新店、夏店、馬起乏、煙郊、杏仁、北套，凡十鋪，司兵四十有六。在城鋪東十二里至石碑鋪，八里至段家嶺鋪，十里至薊州白澗鋪。在城鋪西十二里至百福圖鋪，六里至新店鋪，十二里至夏店鋪，十二里至馬起乏鋪，八里至煙郊鋪，十二里至通州召裏鋪。在城鋪南二十里至杏仁鋪，四十里至香河縣在城鋪。在城鋪北三里至北套鋪，三十里至平谷縣辛莊鋪。武清曰在城、河西務、蔡邨、楊邨，凡四鋪，司兵十有九。在城鋪東北二十里至河西務鋪，二十五里至香河在城鋪。在城鋪西三十五里至東安在城鋪南，五里至蔡邨鋪，二十里至楊邨鋪，三十五里至天津桃花口鋪，又河西務鋪北五十里至通州兩家鋪。寶坻曰在城鋪，司兵十。西六十里至香河。在城鋪東一百二十里，至甯河在城鋪。據會典事例五百三十二。又縣西十里曰朱家莊鋪，縣西二十里曰崔家莊鋪。據寶坻洪志。甯河曰在城鋪，司兵十。東一百十里至豐潤治南，一百四十里至天津治西，一百二十里至寶坻治北，一百一十里至玉田治。甯河丁志：縣東至豐潤治一百十里，鋪司一名；南至天津治一百四十里，鋪司二名；西至寶坻治一百二十里，鋪司六名；北至玉田治一百一十里，鋪司一名。昌平州曰在城道、前沙屯、沙河、迴龍觀、清河、新莊、新峯、牛房、粉莊、何家營、芹城、麻峪、鮑魚泉、平義分、喬子、舊縣、龍虎臺，凡十有七鋪，司兵三十有四。在城鋪南十里至道前鋪，十一里至沙屯鋪，八里至沙河鋪，十八里至迴龍觀鋪，十二里至清河鋪，五里至宛平雙泉鋪。在城鋪東八里至新莊鋪，十二里至新峯鋪，十二里至牛房鋪，八里至粉莊鋪，十里至順義高麗營鋪。在城鋪東北八里至何家營鋪，二十二里至芹城麻峪鋪，十二里至鮑魚泉鋪，十四里至平義分鋪，十四里至喬子鋪，五里至懷柔松棚鋪。在城鋪西八里至舊縣鋪，七里至龍虎臺鋪，十五里至延慶州臭泥坑鋪。據昌平宋志。順義曰在城、吴家營、塔河、葦溝、向陽、牛欄山、後角、李家橋、衙門郚、南狼塚、高麗營，凡十有一鋪，司兵二十有四。在城鋪西南十二里至吴家營鋪，十里至塔河鋪，二十里至葦溝鋪，十五里至宛平縣胡渠鋪。在城鋪北八里至向陽鋪，十二里至牛欄山鋪，十二里至懷柔年豐鋪。在城鋪西十五里至後角鋪，八里至李家橋鋪，十里至通州草寺鋪。在城鋪西五里至衙門郚鋪，十五里至南狼塚鋪，十里至高麗營鋪，十里至昌平州粉莊鋪。密雲曰在城、東白崖、金扇莊、小河漕、穆家峪、不老、石匣、新開嶺、古北口，凡九鋪，司兵二十有九。在城鋪東南八里至東白崖鋪，十二里至金扇莊鋪。在城鋪西南十里小河漕鋪，十二里至懷柔王家鋪。在城鋪東北二十里至穆家峪鋪，二十里至不老鋪，二十里至石匣鋪，二十五里至新開嶺鋪，十五里至古北口鋪，八里灤平縣巴克什營鋪。據會典事例五百三十二。其窩鋪有西黎園莊、大沙坨、三里坨、西大橋、大河漕、五里井、演武廳、沙峪溝、石嶺莊、雙嶺莊、九松山、南省莊、北省莊、小營莊、潮都莊、茨榆溝、崔家濠、小安口、興隆寺、芹菜嶺、白河澗、小新開嶺、大新開嶺、上店子、稻黄店、南天門、潮河橋、古北口南關。據密雲丁志。懷柔曰在城、年豐、松棚、小務、王家，凡五鋪，司兵十有五。在城鋪南十五里至年豐鋪，十二里至順義牛欄山鋪。在城鋪東南一百一十里至松棚鋪，四十里至平谷夏前務鋪，又年豐鋪北十二里至小務鋪，十二里至王家鋪，十二里至密雲小河漕鋪。據會典事例五百三十二。涿州曰在城、刁窩、管頭、樓彙、三家莊、忠義、松林、澤畔、醬家、魯家、胡良，凡十有一鋪，司兵六十有一。涿州吴志：州治前鋪兵十三，刁窩四，管頭四，樓桑四，三家店四，忠義店六，松林店六，澤畔六，醬家鋪三，魯家鋪三，湖梁鋪八。按：會典稱州治前鋪曰在城，三家店曰三家莊，胡梁云胡良。在城鋪東二十里至刁窩鋪，十五里至固安宫邨鋪。在城鋪南十里至管頭鋪，十里至樓桑鋪，十里至三家莊鋪，十里至新城方官鋪。在城鋪西南十里至忠義鋪，十里松林鋪，十里至澤畔鋪，十五里至新城駐蹕鋪。在城鋪西十三里至醬家鋪，十二里至魯家鋪，十里至淶水十里鋪。在城鋪北十里至胡良鋪，十里至房山縣界溝鋪。房山曰在城、石樓、界溝，凡三鋪，司兵十。在城鋪南十里至石樓鋪，十里至界溝鋪，十里至涿州胡良鋪，據會典事例五百三十二。房山佟志：縣治西鋪，知縣陳庭訓重修。又有鋪曰挾河，在挾河邨。據房山佟志。霸州曰在城、南孟、莫金、辛莊，凡四鋪，司兵十有二。在城鋪北十八里至南孟鋪，二十里至固安牛駝鋪。在城鋪南十二里至莫金鋪，八里至保定在城鋪。在城鋪東十二里至辛莊鋪，十里至永清李家口鋪。據會典事例五百三十二。其至京窩鋪十有四，曰王邨、北落邨、西粉營、東粉營、南孟鎮、金各鋪、楊家莊、魏家營、西王莊、于崖莊、南亳家務、栳栳圈、苑家口北岸，又至直隸省窩鋪十，曰文明邨、劉家莊、夾河邨、岔河集、于家廟、擺渡口、高家莊、臨津邨、蘇家辛莊、圈子邨。據霸州周志。文安曰在城、太平州、孫尹，凡三鋪，司兵九。在城鋪南十七里至太平州鋪，十六里至大城縣鄧家務鋪。在城鋪西北十五里至孫尹鋪，十五里至保定縣柏橋鋪。大城曰在城、鄧家務、蓋益莊，凡三鋪，司兵十。在城鋪西北十七里至鄧家務鋪，十六里至文安太平州鋪。在城鋪東南二十里至蓋益莊鋪，二十七里至青縣在城鋪。保定曰在城、柏橋，凡二鋪，司兵六。在城鋪北八里至霸州莫金鋪，南十六里至柏橋鋪，十五里至文安縣孫尹鋪，又柏橋鋪西十二里至雄縣郭家莊鋪。薊州曰在城、黃土坡、壕門、馬伸橋、淋河、賈各莊、孫各莊、邦均、白澗山、北頭、現橋、別山、楊各莊、黃崖關，凡十有四鋪，司兵六十有二。在城鋪東十二里至黃土坡鋪，十三里至壕門鋪，十二里至馬伸橋鋪，十三里至淋河鋪，十五里至遵化州石門鋪。在城鋪西十里至賈各莊鋪，十里至孫各莊鋪，十里至邦均鋪，十里至白澗鋪，十里至三河縣段家嶺鋪。在城鋪南八里至山北頭鋪，十里至現橋鋪，十二里至別山鋪，十二里至玉田縣石河鋪。在城鋪北三十里至楊各莊鋪，二十里至黃崖關鋪。平谷曰在城、辛莊、胡家務、夏前務，凡四鋪，司兵十有一。在城鋪東南十里至辛莊鋪，三十里至三河北套鋪。在城鋪西北十里至胡家務鋪，十里至夏前務鋪，四十里至懷柔松棚鋪。據會典事例五百三十二。縣治南舊有高邨鋪，廢。據平谷朱志。按：張棣金虜圖經云，地里驛程，故城店至黃邨鋪三十里，黃邨鋪至澤畔鋪三十里，澤畔鋪至涿州三十里，涿州至劉李店三十里，劉李店至良鄉縣三十里，良鄉至盧溝河鋪三十里，盧溝河至燕京三十里，燕京至交亭三十里，交亭至潞州三十里，潞州至三河縣三十里，三河至夏店四十里，夏店至邦均店三十五里，邦均店至薊州三十里，薊州至羅山鋪三十里，羅山鋪至玉田縣四十里。已上見徐夢莘北盟會編二百四十四附録備考。

坿前代驛傳考

宋有范陽驛，按：范成大有范陽驛詩。元有析津驛，元史世祖紀：中統元年乙丑，禁使臣勿入民家，令止頓析津驛。中統元年，勅燕京至濟南，置海青驛凡八。據同上。三年，燕京都税使郭汝梅創建驛舍百餘楹，不令擾及民家。郭公塋記。至元三十七年十一月，罷大都東、西二驛。元世祖紀。文宗元年，給大都驛馬百匹。十月，遣官振良鄉、涿州等驛户之被兵者。元文宗紀。明嘉靖二十九年，原額站糧九千七百二十五石，協濟各驛遞，每石徵銀九錢二分七釐。三十五年，審驛傳協濟各驛遞，徵銀六錢，固節驛上馬二、中馬二、下馬二，騾七，驢七，後三十五。良鄉遞運所，車一十三。涿鹿驛下馬一、騾一，大興遞運所車四，潞河驛中馬二、下馬二。四十三年，審驛傳協濟各驛遞，每石徵銀五錢。固節驛上馬二、中馬二、下馬五，騾七，驢三十五。良鄉遞運所車一十八。大興遞運所車四。潞河驛站船一、騾二，前每石徵銀二錢九分七釐，後每石徵五六錢。固安陳志。崇禎三年，良鄉知縣石鳳臺請驛馬官自牧養，永不僉派百姓。良鄉楊志。香河有興中驛、青巒驛、資廣驛，香河劉志。其爲今驛所因者，詳國朝驛傳。

華陽吴祖椿校

光緒順天府志六十五

故事志一

黄岡洪良品纂　江陰繆荃孫覆輯

時政上

燕之時政，宅幽紀於書城，韓詠於詩，紀述寥寥，無從補綴。降及七國，事蹟大備。遼、金、元、明於此宅都，得失之幾，首在布政。我朝定鼎，列聖經營，宏册大典，獨詳首善，涵濡茂育，沐義浸仁，蚩蚩者民幾忘帝力。京尹職司畿甸，宣化承流，語曰：前事之不忘，後事之師也。守官者其體聖王之遠圖哉！志時政。

陶唐

唐命和叔宅朔方，曰幽都。書堯典。流共工於幽陵。史記五帝紀。

周

武王十三年，封帝堯之後於薊。禮樂記。封召公於北燕。史燕召公世家。按：竹書紀年：武王十三年，大封諸侯，據以繫年。

成王十二年，王錫韓侯命。竹書紀年。

宣王二年，燕惠侯薨，竹書紀年。子釐侯立。史燕世家。四年，命蹶父如韓。韓侯來朝。竹書紀年。三十七年，燕釐侯卒，竹書紀年。子頃侯立。燕世家。

平王四年，燕頃侯卒，竹書紀年。子哀侯立。燕世家。六年，燕哀侯卒，竹書紀年。子鄭侯立。燕世家。四十二年，鄭侯卒，子繆侯立。燕世家。

桓王十一年，繆侯卒，子宣侯立。燕世家。二十三年，宣侯卒，子桓侯立。燕世家。

莊王六年，桓侯卒，子莊公立。燕世家。

惠王十三年，燕君送齊桓公出境，桓公因割燕所至地予燕。燕世家。十九年，莊公卒，子襄公立。燕世家。

頃王元年，襄公卒，桓公立。燕世家。

定王五年，桓公卒，宣公立。燕世家。二十年，宣公卒，昭公立。燕世家。

簡王十二年，昭公卒，武公立。燕世家。

靈王十年，武公卒，文公立。燕世家。二十三年，文公卒，懿公立。燕世家。二十七年，懿公卒，子惠公立。燕世家。齊高止來奔。左傳。

景王六年，惠公欲去諸大夫而立寵姬宋，大夫共誅姬宋，惠公奔齊。燕世家。按：索隱云：宋或作宗。劉氏云：其父兄爲執政，故諸大夫共滅之。十年，立悼公。燕世家。按：史記，悼公之立，未詳其年。據左氏傳，晏子燕有君之言，是惠公奔齊，即立悼公也。以平公十八年柏舉之役推之，當立於是年。暨齊平。春秋昭公七年。按：杜注云：燕及齊平，與服虔合。十六年，悼公卒，共公立。燕世家。二十一年，共公卒，平公立。燕世家。

敬王十年，平公卒，簡公立。燕世家。二十七年，簡公卒，獻公立。燕世家。定王四年，獻公卒，孝公立。燕世家。十九年，孝公卒，成公立。燕世家。

考王七年，成公卒，湣公立。燕世家。

威烈王二十三年，湣公卒，釐公立。燕世家。

烈王三年，釐公卒，桓公立。燕世家。

顯王七年，桓公卒，文公立。燕世家。三十六年，文公卒，太子立，是爲易王。燕世家。四十六年，燕君爲王。燕世家。四十八年，易王卒，子燕噲立。燕世家。

慎靚王三年，屬國子之。燕世家。

赧王元年，齊伐燕，取子之，醢之，殺王噲，大事記。燕亡。紀元編。三年，太子平立，是爲昭王。昭王爲郭隗築宮而師事之。通鑑三。三十六年，昭王卒，子惠王立。燕世家。四十三年，惠王卒，武成王立。燕世家。五十八年，武成王卒，子孝王立。燕世家。

孝王二年卒，王喜立。燕世家。

王喜十一年，築長城，置上谷、漁陽、右北平、遼西、遼東郡，太子丹質於秦。通鑑四。三十三年，太子丹逃歸。燕世家。二十七年，太子丹使荆軻獻督亢地圖於秦。燕世家。三十三年，秦滅燕，虜王喜。史秦紀。

漢

高祖元年二月，徙燕王韓廣爲遼東王，都無終；燕將臧荼爲燕王，都薊。史記秦楚之際月表。五年，臧荼反，封盧綰爲燕王。漢紀。十二年，燕王綰反，周勃擊下薊，綰亡入匈奴。立子建爲燕王，賜燕吏六百石以上爵各一級。漢高帝紀。

高后七年，靈王薨，有美人子，殺之，國除。通鑑十三。八年，立吕通爲燕王，九月誅。通鑑十三。

孝文元年，徙瑯琊王澤爲燕王，至孫定國，免。寰宇記。

武帝元狩六年，封皇子旦爲燕王。寰宇記。

燕王旦發民會圍大獵文安縣，以講士焉。漢書燕王旦列傳。

後元元年，燕王旦坐藏匿亡命，削良鄉、安次、文安三縣。通鑑二十二。

昭帝元鳳元年，旦自殺，改國爲廣陽郡。寰宇記。

宣帝本始元年，更爲國，以封燕刺王太子建爲王，領縣四，都薊。建曾孫嘉，王莽時絶。寰宇記。

新莽始建國二年，流劉棻於幽州。通鑑三十七。

後漢

光武初，封叔父良爲廣陽王，後徙王趙，省廣陽，合上谷。寰宇記。

和帝永元元年，復立廣陽郡，幽州刺史與郡同理。寰宇記。

獻帝初平元年四月，以幽州牧劉虞爲太傅。幽部應接荒外，資費甚廣，虞敝衣繩屨，食無兼肉，務存寬政，督勸農桑，開上谷胡市之利，通鹽錢之饒。民説年登，穀石三十，青、徐士庶避難歸虞者百餘萬口。通鑑五十九。

建安十八年，改屬冀州，又復立幽州。據三國志，寰宇記。

晉

泰始初，封文帝子機爲燕王。機薨，無子國除。尋改范陽郡曰范陽國，分上谷置廣甯郡，仍隸范陽國，改右北平爲北平，而幽州存焉，領郡國七，理于涿。寰宇記。

惠帝永嘉五年七月，王浚設壇告類，立皇太子，布告天下。通鑑八十七。

後趙

石勒每破一州，必簡別衣冠，號爲君子城。洎平幽州，擢荀綽、裴憲等還襄國經此，俗訛爲箕子城。方輿紀要。

後燕

慕容垂建興四年，燕以長樂公盛鎮薊城，修繕舊宫。通鑑一百七。六年正月，燕置行臺於薊。通鑑一百七。

後魏

明元帝奉常五年九月，魏主如幽州。通鑑一百十九。

世祖始光四年正月己亥，行幸幽州。魏太武帝紀。

延和元年九月，徙營邱、成周、遼東、樂浪、帶方、元菟六郡民三萬家於幽州，開倉以賑之。魏太武帝紀。

太延三年二月，行幸幽州，存恤孤老，問民疾苦。魏太武帝紀。

裴延儁轉平北將軍、幽州刺史。范陽郡有舊督亢渠，徑五十里，漁陽燕郡有故戾陵諸堰，廣袤三十里，皆廢毀多時，莫能修復。時水旱不調，民多飢餒。儁謂疏通舊迹，勢必可成，乃表求營造，遂躬自履行，相度水形，隨力分督，未幾而就。溉田百萬餘畝，爲利十倍，百姓至今賴之。魏書列傳。

東魏

武定三年十月丁卯，神武上言：幽、安、定三州，北接奚、蠕蠕，請於險要修立城戍以防之，躬自臨履，莫不嚴固。北齊神武帝紀。

齊

文宣帝天保六年，發夫一百八十萬人築長城，自幽州北至夏口，南至恒州，九百餘里。北齊文宣帝紀。

齊孝昭皇建中，平州刺史稽曜建議，開幽州督亢舊陂，長城左右營屯，歲收稻粟數十萬石。北境得以周贍。隋食貨志。

斛律羡轉使持節，都督幽、平、營、東燕六州諸軍事，幽州刺史。導高梁水北合易，京東會于潞，因以灌田，邊儲歲積，轉漕用省，公私獲利焉。（北齊書列傳。）

隋

文帝仁壽三年，賜幽州總管燕榮死。榮性嚴酷，鞭撻左右，動至千數。嘗見道次叢荆，以爲堪作杖，命取之，輒以試人。人或自陳無罪，榮曰：後有罪當免汝。既而有犯將杖之，人曰：前日被杖，使君許以有罪宥之。榮曰：無罪尚爾，況有罪邪！杖之自若。觀州長史元弘嗣遷幽州長史，懼爲榮所辱，固辭。上勑榮曰：弘嗣杖十已上罪，皆須奏聞。榮忿曰：豎子何敢玩我！於是遣弘嗣監納倉粟，颺得一糠一粃皆罰之，每笞雖不滿十，然一日之中或至三數。如是歷年，怨隙日構。榮遂收弘嗣付獄，禁絶其糧。弘嗣抽絮雜水咽之。其妻詣闕稱冤。上遣使案驗，奏榮爲暴虐，贓穢狼籍。徵還，賜死。元弘嗣代榮爲政，酷又甚之。（通鑑一百七十九。）

煬帝大業四年春正月，詔發河北諸郡男女百餘萬，開永濟渠，引沁水南達于河，北通涿郡。（隋煬帝紀。）七年二月乙亥，上自江都御龍舟入通濟渠，遂幸于涿郡。壬午，詔曰：武有七德，先之以安民；政有六本，興之以教義。高麗虧失藩禮，將欲問罪遼左，恢宣勝略。雖懷伐國，仍事省方。今往涿郡，巡撫民俗。夏四月庚午，幸涿郡之臨朔宮。（北史煬帝紀。）七月，發江、淮以南民夫及船，運黎陽及洛口諸倉米至涿郡，舳艫相次千餘里。通鑑。七年，征高麗，煬帝遣諸將於薊城南桑乾河上築社稷一壇，帝齋於臨朔宮懷荒殿。通典。八年春正月，四方兵皆集涿郡，凡一百一十三萬三千八百人，號二百萬，其餽運者倍之。宜社于南桑乾水上，類上帝于臨朔宮南，祭馬祖于薊城北。通鑑。十年三月壬子，行幸涿郡。癸亥，次臨榆宮，親御戎服，禡祭黃帝，斬叛軍者以釁鼓。北史煬帝紀。

唐

高祖武德九年六月庚辰，幽州都督廬江郡王瑗反，伏誅。癸未，赦幽州管内爲瑗所詿誤者。新書高祖紀一。

太宗貞觀十九年四月癸卯，誓師於幽州，大饗軍。新書太宗紀。十月，征遼還，次營州。十一月癸酉，帝至幽州，幸城南，大饗軍士。勞之曰：朕執賞罰之柄，懸諸日月，有功於國，賞不踰時。飲至之禮，古今常事，朕欲徧置酒殽，咸宜樂飲。册府元龜一百九。

則天時，侍御史桓彦範受詔於河北，斷塞居庸、岳嶺、五迴等路，以備突厥。舊書武后紀。

元宗開元二十一年，張守珪轉幽州長史，兼御史中丞，頻出擊奚、契丹，每戰皆捷。契丹別帥李過折斬首領屈剌、衙官可突于，率衆以降。守珪因出師，次紫蒙川，大閲軍實，讌賞將士，詔於幽州立碑，以紀功賞。舊書列傳。裴行方檢校幽州都督，引盧溝水，廣開稻田數千頃，百姓賴以豐給。册府元龜。

天寶三載，以安禄山兼范陽節度使。通鑑輯覽五十五。十四載十一月，安禄山反。通鑑輯覽五十五。

肅宗至德二載十二月，史思明以范陽降。通鑑輯覽五十六。

乾元七年，史思明反，殺范陽副使烏承恩。通鑑輯覽五十六。

代宗廣德元年，以李懷僊爲盧龍節度使。通鑑輯覽五十六。三年六月，幽州州將朱希彩殺節度使李懷僊，詔以希彩知留後。通鑑輯覽五十六。七年七月，幽州將殺節度使朱希彩，以朱泚代之。通鑑輯覽五十七。八年九月，朱泚入朝，以弟滔知留後。通鑑輯覽五十七。

德宗建中三年，朱滔反。通鑑輯覽五十七。十一月，滔自稱冀王。通鑑輯覽五十七。

貞元元年六月，朱滔死，以留後劉怦爲節度使。通鑑輯覽五十八。秋，劉怦卒，以其子濟爲節度使。唐書列傳。

憲宗元和五年，濟子總弒濟及其兄緄，自領軍務。通鑑輯覽五十九。

穆宗長慶元年，劉總棄官爲僧，以張弘靖代之。通鑑輯覽六十。三月丁巳，赦幽、涿、檀、順、瀛、莫、營、平八州死罪以下，給復一年。賜盧龍軍士錢。新書穆宗紀。七月，盧龍軍亂，囚張弘靖，推朱克融爲留後。通鑑輯覽六十。

敬宗寶曆元年五月，軍亂，殺朱克融而立其子。八月，都將李載義殺之，尋以載義爲節度使。通鑑輯覽六十。

文宗太和五年，盧龍將楊志誠逐李載義。二月，以志誠爲留後。通鑑輯覽六十一。十月，幽州軍亂，逐楊志誠，以史元忠爲節度使。通鑑輯覽六十一。六年，賜故幽州觀察判官攝監察御史韋雍妻蕭氏蘭陵縣君。册府元龜一百四十。

武宗會昌元年六月，盧龍軍亂。十月，雄武軍使張仲武討平之，詔以仲武爲節度使。通鑑輯覽六十一。

宣宗大中三年，仲武卒，子直方爲留後，尋舉族逃歸京師，推牙將周綝爲留後。通鑑輯覽六十二。綝卒，以張允伸爲留後。通鑑輯覽六十二。

懿宗咸通十三年，允伸卒，詔以張公素爲節度使。通鑑輯覽六十二。

僖宗乾符三年，李茂勳逐張公素，以茂勳子可舉爲節度使。通鑑輯覽。光啓元年，盧龍將李全忠殺節度使李可舉，代之。通鑑輯覽六十二。二年八月，全忠卒，以其子匡威爲留後。通鑑輯覽六十三。

昭宗景福元年二月，李匡威爲弟匡籌所逐，匡籌自稱留後。通鑑輯覽。乾甯元年，李克用克幽州，留後李匡籌走死。通鑑輯覽六十四。二年，以劉仁恭爲留後。通鑑輯覽六十四。

梁

梁太祖開平元年，劉仁恭爲其子守光所囚。通鑑輯覽六十五。三年，梁以守光爲燕王。通鑑輯覽六十五。四年三月，晉推守光爲尚父。通鑑輯覽六十五。八月，守光稱帝。通鑑輯覽六十五。

乾化三年十一月，晉克幽州，執守光，以周德威爲節度使。通鑑輯覽六十六。

後唐

莊宗同光元年，以李存審爲節度使。二年，以李存賢爲節度使。通鑑輯覽六十七。

明帝長興三年，趙德鈞爲節度使。于幽州東北百餘里，城三河縣、潞縣以通薊州運路。遼人來争，德鈞擊却之。九月朔，城三河畢，邊人賴之。又城閻溝，通涿州。通鑑輯覽六十八。

遼

太宗會同元年十一月，晉遣趙瑩奉表，以幽、薊、瀛、莫、涿、檀、順、嬀、儒、新、武、雲、應、朔、寰、蔚十六州并圖籍來獻，於是詔升幽州爲南京。遼太宗紀。二年五月乙巳，禁南京鬻牝羊出境。遼太宗紀。三年四月庚子，至燕，駕入自拱辰門，御元和殿，行入閣禮。壬戌，御昭慶殿，宴南京羣臣。遼太宗紀。九年九月壬辰，閱諸道兵於漁陽西棗林淀。遼太宗紀。穆宗應曆三年冬，以南京水，詔免今歲租。遼穆宗紀。八年夏四月甲寅，南京留守蕭思温攻下沿邊州縣，遣人勞之。遼穆宗紀。九年秋七月，發南京軍，戍范陽。遼穆宗紀。十一年二月丙辰，南京留守蕭思温奏：老人星見，乞行赦宥。遼世宗紀。

景宗保甯七年九月，安圖原作安摶。城通州。遼景宗紀。八年十二月戊午，詔南京復禮部貢院。遼景宗紀。

聖宗統和元年正月戊寅，命根篤原作懇篤。持送，休格原作休哥。下車牓以諭燕民。遼聖宗紀。二月辛丑，南京統軍使耶律善補奏：宋邊七十餘村來附。詔撫存之。遼聖宗紀。九月丙辰，南京留守奏：秋霖害稼，請權停關征，以通山西糴易。從之。遼聖宗紀。四年夏四月辛酉，大軍次固安。壬戌，圍固安城，城遂破。大縱俘獲，居民先被俘者，命以官物贖之。甲子，賞攻城將士有差。遼聖宗紀。戊申，詔横帳郎君老君努，原作老君奴。率諸郎君巡徼居庸之北。遼聖宗紀。癸丑，上次涿州東五十里。甲寅，詔裕悦原作于越。休格、原作休哥。奚王籌甯、宣徽使布琳、原作蒲領。南北二王，嚴備水道，無使敵得潛至涿州。丙辰，復涿州，告天地。遼聖宗紀。五月己卯，次固安，以青牛白馬祭天地。遼聖宗紀。壬午，還次南京。丙戌，御元和殿，大宴從軍將校。丁亥，發南京，詔休格原作休哥。備器械、儲粟，待秋大舉南征。遼聖宗紀。六月壬子，南京留守奏：百姓歲輸三司鹽鐵錢折絹不如直。詔增之。遼聖宗紀。七月辛卯，以朔州之捷，宣諭南京將吏。遼聖宗紀。十月乙卯，幸南京。壬戌，以銀鼠、青鼠及諸物賜京官、僧、道、耆老。遼聖宗紀。十一月壬申，以古北、松關、榆關征税不法，致阻商旅，遣使鞫之。遼聖宗紀。五年春正月，上還南京。乙卯，御元和殿，大賚將士。遼聖宗紀。六年七月癸丑，巴雅爾原作排亞。請置涿州驛傳。遼聖宗紀。七年春正月甲辰，遷易州軍民於燕京。遼聖宗紀。七年春，駐蹕延芳淀。遼聖宗紀。案：遼地理志云：遼每季春弋獵於延芳淀。淀方數百里，春時鵞鶩所集，秋多菱芡。國主春獵，衛士皆衣墨緑，各持連鎚、鷹食刺、鵞錐，列水次，相去五、七步，上風擊鼓驚鵞，稍離水面，國主親放海東青鶻擒之，鵞墜，恐鶻力不勝，在列者以佩錐刺鵞，急取其腦，飼鶻，得頭鵞者，例賞銀絹。國主、皇族、羣臣，各有分地。六月辛酉，詔燕樂、密雲二縣荒地許民耕種，免賦役十年。遼聖宗紀。十一年春三月丙午，出内帑錢賜南京統軍司軍。遼聖宗紀。十二年二月甲申，免南京被水户租賦。遼聖宗紀。三月，復置南京統軍都照。遼聖宗紀。四月戊戌，以景宗石像成，幸延壽寺飯僧。遼聖宗紀。十一月甲寅，詔南京決滯獄。遼聖宗紀。十二月甲申，賜南京統軍司貧户耕牛。遼聖宗紀。壬戌，以霸州民李在宥年百三十有三，賜束帛、錦袍、銀帶，月給羊、酒，仍復其家。遼聖宗紀。十三年三月戊辰，武清縣百餘人入宋境剽掠，命誅之，還其所獲人畜財物。遼聖宗紀。南京及易、平二州以獄空聞。遼刑法志。六月丙戌，詔許昌平、懷柔等縣諸人請業荒地。遼聖宗紀。九月戊寅，以南京太學生員浸多，特賜水磑莊一區。遼聖宗紀。十四年四月己亥，鑿大安山，取劉仁恭所藏，散諸五計司，兼鑄太平錢，新舊互用。續資治通鑑十八。五月癸卯，詔參知政事邢抱樸決南京滯獄。遼聖宗紀。十月丙辰，命劉遂教南京神武軍士劍法，賜袍、帶、錦、幣。遼聖宗紀。十二月甲寅，以南京道新定税法太重，減之。遼聖宗紀。十五年三月壬午，免南京逋税及義倉粟。四月壬寅，發義倉粟，振南京諸縣民。遼聖宗紀。十八年春正月，還次南京，賞有功將士，罰不用命者。詔諸軍各還本道。遼聖宗紀。二十七年夏四月庚戌，廢霸州處置司。遼聖宗紀。

開泰元年十一月甲午，改幽都府爲析津府，薊北縣爲析津縣，幽都縣爲宛平縣。遼聖宗紀。五年六月，以政事舍人吴克昌按察霸州刑獄。遼聖宗紀。六年十月丁卯，南京路饑，輓雲、應、朔、宏等州粟振之。遼聖宗紀。七年，沿巨馬河宋界東南七百餘里，特置戍長司一員巡察。遼聖宗紀。

太平二年三月戊子，爲宋主飯三京僧。遼聖宗紀。二月乙丑，朔，拜日，如渾河。遼聖宗紀。五年八月，獵於檀州北山。日下舊聞考。九月，駐蹕南京。十一月庚子，幸内果園宴，京民聚觀。求進士得七十二人，命賦詩，第其工拙，以張昱等一十四人爲太子校書郎，韓欒等五十八人爲崇文館校書郎。遼聖宗紀。是歲燕民以年穀豐熟，車駕臨幸，争以土物來獻。上禮高年，惠鰥寡，賜酺飲。至夕，六街燈火如晝，士庶嬉游。上亦微行觀之。遼聖宗紀。六年二月己巳，南京水，遣使振之。遼聖宗紀。八年冬十月，詔燕城將士，若敵至，總管備城之東南，統軍守其西北，馬步軍備其野戰，統軍副使繕壁壘，課士卒，各練其事。遼聖宗紀。十年，時幽州試舉人，以一箭三鹿爲賦題，駙馬劉三嘏獻射二虎頌。契丹國志本紀。

興宗景福元年七月庚戌，振薊州民饑。遼興宗紀。

重熙四年十一月壬午，改南京總管府爲元帥府。遼興宗紀。五年十月丁未，幸南京。辛亥，曲赦析津府境内囚。壬子，御元和殿，以日射三十六熊賦、幸燕詩試進士于廷。遼興宗紀。十一年十二月己酉，以宣獻皇后忌日，上與皇太后素服飯僧於延壽、憫忠、三學三寺。遼興宗紀。十二年春正月甲戌，如武清寨葦淀。遼興宗紀。十五年十一月乙巳，振南京貧民。遼興宗紀。十七年八月丙戌，復南京貧民租稅。遼興宗紀。二十三年冬十月癸丑，以開泰寺鑄銀佛像，曲赦在京囚。遼興宗紀。

道宗清甯二年三月乙巳，南京獄空。遼道宗紀。三年七月甲申，南京地震，赦其境内。遼道宗紀。五年十月壬子，朔，幸南京，祭興宗於嘉甯殿。遼道宗紀。九年八月庚午，朔，遣使安撫南京吏民。遼道宗紀。十年正月己亥，北幸。二月，禁南京民決水種粳稻。遼道宗紀。十一月甲子，詔南京不得私造御用綵緞，私貨鐵，及非時飲酒。命南京三司，每歲春秋以官錢饗將士。遼道宗紀。

道宗咸雍四年三月乙酉，詔南京除軍行地，餘皆得種稻。遼道宗紀。

冬十月辛亥，曲赦南京徒罪以下囚。永清、武清、安次、固安、歸義諸縣水，復一年租。遼道宗紀。七年十一月戊子，免南京流民租。遼道宗紀。八年正月癸未，飯僧南京。遼道宗紀。

太康元年秋七月丙寅，振南京貧民。九月己卯，以南京飢，免租稅一年，仍出錢粟振之。遼道宗紀。二年二月癸丑，南京路饑，免租稅一年。遼道宗紀。五年八月，京中命有司撰太宗神功碑，立于南京。遼道宗紀。十一月癸未，復南京流民差役三年，被火之家免租稅一年。遼道宗紀。十年春正月，復建南京奉福寺浮圖。遼道宗紀。

大安三年正月甲戌，出錢粟振南京貧民，仍復其租賦。遼道宗紀。四年正月甲戌，以上京、南京饑，許良人自鬻。遼道宗紀。八年十一月丁酉，以道州潦，水害稼，遣使振之。遼道宗紀。十年夏四月己巳，除玉田、密雲流民租賦一年。遼道宗紀。十二月癸酉，三河縣民孫賓及其妻皆百歲，復其家。遼道宗紀。

壽隆三年二月丙辰，南京水，遣使振之。遼道宗紀。

天祚帝乾統三年二月庚午，以武清縣大水，弛其陂澤之禁。遼天祚紀。四年冬十月己酉，鳳凰見于漷陰。己未，幸南京。十一月乙亥，御迎月樓，賜貧民錢。遼天祚紀。

天慶三年春正月丙寅，朔，賜南京貧民錢。遼天祚紀。

宋

太宗太平興國四年六月，上親征幽州。己巳，次鹽溝，頓民得近界馬來獻，賜以束帛。庚午，次幽州城南，駐蹕寶光寺。宋太宗紀。

太宗淳化四年春，詔六宅使何承矩等，督戍兵萬八千人，自霸州界引滹沱河水灌稻爲屯田，用實軍領，且爲備禦焉。宋河渠志。夢溪筆談：往歲六宅使何承矩議，因陂澤之地，瀦水爲塞。欲自相度，恐其謀泄。日會僚佐，泛船置酒賞蓼花，作蓼花吟數十篇，因命坐客屬和，畫以圖，傳至京師，人莫喻其意。自此始壅諸淀。慶曆中，内侍湯懷敏復踵爲之。至熙甯中，又開徐村、柳開等濼。於是自保州西北沈遠濼，東盡滄州泛枯海，幾八百里悉爲瀦潦，其闊處有及六七十里者，至今爲藩籬。而瀕淤之處皆變斥鹵爲美田，而魚蟹菰蒲之利，人亦賴之。楊應詢知霸州，塘濼之間地沮洳，水潦易集，居人浮板以濟。應詢增隄防爲長衢，濬其旁以泄流，民利賴之。宋史本傳。

徽宗宣和四年九月，郭藥師以涿、易二州來降。九朝編年。五年正月，以王安中知燕山府，郭藥師同知府事。四月，金人歸燕京及涿、檀順、薊之地。三朝北盟會編。七年十二月，金斡喇布入檀，薊州郭藥師以燕山叛降金，金盡取燕山州縣。建炎以來繫年要録一。

金

太祖收國六年十一月，詔諭燕京官民，王師所至，降者赦其罪，官皆仍舊。金太祖紀。十二月庚寅，上至燕京，入自南門。遼百官詣軍門叩頭請罪，詔一切釋之。壬辰，上御德勝殿，羣臣稱賀。甲午，命左企弓等撫定燕京。金太祖紀。

太宗天會三年十二月，斡離不、粘罕分道侵宋。建樞密院於燕山。大金國志三。

熙宗天眷元年九月丁酉，改燕京樞密院爲行臺尚書省。金熙宗紀。宰臣議徙遼陽渤海之民於燕南。從之。金熙宗紀。二年，試舉人於燕山，司馬樸充主文，中山石琚爲魁。大金國志十。

煬帝天德三年九月庚戌，賜燕京役夫帛，人一匹。金海陵紀。

貞元元年正月辛亥，上至燕京，初備法駕。乙卯，以遷都詔中外。金海陵紀。元夕，張燈宴丞相以下于燕之新宮，賦詩縱飲，盡歡而罷。大金國志十四。五月乙卯，以京城隙地賜朝官及衛士。金海陵紀。七月戊子，朔，賜朝官京城隙地，徵錢有差。金海陵紀。八月壬戌，禁中都路捕射麞、兔。戊寅，賜營建宮室工匠及役夫帛。金海陵紀。十月丁巳，獵於良鄉，封料石岡神爲靈應王。初，海陵嘗過此祠，持杯珓禱曰：使吾有天命，當得吉卜。投之，吉。又禱曰：果如所卜，他日當有報，否則毀爾祠宇。投之，又吉。故封之。金海陵紀。二年三月丙戌，幸大興府及都轉運使司，遣薦含桃於衍慶宮。金海陵紀。三年三月乙卯，命以大房山雲峰寺爲山陵，建行宮其麓。金海陵紀。五月丙寅，如大房山，營山陵。七月辛酉，如大房山，杖提舉營造官。金海陵紀。六月丙戌，登寶昌門觀角抵，百姓縱觀。金海陵紀。

正隆元年二月庚辰，御宣華門觀迎佛，賜諸寺僧絹五百匹，綵五十段，銀五百兩。金海陵紀。三年二月壬辰，朔，都城及京兆初置錢監。金海陵紀。四年十月乙亥，獵于近郊，觀造船于通州。金海陵紀。九月，再役諸路夫匠，造諸軍器于燕京，令左丞李通董之。又令户部尚書蘇保衡、侍郎韓錫造戰船于潞河，夫匠死者甚衆。大金國志十四。海陵遷燕，以都城外皆民田，三時無地可獵。候冬月則出。一出必逾月，后妃、親王、近臣皆隨焉。每獵則以隨駕軍密布四圍，名曰圍場。待狐、兔、猪、鹿散走于圍中，海陵必先射之，或以鷹隼擊之。次及親王、近臣。出圍者，許餘人捕之。飲食隨處而進，或與親王、近臣共食。遇夜或宿州縣，或宿郊野，無定。海陵以其子光瑛年十二獲獐，取而告太廟。大金國志三十三。

世宗大定二年正月，入都于燕，告祠天地社稷。大金國志十六。六月戊寅，詔居庸關、古北口，譏察契丹姦細，捕獲者加官賞。金世宗紀。三年五月乙未，以重五幸廣樂園射柳。復御常武殿，賜宴，擊毬。自是歲以爲常。金世宗紀。乙卯，中都蝗，詔參知政事完顏守道按問大興府捕蝗官。金世宗紀。九月丁卯，秋獵，以重九拜天于北郊。金世宗紀。十二月丁丑，臘獵于近郊，以所獲薦山陵。自是歲以爲常。金世宗紀。四年七月己丑，上謂宰臣曰：七月，平、薊二州近復蝗、旱，百姓艱食，父子兄弟不能相保，多冒鬻爲奴，朕甚憫之。可速遣使閱實其數，出内庫物贖之。金世宗紀。十月，命都門外夾道重行植柳，各百里。金地理志。癸丑，朔，獵于密雲縣。丙寅，還都。金世宗紀。七年正月，賜餔一日，命羣臣賦詩，京邑耆老亦會焉，頒賜各有差。大金國志十六。五月丙午，大興府獄空。詔賜錢三百貫，爲宴樂之用，以勞之。金世宗紀。八月己未，如大房山。壬戌，致祭睿陵。金世宗紀。八年二月丙申，詔改葬漢二燕王于城東。庚子，以中都等路水，免税，詔中外。金世宗紀。七月壬申，觀稼于近郊。金世宗紀。十月乙未，命涿州刺史兼提點山陵，每以朔、望致祭。金世宗紀。十年正月，祀南郊。望日，大射于燕山之北。大閱兵師，五日而罷。燕羣臣于同樂園之瑤池。大金國志十七。十月甲寅，如霸州冬獵。乙丑，上謂大臣曰：比因巡獵，聞固安縣令高昌裔不職，已令罷之。霸州司候成奉先奉職謹恪，可進一階，除固安令。金世宗紀。十二年十一月丙子，上以曹國公主家奴犯事，宛平令劉彦弼杖之，主乃折辱令。既深責公主，又以臺臣徇勢偷安，畏忌不敢言，奪俸一月。金世宗紀。十九年正月，晉王宮僚張克己延晉王允猷宴于南涼觀，三鼓方散。晉王因寢。及晨，覷門微啓，有衣血擲地側，晉王已殞，胸口背傷，侍女四人亦死。詔大興府捕賊甚急。會前門失官錢，有張覩、遂甯等在市嬉游花酒，損費金帛，殆不可勝算。衆疑其盜官錢，因擒之，閲其篋有金五百兩，皆太子允升所賜。下獄鞫問，乃知殺晉王者此輩，實太子使之也。大金國志十八。十六年正月庚午，上按鷹高橋，見道側醉人墮驢而卧，命左右扶而乘之，送至其家。（金世宗紀。）二十年三月乙丑，以新定明安、穆昆，詔免中都去年租税。（金世宗紀。）二十一年正月丙子，次永清縣。有伊喇額哩頁（原作移剌余里也。）者，契丹人也，隸虞王明安，有一妻、一妾。妻之子六，妾之子四。妻死，其六子廬墓下，更宿守之。妾之子皆曰：是嫡母也，我輩獨不當守墳墓乎？於是亦更宿焉。三歲如一。上因獵，過而聞之，賜錢五百貫，仍令縣官積錢于市，以示縣民，然後給之，以爲孝子之勸。（金世宗紀。）二月乙巳，元妃李氏之喪，致祭興德宫。過市肆，不聞樂聲。謂宰臣曰：豈以妃故禁之耶？細民日作而食，若禁之，是廢其生計也，其勿禁。朕前將詣興德宫，有司請由薊門，朕恐妨小民生業，特從他道；顧見街衢門肆或有毁撤，障以簾箔，何必爾也？自今勿復毁撤。（金世宗紀。）閏月辛卯，漁陽令瓜爾佳伊里哈、司候判官劉居漸，以被命振貸，止給富户，削三官。通州刺史郭邦傑總其事，奪俸三月。（金世宗紀。）二十二年七月，集諸軍講武于宛平，第賞有差。（大金國志十八。）二十六年三月癸巳，香山寺成，幸其寺，賜名大永安，給田二千畝，栗七千株，錢二萬貫。（金世宗紀。）五月戊子，盧溝決于上陽村，湍流成河，遂因之。（金世宗紀。）七月，上聞同知中都路都轉運使事趙爔瑞，其在職應錢穀利害文字，多不題署，但思安身，降授積石州刺史。（金世宗紀。）八月甲午，秋獵。庚子，次薊州。辛丑，幸仙洞寺。壬寅，幸香林、淨名二寺。九月甲辰，朔，幸盤山上方寺，因徧歷中盤天香、感化諸寺。庚申，還都。（金世宗紀。）二十七年正月，元夕張燈，琉璃、珠瓔、翠羽、飛仙之類，不一而足，至有一燈金珠爲飾者。都人男女盛飾觀玩，至十八日而罷。（大金國志十八。）二月乙卯，尚書省言：孟家山金口閘，下視都城百四十餘尺，恐暴水爲害，請閉之。從之。（金世宗紀。）二月，上謂宰執曰：朕聞寶坻尉蒙古（原作蒙括。）特點（原作特末。）清廉，其於爲政何如？左丞噶達爾對曰：其部民亦稱譽之，然不知所稱何事。上曰：凡爲官，但得清廉亦可矣，安得全才之人？可進官一階，永爲令。（金世宗紀。）六月戊寅，免中都等路常被河決水災軍民租稅。（金世宗紀。）十二月，進封原王，判大興府事。入以國語謝。世宗喜，且爲之感動。諭旨曰：朕固知汝年幼，服制中未可付以職，然政事亦須學，京輦之任，姑試爾才，其勉之。（金世宗紀。）

章宗明昌元年三月乙巳，擊毬于西苑，百僚會觀。（金章宗紀。）五月，不雨。乙卯，祈于北郊及太廟。（金章宗紀。）戊午，拜天于西苑，射柳，擊毬，縱百姓觀。（金章宗紀。）六月丁酉，幸慶壽寺，作盧溝石橋。（金章宗紀。）三年四月，尚書省奏：提刑司察舉涿州進士劉器博，特賜同進士出身。（金章宗紀。）戊辰，遣御史吴鼎樞等會決中都寃獄。（金章宗紀。）九月己卯，如秋山，免圍場經過人户今歲夏秋租稅之半。（金章宗紀。）甲申，幸香山永安寺及玉泉山。（金章宗紀。）十月，時上日久酣飲，外間章奏不許通。京師謠言云：東欲行，西欲飛，中間一路赤垂垂。我醉不醉知不知？完顏高、完顏志同見人心危疑，具聞。上嘗憾之。密謀立鄭王，而鄭王不知也。其妹夫唐适蒲剌兄察爲統軍，與高等相會於菩提寺。高泣爲察曰：皇帝昏惑，不能君道，公可與弟同達意於鄭王。王亦許之。會唐适家二奴以資易馬與張衞，爲适所逐，具送大興府鞭之，适婢春英先與張通，适不知也。一日，婢立於看位，見張從外來，隔窗呼之與語，告以駙馬與衆謀立鄭王。二奴詣大興告變。大興君蕭宗裔送二奴各因一所，責狀言之皆同。遂密奏主，分兵捡捕，置獄。大金國志十九。十二月，諭大興府於煖湯院日給米五石，以贍貧者。金章宗紀。五年四月庚子，詔舉德行才能之士涿州時琦等，特賜同進士出身。金章宗紀。六年冬十月丙辰，至自秋山。丁巳，以歲幸春水、秋山，五日一進起居表，自今十日一進。金章宗紀。

承安元年三月丁酉，如萬壽宮。不雨，遣官望祭嶽鎮海瀆于北郊。夏四月壬子，京城禁繖扇。金章宗紀。戊午，初行區種法，民十五以上、六十以下有土田者，丁種一畝。五月庚辰，朔，觀稼于近郊，閲區田。金章宗紀。六月庚午，幸環秀亭，觀稼。金章宗紀。七月庚辰，御紫宸殿，受諸王、百官賀。賜諸王、宰執酒。敕有司以酒萬尊置通衢，賜民縱飲。金章宗紀。九月癸未，都人進酒三千一百瓶，詔以賜北邊軍吏。金章宗紀。二年閏月甲午，出西横門，觀稼。金章宗紀。七月壬寅，朔，幸天長觀，建普天大醮，禁屠宰七日，無奏刑，百司權停決罰。金章宗紀。九月丁卯，分遣官於中都二節鎮買牛。金章宗紀。十一月甲辰，有事于南郊。乙巳，以薪貴，敕圍場地無禁樵採。金章宗紀。三年八月辛未，獵于近郊。癸酉，獵于香山。金章宗紀。十二月甲子，朔，獵于酸棗林。大風寒，罷獵。金章宗紀。四年，詔建大學于京城之南，總爲屋七十五區。西序置古今文籍，秘省新所賜書；東序置三代鼎、彝、俎、豆、敦、盤、尊、罍及春秋釋奠合用祭器。大金國志二十。五月不雨。庚戌，諭宰臣曰：諸路旱，或關執政。今惟大興、宛平兩縣不雨，得非其守令之過歟？金章宗紀。

泰和元年五月甲寅，擊毬於臨武殿，令都民縱觀。金章宗紀。壬戌，幸玉泉山。金章宗紀。命宮縣樂工，遣漢人教坊及大興府樂人習之。金史禮志。三年六月壬戌，遣官行視中都田禾，水澤分數。金章宗紀。四年三月癸酉，命大興府祈雨。乙酉，祈雨于北郊。金章宗紀。五年正月丁丑，次霸州。調山東、河北軍夫，改治漕渠。金章宗紀。二月甲寅，治盜用及僞造都門契者罪，視宮城門減一等。金章宗紀。八月己未，築古北口、東陘二城。大金國志二十一。

衛紹王大安三年九月，居庸關失守。禁男子不得輒出中都城。金衛紹王紀。十二月，籖陝西兩路漢軍五千人赴中都。金衛紹王紀。

宣宗至甯元年十月，設京城鎮撫彈壓官，置招賢所。金宣宗紀。

元

元太祖九年甲戌，春三月，駐蹕中都北郊。諸將請乘勝破燕，帝不從。乃遣使諭金主曰：汝山東、河北郡縣悉爲我有，汝所守惟燕京耳。天既弱汝，我復迫汝於險，天其謂我何？我今還軍，汝不能犒師以彌我諸將之怒耶？金主遂遣使求和。元史太祖本紀一。十年初，平燕京，以金樞密院爲宣聖廟。續文獻通考。給農民牛數千頭，分給近縣民。人民大悦，復業者衆。元史王檝傳。

太宗八年夏六月，耶律楚材請立編修所於燕京。元太宗紀二。十年秋八月，從行省楊惟中言，請建太極書院及周敦頤祠于燕京，以程顥、程頤、張載、楊時、游酢、朱熹六子配。由是河朔知有道學。元史類編一。十三年春二月，命伊囉斡齊原作牙魯瓦赤。行省事于燕京，專領漢民公事。元史類編一。斷事官伊囉斡齊與布扎爾等，總天下財賦於燕。視事一日，殺二十八人。其一人盜馬者，杖而釋之矣，偶有獻環刀者，遂追還所杖者，手試刀斬之。帝責之曰：凡死罪必詳讞而後行刑，今一日殺二十八人，必多非辜。既杖復斬，此何刑也？布扎爾錯愕不能對。元世祖紀四。

憲宗元年七月，命趙璧等詣燕京，撫諭軍民，伊囉斡齊充燕京等處行尚書省事。元史類編一。

世祖中統元年五月乙未，立十路宣撫司，以賽音愕德齊、李德輝爲燕京路宣撫使，徐世隆副之。元世祖紀四。燕托里齊括民兵，民苦之。帝詰其由，托以憲宗臨終之命。帝察其包藏禍心，所集兵皆縱之。人心大悅。元世祖紀。五月乙未，徵諸路兵三萬，駐燕京近地。元世祖紀四。六月戊戌，詔燕京路宣撫司運米，輸開平府。元世祖紀四。二年五月乙丑，禁使臣毋入民家，令止頓析津驛。元世祖紀四。九月癸未，敕燕京、順天等路續製人甲五千，馬甲及鐵裝具各二千。元世祖紀四。冬十月庚子，修燕京舊城。命平章政事趙璧、左三部尚書克埒木原作怯烈門。率蒙古、漢軍駐燕京近郊。元世祖紀四。又選鋭卒三千，付史樞管領，於燕京近郊屯駐。元史世祖紀。三年二月丙申，郭守敬造寶山漏成，徙至燕京。元世祖紀四。三月，勅燕京至濟南置海青驛，凡八所。元世祖紀五。五月甲子，自燕至開平立牛驛，給鈔市車。元世祖紀五。八月己丑，郭守敬請開玉泉水以通漕運。元史類編二。九月己未，罷霸州海青驛。閏月丁亥，立古北口驛。元世祖紀五。十一月，作佛頂金輪會于聖安寺，金籙周天醮于長春宮。元史類編二。十二月戊寅，作佛事於昊天寺七晝夜，賜銀萬五千兩。元世祖紀五。四年三月癸卯，初作太廟于燕京。元史類編二。五月辛卯，詔立燕京平準庫，以均平物價，通利鈔法。元世祖紀五。七月癸未，詔諸投下，毋擅勾攝燕京路州縣官吏。元世祖紀五。

至元元年正月癸巳，以益都武衛軍千人屯田燕京，官給牛具。元世祖紀五。二月壬子，修瓊華島。發北京都元帥阿海所領軍，疏雙塔漕渠。元世祖紀五。八月乙卯，詔改燕京爲中都，其大興府仍舊。元世祖紀五。二年春正月癸酉，徙鎮海、巴勒巴沁、原作百里八。謙謙州諸色匠户于中都給銀萬五千兩爲行費。又徙諾觀特木德克原作奴懷忒木帶兒。礮手人匠赴中都，造船運糧。元史類編一。三年正月戊申，大都南北兩城設振糶米舖二十處。元世祖紀六。戊午，帝畋于柳林，凡三十五日。監察御史丑的、宋紹明進諫，帝嘉之，賜金幣。丑的等固辭。帝曰：昔魏徵進諫，唐太宗未嘗不賞，汝其受之。元史類編十。二月乙丑，蠲中都今年包銀四分之一。元世祖紀六。四月丁卯，五山珍御榻成，置瓊華島廣寒殿。元世祖紀六。庚午，勅僧、道祈福於中都寺觀，詔以僧機爲總統，居慶壽寺。元世祖紀六。十二月丁亥，鑿金口，導盧溝水，轉漕西山木石；命張柔、段天祐同行工部事，築宮城，立提點官城所。元史類編一。四年六月壬戌，以中都、順天、東平等處蠶災，免民户絲料輕重有差。元世祖紀六。五年九月癸丑，中都路水，免今年田租。罷中都路和顧所。元世祖紀六。六年十二月戊子，築東安渾河堤。元史類編二。七年二月甲戌，築昭應宮於高梁河。元世祖紀七。五月己巳，修佛事於瓊華島。元世祖紀七。十二月辛酉，建大護國仁王寺于高良河。更定僧尼服色。元史類編二。九年夏四月甲寅，振大都路饑。元世祖紀七。秋七月乙酉，詔公閱大都特默齊奴户名籍。元世祖紀七。十二月癸丑，升拱衛司爲拱衛直都指揮司，千户所爲大都路兵馬司，掌京城捕盜事。元史類編二。十年春正月戊午，立京師醫學，名廣惠司。元史類編二。六月丁亥，免大都、南京兩路賦役，以紓民力。元史類編二。八月庚戌，赦諸路罪囚，自至大都就獄者二十二人。九月甲申，生券軍至大都，詔釋其械。元史類編二。十一年春正月己卯，朔，宮闕成，帝御正殿，受皇太子、諸王、百官朝賀。元世祖紀八。二月戊申，朔，立儀鸞局，掌宮門管鑰，供帳燈燭。元史類編二。十一月以香河荒地千頃置中衛屯。元世祖紀八。十三年正月乙亥，徙大都等路獵户戍大洪山之東。寶符郎董文忠請貧病者勿徙。從之。元世祖紀九。壬申，敕大都路總管和顧和買，權豪與民均輸。元世祖紀九。夏四月丙子，免大都醫户至元十二年絲銀。元世祖紀九。八月，穿武清蒙村漕渠。元世祖紀五。九月庚子，命姚樞、王磐選宋三學生之有實學者留京師。元世祖紀九。辛酉，設資戒會於京師。元世祖紀九。十四年五月癸巳，申嚴大都酒禁，犯者籍其家貲，散之貧民。元世祖紀九。以蒙古軍、漢軍相參，備都城及内外萬壽山宿衛，仍以伊蘇布哈領宿衛事。元兵志。七月壬子，榷大都商税。八月戊午，朔，新建太廟于大都。元史類編一。十二月丁卯，以大都物價翔踊，發官廩萬石，振糶貧民。元世祖紀元。十五年十二月庚子，敕長春宮修金籙大醮七晝夜。丙午，禁玉泉山樵採漁弋。元世祖紀十。會諸王於大都，以平宋所俘寶玉器幣分賜之。元世祖紀十。十六年二月甲辰，升大都兵馬都指揮使司秩四品，詔大都管鹽司并兼管酒、醋、商税等課程。元世祖紀十。十二月丁酉，敕自明年正月朔日，建醮於長春宮，凡七日，歲以爲例。元世祖紀十。勅諸國教師禪師百有八人，即大都萬安寺設齋圓戒，賜衣。元世祖紀十。十七年秋七月丁卯，併大都鹽運司入河間爲一，仍減汰冗員。元世祖紀十一。十八年正月丙辰，車駕幸漷州。元世祖紀十一。九月甲子，增大都巡兵千人，給鈔。元世祖紀十一。四集賽奏：割京城外近地牧馬。帝許之。順聖皇后將諫，陽責劉秉忠曰：汝何不諫？若初定都時，以地牧馬則可；今軍民分業已定，奪之可乎？事遂止。通鑑輯覽九十五。十九年二月己酉，減大都税課官十四員爲十員。四月，大都巡軍隸留守司。元世祖紀十二。二十年四月甲午，免京畿所括豪勢田舊税三之二，新税三之一。元世祖紀十二。九月丙寅，徙舊城市肆局院，税務皆入大都，減税徵四十分之一。元世祖紀十二。十一月丁巳，詔大都田土，並令輸税。戊辰，大都城門設門尉。元世祖紀十二。二十一年二月甲午，放檀州淘金五百人還家。元世祖紀十三。二十二年十二月甲子，以大都供應繁苦，悉免軍民田租。元史類編二。二十三年二月戊午，京師新附軍二千，立營屯田。元世祖紀十四。十一月丙子，以涿、易二州，良鄉、寶坻縣饑，免今年租，糧三月。元世祖紀十四。十二月乙卯，大都饑。發官米，低其價糶貧民。元世祖紀十四。庚申，命西僧遞作佛事於萬壽山、玉塔殿、萬安寺，凡三十會。元世祖紀十四。二十四年正月，以修築柳林河隄南軍三千，浚河西務漕渠。元世祖紀十四。十一月庚子，大都路水，賜今年租十二萬九千一百八十石。元世祖紀十四。二十五年夏四月癸亥，渾河決，發軍築隄。元史類編三。七月庚子，霸、漷二州霖雨害稼，免其今年田租。元世祖紀十五。冬十月，大都民史吉等請立僧格德政碑，從之。元世祖紀十五。案：二十八年三月，僧格妻弟巴結伊特爲燕南宣慰使，以受賂積贓伏誅，仆僧格德政碑。十二月，作佛事，坐静於玉塔殿寢殿、萬壽山、護國仁王等寺，凡五十四會。元世祖紀十五。置漕運司。于河西務置司，領接運海道糧事。元史食貨志。十二月癸亥，置大都等路打捕民匠等户總管府。元世祖紀十五。二十六年夏四月丁丑，改大都路甲匠總管府爲軍器人匠都總管府。元世祖紀十五。庚午，沙河決，發民築隄障之。元史類編三。五月庚辰，發武衛親軍千人，濬河西務至通州漕渠。元世祖紀十五。六月，大都增設倒鈔庫三所。元世祖紀十五。八月辛酉，大都路霖雨害稼，免今歲租賦，仍減價糶諸路倉糧。壬戌，漷州饑，發河西務米二千石，減價振糶之。元世祖紀十五。壬子，霸州大水，民乏食，下其估糶直沽倉米五千石。元世祖紀十五。冬十月甲寅，以駝運大都米五百石有奇，給皇子北安王等部曲。元世祖紀十五。乙酉，通州河西務饑，民有鬻子去之他州者。發米振之。元世祖紀十五。十一月戊申，敕尚書省，發倉振大都饑民。丁卯，振文安縣饑。元世祖紀十五。二十七年二月，順天僧、道士四百九十一人饑，給九十日糧。元世祖紀十六。乙酉，振新附民居昌平者。元世祖紀十六。三月壬子，薊州、漁陽等處稻户饑，給三十日糧。元世祖紀十六。夏四月己亥，命考大都路貧民之在籍者，二千八百二十七人，發粟二百石振之。元世祖紀十六。辛巳，命大都路以粟六萬二千五百六十四石振通州、河西務等處流民。元世祖紀十六。秋七月戊申，免大都路歲絲。元世祖紀十六。十一月甲子，罷大都東、西二驛托克托和斯，以通政院總之。元世祖紀十六。十二月戊寅，免大都歷年逋租。元史類編三。二十八年五月丁巳，建白塔二，各高一丈一尺，以居呪師多斯德桑依原作朶四的性吉。等七人。元世祖紀十六。辛亥，罷大都燒鈔庫。元史類編三。七月乙巳，大都饑。出米二十五萬四千八百石振之。元世祖紀十六。丁巳，雨壞都城，發兵二萬人築之。九月辛酉，免大都今歲田租。元世祖紀十六。十二月乙丑，大都饑，下其價糶米二十萬石振之。元世祖紀十六。庚寅，令僧羅卜藏原作羅藏。等遞作佛事，坐靜於聖壽萬安、涿州寺等所，凡五十度。元世祖紀十六。二十九年二月己巳，發通州、河西務米振東安、固安、薊州、寶坻縣饑民。元世祖紀十七。八月丙午，用郭守敬言，浚通州至大都漕河十有四，役軍匠二萬人，又鑿六渠灌昌平諸水。元世祖紀十七。三十年二月己丑，免大都今歲公賦。元世祖紀十七。三月庚申，雨壞都城。詔發侍衛軍三萬人完之，命中書省給其傭直。元世祖紀十七。五月丁丑，散上都工匠三千户，就食大都。元史類編三。三十一年五月，祭紫微星于雲仙臺。元成宗紀十八。八月己丑，以大都留守段貞、平章政事范文虎監浚通惠河，給二品銀印。元成宗紀十八。十二月癸未，用帝師奏，釋京師大辟三十人杖以下者百人。元史類編一。世祖建大內，移沙漠草于丹墀，謂之誓儉草。玉山雅集。柯九思宮詞：黑河萬里金沙漠，世祖深思創業難。數尺欄干護青草，丹墀留與子孫看。

成宗元貞元年春正月壬戌，以國忌，即大聖壽萬安寺飯僧七萬。元史類編四。夏四月，廣京師振糶米肆。帝以京師米貴，益廣世祖之制，設三十肆，發米七萬石糶之。其肆每年增糶，多至四十萬石。行之既久，多爲强豪取巧。乃令有司籍貧民户數，驗口給之，減糶之直三分之一，每歲亦不下二十餘萬石。通鑑輯覽九十六。閏四月己丑，免大都今歲田租。元成宗紀十八。五月己未，詔大都路，凡和顧和買及一切差役，以諸色户與民均當。元成宗紀十八。二年十月，樞密院臣言：昔大朝會時，皇城外皆無牆垣，故用軍環繞，以備圍宿；今牆垣已成，南、北、西三畔皆可置軍，獨御酒庫西地窄，不能容。臣等與丞相鄂勒哲議，各城門以蒙古軍列衛，及于周橋南置戍樓，以警昏旦。從之。元成宗紀十九。

大德元年三月丁亥，禁正月至七月捕獵，大都八百里内亦如之。元成宗紀十九。八月丙寅，汰諸王來大都者及宿衛士冗員。元成宗紀十九。二年二月己巳，畋於漷州。元成宗紀十九。四年春正月丙申，嚴京師惡少不法之犯禁者，黥刺，杖七十，拘役。元成宗紀二十。五年二月，賜興教寺地百頃。元成宗紀二十。癸巳，帝有疾，釋京重囚。元史類編四。六月甲子，建文宣王廟於京師。元史類編四。秋七月庚申，中書省臣言：舊制，京師州縣捕盗，止從兵馬司，有司不與，遂至淹滯。自今輕罪乞令有司決遣；重者從宗正府聽斷，庶不留獄，且民不冤。從之。元成宗紀二十。十一月丁未，設肆三十六所，減直糶米，賑京師貧民。元史類編四。六年正月丙午，京畿二十一站闕食，命賜鈔萬二千七百餘錠。元成宗紀二十。乙卯，築渾河堤，長八十里。仍禁豪家毋侵舊河。元成宗紀二十。以大都、平灤等路去年被水，其軍應赴上都駐夏者，免其調遣一年。元成宗紀二十。二月，以京師民乏食，命省、臺委官計口驗實，以鈔十一萬七千一百餘錠振之。元成宗紀二十。三月丁酉，以旱、溢爲災，詔赦天下。大都被災尤甚，免其差税三年。元成宗紀二十。夏四月丁卯，發通州倉粟三百石振貧民。元成宗紀十二。乙亥，濬永清縣南河。戊子，修盧溝上流石徑山河隄。元成宗紀二十。七年二月壬午，併大都鹽運司入河間運司，其所掌京師酒税課，令户部領之。元成宗紀二十一。三月壬辰，定大都南、北兵馬司姦盜等罪，六十七以下付本路，七十七以上付伊克爾古齊。原作也可扎魯忽赤。元成宗紀二十一。冬十月己丑，給大都文宣王廟灑掃户五。元成宗紀二十一。九年春正月壬申，弛大都酒禁。元成宗紀二十一。五月，大都旱。遣使持香禱雨。元成宗紀二十一。秋七月辛亥，築郊壇於麗正、文明門之南，丙位。元成宗紀二十一。九月戊申，聖誕節，帝駐蹕於壽寧宮，受朝賀。元成宗紀二十一。十一月丁未，置大都南城警巡院。元成宗紀二十一。十年三月丁亥，免大都今年租賦。元成宗紀二十一。五月辛未，大都旱。遣使持香禱雨。元成宗紀二十一。十一年五月，以大都迤北六十二驛罷乏，給鈔賙之。元成宗紀二十一。十一月乙亥，中書省臣言：大都路供億浩繁，概於屬郡取之，其軍站、鷹坊、控鶴等户，恃其雜徭無與，冒占編氓，請降璽書，依祖宗舊制，悉令均當。或輒奏請者，亦宜禁止。制可。元成宗紀二十一。

武宗至大元年三月戊寅，建佛事於大都城南。元武宗紀二十二。六月戊戌，大都饑。發官廩減價糶貧民，户出印帖，委官監臨，以防不均之弊。元武宗紀二十二。閏月己丑，以大都米貴，發廩十萬石，減其價以糶振貧民。北來饑民有鬻子者，命有司爲贖之。元武宗紀二十二。秋七月壬戌，築呼鷹臺於漷州澤中。元史類編五。八月，中書省臣言：奉旨，連歲不登，從駕四衛，一衛約四百人，所給芻粟，自如常例，給各部者減半。臣等議：大都去歲飼馬九萬四千匹，今請減爲五萬匹。從之。元武宗紀二十二。九月丙辰，以內郡歲不登，諸人馬之入都城者減十之五。元武宗紀二十二。冬十月丁酉，以大都艱食，復糶米十萬石，減其價以振之，以其鈔於江南和糴，罷大都榷酤。元武宗紀二十二。十一月辛巳，以銀七百五十兩、鈔二千二百錠、幣帛三百疋施昊天寺，爲水陸大會。元武宗紀二十二。壬寅，奇塔特布濟克乞賜固安田二百餘頃，從之。元武宗紀二十二。十二月乙未，奇塔特岱爾原作赤斤塔塔兒。等擾檀州民，强取米粟六百餘石，詔官訊之。元武宗紀二十二。二年四月，摘漢軍五千，給田十萬頃，于直沽海口屯種。市耕牛農具，給直沽酸棗林屯田軍。元武宗紀二十三。五月丁酉，以陰陽家言，權停各寺及亭苑鷹坊工役。元史類編五。六月癸亥，以大都隸儒籍者四十户充文廟樂工。元武宗紀二十三。八月癸巳，以大都城南建佛寺，立行工部，令丞相托克托兼領。元史類編五。己亥，罷中統鈔，以至大銀鈔爲母，至元鈔爲子，仍撥至元鈔本百萬錠，以給國用。立資國院于大都。元史類編五。三年二月庚戌，增大都警巡院二，分治四隅。元武宗紀二十三。四年正月庚子，減價糶京倉米，日千石，以振貧民。元武宗紀二十四。三月己亥，賜大都路民年九十者二千三百三十一人，人帛二疋；八十者八千三百三十一人，人帛一疋。元武宗紀二十四。夏四月丁卯，免大都差税二年。（元武宗紀二十四。）閏七月，車駕將還大都。太后以秋稼方盛，勿令鷹坊、駝人、衛士先往，庶免害稼擾民，敕禁之。（元武宗紀二十四。）十一月甲子，敕增置京城米肆十所，日平糶八百石，以振貧民。（元武宗紀二十四。）十二月庚寅，曲赦大都大辟囚一人，并流以下罪。（元武宗紀二十四。）四年，樞密院奏：居庸關古道四十有三，軍吏防守之處僅十有三；舊置千户，位輕責重，請置隆鎮萬户府，俾嚴守備。制曰：可。（元武宗紀二十四。）

仁宗皇慶元年二月丁卯，朔，徙大都路學所，置周宣王石鼓於國子監。（元仁宗紀二十四。）丙戌，通、漷州饑，振糧兩月。（元仁宗紀二十四。）四月辛未，給鈔萬錠，修香山永安寺。（元仁宗紀二十四。）五年冬十一月壬戌，增置大都南、北兩兵馬指揮使。（元史類編六。）六年十二月，勅大都冬、夏設食于路，以食飢者。（元史類編六。）七年二月丁卯，定京城環衛更番法，准五衛漢軍歲例。（元史類編七。）十一月庚辰，禁京城諸寺邸舍匿商税。（元史類編七。）

延祐元年正月丁未，詔改元，免大都差税。二月己卯，給鈔六千三百錠，振濟良鄉諸驛。（元仁宗紀二十五。）秋七月乙亥，武清縣渾河隄決，淹没民田，發廩振之。八月戊子，車駕至大都。（元仁宗紀二十五。）二年正月丙寅，霖雨壞渾河堤堰，没民田，發卒補之。發卒浚漷州漕河。（元仁宗紀二十五。）秋七月，畿内大雨，漷州、昌平、香河、寶坻等縣水，没民田廬，出米減價振糶。（元仁宗紀二十五。）四年十二月己酉，盧溝橋、澤畔店、琉璃河並置巡檢司。（元仁宗紀二十六。）六年三月己巳，免大都今歲租税。（元仁宗紀二十六。）秋七月乙亥，通州、漷州增置三倉。（元仁宗紀二十六。）十二月丙寅，免大都延祐七年差税。（元仁宗紀二十六。）七年正月戊申，振通、漷二州蒙古貧民。（元英宗紀二十七。）二月戊午，祭社稷。建御容殿於永福寺。汰富民竄名宿衛者。（元英宗紀二十七。）三月己未，祭遁甲神於香山。命平章政事王毅等徵理京諸倉庫糧帛虧額。（元英宗紀二十七。）三月壬戌，給通、漷二州蒙古户夏布。（元英宗紀二十七。）六月甲寅，京師疫。修佛事於萬壽山。（元英宗紀二十七。）秋七月丁亥，遣扈從諸營還大都，禁踐民户。（元英宗紀二十七。）八月庚午，發米十萬石，振京師貧民。（元英宗紀二十七。）十二月乙巳，免大都路差税三年。（元英宗紀二十七。）丙寅，修秘密佛事于延春閣。（元英宗紀二十七。）

英宗至治元年春正月壬午，增置漷州都漕運使同知、通判各一員。（元英宗紀二十七。）罷元夕張燈于禁中。（通鑑輯覽九十七。）二月，建壽安山寺，詔增壽安山寺役，率七千人。又冶銅五十萬斤鑄佛像，置中瑞司以領之。（通鑑輯覽九十七。）八月，東内皇城建宿衛屋二十五楹，命五衛内摘軍二千五百人居之，以備禁衛。（元史兵志。）十二月甲子，置田糧提舉司，掌薊、景二州田賦，以給衛士貧乏者。（元英宗紀二十七。）二年正月癸巳，漷州饑。糶米十萬石振之。（元英宗紀二十九。）三月丙子，罷京師諸營繕役卒四萬餘人。（元英宗紀二十八。）夏四月丙寅，振霸州饑。五月庚辰，振固安州饑。乙酉，以京師饑，發粟二十萬石振糶。（元英宗紀二十八。）秋七月甲子，録京師諸役軍匠病千人，各賜鈔遣還。（元英宗紀二十八。）九月甲子，作層樓於涿州盝頂殿西。（元英宗紀二十八。）三年春正月壬子，建諸王驛於京師。元英宗紀二十八。夏四月己巳，浚金水河。元英宗紀二十八。六月戊辰，留守司以雨請修都城。有旨：今歲不宜大興土工，其略完之。元英宗紀二十八。十一月癸丑，敕會福院奉北安王諾木罕像于高良河寺。元英宗紀二十八。

泰定帝泰定元年夏四月甲子，發兵民築渾河堤。元泰定帝紀二十九。八月丁丑，罷浚玉泉山河。元泰定帝紀二十九。二年三月庚戌，通、漷二州饑。發粟振糶。元泰定帝紀二十九。庚戌，薊州、寶坻縣饑。振糧二月。元泰定帝紀二十九。五月，置諫議書院於昌平縣，祀唐劉蕡。元泰定帝紀二十九。辛未，罷京師官鬻鹽。元史類編八。十一月壬申，京師饑。振糶米四十萬石。河間諸郡流民就食通、漷二州，命有司存恤之。元泰定帝紀二十九。十二月癸巳，京師多盜，達實特穆爾請處決重囚，增調邏卒，仍立捕盜賞格。從之。元泰定帝紀二十九。三年正月戊辰，大都路屬縣饑。振糧六萬石。元泰定帝紀三十。五月，遣指揮使謂都瑪勒鐫西番呪語於居庸關崖石。元泰定帝紀三十。冬十月辛未，朔，發卒四千治通州道，給鈔千六百錠。壬午，京師饑。發粟八十萬石，減價糶之。元泰定帝紀三十。十二月壬午，以來年元夕搆燈山于內廷。御史趙師魯以水旱請罷其事。從之。元泰定帝紀三十。四年正月丁卯，浚會通河，築漷州護倉隄，役丁夫三萬人。二月壬午，狩于漷州。元泰定帝紀三十。四月乙未，通、順、檀、薊等州，漁陽、寶坻、香河等縣饑。振糧兩月。元泰定帝紀三十。十二月庚子，發米三十萬石振京師饑。元泰定帝紀三十。

致和元年三月庚辰，命僧千人修佛事於鎮國寺。元泰定帝紀三十。夏四月癸酉，籍在京流民廢疾者，給糧遣還。元泰定帝紀三十。

文宗天曆元年五月戊寅，京師市馬二百八十匹，載乘輿服御送行在所。元明宗紀三十一。八月乙未，以西安王令，給宿衛京城軍士鈔有差，調諸衛兵守居庸關。元文宗紀三十二。九月庚申，賜京師耆老七十人幣帛。壬戌，給居庸關軍士糧。徵五衛屯田兵赴京師。元文宗紀三十二。丁亥，令京城里長募丁壯及百工合萬人，與兵士爲伍，乘城守禦。月給鈔三錠，米三斗。元文宗紀三十二。冬十月癸巳，呼喇台游兵近逼南城，令京城居民户出壯丁一人，持兵仗從軍士乘城，仍於諸門列甕貯水，以防火。元文宗紀三十二。幸大崇恩福元寺，謁武宗神御殿，分命諸僧於大明殿、延春閣、興聖宮、隆福宮、萬歲山作佛事。元文宗紀三十二。丙申，振通州被兵之家。元文宗紀三十二。己亥，幸大聖壽萬安寺，謁世祖、裕宗神御殿。元文宗紀三十二。癸卯，以通州知州趙義能禦敵，賜幣二疋。振糶京城米十萬石，石爲鈔十五貫。元文宗紀三十二。二年四月壬子，振通州諸縣被兵之民糧兩月。元文宗紀三十三。九月乙卯，朔，作佛事於大明殿、興聖、隆福諸宮。市故宋太后全氏田爲大承天護國寺永業。元文宗紀三十三。冬十月辛丑，命道士苗道一建醮于長春宮。甲辰，輝和爾僧百八人作佛事于興聖殿。戊申，作佛事于廣寒殿。元文宗紀三十三。戊申，罷大承天護聖寺工役。元文宗紀三十三。十一月甲子，止鷹坊母獵畿甸。元文宗紀三十三。十二月己亥，加封大都城隍神爲護國保甯王。（元史類編九。）

至順元年二月辛亥，命市故瀛國公趙㬎田爲大龍翔集慶寺永業。（元文宗紀三十四。）三月戊午，發米十萬石，振糶京城貧民。（元文宗紀三十四。）秋七月丁巳，命中書省、翰林國史院官祀太祖、太宗、睿宗御容于大普慶寺，命西僧爲皇子燕王作佛事。（元文宗紀三十四。）乙丑，調諸衞卒，築漷州柳林海子堤堰。丙寅，蒙古百姓以饑乏至上都，閱口數給以行糧，俾各還所部。增大都振糶米五萬石。（元文宗紀三十四。）甲戌，給戍居庸關軍士糧。（元文宗紀三十四。）以大都潘居敬妻陳氏、王成妻高氏以志節，並旌其門。（元文宗紀三十四。）閏七月，大都趙祥及弟英以孝行，旌其門。大都阿實克坦、（原作阿祖丁。）塔珠、漷州劉仲温以輸米振貧，旌其門。（元文宗紀三十四。）十二月甲戌，大都宛平縣鄭珪，以行義旌其門。（元文宗紀三十四。）二年春正月丙戌，旌大都大興縣郭仲安妻李氏貞節。（元文宗紀三十五。）二月庚午，創建五福太一宮於京城。（元文宗紀三十五。）甲戌，旌大都民劉德仁妻王氏貞節。（元文宗紀三十五。）三月壬午，賜南郊侍祠文武官金、幣有差。（元文宗紀三十五。）己卯，旌大都良鄉縣韋安妻張氏貞節。（元文宗紀三十五。）壬午，發通州官糧，振檀、順、昌平等處饑民九百餘户。（元文宗紀三十五。）夏四月丙午，以糧五萬石振糶京師貧民。（元文宗紀三十五。）五月丙子，命樞密院調軍士修京城。（元文宗紀三十五。）七月丁未，旌大都右警巡院胡德妻曹氏貞節。（元文宗紀三十五。）壬午，祀太祖、太宗、睿宗御容於翰林國史院。命西僧於大都萬歲山、憫忠閣作佛事，起八月八日，至車駕還上都日止。（元文宗紀三十五。）九月癸西，中書省臣言：今歲當飼馬駝十四萬八千四百匹，京城飼六萬匹，餘每匹給芻粟鈔四錠。從之。元文宗紀三十五。己卯，御史臺臣言：大聖壽萬安寺壇主、司徒嚴吉祥，盗公物，畜妻孥，宜免其司徒、壇主之職。從之。元文宗紀三十五。十月丁巳，遣官齎鈔十萬錠、鹽引三萬五千道於通、漷州，優價和糴米三十萬石。又，以鈔二萬五千錠、鹽引萬五千道于通、漷二州和糴粟豆十五萬石。元文宗紀三十五。丙寅，命大都路定時估，每月朔、望送廣誼司，以酬物價。元文宗紀三十五。辛酉，命西僧作佛事于興聖宮，十有五日乃罷。元文宗紀三十五。三年春正月丁丑，振糶米五萬石，濟京師貧民。元文宗紀三十六。三月己丑，以帝師泛舟于城西高粱河，調衛士三百挽舟。元文宗紀三十六。四月，命有司爲巴延建生祠，立紀功碑于涿州。元文宗紀三十五。五月壬午，復振糶米五萬石，濟京城貧民。元文宗紀三十六。秋七月戊辰，調軍士修柳林海子橋道。乙亥，命僧於鐵幡竿寺修佛事，施金百兩、銀千兩、幣帛各五百疋、布二千疋、鈔萬錠。元文宗紀三十六。八月，大都差税免三年。元文宗紀三十六。辛丑，振大都寶坻縣饑民以京畿運司糧萬石。元文宗紀三十六。

順帝元統元年九月庚辰，奉文宗皇帝及太皇太后御容於大承天護聖寺，命左丞相薩都爲隆祥院使，奉其祭祀。元順帝紀三十八。二年，王結召拜翰林院學士。中官命僧尼慈福殿作佛事，已而殿災。結言：僧尼褻瀆，當坐罪。元史列傳。

至元元年二月丁巳，以薊州寶坻縣稻田提舉司所轄田土賜巴延。元順帝紀三十八。二年八月戊寅，祭社稷。大都至通州霖雨，大水，敕軍人修道。元順帝紀三十九。三年十二月丙戌，徵西域僧桑嘉依喇嘛原作伽剌麻。至京師，號灌頂國師，賜玉印。元順帝紀三十九。四年秋七月壬寅，詔以巴延有功，立生祠于涿州。元順帝紀三十九。十二月甲午，大都南城等處設米鋪二十，一鋪日糶米五十石以濟貧民，俟秋成乃罷。元順帝紀三十九。六年二月甲申，增設京城米鋪，從便振糶。元順帝紀四十。丁未，罷通州、河西務等處抽分按利房、大都東裏山查提領所。元順帝紀四十。夏四月辛未，降鈔萬錠，給守衛宮闕內外門禁，唐古左右阿蘇桂、齊謌爾根、欽察等衛軍。元順帝紀四十。庚寅，詔大天元延壽寺明宗神御殿立碑。元順帝紀四十。

至正元年夏四月己亥，罷漷州河西務。己未，罷河西務行軍庫。元順帝紀四十。二年春正月丙戌，開京師金口河，深五十尺，廣一百五十尺，役夫一十萬。元順帝紀四十。五年夏四月丁卯，遣大都流民還鄉，官給路糧，募富户出米，五十石以上者，旌以義士號。元史類編十。秋七月辛丑，旌表大都節婦鞏氏門。元順帝紀四十一。六年春二月戊申，京畿盜起，范陽縣請增設縣尉及巡警。從之。元順帝紀四十一。七年夏四月庚寅，監察御史言：通州密邇京城，盜賊蜂起，增兵討之，以杜其源。元順帝紀四十一。十年十月辛丑，置諸路寶泉都提舉司於京城。元順帝紀四十一。十一年五月丙子，命大都至汴梁二十四驛，凡馬一匹，助給鈔五錠。六月，發軍一千，從直沽至通州，疏濬河道。元順帝紀四十二。十二年十一月癸未，脱脱請興近畿水利，召南人耕種，歲可得粟麥百萬石，不煩海運，京師足食。帝曰：此事有利於國，其速行之。元史類編十。十三年春正月庚午，朔，釋放在京罪囚。辛未，命烏蘭哈達、烏克遜良貞兼大司農卿，給分司農司印。自西山，南至保定、河間，北至檀、順州，東至遷民鎮，凡係官地及元管各處屯田，悉從分司農司立法佃種，合用工價、牛具、農器、穀種，召募農夫諸費，給鈔五百萬錠，以供其用。元順帝紀四十三。夏四月戊戌，朔，命南、北兵馬司分官一員，就領通州、漷州、直沽等處巡捕官兵，往來巡邏，給分司印，一同署事，半載一更。元順帝紀四十三。五月己巳，命東安州、武清、大興、宛平三縣正官添給河防職名，從都水監官巡視渾河隄岸，或有損壞，卽修理之。元順帝紀四十三。十四年十一月乙酉，皇太子修佛事，釋京師死罪以下囚。元順帝紀四十三。十二月，京師大饑，加以疫癘，民有父子相食者。元順帝紀四十三。十五年十二月乙亥，詔濬大內河道，以宦官同知留守額森特穆爾董其役。元順帝紀四十四。立大兵農司于武清，景、薊，招集夫丁，且耕且守。元史類編十。十六年十二月，命大司農司屯種雄、霸二州，以給京師，號京糧。元順帝紀四十四。十七年四月丙辰，京師立便民六庫，倒易紙鈔。元順帝紀四十五。九月丁酉，褒封唐贈諫議大夫劉蕡爲文節昌平侯。元順帝紀四十五。十八年六月乙酉，命左丞相太平督諸軍守禦京城，便宜行事。元順帝紀四十五。大饑、疫。斗米金一斤，民死者二十餘萬人。宦者樸不花請市地收瘞之。元史類編十。十九年冬十月庚申，朔，詔京師十一門皆築甕城，造弔橋。元順帝紀五十九。二十一年三月，張士誠海運糧一十一萬至京師。四月，察罕特穆爾遣其子副詹事庫庫特穆爾貢糧至京師。元順帝紀四十六。二十六年六月，命知樞密院事瑪魯以兵守直沽。元順帝紀四十六。

華陽吴祖椿校

故事志二

時政下

黄岡洪良品纂　江陰繆荃孫覆輯

明

太祖洪武二年，命大將軍徐達等備北平邊，諭令各上方略。從淮安侯華雲龍言，自薊州、密雲迤西二千餘里關隘，皆置戍守。明史兵志。詔修元史，乃命儒士歐陽佑等往北平，采遺事。明史儒林趙壎傳。詔改元都爲北平府，設北平行中書省，並置燕山、大興、永清等六衞，隸兵三萬，命指揮副使孫興祖、華雲龍兼北平行省參知政事守之。日下舊聞考四引啟運録。四年三月，魏國公徐達駐師北平，以沙漠遺民屯田北平府管内之地：大興四十九屯，宛平四十一屯，良鄉二十三屯，固安三十七屯，通州八屯，三河三十六屯，漷縣九屯，武清十五屯，薊州十屯，昌平二十六屯，順義十屯，凡置屯二百六十有四，明太祖實録。共徙一萬七千户。明太祖紀二。六年六月，免北平被災田租。明太祖紀年。九年，敕燕山前後等十一衞，分兵守古北口、居庸關、喜峰口、松亭關烽堠北九十六處，參用南、北軍士。明兵志。十二年夏五月，蠲北平田租。明太祖紀二。九月辛卯，景川侯曹震、榮陽侯楊璟、永城侯薛顯屯田北平。明太祖紀二。十五年十二月辛卯，振北平被災屯田士卒。明太祖紀三。又於北平都司所轄關隘二百，以各衛卒守戍。明兵志。十八年十一月乙亥，蠲北平田租。明太祖紀三。二十三年八月，振北平水災。明太祖紀三。二十四年春正月，北平布政司左參政周偉言：通州白河，北接大山諸河水道，東南至直沽海口，每霖雨時降，水潦泛漲，橋梁頹圮，修築勞民。其通州舊有糧船六十餘艘，罷運已久，宜改爲浮梁於白河之上，以便經行。書奏，命朝廷臣議行之。明太祖實録。冬十月，北平大水，免其田租。皇明大政記一。二十八年，設密雲諸縣倉，儲糧以資北征。明食貨志。

惠帝建文元年，文帝起兵，調營州五屯衛於順義、薊州、平谷、香河、三河。明兵志。

成祖永樂元年二月庚戌，設北京留守行後軍都督府、行部、國子監。改北平曰順天府。明成祖紀六。己巳，振北京饑。三月戊子，平江伯陳瑄、都督僉事宣信充總兵官，督海運餉北京，歲以爲常。明成祖紀六。八月己巳，發流罪以下墾北京田。甲戌，徙直隸、蘇州等十郡、浙江等九省富民實北京。明成祖紀六。二年九月丁卯，徙山西民萬户實北京。明成祖紀六。三年正月庚申，復免順天田租二年。明成祖紀六。令北直隸府州縣，於順天府鄉試。明會典。五年夏四月己酉，振順天饑。明成祖紀六。六年二月丁未，除北京永樂五年以前逋賦，免諸色課程。明成祖紀六。六月庚辰，詔罷北京諸司不急之務及買辦，以甦民困。流民來歸者，復三年。明成祖紀六。七年三月壬戌，車駕至北京，命學士胡廣，諭德楊榮、金幼孜，修撰王英等，從游萬歲山。翰林記。癸亥，大賚官吏軍民。丙寅，詔起兵時將士及北京效力人民雜犯，死罪咸宥之，充軍者官復職，軍民還籍。明成祖紀六。十二月庚戌，賜濟甯及良鄉民頻年遞運者田租一年。明成祖紀六。建涿鹿衛。涿州吴志。八年，建涿鹿左衛。涿州吴志。九年冬十一月己未，寬北京謫徙軍民賦役。明成祖紀六。十年三月甲辰，免北京水災租税。明成祖紀六。十一年二月癸亥，令北京民户分養孳生馬，著爲令。明成祖紀六。十一月，命中都、遼東、河南三都指揮使司及武平等四衛兵，會北京。明成祖紀六。建涿鹿中衛。涿州吴志。十二年八月辛酉，朔，至北京，御奉天殿，受朝賀。丙午，蠲北京州縣租二年。戊午，賞從征將士。明成祖紀七。定制：嫁、娶、喪、祭時節禮物，自織布帛，農器食品，及買既税之物，車船運已貨物，魚蔬雜果，非市販者，俱免税。準南京例，置京城官店塌房。明食貨志。初設上林苑監，取山西、平陽、澤潞之民充之，使蕃育樹藝，以供上用。明世宗實録。初設太僕寺，又設苑馬寺。又令北畿民計丁養馬，選居間官教之畜牧。旋罷苑馬寺，悉牧之民。明兵志。時復選應天、浙江富民三千户充北京宛、大二縣廂長，附籍京師，仍應本籍徭役。供給日久，貧乏逃竄，輒選其本籍殷實户僉補。明食貨志。置通州左衛倉，且設北京三十七衛。又設武清衛倉於河西務，通州衛倉於張家灣。明食貨志。十三年春正月丙午，塞居庸以北隘口。明成祖紀七。三月己亥，策士於北京，賜陳循等進士及第出身有差。明成祖紀七。建進士題名碑於北京國子監。

綱目三編六。六月，振北京水災。明成祖紀七。八月庚辰，振北京順天州縣饑。十二月，蠲順天州縣水旱田租。明成祖紀七。十四年春正月己酉，北京饑，免永樂十二年逋租，發粟振之。明成祖紀七。秋七月丁酉，遣使捕北京州縣蝗。八月丁亥，作北京西宮。明成祖紀七。十五年春正月壬子，平江伯陳瑄督漕運木赴北京。二月壬申，泰甯侯陳珪董建北京，柳升、王通副之。三月丙申，雜犯死罪以下囚，輸作北京贖罪。明成祖紀七。十七年六月壬午，免順天府去年水災田租。明成祖紀七。十九年春正月，遷都北京，頒詔天下，大祀天地于南郊，赦。通鑑輯覽一百二。夏四月庚子，奉天、華蓋、謹身三殿災，肆赦，禁謗訕。皇明大政記二。北京大内新成，勑翰林院凡南内文淵閣所儲書，自有一部至百部，各取一部送北京。青谿暇筆。二十一年秋七月戊申，勑居庸關守將止諸司進奉。明成祖紀七。二十二年春正月，徵山西、山東、河南、陝西、遼東五都司及西甯、鞏昌、洮、岷各衛兵，期三月會北京。明成祖紀七。十二月作觀天臺於禁中。皇明大政記二。

仁宗洪熙元年三月戊戌，詔北京諸司悉稱行在。復北京行部及行後軍都督府。明仁宗紀八。七月，水決盧溝橋東狼窩口岸一百餘丈。命行後軍都督府、行部發軍民修築。明仁宗實録。

宣宗宣德元年，廢高煦爲庶人，築室西安門内，謂之逍遥城，並其諸子錮之。通鑑輯覽一百三。二年二月，遣順天府官祭宋丞相文天祥，歲爲例。明典彙。案：明嘉靖祀典云：歲仲春、仲秋，有司陳設爵三、帛一、羊一、豕一，祝文：皇帝遣順天府尹某致祭於宋丞相信國文公曰：卿昔宋臣，以身殉國。忠義大節，炳若日星。維時仲春，仲秋，庸伸祀典，卿其有之，尚克享之。又案湧幢小品云：歷代忠臣廟，皆府尹致祭，用祭服，獨此用常服。三年五月壬申，免北京被災夏稅。明宣宗紀。七月，順天府三河縣奏：本縣錯橋，東通遼海，西達京師，今年五月霖雨，山水暴漲壞橋，甃石皆缺，驛使往來不便。乞撥軍夫工匠，於華山石廠取石修砌，庶幾可成。從之。明宣宗實錄。五月壬申，免北京被災夏稅。明宣宗紀九。八月辛卯，罷北京行部及行後軍都督府。明宣宗紀九。五年六月，命行在工部修北京城隍祠。明宣宗實錄。十月丙子，帝巡幸近郊。戊寅，度居庸關。己卯，獵岔道。壬辰，還京。皇明大政記四。帝親櫜鞬，騎導太后輦，至清河橋下馬扶輦，畿民夾道拜觀，陵旁老稚，皆山呼迎拜。太后顧曰：百姓戴君，以能安之耳。皇帝宜重念。帝奉太后過農家，召老婦問所業，賜鈔幣。有進蔬食酒漿者，太后取嘗之，以與帝曰：此田家味也，皇帝宜知之。扈從臣張輔、蹇義、楊士奇、楊榮、金幼孜、楊溥見太后於行殿，太后慰勞之。帝還，見道中耕者，取其耒，三推，顧侍臣曰：朕三推已不勝勞，況常事此乎？賜之鈔。凡所過農家，皆賜之。綱目三編。六年二月，順天府尹李庸奏：永樂中，決新城縣之高從周口，衝激泥沙，遂已淤塞霸州桑園里、朱家莊、張貴莊約四里餘。每年水漲，無所通泄，湧漫倒流，北灌海子凹、牛闌佃等處，其地不得耕種。請量役丁民修理。從之。明宣宗實錄。七年八月，修通州通流牐。明宣宗實錄。八年閏八月，命都指揮劉斌董修通州城樓。明宣宗實錄。增置北京及通州倉。京倉以御史、户部官、錦衣千百户季更巡察。明食貨志。

英宗正統元年春正月，發京軍屯田畿輔。時楊士奇言：國家歲用糧儲，皆自東南轉運，軍民勞苦；今京軍操練外，餘卒尚多，宜令於京八府屯田，可省南方轉運之費。從之。（通鑑輯覽一百三。）七月，命行在工部左侍郎李庸修狼窩口等處隄。（明英宗實録。）二年二月，李庸請建龍神廟於隄上；且令宛平縣復民二十户，自石徑山至盧溝橋往來巡視。從之。（明英宗實録。）五月，御史鄭顒奏：張家灣宣課司及崇文門分司，商貨販到，積至數多，方命抽盤，不無停滯。張家灣宜專委内官抽分，崇文門宜令本門收鈔，内官兼管。上曰：但戒所司勿滯，不必專委内官。事竟不行。（野獲編。）三年十二月，工部奏：通州白河自正統元年水溢決孩兒等口，傷民田稼，請令把總都指揮同知劉斌及通州發夫築塞之。上從其請，且曰：河決非細事，再踰年言之，何緩也？工部言：今年二月，始得順天府實報。上命下順天府尹姜濤、通州掌州事治中楊衡於獄。命塞決口，修通州富河、白河橋。（明英宗實録。）四年六月，京師大水，求直言，修廢政。令户部侍郎吳璽、順天府尹姜濤賑卹軍民。（皇明大政記五。）六年十一月甲午，朔，乾清、坤甯二宫，奉天、華蓋、謹身三殿成，大赦。定都北京，文武諸司不稱行在。（明英宗紀十。）八年九月，修通州普濟牐。（明英宗實録。）十四年秋八月丙寅，移通州糧入京師。（明景帝紀十一。）乙亥，輸南京軍器於京師。（明景帝紀十一。）十一月，以僉都御史王竑及夏忠、魯瑄守居庸。（通鑑輯覽一百四。）十二月戊辰，祭陣亡官軍於西直門外。（明景帝紀十一。）陳鑑擢御史，出按順天，言：京師風俗澆漓，其故有五：一、事佛過甚，二、營葬破家，三、服食靡麗，四、優倡爲蠹，五、博塞成風。章下禮部。格不行。明史列傳。景帝景泰元年四月己亥，都督同知劉安充總兵官，練兵於涿、易、通三州，僉都御史曹泰參贊軍務。明景泰紀十一。八月甲申，遣侍讀商輅迎上皇於居庸關。丙戌，上皇還京師，帝迎於東安門，入居南宮，帝帥百官朝謁。明景帝紀十一。兵部尚書于謙建立京營團操法。春明夢餘録。二年四月乙未，命石亨選京營兵操練。明景帝紀十一。六年六月，修居庸關城畢工，命工部造碑，翰林院撰文，刻置關上。明英宗實録。英宗天順元年秋七月，承天門災，下詔罪己，勅羣臣修省。通鑑輯覽一百五。二年冬十月，帝獵南苑。皇明大政記七。四年夏四月，慶雲伯周壽求涿州田，翊聖夫人劉氏求通州、武清地三百餘頃，皆予之。通鑑輯覽一百五。十二年，兵部侍郎滕昭、英國公張懋條上邊備，言：居庸關、黄花鎮、喜峰口、古北口、燕河營、有團營馬步軍萬五千人戍守，請益軍五千，分駐永平、密雲，以策應遼東。明兵志。召京師人百四歲茹大中入見便殿，錫宴。順天府賜冠帶、襲衣。命禮部尚書姚夔造其第賀之。列朝盛事。

憲宗成化七年春正月，京師饑。發粟賑貸。皇明大政記八。二月，撥官軍五千，以少監高通、都督鮑政、工部侍郎李顒修築盧溝橋隄岸。明憲宗實録。三月，兵科給事中秦崇上言：居庸等關，朝廷之北門，東抵山海，西抵雁門，山勢雖曰斗峻，而可通行之路亦多，所司因循怠惰，礌木砲石軍器，類不具備，夫富家亦高築牆垣以防寇盜，况國都藩籬而可廢弛乎？上勅巡關御史修治。明憲宗實録。五月辛巳，瘞京師暴骸。明憲宗紀十二。霸州知州蔣愷言：城北草橋界河，上接渾河，下至小直沽，注於海。永樂間，渾河改流，西南經固安、新城、雄縣抵州，屢決爲害。近決孫家口，東流入河，又東抵三角淀、小直沽及其故道。請因其自然之勢，修築隄岸。詔順天府官相度行之。明河渠志。八年夏四月，京師久旱，運河水涸，癸酉，遣使禱於郊社、山川、淮瀆、東海之神。明憲宗紀十三。十二月癸酉，振京師饑民。明憲宗紀十三。九年夏四月戊辰，瘞京師暴骸。明憲宗紀十三。十年正月丁亥，朔，振京師貧民。明憲宗紀十四。二十一年五月丙子，振京師饑民。明憲宗紀十四。

孝宗宏治元年，百户王敏建言：要於京城内外小巷路口，置立栅欄，夜間關閉。本部會兵官計議題准，先於城内關廂試驗。命巡城御史督同兵馬司，計算工程，先儘財主，勸出銀兩，如法成造，果爲有益，城内另擬。後因兵馬司奉行無法，一概科取，騷擾地方，又行禁止。其已修完栅欄，亦不如法，日久損壞。今照京城之内，大街小巷，不止一處，巡捕官兵止有七百餘名，未免巡歷不周。一聞有盜，昏夜追趕，小街曲巷，輒被藏匿，合無除寬街大路不必置立外，但係小街巷口，相應設門去處，各置立門栅，遇夜關閉。如遇追逐盜賊，不得委曲隱藏。本部仍委官一員，會同巡城御史，督同兵馬司，相視計議，如法修置，合用工料，勸倩本巷得過之家，情願出辦，不許强科害民，致生怨議。從之。名臣奏議十五。二年六月，京師大水。録囚徒，求直言。皇明大政記八。十一月戊午，順天饑，發粟平糶。明孝宗紀十五。三年十二月己未，京師地震。壬戌，減供御品，罷明年上元燈火。明孝宗紀十五。六年秋八月甲戌，免順天被災夏税。明孝宗紀十五。八年十月，命兵部右侍郎王宗彝，同工部左侍郎徐貫、都御史屠勳，詣黄花鎮，抵居庸一帶邊關，看驗地形，平坡隘口，應修治處所奏聞。十二月，宗彝等奏：按視潮河川形勢，河口東西寬百七十餘丈，地皆流沙，土脈不堅，城之不便，惟宜增兵戍守。其響水谷以東，直抵古北口一帶，墩座稀少，宜於内各添設大墩一，每墩濶十二丈，高三尺，上置草屋，下挑濠塹，遣諜者分瞭望。從之。明孝宗實録。十一年冬十月甲戌，清寧宫災。明孝宗紀十五。十五年九月戊子，放減内府所蓄鳥獸。明孝宗紀十五。

武宗正德二年六月戊寅，罷修邊垣，輸其直於京師。明武宗紀十六。八年四月，令大興、宛平二縣，撥田户二十於護國保安寺，以供洒埽。明武宗實録。十一年八月庚申，賜宛平縣被寇者人米二石。明武宗紀十六。十二年春正月，帝獵於南海子。八月，帝幸昌平，至居庸關。監察御史張欽閉關，三上疏。皇明大政記九。十三年正月，給京師流民米，人三斗。瘞死者。明武宗紀十六。十六年九月，工部覆遮洋運糧指揮王瓚言：直沽東北，有新河以轉薊州，所司不及時疏導，河流阻澀，必候潮至，舟乃可行，以致邊餉每匱，請濬之使深廣，以通歲漕。從之。明世宗實録。

世宗嘉靖元年正月，四川道監察御史鄭本公，請出錢賑濟京師凍餓窮民。户部議：朝廷舊設養濟院，窮民各有記籍，無籍者收養蠟燭、旛竿二寺，衣布、薪水、廚料，約歲費萬金，所存活甚衆。今院籍混淆，或以丁壯竄名，或以空名支費，二寺復設内官、校尉，乾没罔利，民無所依，弊端坐此，請委官查記籍，革虚冒，其二寺添設内官、校尉，盡行罷減。惟遣光禄寺及大、宛二縣官以時更理其事。合用柴斤，令於臺基廠關支，五城兵馬司日拊視道路，貧民就食二寺。命如議行。明世宗實録。築灰嶺口城六百八十丈有奇，上常峪城減十之五，各立樓櫓鋪舍，名灰嶺口，曰鎮邊城。上常峪曰常峪城，調别堡軍士屯守，灰嶺口千人，上常峪三百人，改設守禦千户所，及倉場官吏。明世宗實録。五月，改鎮國府仍爲太平倉，命總督倉場官管理。明世宗實録。二年正月，詔募兵三百人，守居庸關、長峪城。明世宗實録。二月，御史向信請修復大通橋至張灣廣利等八閘，以紓民陸運之苦。工部議行河道侍郎，相度以聞。舊聞考一百九。五年二月壬午，振京師饑。明世宗紀十七。六年，御史吴仲請修通惠河三河告成功。上登舟觀之。大學士張璁等聯句以聞。上喜，給光禄饌，又分御膳賜焉。帝京景物略。九年二月戊辰，耕耤田。乙亥，振京師饑。明世宗紀十七。皇后親蠶於北郊。

通鑑輯覽一百五。冬十一月，始配昊天上帝於南郊，禮成，大赦。通鑑輯覽一百五。十四年三月丙子，奉章聖皇太后如天壽山謁陵，免昌平今年税糧三之二，賜高平粟帛。明世宗紀十七。十五年二月，帝奉章聖皇太后詣天壽山謁陵。帝至沙河，見居民蕭條，顧大學士李時曰：七陵在此，宜加守護。時對曰：昔邱濬建議，京師當設四輔，以武清爲南，昌平爲北，薊州、保定爲東、南，各屯兵一、二萬，今若於昌平增一總兵，可南衛京師，北護陵寢。帝乃下廷臣勘議，於沙河築鞏華城，爲置戍焉。通鑑輯覽一百九。二十三年，施藥京師，爲丸凡三十五，以治百病。但有湯引，以綾作袋，上刻板作印云：凝道軒施。袋中貯銀五分，作方片，嘉靖錢七枚。雷軒，朝廷道號也。暖姝由筆。二十五年秋七月癸酉，以醴泉出承華殿，廷臣表賀。停封事二十日。明世宗紀十八。二十六年壬午，大内火。釋楊爵於獄。明世宗紀十八。三十一年二月己巳，建内府營，操練内侍。明世宗紀十八。三十二年，以敵退，告謝郊廟。冬十月辛丑，京師外城成。明世宗紀十八。三十九年二月戊午，振順天飢。明世宗紀十八。四十年三月壬戌，振京師飢。明世宗紀十八。御史胡鼇言：京師優倡雜處，請勅五城，諸非隸教坊兩院者，斥去之。明謝廷讃傳。

穆宗隆慶中，戚繼光守薊門，奏練兵車七營，以東、西路副總兵及撫督標共四營，分駐遵化、石匣、密雲；薊遼總兵二營駐三屯；昌平總兵一營駐昌平。每營重車百五十有六，輕車加百，步兵四千，騎兵三千。十二路，二千里間，車騎相兼，可禦敵數萬。上韙之。命結造費。明兵志。初，永樂時，置寶坻縣銀魚廠，後以内官坐采并稅，武清等縣非産魚之處，詔罷之，令光禄寺備辦，毋得奏遣内臣。著爲令。春明夢餘録。

萬曆二年，禁舉人、監生、生儒僭用忠靖冠巾、錦綺鑲履及張繖蓋，戴煖耳，違者，五城御史送問。明輿服志。光禄寺積米二十七萬石，倉廒滿盈，奏於東安門外買房一區，改爲外倉。春明夢餘録。有詔，發帑金爲橋涿之胡良渡。工部尚書朱衡力爭。又建玉女祠於涿，以内帑二千，召衡修之。衡又爭。太后爲武清伯治第，費以數萬，衡稽故事，多所裁抑。穀城山房筆麈。三年十二月辛未，詔罷明年上元燈火。明神宗紀。先是，薊遼有警，間遣重臣巡視，或稱提督，至是，以邊患益甚，始置總督，開府密雲，轄順天、保定、遼東三巡撫，兼理糧餉。九年，加兼巡撫順天等處。十一年復舊。明職官志。十三年三月壬辰，尚寶司少卿徐貞明督治京畿水田。明神宗紀。四月十七日，上以天旱，禱於郊壇，自宫中行步而出，禱畢，仍步還宫。纍瓦編。十五年六月，京師大雨，溺人民無算。命順天府賑卹。通鑑輯覽一百十一。二十四年三月乙亥，乾清、坤甯兩宫災。明神宗紀。二十七年冬十月壬午，振京師飢民。十二月戊子，振京師就食流民。明神宗紀。三十年夏四月辛丑，振順天飢。明神宗紀。三十二年秋七月，京師大雨，壞城垣。辛酉，振被水居民。明神宗紀。三十三年，聽福府承奉謝文詮言，設官塘於崇文門外，以供福邸。明食貨志。三十八年四月，久旱，正陽門樓火。四十年三月丙午，振京師流民。明神宗紀。四十三年十一月戊寅，振京師飢民。明神宗紀。四十七年冬十月丁巳，振京師飢。明神宗紀。僉京師富户爲商，令下，被僉者如赴死，重賄營免。官司密鉤，若緝姦盜。宛平知縣劉曰淑言：京民一遇僉商，取之不遺毫髮，貲本悉罄。請厚估先發，以甦民困。明食貨志。順天府尹以大珠、鴉青購買不如旨，鐫級。明食貨志。熹宗天啟元年十二月，御史李日宣議於都門抵良鄉界五十里如長前店、大井、柳巷、五里店、太平堝等處，每五里築墩堡，宿兵十名，遇有竊發，協力出救。又盧溝橋至趙村十里，趙村至良鄉二十里，僅有盧溝橋巡檢，弓兵二十人，難以策應，宜一體設備，以遏亂源。得旨：即行。明熹宗實録。

莊烈帝崇禎三年春正月丙戌，瘞城外戰士骸。明莊烈帝紀。四年五月甲戌，朔，步禱於南郊。明莊烈帝紀。十三年春正月戊子，振京師飢民。明莊烈帝紀。十五年，上親耕耤田。夢餘録。六月，築壇親祭死事文武大臣。明莊烈帝紀。十六年，京師自二月至七月大疫，詔釋輕犯。發帑療治。瘞五城暴骸。明莊烈帝紀。十二月，禁私錢，設石臼，鐵杵搗之。談往三。十七年春正月乙卯，幸正陽門樓，餞李建泰出師。明莊烈帝紀。三月十七日，賊陷京師。帝崩於煤山。綱目三編。

國朝

順治元年九月庚寅，睿親王遣甲喇章京顧納代等自燕迎駕。甲午，上入山海關。壬子，恭奉太祖武皇帝、孝慈武皇后、大行皇帝神主，安入太廟。十月乙卯，朔，上定鼎燕京。東華録五。二年二月，御史傅景星奏：民房應給旂下者，當寬以限期，俟其搬移，始令旂下管業。下所司議准。東華録五。時京師有患痘者，令移居出城，以杜傳染。坊司奉行不善，致嬰穉流離。巡視南城御史趙開心奏準，於城外四十里東、西、南、北各定一村，給與屋宇聚處。漢名臣傳一。給事中向玉軒言：民間墳墓有在滿洲圈占地内者，許其子孫歲時祭掃。從之。東華録五。四月，諭：民間喪葬，毋許出正陽門，著爲例。東華録五。三年六月，順天巡撫傅景星言：田地被圈之民，俱兑撥鹻薄屯地，若仍照膏腴民地征輸，則苦累倍增，應照屯地田地原額起征爲便。下部知之。東華録五。六年十月，禁伐昌平故明陵寢樹木。東華録六。九年，上臨雍。大清一統志十六。十六年閏三月，左都御史魏裔介陳四事：一、直隸順、永、保、河四府，自圈地圈房後，飢寒爲盜，請查明無礙官地撥給，至京師内城給與官地者，卽令永遠承業，勿復圈爲園囿。一、京師根本重地，務使貴賤有別。東華録八。十七年，上幸昌平，謁明陵，諭令修葺，責成昌平道嚴加巡察。畿輔唐志一。十八年十月，裁順天巡撫。東華録八。嚴禁京師人生女不舉。魏文毅公裔介事略。

康熙八年，上臨雍，亦准順治九年例。一統志十六。十月，重修盧溝橋。東華録九。十一月，太和殿、乾清宮告成。東華録九。九年，上駐蹕涿州，命官至大學士馮銓私第，取前明邸報，以備史略。涿州吴志。十二年十一月，閉城緝假稱朱三之楊起隆，諭小民毋得驚恐，禁止逃避。東華録十。十七年六月，以旱求直言。上步禱天壇。是日大雨。東華録十。十八年七月庚辰，京師地震，發内帑金十萬兩，賑軍民廬舍傾圮及死傷者。東華録十一。八月，以通州地震，命户部侍郎薩賚發帑金賑濟，蠲免錢糧。通州高志。二十年三月二十二日癸酉，上奉太皇太后行幸温泉。松亭行記。九月二十日，上巡幸近畿，蠲免霸州本年錢糧。畿輔唐志一。二十一年十月，貝子章泰、都統賴塔自雲南凱旋。上郊勞，赴盧溝橋駐蹕，行抱見禮。東華録十二。通州蠲免地丁銀三千七百十兩七錢七分一釐零。通州高志。二十三年三月，查被災之霸州、永清等州縣，發粟賑濟。畿輔唐志一。二十四年，上幸南苑。東華録。濬城河。畿輔唐志一。二十六年二月，令步軍統領總尉巡緝盜賊。畿輔唐志一。五月，順天府丞張鵬疏言：學宮旁爲廂黄旗都統聽事人所據，穿宫垣往來，逼近奎樓，掘坎取土，勢漸傾圮，請嚴禁。得旨：儒學文廟，關係文治，理宜肅清，乃令聽事及居住人等穢污侵佔，殊不合。著嚴行禁止。東華録十二。二十八年，京師附近地方旱，蠲免錢糧，賚給帑金賑濟，並諭諸王、大臣、庶官、殷實人等，莊田積聚糧穀，酌量助給。畿輔唐志一。二十九年三月至四月，京師不雨，遣九卿分祭壇、廟、寺、觀祈雨。居易録三。二十年二月，改巡捕三營，令步軍統領管理，京城内外，一體巡察。畿輔唐志一。三十一年，免順天府本年分旱災額賦有差。東華録十六。三十三年五月，步軍統領凱音布奏：新修天壇，一應沙路，應派兵看守，往來人止走兩傍，勿行中路。得旨：修葺道途，專以便民，不許行走，修之何用？若云禁行中路，則看守之人必並禁及兩旁，殊於行人不便。仍聽人照常行走。後若毀壞，令步兵稍稍葺治。東華録十六。三十三年，上幸霸州回鑾，道經東安北寺垡、固安西化莊，老民劉尚清扶杖往觀，跪迎道左。上見之大喜，問年齒幾何。以生於萬曆十八年對。上嘉其百有餘歲，出白鏹賜之。復命侍衛大臣送歸本村，令備録姓名、年庚及子若孫等名，垂紀國史，以傳後來。嗣駐蹕禮賢莊，又命侍衛大臣齎持御帽、御裘暨皇長子、三子、四子頒賜衣服、靴襪。固安陳志。九月十三日，令侍郎常書築通州以南隄。畿輔唐志一。十月九日，大雪初晴，駕幸南海子。初十日，幸暢春園。十一日，幸玉泉山。十二日、十三日，大閱於玉泉。居易録二十六。十一月，通州飢，令倉場侍郎開倉平糶。畿輔唐志一。三十四年二月二十四日，諭内閣：通州道路，曾禁行車，令於兩傍行，今兩傍傾壞，來往維艱，可弛其禁，令於道中行車。又京師大街之中，亦令行車，毋禁。畿輔唐志一。九月，免直隸順天府三十五年地丁銀米。東華録十七。通州被災，欽奉恩詔，照例扣蠲。通州高志。三十五年二月，諭：通州至大通橋，准民船往來。畿輔唐志一。順天水災，地丁銀米全與蠲免。霸州、雄縣、香河、寶坻四處，各發米一萬石，各差司官一員齎往，減值發糶。居易録二十八。三十六年七月，以太和殿成，遣官祭告天地、宗廟、社稷。東華録十七。三十七年七月，直撫于成龍言：霸州等處挑濬新河已竣，乞賜河名，並勅建河神廟。得旨：賜名永定河，建廟立碑。東華録十七。三十八年四月十六日，駕謁孝陵，視永定河工。居易録三十二。四十年七月，工部議覆御史張瑗疏言：京畿墊道，大、宛兩縣每年原有工價銀一萬餘兩支銷，至五城所派支役，並無工食，乞將五城應墊之道，歸於大、宛兩縣經管。從之。東華録十八。四十二年五月，勅廣善庫官員，動帑修理順天府學尊經閣等處。畿輔唐志一。四十三年四月，賑山東流民之就食京師者，以議政大臣佟國維、内大臣明珠監賑。東華録十九。四十四年二月癸酉，上南巡啟行，駐南苑，明日於張家灣登舟。東華録二十。四十八年六月，御史張蓮奏：民間設立香會，男女混雜，並出賣淫詞小説及各種祕藥，請飭地方官嚴禁。又地方光棍於瓜果菜蔬等物，亦立牙行名色，勒掯商民，請飭查税課定例，一切私設牙行，盡數除革。從之。東華録二十二。五十年正月，上巡視通州河隄。二月初九日，自和韶屯乘舟閱河，至河西務登岸。諭監修河工主事牛鈕曰：挖河不礙村路方善。因步行指示。東華録三十。五十五年十二月，順天府所屬大興、宛平、通州、三河、密雲、薊州、遵化、順義、懷柔、昌平、寶坻、豐潤、玉田、平谷、良鄉、涿州、武清、永清、香河、霸州、大城、文安、固安、東安、房山、保定等州縣衛所地丁銀俱通行蠲免，所有歷年積欠銀，亦并與豁除。畿輔唐志一。六十年四月，京通倉米石，交侍郎張伯行，比時價減五分糶賣。畿輔唐志二。六十一年七月，上駐蹕昌平州温泉。居易録十九。十一月，京師米價騰貴，令監督張坦麟、陳守創出倉米平糶。雍正上諭。十二月，蠲免宛平、順義、懷柔、密雲、平谷五城，昌平一州雍正元年應徵正項錢糧一萬四千三百八十兩零。又大興、三河二縣，通州、薊州、遵化三州，雍正三年應徵正項錢糧一萬三千三百七十六兩零，亦盡行蠲免。雍正上諭。

雍正元年二月，五城粥廠展期一月，並各增加銀米一倍。雍正上諭。九月，順天府尹行鄉飲酒禮，特命禮部堂官前往監禮。嗣後歲以爲常。會典。二年閏四月，給普濟堂、育嬰堂匾額，並白金。雍正上諭。五月，內廷太監及王公家太監，不准在京居住。雍正上諭。開前三門外溝渠。雍正上諭。十月，霸州、東安、大城、武清、玉田、寶坻、梁城所七州縣所地畝，蠲緩錢糧，令巡撫李維鈞發倉糧賑濟。雍正上諭。三年正月，薊州等處有僧人假旨招摇，奉旨嚴禁。東華錄二十七。八月，京城八倉積水，令內務府修墊，停禁五閘運河內載貨民船。修廣甯門外石路。雍正上諭。九月，耤田疊産瑞穀，府尹張令璜奏請撰文立碑。奉諭停止。雍正上諭。京城內外刨挖街道積土。諭：動用正項錢糧搬運。雍正上諭。十月，截留漕米二十三萬石，仍復運送通倉米十萬石散賑平糶。五城粥廠，每日增米二石，柴薪銀亦加倍。雍正上諭。十二月，彰儀門、安定門外有養濟院二處，發變色米一百石煮粥賑濟。雍正上諭。四年正月，東直、西直、安定、右安、廣甯五門，添設飯廠，每日每城賑米六石外，加米二石。畿輔唐志四。城內添設五城米廠，每城撥米一萬石，半平糶。雍正上諭。十一月，驅逐部科書吏。漢名臣李紱傳。十二月，因錢文短少，禁用黄銅器皿。雍正上諭。五年三月，令步軍統領、巡城御史、順天府督率屬員，察訪京城内外客店、寺廟，不准容留面生可疑、蹤跡莫定之人。雍正上諭。六月，良鄉防守禦胡什巴屬下兵丁，向知縣冉裕棐告借兵糧，喧嘩滋事。革胡什巴職。雍正上諭。九月初十日，寶坻縣知縣吴槩修堤堅固，擢授山西大同府知府。畿輔唐志五。十二月，上駟院鍘草夫六十一解送錢糧，趕回空車，見蓆内遺失元寶一箇，自行呈報。奉旨賞給。雍正上諭。七年六月，大將軍傅爾丹出征，上率大將軍等詣堂子行禮，次鳴鑼於兵部，排設大纛前行禮畢，遂御長安門外黄幄。大將軍等佩弓跪辭，以次行跪抱禮。上親視大將軍等上馬啟行。東華録三十。九月，文安縣民盧尚義之妻梁氏，拾金不昧。給米拾石，布拾匹，並令地方官給與匾額。畿輔唐志六。八年正月二十九日，鳳凰集於房山縣石溝梯溝山中。雍正上諭。七月，命建賢良祠於京城内白馬關帝廟之旁，祀本朝滿、漢大臣才德著聞，完名全節者。東華録三十一。八月，發給宛平、大興辦公銀一萬兩。雍正上諭。十年十月，加涿州知州、良鄉縣知縣養廉。雍正上諭。大興、宛平、房山三縣，雇募運送軍器車輛。會典事例一百二十三。十一年，通州水災，免銀一千二十九兩二錢四分零。通州高志。

乾隆元年正月癸卯，建先蠶壇。東華續録三。六月乙亥，革提督衙門白役。東華續録三。三年，通州水災，免各項錢糧。通州高志。七月戊子，以渾河水發，派侍衛策楞、五十七等，各帶銀二千兩，分往盧溝橋、良鄉撫恤。癸巳，命侍衛松福等，各帶銀二千兩，往文安、霸州等處撫恤。丙申，命再撥庫銀三千兩，撫卹良鄉。東華續録六。九月戊子，給順天府府丞以下官俸廉。東華續録六。十二月甲申，免直隸、大興等七州縣八旗餘絶地畝乾隆元年額賦十分之三。東華續録六。三年正月，修暢春園。三月，濬東便門護城河。東華續録七。九月丙寅，籍隸大興、宛平科道，迴避巡城。東華續録八。六年夏，霖雨數旬，永定漫水，淹南苑，没田廬，數百里秋禾盡傷。上減膳撤樂，步禱社稷壇祈晴。命步軍統領明安調賑，有爲水阻者，親乘木筏，放散餅餌，日以數百萬計。建蓆棚以處災黎，活者數百萬人。特命大臣四出查賑，截南漕數十萬石以濟，築永定河西堤。嘯亭雜録。七年正月庚寅，御史沈廷芳奏毁崇文門内智化寺明英宗爲逆閹王振立祠，仆李賢撰碑。東華續録十五。五月癸酉，建雩壇。東華續録十五。六月庚子，修南、北郊齋宫，日、月壇具服殿。東華續録十五。十一月，涿州境内旗民，違禁私開燒鍋，緝獲嚴懲。東華續録十六。八年二月辛巳，免通州雜税。東華續録十七。六月壬子，朔，以天熱受暑多病，分賞京師九門帑銀一萬兩，圓明園二千兩，備冰水、藥餌。東華續録十七。九年五月丁亥，京師四路設廠平糶。東華續録十九。八月己巳，上奉皇太后幸南苑。上行圍。東華續録二十。十年七月丙申，撥宣化府屬屯豆十二萬石於京師，備糶。東華續録二十二。九月戊戌，修愍帝陵寢。東華續録二十二。十月己亥，順天府行鄉飲酒禮，御製補笙詩六篇，命工歌之。東華續録二十二。十一年六月丁丑，京師地微震，申命求言。東華續録二十三。十三年十月乙酉，勵宗萬修固安縣城工。東華續録二十八。十一月癸巳，經略大學士傅恒出師，上親詣堂子告祭行禮。經略大學士及諸王大臣官員俱隨行禮。上親祭吉爾丹纛、八旗護軍纛於堂子大門外。經略大學士及出征大臣官員俱隨行禮。上還至東長安門外幄次，親賜經略大學士傅恒酒。命於御幄前上馬。上還宮，經略大學士傅恒出阜成門。上命皇子及大學士來保等，送至良鄉，視經略大學士傅恒飯罷乃還。東華續録二十八。十三年，諭：順天府所屬各州縣，徵收賦稅，凡酌撥俸餉，留支經費，並一應支數目，均令各州縣通詳直隸總督、府尹，公同稽察，仍於報銷時並相考覈，會銜具疏，其所屬催科完欠分數，與直隸總督一例考成，畫界分治。會典事例八百二十一。十五年三月丙辰，甕山改名萬壽山。全海改名昆明湖。東華續録三十一。上展謁東陵，蠲免通州各項錢糧十分之五。通州高志。十六年二月癸酉，京師米貴。命附京分設四廠，各發米二千石平糶。五月庚子，命再撥京倉米十萬石於四鄉，平糶。東華續録三十三。五月庚申，命總管内務府大臣，輪年修理紫禁城地方，著爲令。東華續録三十三。十六年，通州水災，免各項錢糧。通州高志。五月，祀玉泉山龍神祠。東華續録三十三。六月己亥，疏濬京城内外水道。東華續録三十三。八月癸亥，分京師八旗米局爲左、右二翼，總理大臣三年更代。東華續録三十四。十月甲辰，定圓明園水操事宜。東華續録三十四。丁巳，撥倉米二萬石，分給五城平糶。

東華續録三十四。十七年正月甲子，撥倉米四百石，給左、右翼米局平糶。東華續録三十五。十八年二月己亥，皇太后駕至涿州，上親詣皇太后行宫問安，駐蹕涿州。壬寅，上奉皇太后御舟至蓮花淀，閲水圍，免經過地方本年額賦十分之三。癸卯，上奉皇太后御舟至和樂淀，閲水圍。乙巳，上奉皇太后御舟至池魚淀，閲水圍。丙午，上恭送皇太后啟鑾回暢春園。戊申，上御舟閲永定河工。東華續録三十七。十一月乙卯，修先農壇。改直隸文安等三營遊擊爲守備。東華續録三十八。二十年三月乙酉，上駐蹕吴家莊，閲永定河隄。丙戌，上幸晾鷹臺行圍，射熊一，槍殪虎二。東華續録四十二。十二月壬子，令大興縣歸西路同知專管，統隸霸昌道；香河縣歸東路同知專管，改隸通永道。東華續録四十二。二十三年正月辛亥，命京師大臣稽查城外五倉。東華續録四十七。四月戊辰，免直隸霸州十年至二十年逋賦。東華續録四十七。七月丙戌，命京師五城設廠平糶。東華續録四十八。八月丙辰，裁天津巡漕御史缺，移通州滿、漢各一員專駐楊村，兼行巡視。庚申，京師設壇祈雨。東華續録四十八。三十四年三月庚寅，命河南運麥十萬石至京師平糶。東華續録四十九。五月，命米廠加賜暑藥。東華續録四十九。九月乙亥，命五城平糶麥、豆。東華續録五十。二十五年正月壬戌，在京師安插回人，另編佐領。東華續録五十一。二月壬寅，定邊將軍兆惠等振旅。上自黄新莊啟鑾，至良鄉郊勞。東華續録五十一。十月丁亥，增建順天大興縣常平倉於黄村，宛平縣常平倉於拱極城。東華續録五十二。二十七年九月戊寅，近京秋成稍歉，命五城增廠煮賑。東華續録五十六。十一月己未，京南文安、霸州低窪各村莊，遇水瀦時，暫種稻田。東華續録五十六。二十八年正月戊寅，永定河加築月埝，開減河，以工代賑。東華續録五十七。二月己丑，命河南、山東購黑豆五萬石，運京平糶。東華續録五十七。四月，命五城各撥黑豆八十石平糶。東華續録五十七。三十一年七月丙子，發帑金修京城内外街道溝渠。東華續録六十四。三十三年二月，建旌勇祠，舉行歲祀。東華續録六十七。三十四年正月壬辰，命撥通倉米三十萬石，補直隸霸州等十二州縣賑糶。丁未，禁通州私立米局。東華續録六十九。定辦差車輛，著順天府於民車顧十分之七，莊頭車顧十分之三。會典事例八百二十一。三十五年閏五月己未，命裘曰修赴薊州、寶坻一帶捕蝗。東華續録七十一。六月丁丑，諭索諾木、策凌往密雲捕蝗。東華續録七十一。三十六年四月丁酉，命五城開廠平糶。東華續録七十三。三十七年二月，上啟鑾幸盤山。丁丑，上駐蹕盤山。東華續録七十五。三十八年三月己酉，免通州、寶坻縣三十六年逋賦。東華續録七十七。三十九年丁巳，禁京城商民囤積米穀。東華續録八十。四十年五月丁巳，以京師糧價稍增，命撥倉米給五城平糶。己未，以旱，命禮部祈雨。東華續録八十一。四十一年二月己未，免直隸通州未完地糧倉穀。庚午，免直隸霸州未完地糧倉穀。東華續録八十三。四十一年四月戊辰，上幸良鄉南城，行郊勞禮。東華續録八十三。十月己酉，著步軍統領衙門暨五城御史禁止水煙。東華續録八十四。四十五年八月壬子，以京師麥貴，命五城米商買通倉麥，運京平糶。東華續録九十二。四十六年七月丁未，定京營兵額一萬名，分設南、北、左、右四營，改圓明園南營爲中營。東華續録九十四。五十年，致祭金太祖、世宗陵；望祭元太祖、世祖陵；又祭明宣宗陵、孝宗陵；應用品物由府行令大興、宛平、房山三縣，昌平州備辦。會典八百二十一。三月壬午，上啟鑾幸盤山，免經過地方本年額賦之三。東華續録一百一。修盧溝橋。東華續録一百八。十一月庚戌，命奉天採買麥二萬石，運京備糶。東華續録一百二。五十一年正月庚申，順天府復行鄉飲酒禮。東華續録一百三。諭：五城自行召募仵作應用，不得復向順天府借撥。會典事例一百三十一。五十六年三月戊寅，上巡幸盤山，免經過沿途地方本年應徵地丁錢糧十分之三。會典。五十七年閏四月癸酉，京城設廠平糶。東華續録一百十五。六月乙未，京城附郭增設五廠煮賑。東華續録一百十五。五十八年三月丁酉，上啟鑾幸盤山，免經過地方本年額賦十分之三。庚子，上駐蹕盤山。東華續録一百十七。五十九年三月庚子，免大興縣逋賦十分之四。東華續録一百十九。六月癸未，給京師貧民耔種。東華續録一百十九。八月甲申，免直隸通州逋賦。東華續録一百十九。六十年十月庚子，命直隸人迴避順天府治中員缺。東華續録一百二十。

嘉慶二年二月壬辰，上詣黑龍潭祈雨。是日雨。東華續録二。三月甲辰，上恭送太上皇帝幸盤山，免經過地方額賦十分之三。東華五十續録三。三年二月丁未，上詣文廟釋奠，臨辟雍講學。東華續録五。五月丙午，上詣天神壇祈雨。是日大雨。東華續録三。四年二月丁巳，查抄和珅家人呼什圖米、麥、穀、豆，雜糧一萬一千六十五石零，以八成撥給文安縣，以二成撥給大城縣，賞給被水村民，作爲口糧。東華續録七。四月庚寅，禁城内開設戲園。東華續録七。六月己丑，步軍統領添設左、右翼總兵一員。東華續録七。

九月，奉移梓宮時，經過地方，先期修墊道路，將大興、通州、三河、薊州州縣本年應徵錢糧，並行蠲免。嗣又因大轝經過處所，橋梁道路及經行御路，均能修墊一律平整，再蠲來年應徵錢糧十分之三。會典。十二月己丑，查西山煤窰水工頭哄誘良人，入窰驅使。會典。派滿、漢御史二員，監放普濟堂煮粥廠、育嬰堂，令巡視東城御史查察。會典。五年四月壬辰，五城及普濟堂粥廠，加廣一月。會典。丙午，上自午門步詣社稷壇祈雨。東華續録九。閏四月，命五城設廠平糶。東華續録九。申禁京城内外人民越境酬神。東華續録九。十一月乙未，定左翼總兵官駐正陽門外，右翼總兵駐圓明園，副將駐樹村，以資巡緝。東華續録十。六年六月，派汪承霈、陳嗣龍、劉渭、閻泰和，同巡城御史，於户、工兩部錢局内，領出制錢二千吊，帶赴永定門、右安門外一帶，撫恤被水難民。大興、宛平兩縣應徵錢糧，全行蠲免。會典。戊午，動用南苑羊草變價銀九百餘兩，造辦處給銀一千兩，交員外郎永安、主事富森保率領苑副六達塞，買米石運往南苑，散給饑民口糧。撥廣儲司銀二千兩，賑永定、右安門外災民。撥大興、宛平二縣常平倉穀備賑。免宛平縣明年額賦，涿州等十州縣額賦，懷柔等三州縣額賦十分之五。五城照冬月例，煮賑一月。東華續録十一。己巳，發京倉稜米二千四百石，工部節慎庫制錢一千串，賑右安門外飢民。撥大興縣銀二千兩，賑濟大興黄村等處。免順天府香河、密雲等四州縣額賦十分之三。東華續録十一。七月乙酉，濬京師護城河，以工代賑。撥部庫及廣儲司庫銀五十萬兩，購永定河工料。撥内帑，濬紫禁城内外及圓明園河道。東華續録十三。乙亥，撥米二千四百石，交那彦寶、高杞、莫瞻菉、巴甯阿、熊枚等，賑西路長新店、盧溝橋等處被災居民。薊州蝗，因捕撲不力，革知州趙宜森職。會典。十月甲子，散順天府五城飢民棉衣。會典。庚午，免積水未涸之文安縣明年額賦。東華續録十二。十一月甲戌，加賞五城賑米。東華續録十二。七年正月癸未，以三月謁西陵，豫予經過涿州等五州縣貧民棉衣一萬件，停左、右翼總兵官城外值宿，仍隨時出城查察。東華續録十三。己巳，發京倉稜米、粟米二萬五千石，於五城平糶。二月庚申，添設盧溝橋、黄壩村、東壩、采育四處粥廠。會典。丁卯，展廣甯門外普濟堂，德勝門外功德林，留養貧民一月。又命廣甯門外增設飯廠。東華續録十三。己巳，發京倉稜米、粟米二萬五千石，於五城平糶。東華續録十三。三月戊寅，閱永定河工，免經過宛平縣明年額賦十分之五；良鄉等五州縣額賦十分之三。展賑京城内外災民一月。東華續録十三。六月十一日，命現任府尹在公署居住。會典。十月丙辰，改密雲縣徵解木税額。會典。八年正月乙酉，予五城老病貧民棉衣。東華續録十五。三月庚寅、宛平、文安、大城旗租，全行蠲免。大興、霸州、保定、涿州、房山、良鄉旗租，免十分之五。會典。九年三月壬寅，上謁明成祖陵奠酒，並命大臣分詣諸陵，禁砍伐樹木。東華續録十七。九月甲寅，免順天府文安縣窪地上年額賦。東安縣減則地畝上年額賦十分之四。東華續録十八。十一年三月辛未，撥京倉米、麥各五萬石，於五城平糶。東華録二十一。二十三年，楊繼昌私抽牙用，應行入官制錢二千五百餘千，交大興、宛平兩縣生息，作普濟、育嬰二堂經費。會典。十四年五月，寶坻縣知縣單福昌侵吞承領賑銀，查抄家産。會典。十五年三月，步軍統領、五城御史查訪鴉片煙入城。東華續録三十九。七月庚午，免文安縣糧銀。會典。十六年三月壬辰，免順天大興等五州縣逋賦。東華續録三十一。十八年四月己未，上詣天神壇祈雨。命五城設廠平糶。東華續録三十五。六月丁酉，命每年春秋致祭密雲縣白龍潭神祠。東華續録三十五。九月，豁免大興、宛平二縣本年應徵錢糧。東華續録三十六。甲申，畿南亂民勾引太監，突入紫禁城，經官兵殲捕淨盡。賊匪總頭目林清，經步軍統領派營弁番役四人，立時擒獲。令順天府州縣實力編查保甲。會典。十月庚申，飭步軍統領、順天府五城各衙門，督番役人等，隨時踹訪茶坊、酒肆、庵觀、寺院，三五成羣、形跡詭異者，詳加盤詰。會典。十二月丙申，濬正陽橋一帶護城河渠。填平天橋迤南河泊六處。東華續六録三十。二十二年九月甲子，撥京倉粟米三千石，交大興、宛平二縣煮賑一月。會典。二十三年三月甲子，撥京倉麥一萬石於大興、宛平平糶。東華續録三十五。四月辛巳，免順天府所屬二十四州縣本年應徵上年錢糧、應徵旗租。會典。五月甲辰，撥粟米三千石，交通永道葉紹本，在煙郊、夏店、三河一帶地方，分廠減價平糶；以三千石交霸昌道齡住，在南石槽、懷柔一帶地方，分廠減價平糶。會典。二十四年八月乙未，大興、宛平設厰平糶。固安、永清、東安、霸州四州縣，設厰煮賑。東華續録四十八。己亥，豁免固安、永清二縣本年錢糧。會典。

道光元年四月，修涿州行宫，添建皇太后行殿。宣宗聖訓三十六。禁外城開設戲園、戲莊。聖訓七十八。六月，令順天府屬地方設厰，收買蝻蝗，以錢米易蝗。聖訓七十七。七月，京城内外疫，令步軍統領衙門，順天府五城，慎選良方，修和藥餌，分局施散，並設局散給棺槥。聖訓七十九。十月，令步軍統領衙門、順天府五城，各督所屬，於鋪家業户門牌户册，隨時嚴密稽查。聖訓八十。二年四月，禁奸商運米出城。聖訓一百十九。三年二月，文安、大城二縣水災，撥豫東解津粟米各二千石，減價平糶。永清、霸州、寶坻、保定、東安、武清、香河、三河、薊州十州縣均設厰，減價平糶。永清存倉漕米不敷展賑之用，亦撥豫東解津粟米二千石，霸州撥豫東解津粟米一千石，薊州二千石，三河一千石，均令設厰平糶。聖訓一百三十七。七月庚辰，固安、永清、東安、宛平、霸州、文安、大城、保定州縣被水，分别撫卹，户五口以上者，給米四斗，四口以下者，給米三斗，每米一石，折銀一兩四錢。聖訓四十七。盧溝橋、黄村、東壩、清河四處，撥給京倉米四千石，銀二千兩，分運各厰。聖訓四十七。甲寅，采育村、龐各莊、大井村、東壩、清河，添設飯厰，每月逢一日、六日散放，每次大口給米一升五合，小口給米七合五勺，於九月初一日開厰，折米散放。聖訓四十七。十一月戊子，令順天府查四路同知額兵。聖訓八十一。

十二月乙巳，采育、黄村、龎各莊飯廠，撥京倉稜米一千石，並榆垡村添設一廠。聖訓四十七。四年二月癸丑，移榆垡村飯廠至盧溝橋。聖訓四十七。乙巳，平糶十廠，每廠撥米一千石，發交五城御史及順天府尹，於京城内外飯廠，酌量加米，展期散放。順天四路飯廠，每廠撥米一千五百石，平糶每人以一斗爲限。聖訓一百二十二。七月庚戌，京師缺雨，大興、宛平、黄村等七處，於七月初八日開廠平糶。京外通州等七處，令通永、霸昌兩道平糶督辦。聖訓一百二十一。大興、宛平二縣蝗，署大興縣知縣霍發龍、宛平縣知縣萬鼎洋，以撲捕不力，摘去頂帶。聖訓七十七。十二月己未，禁五城錢鋪攙和小錢。聖訓六十一。五年五月辛丑，香河等十四州縣有蝻子出，上或有土螞蚱，令州縣上緊撲捕、收買。聖訓七十七。六年十二月戊午，大興民陸有章、宛平民伍雲亭等，呈請於宛平等五州縣開採銀礦。不許。聖訓八。十一年十二月癸卯，大興縣屬薛居莊民人周大，聚衆諷經練武；海子西大紅門外賈青雲，立宋姓爲師；又有開店民人李二，係混元教主會首；又密雲縣黎元莊，有白龍會，昌平州屬民人張二自稱白龍附體，度化徒衆，並自稱張道童；令順天府查獲，伏法。聖訓八十二。十二年六月甲辰，五城正副十廠，撥米五萬石平糶，粳米每石制錢一千五百文，稜米每石制錢一千文，每人准糴米自一、二升至二斗止。大興、宛平之黄村、采育、定福莊、孫河、沙河、盧溝橋、龎各莊七廠，著撥給稜米二萬石，加撥給豆二萬石平糶，每石制錢一千文，黑豆每石制錢七百文。通永、霸昌二道所屬之通州、薊州、三河、昌平、平谷、密雲、順義七州縣，撥給粟米三千石，白麥三千石，黑豆二萬石平糶，粟米每石減定制錢一千三百文，白麥每石制錢一千五百文，黑豆每石制錢七百文，分廠出糶。聖訓一百二十二。十三年三月己卯，挑挖九城護城河，並内城河道。聖訓三十。十六年十月乙丑，禁居人演放鳥槍。聖訓八十五。十八年正月辛丑，派員巡查五閘。聖訓一百二十五。二十七年十月己酉，五城編查保甲。聖訓八十七。

咸豐二年正月辛巳，禁京西妙峯山夏、秋二季燒香人走會。文宗聖訓十一。三年二月庚子，順天府五城嚴偵粵匪奸細。聖訓九十一。四月，行使當十大錢。采訪冊。五月丁卯，宛平縣屬珠窩山鉛礦，招商開采。聖訓三十四。九月丙寅，禁倉上載米車輛，民間運煤駝隻，不准吏役强拉私押。聖訓三十四。戊午，令京師鋪户聯給保衛。聖訓九十一。四年七月癸亥，飭各州縣徵收地丁錢糧，搭收鈔票。聖訓一百四。十一年八月，文宗顯皇帝梓宮回京，沿途經行之宛平、順義、懷柔、密雲、昌平等州縣，明年應徵錢糧，全行蠲免。穆宗聖訓一百四十五。十月，著步軍統領衙門、順天府、五城，嚴飭所屬，認真緝捕。聖訓一百二十四。十一月丁未，蠲緩大興、宛平、通州、武清等州縣糧租。聖訓一百五。

同治元年五月，著步軍統領衙門、順天府五城，一體嚴查小鈔錢，概行禁止。聖訓一百三十四。七月庚寅，京師疫，發給廣儲司實銀二千五百兩，分交五城祗領，選擇良方，修和藥劑，於五城内外坊地面，分段設局施放。聖訓二十。九月，文宗顯皇帝暨孝德顯皇后梓宮奉移山陵，蠲免沿途地方租賦。聖訓二十。二年六月丁酉，近畿騎馬賊滋擾通州、固安等處，派兵搜捕。聖訓一百三十五。三年正月丙辰，獲苗沛霖所遣逆匪岡鳳開。丙申，獲包柏和、包明升、辛廣林。聖訓一百三十五。三月甲辰，馬賊肆擾各屬，懷柔縣知縣陳斯槩、署順義縣知縣馮瑋、署固安縣知縣李應選、通州知州鄧錫恩交部議處；北路外委唐玉昆、南路外委龔世忠，及未經受傷之兵丁等，並著順天府查明情節，從重懲辦。聖訓一百三十五。五月丙辰，嚴禁施用邪術迷拐幼小子女。聖訓一百三十五。四年四月甲申，順天府五城選擇鄉約，於每月朔、望，敬將聖諭廣訓逐條剴切宣示。聖訓一百三十六。八月丙申，京城八旗地面，修整柵欄一千一百餘道。聖訓一百三十六。五年八月辛亥，嚴查傳習白蓮邪教。聖訓一百三十六。六年十二月壬辰，順天各屬舉行團練。聖訓二十八。九年六月辛亥，嚴查匪徒迷拐幼孩。聖訓一百三十七。十三年二月丙申，嚴查私鑄當十大錢人犯。聖訓三十。

光緒元年二月，普濟堂、功德林粥廠，展限兩箇月，加給小米二百石，並由崇文門稅課項下給經費銀四百兩。邸鈔。九月，穆宗毅皇帝、孝哲毅皇后梓宮奉移山陵，經過大興、通州、三河、薊州地方，本年地丁錢糧，免十分之五；旗租全行蠲免。邸鈔。通州王恕園粥廠，賞粟米一千石，由通州倉支給。邸鈔。十月，發内務府生息項下實銀三千六百兩，製貧民綿衣。邸鈔。二年二月，久旱，奉旨清釐京師庶獄。邸鈔。三月，普濟堂、功德林粥廠展限兩箇月，加給小米二百石，並由崇文門稅課項下撥經費銀四百兩。邸鈔。五月，因天時亢旱，諭順天府尹體察情形，加意撫恤，毋令流離失所。并令各屬搜捕蝗蝻。邸鈔。閏五月，撥銀二十萬兩，交順天府、直隸總督，分給賑務。邸鈔。請邯鄲靈應聖井龍神鐵牌來京供奉。邸鈔。六月，五城飯廠先期開放中城之朝陽閣，東城之東垻，南城之打磨廠，西城之長椿寺、趙村，北城之圓通觀、梁家園各粥廠，每月發米三百石。邸鈔。八月，添設盧溝橋粥廠。邸鈔。九月，添設禮賢鎮、定福莊、清河鎮、龐各莊四處粥廠。邸鈔。十月，修密雲白龍潭神祠。邸鈔。十二月，諭霸州，清查陵糈營田。邸鈔。三年二月，普濟堂、功德林粥廠展限兩月，加賞小米二百石，撥崇文門稅課項下經費銀四百兩。邸鈔。三月，五城十五廠，展限兩月。邸鈔。七月，南院民人何龍聚衆滋事，諭順天府會同步軍統領、外圍營汛兵丁，認真稽察。邸鈔。八月，西城廣安門内官紳，捐建資善堂，每年給小米三百石。邸鈔。通州王恕園粥廠，給秈米二千石；盧溝橋粥廠粟米四百石。邸鈔。九月，令五城編立門牌户册。邸鈔。十月，中城朝陽閣，東城卧佛寺、育嬰堂，南城打磨廠，西城長椿寺、磚塔胡同關帝廟，北城圓通觀、梁家園各粥廠，每月給米三百三十石。京師米價翔騰，設局平糶。邸鈔。十一月，派大臣稽察禮賢鎮粥廠。邸鈔。普濟堂、功德林粥廠，再加撥小米六百石。邸鈔。十二月，南城清化寺街官紳，捐建崇善堂；北城梁家園官紳，捐建百善堂；每年給小米三百石。邸鈔。添設趙村、鮑家莊粥廠，月給小米一百二十石。邸鈔。四年正月，通州地方歉收，給通倉粳米二千石。邸鈔。二月，諭步軍統領衙門、順天府五城御史，嚴拏盜賊。邸鈔。因雨澤稀少，諭刑部、順天府、五城御史，清理庶獄。邸鈔。普濟堂、功德林，安定等六門，禮賢等鎮，盧溝橋、鮑家村、趙莊各粥廠，均展限兩箇月，加給粟米一千八百石，應用經費銀二千三百兩。邸鈔。添設永定、左安、右安、廣安、廣渠門外粥廠五座，安插外來饑民。邸鈔。令收瘞京師道斃屍骸，並嚴禁燒鍋。邸鈔。三月，内務府大臣茂林，因營葬掘斷九龍岡地脉，照例懲處。邸鈔。通州張家灣添設粥廠。邸鈔。五城十五廠，再展限兩箇月。邸鈔。四月，太監蘇德在沙河鎮房基刨出銀一萬六千六百餘兩，撥一萬四千兩交順天府爲資遣災民之需。邸鈔。諭步軍統領衙門、順天府五城御史，嚴拏盜墓人犯。邸鈔。五月，賞銀二萬，資給京師就食流民。邸鈔。六門、四鎮及盧溝橋、趙村、鮑家莊粥廠，展限兩箇月，賞給粟米一千四百石，並籌撥銀二千兩。五城十五廠，朝陽閣、育嬰堂、打磨廠、長椿寺、關帝廟、圓通觀、梁家園各粥廠，按月撥給倉米。邸鈔。嚴禁私鑄。邸鈔。八月，普濟堂、功德林賞加小米五百石，盧溝橋粟米四百石，資善堂粟米三百石。邸鈔。九月，順天府奏：京師辦賑積勞病故之翰林院編修謝維藩、中書科中書姚恩衍、户部主事何金章、光禄寺署丞吴士達、兵馬司副指揮程常憲，懇請表揚。允之。邸鈔。崇善堂、百善堂煖廠，給小米五百石；教子胡同回民粥廠，南下窪、太清觀公善堂煖廠，各三百石。邸鈔。十月，中城朝陽閣，東城卧佛寺、育嬰堂，南城打磨廠，西城長椿寺、甎塔胡同，北城圓通觀、梁家園各粥廠，月給米三百十一石。邸鈔。十一月，通州王恕園粥廠，賞給秈米八百石。邸鈔。賜昌平州鳳皇山龍王廟扁額。邸鈔。禁賭博。邸鈔。築通州北運河缺口。邸鈔。十二月，普濟堂、功德林，均加賞小米三百石，並於崇文門税課項下撥給經費銀六百兩；資善堂加賞粟米三百石。邸鈔。禁京師各衙門官差訛詐。邸鈔。五年二月，文安等積水，截漕米六百石賑之。邸鈔。三月，五城十五廠展限兩箇月；普濟堂、功德林展限一箇月外，再展限兩月，給粟米四百石。邸鈔。上恭奉慈安皇太后、慈禧皇太后鑾輿，詣東陵，禮成後，恭奉穆宗毅皇帝神牌黄輿還京，免大興、通州、三河、薊州本年錢糧。並沿道平毁麥田，每畝賞銀一錢。邸鈔。四月，賞固安縣東嶽廟扁額。邸鈔。八月，普濟堂、功德林，加賞小米五百石。盧溝橋粥廠粟米四百石。資善堂粟米三百石。邸鈔。九月，中城朝陽閣，東城卧佛寺、育嬰堂，南城打磨廠，西城長椿寺、甎塔胡同，北城圓通觀、梁家園，每月共給米三百三十石。清化寺之崇善堂，梁家園之百善堂，太清觀之公善堂三處煖廠，各給小米三百石。教子胡同禮拜寺，給小米三百石。朝陽門外南海會寺，崇文門外太清觀各粥廠，並岡子上興善堂煖廠，各給小米一百五十石。邸鈔。十月，通州王恕園等處，由通倉給秈米八百石。邸鈔。十二月，資善堂再給小米三百石。邸鈔。六年正月，順天府王莊租稅，逢歲歉之年，一併分則征收。邸鈔。八月，普濟堂、功德林給小米八百石；盧溝橋粥廠，給粟米三百石。邸鈔。資善堂煖廠，給粟米三百石。邸鈔。九月，禁止砍伐明陵樹木。邸鈔。中城朝陽閣，東城卧佛寺、育嬰堂，南城打磨廠，西城長椿寺、甎塔胡同，北城圓通觀、梁家園各粥廠，每月給粟米三百三十石。清化寺之崇善堂，梁家園之百善堂，太清觀之公善堂三處煖廠，各給小米三百石。教子胡同禮拜寺，給小米三百石。朝陽門外南海會寺，崇文門外太清觀各粥廠，並岡子上興善堂煖廠，各給小米一百五十石。邸鈔。十月，通州王恕園等處，由通倉給秈米八百石。邸鈔。十二月，資善堂再給小米三百石。邸鈔。七年三月，獲南苑偷打牲獸盜犯。邸鈔。四月，禁盜砍明陵樹株。邸鈔。閏七月，禁内城開設演戲茶園。邸鈔。八月，普濟堂、功德林加賞小米八百石；盧溝橋粥廠，給粟米三百石；資善堂，粟米三百石。邸鈔。九月，孝貞皇太后梓宮奉移定東陵，經過大興、通州、三河、薊州州縣，本年錢糧，各項旗租，全行豁免；有車毁麥田者，每畝賞銀一錢。邸鈔。九月，中城朝陽閣，東城卧佛寺、育嬰堂，南城打磨廠，西城長椿寺、甎塔胡同，北城圓通觀、梁家園各粥廠，每月給粟米三百三十石。清化寺之崇善堂，梁家園之百善堂，太清觀之公善堂三處煖廠，各給小米三百石。教子胡同禮拜寺，給小米三百石。朝陽門南海會寺，崇文門外太清觀各粥廠，並岡子上興善堂煖廠，各給小米一百五十石。邸鈔。廣安門内新建廣仁堂，每年給粟米三百石。邸鈔。十月，通州王恕園粥廠，給秈米三百石。邸鈔。十二月，賞大城龍神廟匾額。邸鈔。資善堂，加給粟米三百石。邸鈔。八年六月，設候審公所。采訪冊。八月，皇太后賞撥中秋節款銀五萬兩振饑民。邸鈔。普濟堂、功德林，加賞小米八百石。盧溝橋粥廠，給粟米三百石。資善堂煖廠，給粟米三百石。邸鈔。九月，中城朝陽閣，東城卧佛寺、育嬰堂，南城打磨廠，西城長椿寺、甎塔胡同，北城圓通觀、梁家園各粥廠，每月給粟米三百三十石。清化寺之崇善堂，梁家園之百善堂，太清觀之公善堂三處煖廠，各給小米三百石。教子胡同禮拜寺，給小米三百石。朝陽門外南海會寺，崇文門外太清觀各粥廠，並岡子上興善堂煖廠，各給小米一百五十石。邸鈔。廣仁堂，加賞小米三百石。邸鈔。十月，整頓五城捕務。邸鈔。五城設惜字局。邸鈔。通州王恕園等，由通倉給秈米八百石。邸鈔。十二月，資善堂，加賞小米三百石。邸鈔。九年正月，賜昌平州大嵎山龍嶺口神龍祠額。邸鈔。六月，飭步軍統領衙門、順天府、五城御史，整飭捕務。邸鈔。七月，截江北糧米三萬餘石，振濟順天饑民。邸鈔。八月，通州等縣，村莊田廬被水淹沒，閤境成災，再撥京倉米四萬石振濟。邸鈔。普濟堂、功德林，加賞小米八百石。盧溝橋粥廠，給粟米三百石。資善堂煖廠，給粟米三百石。邸鈔。中城朝陽閣，東城卧佛寺、育嬰堂，南城打磨廠，西城長椿寺、甎塔胡同，北城圓通觀、梁家園各粥廠，每月給粟米三百三十石。清化寺之崇善堂，梁家園之百善堂，太清觀之公善堂三處煖廠，各給小米三百石。教子胡同禮拜寺，給小米三百石。朝陽門外南海會寺，崇文門外太清觀各粥廠，並岡子上興善堂煖廠，各給小米一百五十石。邸鈔。定福莊、黄村、龎各莊、采育、孫河、清河，添設粥廠，加給粟米一萬石，經費銀二千兩。邸鈔。九月，廣仁堂，給小米三百石；通州王恕園，給粟米二千石。邸鈔。王公府莊田，因災減收。邸鈔。賜永定河南五工河神廟額。邸鈔。十月，設五城平糶局。采訪冊。十一月，加給西城資善堂粟米四百石。邸鈔。十年二月，通州設官車局。采訪冊。

華陽吴祖椿校

故事志三

兵事

吴橋劉恩溥纂　江陰繆荃孫覆輯

燕京博大爽塏，形勢雄偉，自古用武之國也。自漢迄唐，均爲北方重鎮。安巴堅起於遼，而王氣鍾焉；然僅有幽薊之地，未能統一中原。逮金、元、明建都於此，兵革侵伐，無世無之。我朝八旗勁旅，削平巨憝。小民不識兵革，享承平之福者業二百餘年，自非厚澤深仁，肌髓淪浹，曷克臻此！咸、同之際，洋船駛至天津，通商内地者二十餘國，海口設防，不虞是戒。有心時事者，不能無世變之感矣。志兵事。

周

成王十二年，王師燕師城韓。竹書紀年。

惠王十二年，山戎來侵。齊桓公救燕，北伐山戎。燕世家。

景王九年，齊侯伐北燕。春秋昭六年。

顯王十四年，齊師及燕師戰於泃水，齊師遁。竹書紀年。赧王元年，燕太子平、將軍市被圍公宮，攻子之，不克。市被及百姓反攻太子平，市被死以徇。因構難數月，死者數萬人。齊王令章子將五都之衆以伐燕。士卒不戰，城門不閉，遂大勝燕。燕世家。四十三年，秦、魏、楚共伐燕。大事記。

燕王喜五年，趙將廉頗追燕師五百餘里，遂圍燕。燕王割五城以和。周季編略。按：通鑑載此事於前年，據趙世家載於此年。六年，趙使信平君廉頗、武襄君樂乘伐燕，圍其國都。燕重禮以和，乃解。趙世家。十二年，趙以李牧爲將伐燕，取方城。通鑑六。十九年，趙攻燕，取貍陽城。史記趙世家。按：貍陽在密雲縣南。二十八年，燕太子丹使荊軻刺秦王，秦王殺軻以徇。使王翦、辛勝攻燕，破燕軍易水之西。史記。二十九年，王翦大破燕太子軍，拔薊城。史記。

秦

始皇二十六年，定燕地。大事記。

二世元年七月，發閭左戍漁陽。陽城人陳勝、陽夏人吴廣爲屯長，叛，攻掠城邑，勝自立爲楚王，以陳人武臣爲將軍，北徇趙地。武臣自號爲武信君，進軍圍范陽。前漢紀。八月，武信君自立爲趙王，使韓廣北徇燕地，廣乃自立爲燕王。通鑑七。

漢

高帝元年二月，項羽徙燕王韓廣爲遼東王，都無終。立燕將臧荼爲燕王，都薊。八月，荼殺廣。通鑑九。五年七月，燕王臧荼反，上自將擊燕。九月，虜臧荼，封太尉盧綰爲燕王。前漢紀。十二年二月，燕王盧綰反，周勃以相國代樊噲將，擊下薊。史記。立皇子建爲燕王。通鑑十二。盧綰率其黨且萬人降匈奴，往來苦上谷以東，終高祖世。漢書列傳。

景帝中二年二月，匈奴入燕。通鑑十六。

武帝元光六年秋，以衛尉韓安國爲材官將軍，屯漁陽。通鑑十八。元朔元年秋，匈奴入漁陽。前漢紀。二年正月，匈奴入上谷、漁陽，殺掠吏民千餘人。通鑑十八。元封間，堅盧、范生之屬，攻略燕、趙城邑。史記。

王莽始建國二年，詔：遣討濊將軍嚴尤出漁陽，擊匈奴。通鑑三十七。

更始二年正月，光武以王郎新盛，乃北徇薊。故廣陽王子劉接，起兵薊中以應郎。光武趣駕而出，至南城門，門已閉，攻之，得出，遂南馳。耿弇北走昌平，就其父況。時王郎遣將徇漁陽、上谷，急發其兵，況與漁陽太守彭寵，各遣將吳漢、寇恂等突騎來助擊王郎，南攻薊，殺王郎大將趙閎，定涿郡。通鑑三十九。五月，更始遣使立光武爲蕭王，令罷兵。耿弇願歸幽州，益發精兵。秋，光武拜弇爲大將軍，與吴漢北發幽州十郡兵。後漢書光武帝紀。更始幽州牧苗曾，勑諸部不得應調。吴漢將二十騎先馳至無終，斬曾。耿弇至上谷，亦斬更始。漁陽太守蔡充於是悉發其兵。通鑑三十九。

後漢

光武建武元年四月，彊弩將軍陳俊與五校戰於安次，追奔二十餘里，斬其渠帥而還。五校引退入漁陽，所過虜掠。光武還薊，復遣耿弇與吴漢等追賊至潞東及平谷，斬首萬三千餘級。通鑑四十。二年，詔：漢忠將軍王常，北擊漁陽，平諸屯聚。後漢王常列傳。二月，行漁陽太守事漢安樂令彭寵反，自將二萬餘人，後漢彭寵列傳。攻幽州牧朱浮於薊。後漢光武帝紀。分兵徇廣陽、上谷。上谷太守耿况遣子舒將突騎救浮，寵兵乃退。帝使游擊將軍鄧隆救薊，隆軍潞南，浮軍雍奴，寵盛兵臨河以拒隆，又別發輕騎三千襲其後，大破隆軍，浮遠不能救，引而去。後漢書彭寵列傳。三年春二月，涿郡太守張豐反，自稱無上大將軍，與彭寵連兵，寵遂攻拔薊城，自立爲燕王。命征虜將軍祭遵等擊之。後漢書彭寵列傳。四年，遣建議大將軍朱祐、建威大將軍耿弇、征虜將軍祭遵、驍騎將軍劉喜，討張豐於涿郡。祭遵擊豐斬之。遵屯良鄉，劉喜屯陽鄉東觀漢記喜作嘉。通鑑四十二。以拒彭寵。寵遣弟純將匈奴二千餘騎，寵自引兵數萬，分爲兩道以擊遵、喜。胡騎經軍都舒，襲破其衆，斬匈奴兩王，寵乃退走，況復與舒攻寵，取軍都。後漢耿弇列傳。五年，彭寵蒼頭子密斬寵及妻頭詣闕，其尚書韓立等共立寵子午爲王，國師韓和斬午首，詣遵降。通鑑四十二。九年，漢忠將軍王常屯涿郡，破姦將軍侯進屯漁陽，以備匈奴。通鑑四十二。十五年，徙雁門、代郡、上谷吏民六萬餘口，置居庸、常山關東，以避胡寇。通鑑四十三。十六年，郡國盜起，幽、冀尤甚。通鑑四十三。

明帝永平十六年，匈奴入雲中，遂至漁陽。太守廉范擊卻之。後漢廉范列傳。

和帝永元十三年，鮮卑寇右北平，遂入漁陽。太守擊破之。後漢和帝紀。殤帝延平元年，鮮卑寇漁陽。漁陽太守張顯追擊，戰歿。後漢殤帝紀。册府元龜作安帝元初中。

安帝永初三年六月，烏桓寇上谷、涿郡。後漢安帝紀。

元初元年五月，鮮卑攻居庸關。通鑑。

建光元年八月，鮮卑寇居庸關。九月，雲中太守成嚴擊之，後漢安帝紀。兵敗。鮮卑於是圍烏桓校尉徐常於馬城。度遼將軍耿夔與幽州刺史龐參發廣陽、漁陽、涿郡甲卒救之。通鑑。

順帝永建三年九月，鮮卑寇漁陽。後漢順帝紀。按：鮮卑列傳作三年、四年鮮卑頻寇漁陽。

靈帝建甯元年十月，鮮卑犯幽州，殺略吏民。自此以後，無歲不犯塞。後漢靈帝紀。

熹平二年通鑑作元年。十二月，鮮卑寇幽、并二州。後漢靈帝紀。四年五月，鮮卑寇幽州。後漢靈帝紀。五年，鮮卑寇幽州。後漢靈帝紀。六年夏，鮮卑寇邊。烏桓校尉夏育請發幽州諸郡兵出塞討之。後漢紀。

光和二年，鮮卑寇幽、并二州。後漢靈帝紀。三年冬，鮮卑寇幽、并二州。後漢靈帝紀。四年十月，鮮卑寇幽、并二州。後漢靈帝紀。

中平元年四月，廣陽黄巾殺幽州刺史郭勳及太守劉衛。後漢靈帝紀。三年十二月，鮮卑寇幽、并二州。後漢靈帝紀。四年六月，張温發幽州烏桓突騎三千以討。涼州故中山相漁陽張純請將之，温不聽，而使涿令遼西公孫瓚將之，軍到薊中，烏桓以牢稟逋縣，多叛還本國。張純忿不得將，乃與同郡故泰山太守張舉及烏桓大人邱力居等連盟，刼略薊中，殺護烏桓校尉公綦稠，右北平太守劉政、遼東太守陽終等，衆至十餘萬，屯肥如。舉稱天子，純稱彌天將軍。通鑑五十八。五年，烏桓反叛，與賊張純等攻薊中，復與畔胡邱力居等寇漁陽。後漢公孫瓚傳。九月，遣中郎將孟益率騎都尉公孫瓚討漁陽賊張純等，戰於石門，大破之。後漢靈帝紀。

六年三月，幽州牧劉虞購斬張純。後漢靈帝紀。

獻帝初平四年十月，劉虞與公孫瓚積不相能，瓚數與袁紹相攻，虞禁之不可，而稍節其稟假。瓚怒，屢違節度，又復侵犯百姓。虞不能制，乃遣驛使奉章陳其暴掠之罪。瓚亦上虞稟糧不周。二奏交馳，互相非毁。朝廷依違而已。瓚乃築小城於薊城東南以居之。

虞數請會，瓚輒稱病不應。虞恐其終爲亂，乃率所部兵合十萬人以討之。時瓚部曲放散在外，倉卒掘東城欲走。虞兵無部伍，不習戰，又愛民廬舍，敕不聽焚燒。戒軍士曰：無傷餘人，殺一伯珪而已。攻圍不下。瓚乃簡募鋭士數百人，因風縱火，直衝突之，虞衆大潰。虞與官屬北犇居庸，瓚追攻之，三日城陷，執虞并妻子還薊，猶使領州文書。會詔遣使者段訓增虞封邑，督六州事，拜瓚前將軍，封易侯。瓚乃誣虞前與袁紹等謀稱尊號，脅訓斬虞及妻子於薊市。故常山相孫瑾、掾張逸、張瓚等相與就虞，罵瓚極口，然後同死。瓚傳虞首於京師，故吏尾敦於路劫虞首，歸葬之。虞以恩厚得衆心，北州百姓流舊莫不痛惜。（通鑑六十。）

興平二年，虞從事漁陽鮮于輔等，率州兵欲報瓚，以燕國閻柔爲烏丸司馬。柔招誘烏丸、鮮卑，得胡漢數萬人，與瓚所置漁陽太守鄒丹戰於潞北，（魏志列傳。）斬丹等四千餘級。烏桓峭王亦率種人及鮮卑七千餘騎，隨輔迎虞子和，與袁紹將麴義合兵十萬，共攻瓚於鮑邱。於是廣陽、上谷、右北平，各殺瓚所置長吏，復與鮮于輔、劉和兵合。瓚軍屢敗，（通鑑六十一。）乃走還易京固守。（魏志列傳。）

建安十年，漁陽王松據郡。會曹操討袁譚於南皮，以書招松。松舉雍奴、泉州、安次以附之。（郝經續後漢書。）四月，故安趙犢、霍奴等殺幽州刺史及涿郡太守，三郡烏桓攻（郝經續後漢書攻下有幽州都）

督四字。鮮于輔於獷平。八月，操討犢等，斬之，乃渡潞水，救獷平。烏桓走出塞。通鑑六十四。十二年，曹操令田疇將其衆爲鄉導，上徐無山，塹山堙谷五百餘里，經白檀，歷平岡，東指柳城。通鑑六十五。

晉

惠帝永興元年九月，安北將軍都督幽州諸軍事王浚，殺幽州刺史和演，自領幽州。晉書惠帝紀。

愍帝建興二年二月，勒纂兵戒期，輕騎襲幽州。三月壬申，勒晨至薊，叱門者閉門，先驅牛羊數千頭，填諸街巷，使兵不得發。勒既入城，縱兵大掠。勒升其廳事，王浚乃走出堂皇，勒衆執之，使其將王洛生驛送浚襄國市，斬之。勒停薊二日，焚浚宮殿，以晉尚書燕國劉翰行幽州刺史戍薊，置守宰而還。翰不欲從勒，乃歸段匹磾。匹磾遂據薊城。通鑑八十七。四年十二月，幽州刺史鮮卑段匹磾遣信要劉琨，欲與同奬王室。己未，琨率衆赴之，從飛狐入薊。通鑑八十九。

元帝太興二年四月，劉琨子羣爲末柸所得，末柸厚禮之，許以琨爲幽州刺史，欲與之襲匹磾。密遣使齎羣書，請琨爲内應。爲匹磾游騎所得。琨別屯征北小城，來見匹磾。

匹磾留琨。琨之子遵與琨左長史楊橋等開門自守。匹磾攻拔之。代郡太守辟閭嵩、後將軍韓據復謀襲匹磾，匹磾殺之，并殺琨。通鑑九十。石勒遣前鋒都督孔萇攻幽州諸郡，悉取之。段匹磾士卒饑散。通鑑九十一。三年，段匹磾與弟文鴦攻薊。通鑑九十一。

後趙

石勒太和二年，趙石虎發衆七萬，襲段遼於薊，遼奔敗。宋書天文志。

石虎建武四年二月，石虎破幽州，遷其人萬餘家。宋天文志。三月，虎進屯金臺，支雄長驅入薊。通鑑九十六。遼所署漁陽太守馬鮑等四十餘城，並率衆降於虎，支雄攻安次，斬其部大夫那樓奇。遼懼，犇密雲山。虎遣將郭太、麻秋等，帥輕騎二萬，追遼至密雲山，獲其母、妻，斬首三千級。十二月，遼自密雲山遣使詐降於虎，復遣使降於燕慕容皝。虎遣征東將軍麻秋，帥衆三萬迎之。皝自帥諸軍迎遼。遼密與燕謀，覆趙軍。皝遣子恪伏精騎七千於密雲山，通志。大敗麻秋於三藏口。通鑑九十六。六年，慕容皝出蠮螉塞欽定熱河志：蠮螉即居庸之轉音。襲趙，長驅至薊城，所過焚燒積聚，掠徙幽冀三萬餘户。通鑑九十六。九年，石虎使將張舉，將萬餘人屯薊東，謀慕容皝。宋天文志。

太甯元年四月，彭城王遵殺趙王世自立，時沛王沖鎮薊，親討之，留甯北將軍沐堅戍幽州，帥衆五萬，自薊南下，傳檄燕、趙，所在雲集。通鑑九十八。

燕

慕容儁燕元二年二月，慕容儁使慕容霸將兵二萬，自東道出徒河，慕輿于自西道出蠮螉塞，儁自中道出盧龍塞，以伐趙。霸軍至三陘，趙征東將軍鄧恆焚倉庫，棄安樂遁去，與幽州刺史王午共保薊。徒河……三月，燕兵至無終，王午留其將王佗，以數千人守薊，與恆走保魯口。乙巳，儁拔薊，執王佗斬之。儁入，都於薊。燕兵至范陽，范陽太守李産，帥八城令長出降。按：范陽郡統涿、良鄉、方城、長鄉、遒、故安、范陽、容城八縣。甲子，儁擊鄧恆於魯口，追奔四十餘里，儁引兵還薊。通鑑九十八。九月，燕王儁取章武。通鑑九十八。

元璽元年，燕王儁還薊，稍徙軍中文武兵民家屬於薊。通鑑九十九。三年，燕大調兵衆，因發詔之日，號曰丙戌舉。通鑑九十九。

慕容暐建熙十年，慕容垂叛，西平公强帥精騎追之，及於范陽，世子令斷後，强不敢逼。通鑑一百二。

秦

符堅建元十六年正月，以北海公符重爲鎮北大將軍鎮薊。幽州刺史行唐公田洛自稱大將軍、大都督。秦王以治中平規爲幽州刺史，遣兵三萬，助重戍薊。四月，詔遣左將軍武都竇衝及吕光帥步騎四萬討之，北海公重悉薊城之衆，與洛會屯中山，有衆十萬。五月，竇衝等與洛戰，洛兵大敗，生擒洛，送長安。北海公重走還薊，吕光追斬之，幽州悉平。通鑑一百三。

後燕

慕容垂燕元元年六月，秦幽州刺史王永帥衆擊燕。燕王垂遣將軍平規擊永。永遣昌黎太守宋敞逆戰於范陽。敞兵敗。規進據薊南。八月，永求救於振威將軍劉庫仁，庫仁遣公孫希帥騎三千救之，大破平規於薊南。通鑑一百五。二年正月，燕帶方太守王佐與將軍平規，共攻薊，王永兵屢敗。二月，永使宋敞燒和龍及薊城宮室，奔壺關，佐等入薊。通鑑一百六。七月，燕建節將軍徐巖叛於武邑，驅掠四千餘人北走幽州。燕王垂敕幽州將平規固守勿戰。規違命出戰，爲巖所敗。巖入薊，掠千餘户而去。通鑑一百六。

魏

道武帝皇始元年八月己亥，大舉伐燕。別遣將軍封真等，從東道出軍都，襲燕幽州，圍薊。通鑑一百八。十一月丁卯，珪引兵南攻鄴，章武王宙自龍城還，聞有魏寇，馳入薊，與鎮北將軍慕容蘭乘城固守。魏別將石河頭攻之不克，退屯漁陽。通鑑一百八。二年，燕清河王會聞魏軍東下，表求赴難。燕主寶許之，使建威將軍餘崇，將兵五千爲前鋒。崇進至漁陽，遇魏千餘騎，乃鼓譟直進，手殺十餘人，魏騎潰去，崇引還，始達薊城。三月辛亥，魏主圍中山。壬子夜，寶與太子策等萬餘騎出，赴會軍，珪使中領將軍長孫肥、左將軍李東將三千騎追寶至范陽，不及。甲寅，寶至薊，清河王會帥騎卒二萬迎於薊南。丙辰，寶盡徙薊中府庫，北趣龍城。魏石河頭引兵追之，及寶於夏謙澤，會整陣與魏兵戰，魏兵大敗。通鑑一百九。

天興元年三月，漁陽羣盜庫傉官韜聚衆反，詔中堅將軍伊謂討之。魏太祖紀。七月，冠軍將軍王建討平庫傉官韜。册府元龜九百八十四。二年九月，范陽人盧溥，聚衆海濱，稱幽州刺史，攻掠郡縣，殺幽州刺史封沓千。十二月辛亥，詔材官將軍和突討盧溥。通志。

明元帝泰常七年十月壬戌，幽州刺史漁陽公庫傉官昌、征北將軍關内侯庫傉官提等，生擒庫傉官女，生縛送京師，幽州平。魏明元帝紀。

太武帝延和元年七月，遣安東將軍奚斤，發幽州民及密雲丁零萬餘人，運攻具，出南道，會和龍。通鑑一百二十二。

孝文帝太和二十三年十一月，幽州民王惠衆聚衆反，刺史李肅捕斬之。魏孝文紀。

宣武帝延昌三年，幽州沙門劉僧紹聚衆反，州郡捕斬之。魏宣武帝紀。

孝明帝孝昌元年八月，柔元鎮民杜洛周，聚衆反於上谷，攻没郡縣，圍燕州。九月丙辰，以幽州刺史常景爲行臺，與幽州都督元譚討之。自盧龍塞至軍都關，皆置兵守險，譚屯居庸關。通鑑一百五十。二年四月，杜洛周南出，鈔掠薊城。常景遣統軍梁仲禮擊破之。丁未，都督李琚與洛周戰於薊城之北，敗没。常景帥衆拒之，洛周引還上谷。六月戊寅，杜洛周遣都督王曹紇真等將兵掠薊南。七月丙午，常景遣都督于景榮等擊之於栗園，栗園當在范陽固安縣界。大破之，斬曹紇真及將卒三千餘級。洛周率衆南趨范陽。景與景榮等又破之。十一月丁亥，洛周圍范陽。戊戌，城民降，執幽州刺史王延年及行臺常景，送於洛周。通鑑百五十一。三年，賊帥比于麒麟入據幽州。魏書。北史無比于二字，或是叱干之譌。

孝莊帝永安元年十二月，葛榮餘黨韓樓復據幽州反。魏書。按：册府元龜，帝王部招懷二作北魏廢帝中興二年，韓樓反於幽州。二年九月，大都督侯淵討韓樓於薊，破斬之，幽州平。魏書。

建明元年，范陽太守盧文偉，誘平州刺史侯淵出獵，閉門拒之。通鑑百五十四。按：淵本領平州鎮范陽，范陽即涿郡。

節閔帝普泰元年二月，幽州刺史劉靈助起兵於薊，侯淵討平之。魏書。

東魏

孝靜帝天平四年十二月，范陽人盧仲禮等聚衆反。通志。

元象元年九月，大都督賀拔仁擊破之。通志。

北齊

文宣帝天保五年，蠕蠕寇范陽，范陽盧曾登城射之，射出三百步，投弓於外，羣虜莫能彎，乃去之。通志。

武成帝河清三年九月乙丑，突厥寇幽州，入長城，虜掠而還。閏月乙巳，突厥寇幽州。北齊武成帝紀。

北周

武帝宣政元年四月庚申，突厥寇幽州，殺掠吏民。周武帝紀。上大將周趙郡公柱國劉雄戰歿。通志。閏六月，幽州盧昌期據范陽反。范陽王紹義引突厥兵赴之。周遣柱國東平公宇文神舉討昌期。紹義聞幽州總管出兵在外，欲乘虛襲薊。神舉遣大將軍宇文恩，將四千人救之，半爲紹義所殺。會神舉克范陽，擒昌期，紹義還入突厥。丞相高寶甯，帥夷夏數萬騎救范陽，至潞河，知神舉已屠范陽，還據和龍。通鑑百五十。

隋

高祖開皇二年，令幽州總管陰壽討高寶甯。通志。三年，突厥寇邊，燕薊多被其患，幽州總管李崇輒破之。隋書高帝紀。

仁壽四年，煬帝將發幽州兵，疑幽州總管竇抗有貳心，令勃海李子雄馳至幽州，止傳舍，召募得千餘人。抗來詣，子雄伏甲擒之，遂發幽州兵步騎三萬，自井陘西擊諒。通鑑百八十。

煬帝大業八年正月辛巳，大軍集於涿郡。隋煬帝紀。九年正月丁丑，徵天下兵，募民爲驍果，集於涿郡。隋煬帝紀。十二年十二月，虎賁郎將羅藝，起兵涿郡。通鑑綱目。

唐

高祖武德元年，竇建德帥衆十萬寇幽州。總管羅藝將逆戰，上柱國薛萬均請使羸兵，背城阻水爲陳，以精騎百人伏於城旁，俟其半渡擊之。建德竟不能至其城下，乃分兵掠霍堡及雍奴等縣，藝復邀擊，敗之。通鑑一百九十。高開道陷漁陽，自稱燕王，改元始興，都漁陽。通鑑一百九十。三年五月，竇建德遣高世興擊李藝於幽州，不克，退軍籠火城。藝襲擊，大破之。十月，建德帥衆二十萬復攻幽州。建德兵已攀堞，薛萬均、薛萬徹帥敢死士百人，從地道出其背，掩擊之，建德兵潰走，李藝兵乘勝薄其營，建德陳於營中，塡塹而出，奮擊大破之。建德逐北，至其城下，攻之，不克而還。通鑑一百九十一。六年五月癸卯，高開道引突厥寇幽州，突地稽將兵邀擊破之。九月壬寅，高開道引突厥二萬騎寇幽州。通鑑一百九十一。八年九月丙午，右領軍王君廓，破突厥於幽州，俘斬二千餘人。通鑑一百九十一。九年六月，盧江王瑗爲幽州大都督，舉兵反。王君廓斬瑗，傳首京師。册府元龜八十三。太宗貞觀十八年十一月，征遼之兵大聚於幽州，帝將親征。册府元龜一百十三。十九年，帝征遼。二月，李勣所領之衆頓於幽州。四月丁未，發幽州，九月班師，十一月次幽州。册府元龜一百三十六。

武后神功元年三月戊申，詔夏官尚書王孝傑、羽林衞將軍蘇宏暉，率兵十七萬討契丹。新書北狄傳。孫萬榮夜襲檀州，敗走，俄散兵復振，孝傑死之。遼史世表。武攸宜軍漁陽，震恐不敢進。萬榮進攻幽州，軍潰，與其奴逃至潞水東，爲奴所殺。通鑑二百六。

聖曆元年八月，突厥默啜寇嬀、檀等州。通鑑二百六。

睿宗景雲元年十二月壬辰，奚霫犯塞，掠漁陽、雍奴，出盧龍塞而去。幽州都督薛訥追擊之，弗克。通鑑二百十。

先天元年十一月乙酉，奚、契丹二萬騎寇漁陽。幽州都督宋璟閉城不出，虜大掠而去。通鑑二百十。

元宗開元二十年正月，信安王禕及幽州節度使趙含章，大破叛奚及契丹於幽州之北，冊府元龜十二。按：舊書元宗本紀，幽州之北下多一山字。降其酋李詩鎖高等部落五千帳，以其地爲歸義州，因以王詩置其部幽州之偏。新書元宗紀。二十二年，張守珪奏：副將安祿山於檀州界破奚賊，擒生斬級并獲馬計至數千。全唐文。

天寶十四載十一月甲子，安祿山發所部兵及同羅、奚、契丹、室韋凡十五萬衆，號二十萬，反於范陽。命范陽節度副使賈循守范陽，諸將皆引兵夜發。詰朝，祿山出薊城南大閱誓衆，引兵而南，遠近震駭。通鑑二百十七。

肅宗至德元載，回紇可汗遣其臣葛囉支將兵入援，先以二千騎奄至，范陽閉門二日。通鑑二百十八。

上元二年三月甲午，史朝義弒思明，卽皇帝位，密使人至范陽，殺史朝清並不附己者數十人，其黨自相攻擊，城中數月，死者數千人，范陽乃定。新書列傳。

代宗廣德元年正月，史朝義奔范陽。朝義范陽節度使李懷仙已降，遣兵馬使李抱忠將兵三千鎮范陽縣。朝義至，不得入，東奔廣陽，廣陽不受，欲北入契丹，至温泉柵，縊於林中。（通鑑二百二十二。）

德宗建中三年四月，幽州盧龍軍節度使朱滔反，馬燧遣李晟率張茂昭攻涿州，以絶滔援。（新書馬燧傳。）貞元四年，契丹王且羅（原作楷落。）犯北邊幽州。（遼史世表。）十六年八月，劉濟弟源爲涿州刺史，不受濟命，濟引兵與源戰於涿州，源敗，執之。（新書列傳。）

穆宗長慶元年七月，幽州軍亂，殺幕僚韋雍、張宗元、崔仲卿、鄭塤，都虞候劉操，押牙張抱元，囚張宏靖於別館，取朱滔子洄爲留後。洄自以年老，令軍人立其子克融爲留後。（通鑑二百四十二。）

文宗太和四年三月，奚寇幽州。四月丁未，盧龍節度使李再義擊破之。（通鑑二百四十四。）

武宗會昌二年五月，那頡啜（回鶻特勒。）帥其衆，自振武、大同，東因室韋黑沙，南趣雄武軍，窺幽州，偪漁陽，節度使張仲武遣其弟仲至將兵三萬迎擊，大破之。（通鑑二百四十六。）

宣宗大中元年，幽州大破奚衆。（册府元龜九百八十九。）

僖宗光啟元年六月，幽州節度使李可舉攻定州王處存，會燕將李全忠有奪帥之志，軍情相疑。全忠方圍易州，處存出奇騎以擊之，燕軍大敗。全忠收合殘衆攻幽州，可舉舉室登樓自焚死。全忠自稱留後。（舊書列傳。）

昭宗景福元年四月，幽州將劉仁恭將兵戍蔚州，過期未代，士卒思歸。會匡籌立，戍卒奉仁恭爲帥，還攻幽州，至居庸關，爲府兵所敗，仁恭奔河東。通鑑二百五十九。乾甯元年十月，李克用以太原之衆進攻幽州。十二月，幽州節度使李匡籌復發兵出居庸關，克用使精騎夾擊之，匡籌潰圍而遁。克用進軍幽州，其大將請降。通鑑二百六十。二年春正月辛酉，幽州軍民數萬以麾蓋歌鼓迎李克用入府舍。克用命李存審、劉仁恭將兵略定巡屬。通鑑二百六十。四年七月，晉王徵兵於幽州，劉仁恭辭旨不遜，囚行人。八月，晉王大舉伐仁恭。舊史列傳。

哀宗天復三年十月，契丹阿保機東掠薊北而去。五代史補編。

梁

開平元年三月癸未，梁以亳州刺史李思安爲北路行軍都統，率兵三萬，合魏博之衆，攻掠幽州。盧龍節度使劉仁恭，驕侈貪暴，常慮幽州城不固，築館於大安山。四月，李思安引兵入其境，所過焚蕩無餘。己酉，直抵幽州城下。仁恭猶在大安山，城中無備，幾至不守。會仁恭子守光率兵赴援，思安敗退。守光遂自稱節度使，令部將李小喜、元行欽將兵攻大安山。仁恭遣兵拒戰，爲小喜所敗。虜仁恭以歸，因於別室。通鑑二百六十六。二年十二月，劉守文舉滄德兵攻幽州，劉守光求救於晉。李存勗遣兵五千助之。丁亥，守文兵至盧臺軍，爲守光所敗。通鑑二百六十七。三年五月，劉守文頻年攻劉守光，不克。乃大發兵以重賂招契丹、吐谷渾之衆，合四萬，屯薊州，守光逆戰於雞蘇，在薊州西。爲守文所敗。守文單馬立於陣前，泣謂其衆曰：勿殺吾弟。守光將元行欽識之，直前擒之，滄德兵皆潰。通鑑二百六十七。

乾化元年三月，契丹阿保機略地薊州。遼太祖紀。八月，幽州劉守光僭稱大燕皇帝，年號應天。十二月，晉遣周德威、劉光濬、李嗣源及諸將率蕃漢之兵伐劉守光於幽州。舊史。

唐天祐五年正月庚辰，朔，周德威等自飛狐東下。丙戌，會鎮定之師，進營燕祁溝關，下之。戊子，圍涿州，刺史劉知温以城降。丁酉，德威進迫幽州，守光出兵拒戰，燕將王行方等以部下四百人來奔。五月乙卯，朔，德威大破燕軍於羊頭岡，擒大將軍單廷珪。珪，燕驍將也，燕人失之奪氣。德威自涿州進軍於幽州，營於城下。閏月己酉，攻其西門，燕人出戰，敗之。通鑑二百六十八。十年正月丁巳，周德威攻下順州，獲刺史王在思。舊史周德威傳。二月甲戌，朔，攻下安遠軍，薊州將成行言等降於晉。丙申，晉李存暉攻燕，檀州刺史陳確以城降。三月甲辰，朔，收盧臺軍。乙丑，收古北口。燕居庸關使胡令圭等奔晉。通鑑二百六十八。四月甲申，德威攻幽州南門。六月壬申，朔，帝遣監軍張承業至幽州，與德威議軍事。七月，承業與德威率千騎至幽州西。辛亥，德威進攻諸城門。九月，劉守光率衆夜出，遂陷順州。十月己巳，朔，守光率七百騎，步軍五千，夜入檀州。庚午，德威自涿州將兵躡之。壬申，守光自檀州南山而遁。德威追及，大敗之。守光得百餘騎，遁入山谷。德威急馳，扼其城門。守光惟與親將李小喜等七騎奔入燕城。十一月己亥，朔，晉王親征幽州。己未，至范陽。辛酉，下令諸軍詰旦攻城。壬戌，梯衝並進，軍士畢登。帝登燕丹冢以觀之。有頃，擒劉仁恭以獻。癸亥，帝入燕城。十二月庚午，授德威幽州節度使。癸酉，檀州燕樂縣人執劉守光，并妻李氏、祝氏，子繼祚以獻。己卯，下令班師。庚辰，帝發幽州，擄仁恭父子以行。舊史劉仁恭傳。十二年六月，幽州軍校齊行本及其部曲男女三千人降遼，遼主給其廩食。數日亡去，幽師周德威納之，索之德威，語不遜，乃議南征。遼太祖紀。十四年三月辛亥，盧文進引契丹兵急攻幽州。晉王使周德威合河東、鎮、定之兵，拒於居庸關之西，大敗。契丹乘勝進圍幽州，聲言有衆百萬，氊車毳幕，彌漫山澤。盧文進教之攻城，爲地道，晝夜四面俱進，城中穴地然膏以邀之。又爲土山以臨城，城中鎔銅以灑之，日殺千計，而攻之不止。德威遣間使詣晉王告急。四月，晉命李嗣源率師赴援；又遣閻寶夜過祁溝，俘擒而還。七月辛未，李存審領軍與嗣源會於易州，步騎凡七萬。甲午，自易州北行。庚子，踰大房嶺，循澗而行。嗣源與養子從珂將三千騎爲前鋒，距幽州六十里，與契丹遇。契丹驚却。晉兵翼而隨之。契丹行山上，晉兵行澗下，每至谷口，契丹輒邀之。嗣源父子力戰，乃得進。至山谷，契丹以萬餘騎遮其前，將士失色。嗣源以百餘騎先進，因躍馬奮檛，三入其陳，斬契丹酋長一人，後軍齊進，契丹兵却。晉兵始得出。李存審命步兵伐木爲鹿角，人持一枝，止則成寨。契丹騎環寨而過，寨中發萬弩射之，流矢蔽日，契丹人馬死傷塞路。將至幽州，契丹列陳待之。存審命步兵陳於其後，戒勿動，先令羸兵曳柴然草而進，煙塵蔽天。契丹莫測其多少，因鼓譟合戰。存審乃趣後陳起乘之，契丹大敗。席卷其衆自北山去，委棄車帳、鎧仗、羊馬滿野。晉兵追之，俘斬萬計。辛丑，嗣源等入幽州，周德威見之，握手流涕。通鑑二百七十。十八年十月丙子，契丹主率大軍出居庸關。十一月癸卯，下古北口。丁未，分兵略檀、順、安遠、三河、良鄉、潞等十餘城，俘其民，徙內地。十二月，契丹攻幽州，李紹安嬰城自守。五代史補編。癸亥，圍涿州。遼太祖紀。册府元龜云：契丹阿保機寇幽州，節度使李紹宏帥士固守。契丹引衆而南，攻涿州，圍偪十餘日，陷之。癸酉，刺史李嗣弼降。乙亥，晉王至幽州，遣二百騎躡契丹軍後反擊，悉擒之。己卯，還次檀州，幽帥來襲，擊走之。遼太祖紀。按：遼史拾遺云：時幽州安次、潞、三河、漁陽、懷柔、密雲等縣，皆爲所陷，俘其民而歸置州縣以居之，不改中國州縣之名。十九年庚申，契丹主復徇幽薊地。四月甲寅，攻薊州。戊午，拔之。十一月壬寅，略地薊北。遼太祖紀。

後唐

莊宗同光元年閏四月甲午，契丹寇幽州。通鑑二百七十二。二年，契丹主遣兵略地燕南。五月，契丹屯幽州東南城門之外，虜騎充斥，饋運多爲所掠。通鑑二百七十二。按：舊史李瓊傳云：同光二年，明宗受詔，以本部兵送糧入薊門。時後晉高祖從行，至涿州，與敵相遇。高祖陷於圍中。瓊顧諸軍已退，密牽高祖鐵衣，指東而遁。至劉李河，爲敵所襲。瓊浮水先至南岸。高祖至河中，馬倒，順流而下。瓊以所執長矛援高祖出之。又以所跨馬奉高祖，瓊徒步護之，奔十餘里，乃入涿州。十月，幽州奏：契丹入寇，至近郊。十一月，契丹蕭阿古只寇幽州。十二月乙巳，命宣武節度使李嗣源，將宿衛兵三萬七千人，如幽州，禦契丹。通鑑二百七十二。三年正月，契丹寇幽州。二月丙子，李嗣源奏：涿州東南殺敗契丹，生擒首領三千人。通鑑二百七十二。

明宗天成元年七月丁丑，鎮州留後王建立奏：涿州刺史劉殷肇不受代，謀作亂，討平之。八月庚子，幽州奏：契丹寇邊。舊唐明宗紀。二年三月，出奉節等九指揮三千五百人，使軍校龍晊部之戍盧臺軍。其衆譟於營外，副招討使房知溫與馬軍指揮使安審通合謀擊亂兵，亂兵遂南，列炬宵行，疲於荒澤。詰朝，騎兵四合擊之，亂兵殆盡。通鑑綱目。四月，幽州節度使趙德鈞，令衙校常玉破奚於檀州，奪漢民四十，擒生奚二。册府元龜二百十。三年，契丹救定州，敗走，道路泥濘，人馬饑疲，入幽州境。八月壬午，節度使趙德鈞奏：於府西邀殺契丹敗黨數千人。舊史唐明宗紀。

遼

太宗會同五年，晉鎮州節度使安重榮輕騎掠幽州南境之民。通鑑二百十。七年十二月癸卯，南伐。甲子，次古北口。遼太宗紀。九年，遼主還自虎北口，聞晉取泰州，復擁衆南向。丁巳，前鋒至涿州。冊府元龜百十八。八月，自將南伐。九月壬辰，閲諸道兵於漁陽西棗林淀。遼太宗紀。穆宗應歷八年四月甲寅，南京留守蕭思温攻下沿邊州縣。遼穆宗紀。九年，周治舟師北伐，鄜州節度使田景咸爲淤口部署，以右神武統軍李洪信爲合流口部署，以前鳳翔節度使王晏爲益津關一路部署。冊府元龜九百八十七。辛丑，至益津關，守將終廷暉以城降之。通鑑二百九十四。五月，淤口關降。五代史補。丙午，議取幽州。趣先鋒都指揮使劉重進先發，據固安。是夜，周主不豫，乃止。以益津關爲霸州，割文安、大城二縣隸之。是日，周先鋒都指揮使張藏英破遼兵數百騎於瓦橋關北，攻下固安縣，發濱、棣二州丁夫城霸州。舊史周世宗紀。十三年正月，宋城益津關，遼人知之，南京留守高勳上書，請假巡徼擾其境。遼主然其奏，命勳及統軍使崔延勳以兵擾之，乃不果城。八月己亥，幽州岐溝關使柴廷翰等降宋。續通鑑三。十四年，宋主晉陽命密州防禦使馬仁瑀，率衆巡邊，至上谷、漁陽。續通鑑四。

乾亨二年，宋主復自將伐遼。丙寅，次金臺頓，遼境也。丁卯，至岐溝關。戊辰，次涿州。判官劉厚德以城降。遼兵在涿州東，孔守正與傳潛，分兩陣馳擊之，逐北二十餘里。乙巳，次鹽溝頓。庚午，次幽州城南，駐蹕寶光寺。遼軍城北。宋師奮擊，走之。壬申，宋主部分諸將攻城。定國節度使宋渥攻其南面，河陽節度使崔彥進攻北面，彰信節度使劉遇攻東面，定武節度使孟元喆攻西面，命宣徽南院使潘美知幽州行府事。遼南京權留守韓德讓懼甚，與知三司事劉宏登城，日夜守禦，而城外招脅甚急，人懷二心。會迪里都（舊作鐵林都。）都指揮使李扎勒燦（舊作李扎盧存。）出降，城中益懼。遼御盞郎君耶律學古聞南京被圍，急救之。圍師方嚴，乃穴地以進。偕韓德讓等，整器械，安反側，隨宜備禦，志不少懈。宋兵三百餘人，乘夜登城。學古戰卻之。益修守備，以待援師。秋七月庚辰，遼建雄節度使劉延素降宋。壬午，遼薊州知州劉守恩降宋。癸未，遼耶律沙以援師至，戰于高粱河。宋師擊之。沙敗走。會薄暮，休格（原作休哥）自間道馳至，人持兩炬。宋師不測其多寡，有懼色。休格與色珍（原作斜軫）合軍，分左右翼奮擊。休格被三創，戰益力。學古聞援師大集，開門列陣，四面鳴鼓，居民大呼，聲震天地。休格乘之，宋師大敗，宋主乘驢車南走。（續通鑑十。）五年冬十一月辛巳，遼主將南伐。癸未，次南京。庚寅，次固安。十一月庚子，朔，宋兵夜襲營，戰卻之。（遼景宗紀。）

聖宗統和四年，宋曹彬與遼兵戰固安南，克其城。辛巳，克涿州，遣部將李繼宣等領輕騎渡涿河，覘敵勢。乙酉，遼將率衆攻，繼宣破之。遼南京留守耶律休格以兵少不出戰，夜則令輕騎掠單弱以脅餘衆，晝則以精鋭張其勢，設伏林莽，絶宋糧道。彬留十餘日，食盡乃退師雄州，復裹糧再往，攻涿州。時遼主次州東五十里，令休格與蒲領等以輕兵薄宋師。宋師且行且戰，凡四日，始得至涿。時方炎暑，軍士疲乏，所齎糧不繼，乃復棄之，令盧斌兼擁城中老幼並狼山而南。彬等以大軍退，無復行伍，遂爲休格所躡。五月庚午，至岐溝關，遼兵追及之，宋師大敗。彬等收餘軍，宵涉巨馬河，營於易水之南。李繼宣力戰巨馬河上。遼兵始退。追奔至孤山，方涉巨馬河，人畜相蹂踐而死者無算。宋知幽州行府事劉保勳馬陷淖中，其子利涉救之不能出，遂俱死。休格收宋尸以爲京觀。（續通鑑十三。）十一月己亥，宋田重建攻陷岐溝關。（宋太宗紀。）六年九月庚戌，遼主次涿州，射帛書諭城中降。不從。十月乙卯，縱兵四面攻之，城破，乃降。因撫諭其衆。辛巳，奚王壽（遼史作籌。）甯敗宋師於益津關。（續通鑑四十。）十一月丁未，宋軍千人出益津關，擊走之。（遼聖宗紀。）十三年三月戊辰，武清縣百餘人入宋境剽掠，命誅之，還其所獲人畜財物。（遼聖宗紀。）十九年十月己亥，南伐。壬寅，次鹽溝。十一月丙子，宋兵出淤口益津關來侵，擊敗之。（遼聖宗紀。）二十二年九月己未，南伐。癸亥，次固安。（遼聖宗紀。）

太平八年二月戊子，燕京留守蕭孝穆乞於拒馬河接宋境上，置戍長、巡察。詔從之。（遼聖宗紀。

天祚帝保大二年正月癸酉，金人破遼中京。遼主出居庸關。續通鑑九十四。三月丙子，遼立燕王淳爲帝。五月，宋宣撫使童貫遣种師道等率兵來伐。辛興宗總西路兵趨范村。在涿州西南。六月，燕王淳遣大石林牙領兵屯涿州，益兵二萬，遣蕭幹統之，迎戰於范村，甚力。淳死，蕭幹等立其妻蕭氏。九月己卯，遼將郭藥師以涿州降宋。宋徽宗紀。按：北盟會編云：遼人都管押常勝軍，涿州留守郭藥師，因涿州刺史蕭餘慶，遣團練使趙鶴壽帥精兵八千、鐵騎五百，一州四縣來降。九朝編年備要云：郭藥師以涿州來降，以其軍八千隸劉延慶爲鄉導。十月庚寅，攻破牛欄寨及歸義、安城、固安、威城、良鄉、武清、安次、清化、漷陰、潞、三河等縣及景、薊等州。北盟會編。癸巳，童貫遣劉延慶將兵十萬出雄州，以郭藥師爲鄉導，渡白溝至良鄉，蕭幹率衆來拒，延慶與戰而敗。續通鑑九十四。藥師獻謀曰：契丹四軍，以軍師抗我，則燕山可以擣虛而入，宜選輕騎，由固安渡盧水，至安次，徑赴燕城。北會會編。延慶遣大將高世宣、楊可世與藥師率兵六千，夜半渡盧溝，倍道而進。質明，常勝軍甄五臣領五千騎奪迎春門以入。藥師等繼至，陳於憫忠寺。續通鑑九十四。遣七將把諸門，進兵抵宣和門外。遼史拾遺。遣人諭蕭妃速降。蕭妃密報蕭幹。幹舉精甲三千還燕，巷戰，藥師失援而敗。延慶營於盧溝南，續通鑑九十四。聞燕城復失，又瑠璃河護糧將王淵亦失陷，求自遁之計，召諸將，諸諭以糧餉不繼，不即引退，久恐生變。次日，燒營及輜重奔還，師大潰，遼史拾遺。幹因縱兵追至涿水而去。續通鑑九十四。十二月壬午，遼人四軍蕭幹復攻涿州安次、固安兩縣，陷之。北盟會編。丁亥，郭藥師敗蕭幹於永清縣。戊子，金主自將伐燕京。遼人以勁兵守居庸關。羅索爲左翼，博勒和爲右翼，取居庸關。金兵度關而南。辛卯，金主至燕京，自南門入，蕭妃與蕭幹自古北口趨天德。續通鑑九十四。

宋

宣和五年四月壬辰，金使楊樸宋史作璞齎書，以燕京及涿、易、檀、順、景、薊六州來歸。庚子，童貫、蔡攸入燕山府，燕之金帛、子女、職官、民户，爲金人席捲而東，損歲幣數百萬，所得者空城而已。續通鑑九十五。六月，蕭幹兵出盧龍嶺，又敗常勝軍於石門鎮，攻陷薊州。遼史拾遺。七年十月甲辰，金主詔諸將南伐，自南京入燕山路。通鑑九十五。十一月，斡離不軍至燕山府鹽場。大金國志。十二月戊戌，破檀州。己亥，破薊州。甲辰，宗望至三河，破郭藥師兵四萬五千於白河。蒲莧敗宋兵三千於古北口。宗望至燕山，藥師率軍郊迎之，執蔡靖及都轉運使呂頤浩、副使李占權以降。於是燕山府所屬州縣，皆屬於金矣。通鑑九十五。

金

天會四年，高彪再從宗望伐宋，復破敵於霸州。金史高彪傳。按：高彪傳，不著何年，以太宗本紀及宗望傳參考之，斷爲天會四年。

世宗大定二年六月戊寅，詔居庸關、古北口，譏察契丹姦細。己卯，命萬户温特赫阿嚕岱原作温迪罕阿魯帶。率兵四千屯古北口、薊州石門關。八月乙丑，斡罕寇古北口，殺傷士卒甚衆。續通鑑一百三十七。

衛王大安二年，蒙古石抹醜奴攻取檀、順等州及昌平、紅螺、平頂諸砦，又兩敗金兵於邦君甸。元史石抹醜努傳。三年九月，蒙古兵薄居庸關，守將完顔福壽遁去。哲伯遂入關，中都戒嚴。續通鑑一百五十九。是時昌平、密雲皆歸於元。金衛紹王紀。

至甯元年五月，呼沙呼一作胡沙虎。領武衛軍三千人屯通元門外。金衛紹王紀。七月，蒙古乘勝至古北曰，進拔涿，遂取居庸。續通鑑一百五十九。按：元史作七月進兵，趨涿鹿，出紫荆關，敗金師於五迴嶺，拔涿州。

宣宗貞祐元年八月，治中福哈原作福海。别將兵屯城北。辛卯，呼沙呼矯詔誅反者，招福哈，執而殺之，奪其兵。壬辰，自通元門入，先遣一騎馳抵東華門，大呼曰：達勒達至北關，已接戰矣。既又遣一騎往，亦如之。乃使其黨圖克坦金壽召南平，南平行至廣陽門，執中手槍刺殺之，并殺穆延。符寶祇候善延、舊作鄯陽。護衛十夫長完顔實古訥聞亂，遽召漢軍五百人赴難，與執中戰，不勝，皆死之。執中至東華門，門閉，金主遣其子蔣王持詔書投於門下，募能殺執中者，白身除大興尹、世襲千户，軍民無應者，執中欲縱火焚門，護衛色埒奇爾（舊作斜烈乞兒。）開門納之。執中進至大安殿，金主遥呼曰：聖主令臣何往？執中曰：歸舊邸耳。金主退入後宫，執中盡以其黨易宿衛，自稱監國都元帥，居大興府，陳兵自衛。（續通鑑一百五十九。）十月辛亥，提點近侍局慶善努、（舊作慶山奴。）副使惟弼、奉御惟康請除執中，金主念援立功，隱忍不許。執中遣果勒齊出戰，輒敗。執中欲斬之，金主諭免。執中乃益其兵，戒之曰：勝則贖罪，不勝斬汝矣。辛亥，果勒齊出戰，自夕至曉，北風大作，吹石揚沙，不能舉目。金兵大潰，果勒齊自度必爲執中所殺，乃以糺軍入中都，圍執中第。執中聞難，彎弓注矢外射，不勝，登後垣欲走，衣絓墮而傷股，軍士就斬之。果勒齊取其首，詣闕請罪。金主赦之。（續通鑑一百六十。）元兵下涿州，（金宣宗紀。）史天祥取霸州、文安、大城等二十餘城，中都戒嚴。蒙古穆呼哩（元史作木華黎。）統兵侵金，所向殘破。十二月，蒙古兵屯金中都城北。（續通鑑一百六十。）二年正月，李英乘夜與壯士李雄、郭仲元等四百九十人出中都城，緣西山進至佛巖寺，令雄等下山招募軍民，旬日得萬餘人，擇衆所推服者領之，詭稱土豪，屢與蒙古兵戰，被創，召還。三月，蒙古主還自東山，屯燕城北。金元帥右都監内族額爾克，率兵五千，護糧通州，遇蒙古兵，輒潰。四月，蒙古主引歸，出居庸關。五月，金主以國蹙兵弱，不能守中都，決意南遷，命平章政事都元帥承暉、尚書左承穆延盡忠奉太子留守中都。蒙古主聞之，復圖南侵。金主至良鄉，命扈衛糺軍元給鎧馬，悉復還官，乣軍怨之，殺其主帥，而推札達、貝實勒、札拉爾三人爲帥，北還。承暉聞變，以兵阻盧溝，札達擊敗之，遣使乞降於蒙古。蒙古主遣舒穆嚕明安及繖格巴圖援之入古北口，徇景、薊、檀、順諸軍。明安等遂與札達合兵偪中都。（續通鑑一百六十。）三年正月，金元副元帥富察齊錦以通州降。三月，金主遣左監軍永錫、左都監慶壽將兵三萬九千，御史中丞李英運糧大名行省，富珠哩德裕調遣繼發，以救中都。永錫軍至涿州之旋風寨，與蒙古兵遇而潰。李英收清滄義軍數萬以進。遇蒙古兵於霸州，大敗，盡失其所運糧。慶壽軍聞之，亦潰。四月，舒穆嚕明安攻金之萬甯宮，克之，取富昌、豐宜二關，拔固安。五月庚申，穆延盡忠棄城走。蒙古兵入城，户部尚書任天寵、知大興府高霖皆及於難，宮室爲亂兵所焚。（續通鑑一百六十。）

興定元年夏，元察罕破金監軍瓜爾佳（一作夾谷。）於霸州。（元太祖紀。）

元

世祖中統元年五月，徵諸路兵三萬，駐燕京近地。（元世祖紀。）二年十月，命平章政事趙璧等率蒙古漢軍駐燕京近郊。又選鋭卒三千，付史樞管領，於燕京近郊屯駐。指揮使李伯祐率餘兵屯潮河川。（元世祖紀。）

文宗天曆元年八月丁未，雅克特穆爾遣其弟薩都守居庸關，騰吉斯屯古北口。壬子，托克托穆爾帥其軍自上都來歸，即命守古北口。癸丑，上都諸王以兵分道攻大都。九月庚申，朔，雅克特穆爾督師居庸關。己巳，遣薩都拒遼東兵於薊州東流沙河。敖拉守居庸關。（元文宗紀。）甲戌，詔：雅克特穆爾將兵出薊州，拒圖們岱爾。（即也先帖木兒。）乙亥，上都旺沁兵襲破居庸關，將士皆潰。雅克特穆爾軍次三河。丙子，旺沁游兵至大口。雅克特穆爾還軍次榆河。帝出齊化門視師。辛巳，雅克特穆爾與上都軍大戰於白淤之野，（在昌平州東南。）敗之。癸未，旺沁等收集散亡，復來戰。雅克特穆爾列陣白浮，西敵不敢犯。至夜，薩都、托克托穆爾前後夾攻，敗走之，追及於昌平北，（元史列傳作昌平栗園。）斬首數千級，降者萬餘人。乙酉，上都兵入古北口，將士皆潰。其知樞密院準台，以兵掠石槽。（在順義縣西北。）丙戌，雅克特穆爾先遣薩都倍道趣石槽，掩其不備，擊之，自將大軍繼其後，轉戰四十餘里至牛頭（本紀作牛欄。）山，降者萬人，餘軍奔竄。夜遣薩都出古北口逐之。托克托穆爾與遼東兵戰薊州南，殺獲無算。丁亥，圖們岱爾及諸王額森特穆爾陷通州，將襲京師。（續通鑑二百四。）十月己丑，朔，雅克特穆爾引兵至通州，擊遼東軍，敗之。（皆渡潞水走。）忽剌台等兵自紫荊關進偪涿州，至良鄉，游兵犯南城；雅克特穆爾及陽翟王太平國王多羅岱等戰於檀子山之棗林，（薊州地。）死者蔽野。甲午，托克托穆爾、章吉特與額森努爾合擊敵軍於良鄉南，轉戰至盧溝橋，呼喇台（即忽剌台。）被創，據橋而宿。乙未，雅克特穆爾等帥軍循北山而西趣良鄉，時諸將與呼喇台、阿剌帖木兒等戰於盧溝橋，聲言雅克特穆爾大軍至，敵兵皆遁。己亥，圖們岱爾軍復入古北口。雅克特穆爾引兵禦之，大戰於檀州南，（元史列傳有桑口二字。）敗之。（元史紀事本末。）

順帝至正七年四月，通州盜起。（續通鑑二百九。）十八年三月庚戌，毛貴由山東北犯，陷薊州，詔察罕帖木兒以兵屯涿州。（元史紀事本末。）乙卯，犯漷州，至棗林，已而略柳林，（畿輔唐志云：棗林在通州南，柳林在故漷縣西。按：此棗林與前檀子山之棗林確係二地。）蹂畿甸。（續通鑑二百十四。）十九年春，京師戒嚴。諸將貪暴，師冗無律，數百里掠人爲糧，郡邑多殘毀，惟涿未破。豎將矯命利其有，以三月戊午遽入據之，民之膏其鼎鑊者，日以千百計，居十有五日而去。（涿州吴志。）二十年四月己巳，涿州城陷。（涿州吴志。）二十四年四月壬寅，圖沁特穆爾兵入居庸關。甲辰，皇太子率侍衛兵東走古北口。乙巳，圖沁特穆爾兵至清河，（在宛平縣西北。）列營。六月，白鎖住（原作索珠。）以兵至京師。七月丙戌，博囉特穆爾前鋒軍入居庸關，皇太子率軍禦於清河，伊蘇（原作也速。）軍於昌平，軍士皆無鬬志。皇太子馳還都城，白鎖住又將二萬騎屯漁陽，爲朝廷聲援。（元順帝紀。）二十五年，孛羅帖木兒調伊蘇率兵南禦。伊蘇軍次良鄉不進。孛羅帖木兒遣兵往討，軍過通州，白河水溢不進，進駐虹橋，築壘以待。伊蘇覘知之，襲破其軍。孛羅帖木兒大恐，自將討伊蘇，至通州，大雨三日，乃還。（元順帝紀。）二十八年閏月癸亥，明徐達、常遇春大敗元軍於河西務，進克通州。丙寅，帝御清甯殿，議避兵北行，夜半開建德門北走。續通鑑二百二十。八月庚午，達陳兵齊化門，填濠登城。明史徐達列傳。

明

太祖洪武元年，克元都，遣將巡古北口諸隘，守盧溝橋。明史傅有德傳。二年二月庚辰，元丞相伊蘇侵通州，將萬騎營於白河，守將曹良臣出精騎逐北百餘里。六月，元伊蘇復侵通州，命常遇春以所部軍禦之。伊蘇遁，薊北悉平。明史紀事本末。六年，命徐達等帥師鎮北平，遣將掩捕武平章等於懷柔縣之三角村。資治通鑑綱目三編。

惠帝建文元年七月癸酉，燕王棣舉兵反。通州、遵化、密雲相繼降燕。丙子，燕兵陷薊州。明建文紀。八月己酉，燕王率師至涿州。壬子，屯於樓桑。十月辛亥，李景隆進渡盧溝橋，圍北平。十一月辛未，景隆及燕兵戰於鄭村壩，今名東壩。敗績。十二月，薊州鎮撫曾濬起兵攻北平，不克，死之。明史紀事本末。二年四月，燕王率諸將進駐固安。乙卯，渡拒馬河，駐營蘇家橋。八月，燕兵北歸，平安及燕京李彬，戰於楊村，敗之。明史紀事本末。三年七月，平安自真定率兵攻北平，營於平村，離城五十里，擾其耕牧。明惠帝紀。

英宗正統十四年七月，衛拉特分道入寇。帝親征。八月，師還，潰於土木。額森以帝北去。時京師疲卒羸馬不滿十萬。于謙請速召勤王兵，誓以死守。以羅通爲兵部侍郎，提督守備居庸關。通上言：聞敵送駕回，恐因之入寇，大小關口宜各增兵，仍命大將一人，統兵三萬，分駐十營於關外。從之。通鑑輯覽一百四。十月，額森挾上皇破紫荆關，過易州，至良鄉，進次盧溝橋。額森列陣至西直門。上皇止德勝門外。明日，額森擁上皇登土城。于謙亟分遣諸將，率師二十二萬列陣九門外，謙自與石亨率副總兵范廣、武興，陳德勝門外。庚申，寇窺德勝門。額森弟博囉、平章茂諾海中礮死。寇轉至西直門，都督孫鏜禦之，武興擊寇彰義門，寇且卻。又聞勤王師且至，恐斷其歸路，遂擁上皇由西鄉西去。餘寇之未出關者，分屯畿内，四出剽掠。明史紀事本末。詔鏜副總兵楊洪追之，戰於涿州深溝，追擊至霸州，又破餘虜於固安。明史孫鏜傳。

英宗天順五年七月，太監曹吉祥及其養子欽反。内廷集兵縛吉祥。欽攻東長安門，不得入，轉攻東安門，懷甯伯孫鏜討之，欽敗死，吉祥伏誅。綱目三編。

武宗正德四年九月，畿南盜起固安、永清、霸州、文安地方，京衛屯軍邀路刦掠，號饗馬，盜聚黨益熾。明史紀事本末。五年十月，霸州降盜劉六、劉七復叛。明史紀事本末。六年正月，劉六、劉七聚衆刦掠畿南州縣。六月，楊虎等由河北入山西，東抵文安。六、七等踰山東、河南，出湖廣、江西，仍由故道入長清、齊河等縣，直抵霸州。八月，詔兵部侍郎陸完討之，行及涿州，忽傳賊且偪京師，還軍入衛，遂直趨固安。通州衛指揮雷通擊劉六等於八里橋，副總兵許泰、游擊卻永等敗楊虎等於霸州，賊南走，京師始解嚴。指揮賀勇等再敗賊於信安。已而六復趨霸州，完擊破之。（明史紀事本末。）七年正月，劉六等復攻霸州，陷大城，京師戒嚴，完皆大敗之，先後禽斬二千六百餘人。賊率三百人北走，沿途招聚，勢復張，剽香河、寶坻，轉攻武清，間道馳至河西務。（明史紀事本末。）九年八月辛丑，小王子犯薊州白羊口。（明武帝紀。）十一年七月乙未，小王子犯薊州白羊口。（明武帝紀。）世宗嘉靖二年正月丁卯，小王子犯沙河堡。五月庚午，小王子犯密雲石塘嶺。（明世宗紀。）二十二年十月，朶顔入寇，攻圍昌平之慕田峪。（綱目三編。）二十三年，朶顔侵薊州塞。（明史紀事本末。）諳達犯懷柔縣之大水谷。（綱目三編。）二十九年八月，諳達入薊州塞。乙亥，至古北口。以數千騎攻牆，別遣精騎，循潮河州南下，由石匣營達密雲，轉掠懷柔，圍順義，長驅入内地，至通州營白河東二十里，分剽昌平、三河，犯諸陵，京師戒嚴，分遣文武大臣各九人，守京城九門。辛巳，自通州渡河而西，直薄東直門。前鋒七百騎駐安定門外教場。明日，薄都城，分掠西山、黄村、沙河、大小榆河。癸未，轉掠良鄉以西，縱横内地。八日，乃整輜重，從容趨白羊口而去。至昌平北，猝與仇鸞兵遇，敵縱騎蹂陣而入，殺傷千餘人。寇騎至天壽山。總兵官趙國忠列陣紅門前。不敢入，奪道循潮河川由古北口故道出。京師解嚴。明史紀事本末。三十三年秋，巴圖爾十餘萬騎犯薊鎮，攻牆，總督薊遼保定軍務楊博，擐甲宿古北口城上。寇攻四晝夜，不得入。乃並攻孤山口，登牆。官軍斷一人捥，乃退屯虎頭山。博募死士，夜以火驚其營，寇擾亂，比明悉去。明史楊博列傳。三十四年二月，諳達犯薊鎮，參將趙傾葵等戰死。明世宗紀。三十六年，寇薄通州。總兵官馬芳入衛，令專護京師。明世宗紀。三十八年二月，錫林阿寇灤河，大掠遵化、薊州，駐内地五日。京師大震。明世宗紀。三十九年，錫林阿犯薊州，游擊胡鎮禦卻之。明世宗紀。四十二年十月，錫林巴圖爾擁衆窺薊州，明世宗紀。虜馬至平谷縣城下。知縣任彬殪其酋二人。明萬曆沈志。時寇由牆子嶺、磨刀峪潰牆入犯，大掠順義、三河，直趨通州。寇阻白河水，從通掠香河。徐階請亟先備順義，而以奇兵徼之古北口。寇果趣順義，不得入，乃走古北口。總兵官姜應熊禦之密雲，頗有斬獲。明史徐階傳。四十三年正月壬辰，土蠻黑石炭寇薊鎮，總兵胡鎮、參將白文智禦卻之。明世宗紀。

神宗萬曆三十六年十二月，朵顔察罕之子賚琿岱與其從父莽吉勒潛入薊鎮，大掠。河流口參將馬棟等不能禦。時援師所過，居民驚爲敵，至逃入京師者日數萬，九門盡閉。綱目三編。

熹宗天啟元年三月丁卯，京師戒嚴。戊寅，募兵於通州。明熹宗紀。

莊烈帝崇禎二年三月戊寅，薊州兵變，有司撫定之。（明莊烈帝紀。）九月大清兵圍薊州。十月，越薊州而西，徇三河，臨順義城，進至通州，渡河駐營城北，遂取張家灣。十一月二十日，薄都城，駐德勝門外，營於城北土城關之東。甯遠巡撫袁崇煥、錦州總兵祖大壽屯沙窩門外。（東華録。）大清兵自德勝門移營，循海子而南趨良鄉，分道攻固安，陷之。（固安陳志。）還軍至盧溝橋，營於京城西北隅。（東華録。）山西巡撫耿如杞以兵入援，譁於涿州，大掠良鄉。（明季北略。）十二月丁丑，克香河縣。（東華録。按：香河劉志云：己巳城破，而明史謂三年庚午正月克香河，疑誤。）十五日，南薄永定門。大同總兵官滿桂及前總兵官孫祖壽等死之。（明史滿桂傳。）上與大貝勒等往視薊州情形，會山海關步兵來援，遇於城外二里，悉擊殲之。（東華録。）九年七月，大清兵攻居庸關。己酉，間道過昌平，降丁內應，城陷。庚戌，引還良鄉。丁巳，攻寶坻，城破，（寶坻洪志。）殺知縣趙國鼎。癸亥，入房山。（明季北略。）八月己卯，分克文安、永清、密雲、東安。乙酉，攻香河，回涿州，偪城。是日，有援師自涿取道潞河，相遇於隄外，對陣。城上助以大礮，擊傷甚衆。拋棄雲梯數百。難民乘敗而歸籍者，千萬計。（涿州吳志。）陷順義，知縣上官藎自經。又下大城。（明季北略。）十一年九月，大清兵從密雲東北牆子嶺口毀牆，分四路入。遇明總督吳阿衡兵六千，敗之。（按：明史作十年九月，入牆子嶺、青口山，殺總督吳阿衡，至營城石匣，駐於牛欄。）遂入牆子嶺西黑峪關、曹家寨、古北口，牆子嶺東將軍石、黃岩口，（東華録。）敗閣部劉宇亮等兵於通州河上。（昭勳公圖賴事略。）十一月辛酉，京師閉門守。癸亥，由盧溝橋趨良鄉、涿州，分兵南下文安。知縣王鑰、訓導郭養性、主簿安衡、典史湯國紀皆死。綱目三編。十二年三月，大清兵毀邊關而入，兩翼兵會於通州河西，由北邊過燕京，自涿州分兵，一沿山下，一沿運河，縱兵前進，燕京迆西千里内，俱已蹂躪。東華録。十五年十一月，大清兵大舉入塞，敗明兵於密雲。庚寅，入薊州，全城被屠。薊州沈志。

閏月癸卯，入霸州，永清城失守。永清續志。乙巳，入文安，圍寶坻，歷九日，城中帖然，堅不下。寶坻洪志。都統武賴敗明兵於三河。滿洲名臣傳。十六年夏，復攻寶坻，守如故。寶坻洪志。大清兵北旋至懷柔，薊遼總督趙光忭，合唐通、白廣恩等八鎮兵，邀戰於螺山，皆潰。綱目三編。十七年三月初一日，昌平兵變，官衙民舍，焚刦殆盡，撫臣何謙捕斬亂首，撫之。甲申傳信録。按：明季北略云：昌平民譟，焚刦官民舍一空。李自成僞牒兵部約戰，言三月十日至兵部，執牒者則京師人，自涿州還，值逆旅客，予十金代投；以爲詐，斬之。明史紀事本末。初四日，命襄城伯李國楨練京營兵，守西直門。初五日，調宣府太監杜勳、山海關總兵唐通，協守居庸關。十三日，賊至居庸，唐通、杜勳叛，盡獻帑餉。撫臣何謙帶罪協守居庸，逃去。十四日，居庸關陷。起用舊司禮監太監曹化淳，督守彰義門。十五日，京城九門俱閉。十六日，賊由紅門川突攻昌平州。甲申傳信録。甲辰，黎明，昌平陷。明季北略。賊分兵掠通州糧儲。明史紀事本末。賊犯十二陵，焚享殿，伐松柏，自西山連營達沙河，無隙地。是夜賊自沙河而進，直犯平則門，城外三大營皆潰降。十七日，賊分兵東至高碑店，西薄西直門。甲申傳信録。十八日，早，黄沙障天，忽而淒雨苦風，良久，冰雹雷電皆至。明季北略。午刻雨止。綏寇紀略補遺。賊駕飛梯攻西直、平則、德勝三門，甲申傳信録。旋攻彰義門甚急。綏寇紀略補遺。申刻，太監曹化淳啟門迎賊，賊遂入。攻内城，德勝、平則二門亦隨破。十九日丁未，五鼓，賊攻正陽門，未克；黎明，齊化、阜成、宣武、正陽各門同時俱啟，内城陷。帝登萬歲山之壽皇亭，自經於海棠樹下。賊入城内者，悉登城。是時，自成騎兵破西直門，馳至西華門。宋獻策導自成以午刻由德勝門入。先是，叛監杜勳從德勝門射書約降，故開門以待。甲申傳信録。二十日，賊盡放兵馬入城，亂入人家，望高門大第，卽入據之。明季北略。李自成入宫，問帝所在。大索宫中，不得。明史紀事本末。二十一日，得先帝音問，縊於煤山。賊遣太監市柳木棺，枕以土塊，停於東華門外。二十三日，改殯先帝、后，出梓宫二，設祭一壇。順天府僞府尹行昌平州，撥夫造壙，於四月初四安葬。明季北略。四月二十二日，吴三桂追賊於永平，賊奔竄還京師，毁京城外民居數萬間，并夷牛馬牆，稍遲者殺之，凡數萬人。三桂兵壓城。自成合兵一十八營以拒戰。三桂進攻之，連拔其八寨，斬首二萬。明史紀事本末。二十九日酉戌之間，逆闖擁大兵出前門，止留殘卒數千在内放火。三十日，天明，宫殿及太廟俱被焚毁。午間，九門亦火，止留大明門及正陽門、東西江米巷一帶未燒，蓋賊留一面出路也。明季北略。賊馬騾俱重載，日行數十里。明史紀事本末。其僞都尉帥賊衆入涿，括富室金，州人朱光祚與兄延祚糾勇士王樂善、張應斗等，衷甲厲兵，急趨賊所，殲其類無遺，率衆登陴固守。會自成薄城下，張應斗發西洋礮，中黄蓋，自成驚墜馬，怒甚，誓破城盡屠之。而我大清兵追至，賊衆奔散，涿州吴志。盡棄其輜重婦女，自盧溝至固安百里，盔甲衣服盈路。明史紀事本末。

國朝

順治元年五月朔，攝政親王多爾袞帥師入燕京。范文肅事略。都統石廷柱、巴顔等勦滅昌平土賊。滿洲名臣傳。四年四月，昌平土賊韓顛克糾衆爲亂，順天巡撫耿焞檄副將張鎮等統兵勦滅其衆。漢名臣傳。五年，命梅勒章京羅璧，勦霸州一路土寇。東華録。秋，大飢，妖賊劉東坡肆掠渾河左右。十月，寇東安，時邑令詣會城，賊攻城急。典史陶宏才率軍民三百餘人，突西門而出，奮勇擊賊。賊益兵攻城。宏才追至落垡村西坂，被執，遂自剄。知縣塗應旗請兵勦滅之。東安李志。六年七月，土寇陷保定縣城，保定成志。淀賊蜂起，環攻文安，文安楊志。總兵魯國男滅之。霸州朱志。

嘉慶十八年七月壬午，駕幸木蘭。天里教匪大興林清，於九月十五日，使其黨二百餘人，由宣武門潛入内城，分犯東華、西華門。東華門甫入數賊，卽爲護軍闔門格拒，奔散。其由西華門入者，八十餘賊，反關以拒官兵。賊得内監鄉導，已知大内在西，而誤由尚衣監文頴館斬關入，侍衛急閉隆宗門，賊至不得入。總管太監常永貴，縛由東華門先入之二賊於蒼震門。皇子等在上書房聞變，皇次子急命進撒袋、鳥銃、腰刀，命諸太監登垣以望。俄有手白旗攀垣將踰養心門入者，皇次子發鳥銃殪之，再發，再殪，賊乃不敢越垣而進，將火隆宗門，而留守京師諸王大臣率禁兵自神武門入衛，敗賊中和殿門外，先後就禽，並禽通賊諸内監。十七日，禽林清於黄村。十九日，駕還宫，御瀛臺，親訊首逆及通賊太監，皆磔之，傳首畿内。聖武記。

咸豐三年，粤匪竄入直境，以科爾沁親王僧格林沁爲參贊大臣，統察哈爾暨京營兵駐涿州南關，相機進勦。涿州續志。八年，重修大沽礮臺，因將大沽迤北之北塘礮臺，亦加修補。五月十七日，暎咭唎兵船抵大沽口外。二十五日，兵船十餘隻，連檣而進，遽樹紅旗，直闖河口。直隸提督史榮椿在南岸中礮臺駐守，副將龍汝元在北岸前礮臺駐守，奮勇先登，親然巨礮，擊中夷船。榮椿等先後中礮亡，合營悲憤，勇氣百倍，擊沈英船多隻，傷斃英兵數百名。米利堅旋由北塘進口，互換和約。甯河丁志。十年八月，英、法兵自北塘登陸，通州、武清均被擾犯。勝保戰於八里橋，敗績。圓明園火。通州高志。

同治六年，捻匪由山西竄直隸，兵部侍郎恩承統帶神機營兵駐涿州南關防勦。涿州吴志。歲歉，梟匪乘機煽動。六月初，擾永清境，燒毁民居，十月二十八日，突入李家口等村，大肆焚掠。永清續志。

華陽吴祖椿校

故事志四

學派

黄岡洪良品纂　江陰繆荃孫覆輯

商瞿受易聖門，三傳而得周醜子家，是爲北學之始，韓詩、盧禮並峙，兩京授受淵源，迄今可數。我朝隆儒崇道，魁士輩出，京師爲首善區，聖教之所涵濡，經師之所傳述。王或庵衍顔、李之緒，朱笥河紹許、鄭之宗，枝系師承，彬彬盛矣。體例略仿宋元學案，節録精義，具見宗旨，事蹟詳於人物，著述録於藝文，兹不復述。志學派。

燕

周醜

燕周醜子家，宋翔鳳過庭録云：當爲六國時人。

自魯商瞿子木受易孔子，以授魯橋庇子庸，子庸授江東馯臂子弓，子弓授燕周醜子家，子家授東武孫虞子乘，子乘授齊田何子裝。漢儒林傳。按：史記、孔子弟子傳，作瞿傳楚人馯臂子弘，弘傳江東人矯子庸疵，疵傳燕人周子家豎，豎傳淳于人光子乘羽，羽傳齊人田子莊何。授受不同，姓名亦異。荀氏漢紀，陸氏釋文序録並同漢書。

漢

易—韓嬰—孫商—韓生

嬰見先賢傳。

韓生亦以易授人，推易意而爲之傳。燕趙間好詩，故其易微，唯韓氏自傳之。後其孫商爲博士。孝宣時，涿郡韓生其後也，以易徵待詔殿中，曰：所受易，卽先太傅所傳也。嘗受韓詩，不如韓氏易深，太傅故專傳之。漢儒林傳。

七日來復傳云：極六位而反於坤之復，其數七日，其物陽也。漢上易傳。朱子發云：京房曰：六爻，反復之稱。陸績注京房易傳曰：六陽涉六陰。又七爻在初，故稱七日，日，亦陽也，與此義同。

九二井谷射鮒傳云：井中蝦蟇，呼爲鮒魚。正義。朱子發云：井爲五月之卦，螻蟈鳴，故曰蝦蟇。荃孫按：子夏易卽韓氏易，說見藝文。

詩—韓嬰

嬰推詩人之意，而作內外傳數萬言，其語頗與齊魯間殊，然歸一也。淮南賁生受之。（漢儒林傳。）韓嬰之書，今但存其外傳，非嬰傳詩之詳者。而其遺詩，時見於他書，與毛之義絕異，而人亦不信。去聖既遠，誦習各殊，至於考風雅之正變，以知王政之興衰，其善惡美利，不可不察焉。（歐陽脩文集。）

漢志十篇，內傳四，外傳六。隋止存外傳析十篇，其及於經蓋寡，而其遺說往往見於他書，如逶迤、郁夷之類，其義與毛詩不同。（晁公武讀書志。）

外傳雖非其解經之詳，斷章取義，要有合於孔門商、賜言詩之旨。況文辭清婉，有先秦風，學者安得不宗尚之！（元錢惟善外傳序。）

韓嬰處乎漢孝文之世，遭秦火絕學之餘，迺能衍詩作傳，命意布詞，一倣孔門之文。凡諸詩言約旨遠者，悉肆力極致，上推天人之理，下及萬物之情，以盡其意。文則嚴整簡古，厲世範俗，皆順於道，宛然聖門家法。（元陳明外傳序。）

盧植
- 劉德然
- 蜀先主
- 高誘

植、誘見先賢傳。

盧植與鄭元俱事馬融。能通古今學，好研精而不守章句，作尚書章句、三禮解詁。後漢書列傳。荃孫按：三禮應作禮記，説見藝文。

先主姓劉諱備字元德。年十五，母使行學，與同宗劉德然、遼西公孫瓚，俱事故九江太守同郡盧植。蜀志。

漢末，涿郡高氏誘，少受學於同縣盧侍中子幹。嘗定孟子章句，作孝經、吕氏春秋、淮南諸解，訓詁悉用師法。盧見曾戰國策序。

臣少從通儒故南郡太守馬融受古學，頗知今之禮記，特多回穴，臣前以周禮諸經發起粃繆，敢率愚淺爲之解詁，而家乏無力供繕寫，上願得將能書生二人共詣東觀，就官財糧，惠心研精尚書章句，攷禮記得失，庶裁之聖典，刊正碑文、古文科斗，近於爲實，而厭抑流俗，降在小學。中興以來，通儒達士班固、賈逵、鄭興父子并敦悦之。今毛詩、左氏、周禮，各有傳記，其與春秋相表裏。宜置博士，爲立學宫，以廣聖意。後漢列傳。

誘尤精音讀，其解吕氏春秋、淮南二書，有急氣、緩氣、閉口、籠口之法，蓋反切之學，實始於高氏，而孫叔然（炎）在其後。戰國策序。

魏

盧景裕—弟辨

景裕、辨，見先賢傳。

魏末大儒徐遵明門下，講鄭玄所注周易。遵明以傳盧景裕，景裕傳權會、郭茂，權會早入鄴都，郭茂恆在門下教授，其後能言易者多出郭茂之門。北史儒林傳序録。

盧辨博通經籍，以大戴禮未有解詁，乃注之。其兄景裕謂曰：昔侍中注小戴，今爾注大戴，庶纂前脩矣。周儒林傳。

景裕注周易、尚書、孝經、論語、禮記、老子，其毛詩、春秋、左氏未訖。齊文襄王入相，於第開講，招延時儁，令景裕解所注易。景裕理義精微，吐發閑雅，時有問難，或相詆訶，大聲厲色，言至不遜；而景裕神彩儼然，風調如一，從容往復，無際可尋，由是士君子嗟美之。魏儒林傳。

元

趙復—┬王粹
　　　└趙矩

復、粹，均見僑寓傳。

復至燕，以所學教授學子，從者百餘人。楊惟中建太極書院，請復講授其中。復以周程而後，其書廣博，學者未能貫通，乃原羲、農、堯、舜所以繼天立極，孔子、顔、孟所以垂世立教，周、程、張、朱所以發明紹續者，作傳道圖，而以書目條列於後。樞退隱蘇門，以傳其學，由是許衡、郝經、劉因皆得其書而崇信之，學者稱之曰江漢先生。宋元學案九十。

王粹、郝經，江漢學侶。宋元學案九十。

趙矩字義臣，大都人也，魯齋弟子，南樂縣尹，勸農養士，稱循吏。宋元學案九十。

郝經——弟庸
　　　——荀宗道

經，見僑寓傳。

經上溯洙泗，下追伊洛，諸書經史子集，靡不洞究，慨然以羽翼斯文爲己任。撰續後漢書、易、春秋外傳等，於經術尤深。元史本傳。

先生誌元遺山墓云：先生與家君同受業於先大父，經復逮事先生者有年。又爲渾源劉先生哀辭，謂：嘗奉杖履。則先生遞及元、劉之門。又閱其上紫陽先生論學書，蓋嘗問學於楊氏。又有與漢上先生論性書，及北平王子正先生論道學書，則復並接江漢之傳矣。（宋元學案九十。）

嘗聞之師：讀易者當先讀繫辭，其次説卦、序卦、雜卦，其次讀乾、坤二卦，既精且熟，然後讀屯、蒙諸卦，此學易之序也。蓋意言象數之本皆在於是矣。故取太極一章以爲學易之標準，類繫辭、文言、説卦、彖、象之名義，探諸太極之前，而演其隱；徵諸太極之後，而演其顯。問津洙泗，以及河洛，徧參諸儒，庶幾數年之後，可以學易，觀道易神之髣髴，不失吾身之極焉。（太極演自序。）

今自聖經之外，求聖人所以制作之本原，各從其類而爲之説。始於心法制作，次之言聖人制作之意，不在於史氏之迹，皆斷自聖心也。其次言託始寓終之意，其次言爲經立名之意，其次言卽用魯史之意。春秋之義以王道行王權，以王權正名分也，故又次之。其法則變周制，上以尊王室，内以正魯國，外以治諸侯，故又次之。春秋之中，其事則五霸，五霸桓文爲盛，故以桓公爲首，晉文次之，秦穆、楚莊、宋襄又次之。晉、楚更霸，而陳、鄭叛服，爲中國之輕重，故陳、鄭又次之。中國之衰，吳、越遂霸，故吳越又次之。中國之所以微，由夷狄之横也，吳越則進於中國，而夷狄則終於夷狄，故夷狄又次吴越也。諸侯之衰，政在大夫，而春秋終矣，故大夫又次之。而後舉其要義，正其名號，別其爵命，辨其倫類，定其次敘，而謹其始，聖人始以心法變文制作，至是則王法成矣，故終之以王法。共三十一篇。始爲升天之階、望道之門耳。春秋制作本原自序。宋興以來，諸儒疊出，各爲作傳，以明聖人之旨，莫不自以爲孟軻復出，而其義例殆皆不能外乎三傳，而每以三傳爲非。夫聖人不欺天下後世，作爲六經，確然如乾，隤然如坤，易簡示人，而天下之理得。故本之易以求其理，本諸書以求其辭，本諸詩以求其情，本諸禮以求其制，本諸語、孟以求其説，本諸大學、中庸以求其心，本諸左氏以求其跡，本諸聖人之經以求其斷，則春秋不我欺也，不我蔽也，聖人之意可見，而三傳之傳之、自之、本之，差得矣。春秋三傳折中自序。

苟宗道，字正甫，保定人，郝伯常門人也。伯常使宋，宗道弱冠從往，爲書佐，及歸，竟以儒名。官至國子祭酒。宋元學案九十。

國朝

王源—子兆符

源見先賢傳。

崑繩遇李先生恕谷於京師，大悦之，曰：自繼莊没，豈意復見君乎！恕谷微言聖學，先生聞之沛然，因持大學辨業去是之，恕谷乃爲極言顔先生明親之道，先生曰：吾知所歸矣。遂介恕谷往博野，執贄顔先生，時先生五十有六矣。顔氏學記。

著平書十卷，一曰分民：謂士農工商以分之，甲保鄉以合之，立鄉官，曰正，曰畯，曰巡以治之，而奸民、游食、異端，則變之、除之也。二曰分土：謂使郡縣久任，而重其權，縣統於府，府統於藩，其地域則因山川定其幅員，不使相懸。三曰建官：謂内官設府，公、卿、冢宰、御史、成均也。設部，農、禮、兵、刑等六部也。設院，通政、黄門也。設衛，金吾、羽林也。設司，歷、象、醫、卜之類也。外官則藩、府、縣，縣有堂，縣令、縣師也。有曹，六曹也。有司，亦醫、卜之類也。府、藩皆如之，而異其名。其銓選，則以一涂爲升降，不襍以他涂。如縣令轉至相國，而其官止；縣師轉至大司成，而其官止；縣曹、理農者轉至大司農，而其官止；縣醫官轉至京師醫官，而其官止之類也。别其賢否爲舉錯，不以年勞限之。天子考相國，相國考卿貳以及州藩，下則各考其屬，外巡按御史劾之，内外史府、黄門院劾之。三年一考，九年三考，或陟、或留、或黜，而又有不時舉劾者，不論年勞也。四曰取士：八歲入鄉學，教之孝弟、幼儀、識字、習數、讀經書、習小樂舞；十五入縣學，教之六德、六行、六藝、閲史、陳策；二十後教成，進之郡學，教之三月，試之，又進之藩學；如之，進之成均；如之，遣歸縣，謂之太學生。分科以爲士，曰禮儀，曰樂律，曰歷法，曰兵政，曰農政，曰刑罰，曰藝能，曰理財，曰兼科，分之各四者，三年習，習厥事乃實授之職，曰下士，予之禄，官以此爲始。五曰制田：議均田，開水利也。六曰武備：兵制、兵法也。七曰財用：論積粟、錢法、鹽法、商税也。八曰河淮：治水也。九曰刑罰：謂復墨以罪贓，復刖以罪盜，復宫以罪淫也。十曰禮樂：移風易俗也。顔氏學記。

源生平最服姚江，以爲孟子之後一人。聖人之道體不異，而用則因時以制變。征誅之變揖讓，時耳。假令孔、孟生漢、唐以後，其所以禁奸而禦暴者，必不肯泥三代之成規。至於晉之清言，宋之理學，爲奸雄竊笑久矣。蓋宋儒之學，能使小人肆行而無所忌，束縛沮抑天下之英雄不能奮然以有爲，故使程、朱遭宸濠之亂，必不能定之掌握之上，而濠以梟雄之姿，挾藩王之重，負異志既久，擁衆二十萬，一旦竊發，順流直掩金陵；乃不終日而談笑平之，是豈徒恃語言文字者所能辨！乃今之謗之者，謂其事功聖賢所不屑也，其學術爲異端，不若程、朱之正也。其心不過欲蔑其事功，以自解其庸闒無能爲之醜，尊程、朱以見已之學問切實，而陰以飾其卑陋不可對人之生平。内以自欺，外以欺乎天下，孰知天下之人之不可欺，而祇自成其爲無忌憚之小人哉！源幼隨先人，播越江淮，與先兄汲公同受業梁鵠林先生之門。先生講學，源兄篤志力行，源性苦拘束，爲兄所責。源曰：爲豪傑不亦可乎？何必道學！源第矢三言，無負生平耳。兄問之，曰：忠孝以事君親，信義以交朋友，廉恥以厲名節。兄瞿然白之師。師笑而置之。後見易堂魏叔子先生，其言大與愚見合。故生平議論間，竊易堂緒餘，而酷喜談兵，講究伯王大略，物色天下偉人奇士而交之，乃卒歸於無用。今父兄皆没，源且浮沈於世，未知所税駕。苟得大賢焉，爲之依歸，復何恨乎！聞先生著述甚富，皆體用兼備之書，恨未之見。竊謂後世之治天下，當首嚴詐僞之禁，如太公之誅華士，孔子之誅少正卯，凡爲虚言以欺天下而盗名者，悉焚其書而寘之法。明先王之道，教天下不言而躬行，卿大夫率於上，士民遵於下，摯慤果毅，敦篤乎倫常，而講求實學，一洗語言文字惡習，反風俗於淳朴，則三代庶可復乎。未審先生之意與之合焉否也？（與李中孚先生書。）

伯夷曰：黄農、虞夏，忽焉没兮，我安適歸矣！遥遥千古，孔、孟不作，將何所適從焉？源所以不得已置道學之説，但欲以忠孝廉節爲本，而以經濟文章立門户，上之北面武鄉，而希其萬一，下則與陳同甫並驅而争先，此則區區之夙志也。乃自落第後，孰讀李剛主大學辨業，而翻然悔，勃然興矣。又介剛主受業於顔習齋先生之門，而慨然以斯道爲任矣。蓋孔、孟所傳二帝三王修己治人之道，備於大學一篇。格物者，大學之始事也。程、朱之釋格物也，上極於性天，而下盡於草木，非高遠則汗漫。陽明意在致良知，其釋格物也，一以爲正事物，一以爲去物欲，非修身之事，則誠意之功，皆於格物之義無當。格物者，大學之始事也，格物不明，而明親之功何由實乎？明親不實，何由止至善，而修己治人之道以傳乎？此孔、孟之學之所以亡，而後儒學術支離龐襍，使人不得其門而入也。今其言曰：物非他，卽大司徒教萬民而賓興之，之三物也。格物非他，卽學習六藝，以成其德與行也。蓋德行之實事，皆在六藝，而六藝要歸一禮，故孔子謂非禮不動，所以修身教顏子以克己復禮爲仁。又曰爲國以禮，故學禮卽格也，致也，約禮卽誠、正、修也，齊、治、平也。小學、大學，由淺入深，師以此教，弟以此學也，士以此造，才以此取也，士大夫之學出於此，君相之學亦出於此也。明明德、親民由於此，止至善卽由於此也。豈以誦讀爲事，靜坐爲功乎！豈寘道藝之實務，舍下學而躐等以言性天乎！又引馮應京之言曰：人之參天地者，六德也。德之見於世者，六行也。行之措於事者，六藝也。先王之設庠序學校，唯五禮、六樂、五射、五御、六書、九數爲孜孜，而德行備乎其間矣。旨哉言乎！切實而可據，簡易而可循，非學記所謂大學之正業，而確然入道之門哉！源故心服而誠服焉。矢之先聖而相助，明行斯道爲任，學禮以立其綱。内而身心動靜，一致加功，不入空虛，不流泛濫；外而實究專精經世之務，不騖夸誕，不事繁瑣。置省身録，時刻自檢，以驗其功之淺深進退。發憤刻厲，務抵於成，一息尚存，不容稍懈。苟得以餘年進德修業，入孔、孟之門牆，追明親之實境，得志行乎天下，不得志傳於後世，使自嬴秦毀滅，漢、唐訓詁僅存，宋、明表章未盡之道，一旦而復明於天下，則其德與功之所立，與僅以經濟文章自見者何如！與方靈皋書。

立國之道五：曰德，曰法，曰武，曰教，曰文。義得之，仁守之，曰德。立紀綱，明政刑，使奸宄不作，賢才舉而民生遂，曰法。武者，戡亂克敵，威立而民服也，天下雖安，不忘戰也。教者，人倫禮樂。文者，華飾詞章也。五者備，則德足以懷天下，法足以守天下，武足以威天下，教足以化天下，文足以柔天下，三代是也，故其享國各六七百年。而周以文勝，故其後寖弱。儒者之論曰：聖王之治天下，不任法而任德，左武而右文。烏呼！秦、隋滅德作威，固所以速取滅亡，若宋藝祖削平僭亂，使海内得離戰爭之苦，真、仁相繼數十年，深仁厚澤，德可謂隆矣。徵道德之士，用詞臣，教至而文盛矣。乃當其盛，屈首遼、夏，含耻忍辱，暨青城之役，舉族北轅，豈文德有不足，與法不善？武備不修所致也！且天下之生久矣，世既變，所以治世之具不得不與之俱變，干戈以易揖讓，聖人所以治三代之世者，已不同於唐、虞。而或者乃於千餘年之後，鰓鰓然據遺文，以爲畫衣冠、異章服而民不犯，舞干羽可以克敵，於是講法令則以爲申、韓，論設險則曰在德不在險，談兵法則深疾痛惡，而以爲民之賊。而其所恃以治天下之具，則訓故詩書，談性命，委悉周詳於緐文曲貌。烏呼！世風日下，亂臣賊子愈出而愈險，國家之患愈出而愈烈，唯法以制之，威以讋之，使之形格勢禁而不得爲亂，各安其所而不必爲亂，震懾畏伏而不敢爲亂，如此而已。若徒恃區區儒者之論以治天下，必四海之内，荒服之外，盡爲善良而後可，否則，揖讓而治豹虎，推赤心以化蛇豕，其不害於家國者幾何哉！吾謂三代而下，立國最善者莫如漢，高、光救民水火，文、景、明、章休息愛養，其德也；刈羣雄，誅暴亂，其武也；尊儒術，崇孝弟，搜遺經，其教也，文也。至於掄才不分文武，任賢不拘資格，蕩軼簡易，使人人得以盡其才，其立法之尤善者，夫豈唐、宋所得及與！然唐之德固無愧於漢，文武分而武臣未嘗不重，後代綱紀雖弛，而人才未嘗不得盡其用，又豈可與宋之孤立微弱，文法密而武備弛者同日論哉！要之，德不足以懷天下，國雖强，民必叛；法不足以守天下，武不足以威天下，德雖厚，國必削；三者備矣，而教不足以化天下，勢雖固而倫紀不修，人或近於禽獸，四者備，則治國之道全矣，文者其餘耳。至於魏、晉、南北朝、五代之君，四者俱失，而僅存其文，或獨用其武，或五者俱失，故其亡也，或數十年，或數年。而北魏立國最强，雖無大功德於民，而君臣代有賢人，故享國獨久。及至孝文，修明禮樂，粲然稱極盛，而魏氏之衰，卽基於此。嗟呼！後之君臣，徒欲以文治天下，亦安見賦詩可以退敵，而大學章句足解厓山之禍也乎？吾故爲之說曰：爲天下者，德以爲本，而法與武、教與文輔之，五者之中，不急者唯文也。四者闕一，不可以爲國矣，不急者唯文也。立國論。

黃叔琳—弟叔璥

叔琳、叔璥，見先賢傳。

叔琳督學山東時，毅然以興賢育才爲己任，捐修三賢祠於泰山之麓，奉宋胡安定、孫明復、石徂徠，歆薦如舊，俾學者知所景從。又興復白雪、松林兩書院，延師儒，選才儁，捐備膏火，造士多窮經敷用之英，翕然稱盛。北學編。

甲戌秋，叔琳行年八十有三，授尹嘉銓史通訓故補注，嘉銓讀至疑古、惑經二篇，請於叔琳，欲取昌黎削荀、楊不合聖籍之義，酌爲節删，毋致貽誤來學。叔琳怡然從之，且作後序以志過。尹嘉銓黃崑圃傳跋。

叔璥則嚴厲自持，其學以立誠爲本，要其功於篤敬。晚號篤齋以自勗云。北學編。

朱筠—弟珪

筠、珪，見先賢傳。

笱教士有式，謂士必先治經，治經必先通文字訓詁。周公作爾雅，釋詁居首；保氏教六書，説文僅存。於是班布許氏説文解字，使學官子弟知所誦習，故其從之者皆誦説前訓，敷揚經術，彬彬然稱雅徒也。文獻徵存録。

夫許君之爲書也，一曰：世人詭更正文，鄉壁虚造，不可知之書；一曰：諸生競説字解經，誼稱秦之隸書爲倉頡時書；一曰：廷尉説律，至以字斷法，皆不合。孔氏古文謬於史籀，恐巧説衺辭使學者疑，於是依據宣王太史籀大篆十五篇、丞相李斯倉頡篇、中車府令趙高爰歷篇、太史令胡毋敬博學篇、黄門侍郎揚雄訓纂篇諸書，又雜采孔子、楚莊王、左氏、韓非、淮南子、司馬相如、董仲舒、京房、衞宏數十家之説，然後成之。又曰：必遵舊文而不穿鑿。又曰：非其不知而不問。蓋其發揮六書之指，使百世之下猶可以窺見三古制作之意，固若日月之離天，江河之由地。其或文奥言微，不盡可解，亦必明者之有所述，師者之有所授。後學小生區聞陬見，不得而妄議已。易曰：書不盡言，言不盡意。嗽其大要，約有四耑：一曰：部分之屬而不可亂。叙曰，其建首也，立一爲端。據形聯系，引而申之，以究萬原，畢終於亥。是以徐鍇作繫傳，有部叙二卷，本易叙卦傳，爲之推原偏旁所以相次之故，使五百四十部一字不紊。今起東既疑韻書，而比類又從字體，便於檢討，實昧聲形。自李燾之五音韻譜作，而部分紛然自亂其例矣。一曰：字體之精而不可易。夫篆本異文，而今同一首者，奉、奏、春、秦、泰是也。篆本同文，而今異所從者，⿺辶从、從、𨑢、徒是也。賊之从戈，則聲，而改从戎；賴之从貝，剌聲，而改从負，半譌也。䑞之爲舜，壷之爲壺，⿶凵乙之爲曲，⿸广爵之爲爵，全譌也。以气化之气當乞，而氣牽之氣遂當气，於是有俗餼字；以萎飼之萎當餧，而飢餧之餧當萎，於是有俗餒字，此因一字以譌數字者也。匈已从勹而又从肉，州已从川，而又从水，既重其類；垔从土而又土，蜀从虫而加虫，又重其从，此并二字以譌一字者也。从者失从，滋者不滋，自隸一變之，楷再變之，而字體莫之辨識矣。一曰：音聲之原可以知。⿱囟晨之从晨，囟聲，玉篇：囟，窗同。考工記：匠人四旁兩夾窗，窗一音悤。徐鍇以爲當从凶乃得聲，非也。移之从禾，多聲，古音戈多反，楚辭：夫聖人者，不凝滯於物，而能與世推移；舉世皆濁，何不淈其泥而揚其波？徐鍇以爲多與移聲不相近，非也。能之足似鹿，从肉，㠯聲，古音奴來反，詩：其湛曰樂，各奏爾能，賓載手仇，室人入又，酌彼康爵，以奏爾時。徐鉉等以爲㠯非聲，疑象形，非也。擿之从手，啻聲，陟革反，去聲則陟寘反，啻與商同文，擿與適同聲。詩：勿予禍適，稼穡匪懈。徐鉉等以爲當从適，省乃得聲，非也。此音聲之可據者也。一曰：訓詁之遺可以補。易：其牛觢。觢，一角仰也。爾雅：皆踊觢。郭注：今豎角牛也。書：西伯既⿰今戈黎。⿰今戈从戈，今聲，殺也，不當作戡。戡，刺也。詩：深則砅。砅从冰，从石，履石渡水也。在彼淇厲，蒙梁而言。亦此訓也。得此䵶黿，䵶，一爲鼀，鼀黿，詹諸也。縞衣綥巾，綥从糸，畀聲，未嫁女所服，處子也。周禮：兆五帝於西郊。兆，畔也，爲四時界祭其中也。春秋傳：修涂梁溠。溠，荆州浸也。職方氏豫州：其浸波溠。鄭注春秋傳曰：楚子除道梁溠。則溠宜屬荆州，在此非也。闕砮之甲。砮，水邊石也。論語：小人窮斯㜮矣。㜮从女，監聲，過差也。孟子：呭呭猶沓沓。呭呭，多言也。沓沓，語多沓沓也。所謂言，則非先王之道也。爾雅：西至汃國。謂西極。汃从水，八聲，西極之水也。廣韻：汃，府巾切，西方極遠之國。又普八切，西極水名也。不當作邠。邠，周大王國也。此詁之可據者也。部以屬之，體以別之，音以審之，訓以絜之，文字之事加諸蔑矣。後之非毀許君者，或摘其一文，或泥其一說，歷代以來，不量與撼，要無足論。惟近日顧氏炎武，修紹絕業，學者所宗，而於是書亦有不盡然之言。竊恐瞀說附聲，信近疑遠，是不可以不辨。今如所舉秦从禾，以地宜禾。宋从木，爲居。辥从辛，爲辠。威爲姑。也爲女陰。殹爲擊聲。困爲故廬。普爲日無色。貉之言惡。犬之字如畫狗。有日不宜有，褱爲解衣耕。弔爲人持弓。會敺禽辱，爲失耕時。臾爲束縛捽抴。罰爲持刀罵詈。勞爲火燒門。宰爲辠人在屋下執事。冥爲十六日，月始虧。荆爲刀守井。凡此諸說，皆始造文字，取用有故，必非許君之所創作。書契代遠，難以强說，復不當删。是以觀象闕文之訓，明著於叙，豈得以勦說穿鑿，横暴先儒乎！至若江別汜洍，曷殊擘己，逑救各引，載旆爲坺，當時孔壁古文未亡，齊魯韓三家之詩具在，衆音雜嗽，殊形備視，豈容廢百舉一，去都卽鄙耶！又言：別指一字，以鎦當劉，以甹當由，以絻當免。此說亦非。按本書之例，从某者，有其部也；某聲者，有其字也。瀏之从水，劉聲；紬之从絲，由聲；勉之从力，免聲，俱著於篇。乃知書闕有間，傳寫者之過，謂別指一字以當之者，繆矣。記曰：今人與居，古人與稽。居不當，爲法古乎？易曰：是興神物，以前民用。用不當，爲法古乎？費誓之費，改爲粊，訓爲惡米。按：陸德明經典釋文，曾子問，注作粊誓。粊音秘，鄭君說也。童爲男，有辠，按易：喪其童僕。作童，至僮之字，國語：使僮子備官，而未之聞。韋昭注：僮，僮蒙不達也。史記樂書：使僮男、僮女七十人俱歌。本書叙尉律，學僮十七已上，亦同。當知僮子之僮，从人，辠人爲奴者，正作童也。訓參爲商星，乃連大書讀，參商星也。卽如水部，河水出焞煌塞外、泑澤在昆侖下之例，明參與商同爲星，非參商亦不知也。其引齊之郭氏及樂浪事，古人往往隨事博徵，不拘拘一說也。至援莽傳及讖記，以劉之字爲丣金刀，謂許君脱其文。按：劉之字从刀，从金，丣聲，丣，古酉字，非丣也。讖記不可以正六書。後漢書光武紀，論王莽以錢文有金刀改爲貨泉，或以貨泉字爲白水真人，於篆貨或近真人，泉豈得爲白水耶？五行志：獻帝初，僮謡曰：千里草，何青青。十日卜，不得生。以千里草爲董，十日卜爲卓。按重字从壬，東聲，非千里草。早字爲日在甲子，非十日卜。又可據以爲證乎？又援魏太和初，公卿奏於文，文武爲斌。古未嘗無斌字，按彬字从彡，从林，爲文質，備文武之字，經典闕如，不知所从，無以下筆，徐鉉列之俗書是也。又可據魏以疑漢乎？凡顧氏所説，皆不足以爲許君病，輒附疏之，用詔學者。重刻説文解字序。

華陽吴祖椿校

故事志五

祥異

黄岡洪良品纂　江陰繆荃孫覆輯

劉知幾曰：災祥之作，以表吉凶。古之國史，聞異則書。見於春秋，其事非一。顧北燕之名，亦列魯史，而告災無徵。史記鄒陽傳：荆軻慕燕丹之義，白虹貫日，太子畏之。此一隅徵異之始。自漢興儒者，攷洪範，釋陰陽，班固以五行編而爲志，歷代因之。兹編斷自漢初，迄於昭代，九水七旱，堯、湯不免，拱穀雊雉，中高迺警，斯亦修省之一鑑云。志祥異。

漢

文帝三年秋，大雨，晝夜不絶三十五日。燕壞民室八千餘所，殺三百餘人。漢五行志。征和二年春，涿郡鐵官鑄鐵，鐵銷皆飛上去。漢五行志。元鳳元年，燕城南門災。漢五行志。燕王都薊，大風雨，拔宫中樹七圍以上十六枚，壞城樓。漢五行志。九月，燕有黄鼠銜其尾，舞王宫端門中。王往視之，鼠舞如故。王使吏以酒脯祠，鼠舞不休，一日一夜死。漢五行志。有烏與鵲鬭燕王宮中池上，烏墮池死。漢五行志。燕王宮永巷中，豕出圂，壞都竈，銜其鬴六七枚置殿前。漢五行志。虹下屬燕王宮，宮中井水皆竭。漢紀。

後漢

建武中，潞縣火，災起城中，飛出城外，燔千餘家，殺人。後漢五行志。永元二年春二月壬午，日食，時史官不覺，涿郡言之。東觀漢記。延光四年秋七月乙丑，漁陽城門樓災。後漢五行志。中平二年二月癸亥，廣陽城門外上屋自壞。後漢五行志。

魏

景初元年十月壬申，太白晝見在尾，歷二百餘日，恒晝見。占曰：尾爲燕，有兵。晉天文志。

正始元年十月乙酉，彗星見西方，在尾，長三丈。占曰：尾爲燕。晉天文志。

晉

咸甯二年，木連理生燕國。宋符瑞志。太康元年四月庚午，范陽縣雨雹。宋五行志。六年三月，幽冀郡國旱。晉五行志。七年六月，木連理生范陽。宋符瑞志。九年，幽州塞北有死牛語。晉五行志。幽州有犬，鼻行地三百餘步。晉五行志。元康四年，居庸地裂，廣三十六丈，長八十四丈，水出。晉五行志。永甯元年，自夏及秋，青、徐、幽、并四州旱。晉五行志。光熙元年五月，范陽國地然，可以爨。宋五行志。永嘉四年夏五月，幽、并、司、冀、秦、雍等六州大蝗，食草木、牛馬毛皆盡。晉懷帝紀。永昌二年十二月，幽、冀、并三州大雨。晉五行志。按：宋五行志作三州大雪。太甯元年十二月，幽、冀、并三州大雪。晉五行志，宋五行志。咸康八年十月，燕國白狢見。宋符瑞志。永和八年六月辛巳，日未入，有流星大如三斗魁，從辰巳上東南行，推之在箕斗之間，燕分也。晉天文志。十年四月癸未，流星大如斗，色赤黄，出織女，没造父，有聲如雷。占曰：燕齊有兵，百姓流亡。晉天文志。

前秦

幽州蝗，廣袤千里。鄭樵通志。

後燕

太元九年，幽、冀人相食。晉書符堅載記。太元十八年二月，客星在尾中，至九月乃滅。占曰：

燕有兵喪。晉天文志。

後魏

天興七年九月，温泉出於涿鹿，人有風寒之疾，入者多愈。册府元龜。泰常元年十月，范陽郡上言：木連理。魏書靈徵志。神䴥元年二月，甘露降于范陽郡。魏書靈徵志。九月，章武郡獻白兔。魏書靈徵志。太延元年，有鄗婦人，持方寸玉印，詣潞縣侯孫家，既而亡去，莫知所在。印有三字，爲龍鳥之形，要妙奇巧，不類人迹，文曰：旱疫平。文獻通考物異門。二年十一月丁亥，幽州地震。魏靈徵志。延興二年四月，幽州獻白鵲。魏靈徵志。承明元年九月，幽州民齊淵家杜樹，結實既成，一朝盡落，花葉復生。七日之中，蔚如春狀。魏靈徵志。太和五年，州蝗。魏靈徵志。七年十一月辛巳，幽州雷電，城内盡赤。魏靈徵志。十七年正月，幽州獻白雉。魏靈徵志，册府元龜。景明元年二月癸巳，幽州暴風，殺一百六十一人。魏靈徵志。四年六月，幽州獻三足烏。魏靈徵志，册府元龜。正始元年夏五月，幽州獻三足烏。魏靈徵志，册府元龜。三年六月丙申，安州霣霜。魏靈徵志。孝明帝延昌四年十二月，幽州獻白雉。魏靈徵志，册府元龜。熙平元年八月，幽州獻嘉禾，三本同穗。册府元龜。按：魏靈徵志作熙平二年。正光元年十月，幽州獻白烏。魏靈徵志，册府元龜。

東魏

天平三年八月，涿州隕霜，大飢。（涿州吳志。）武定元年七月，幽州獲白狐，以獻上。（魏靈徵志，冊府元龜。）

北齊

天保十年，幽州大蝗。（文獻通考。）

周

開皇八年四月，幽州人家以白楊木懸竈上，積十餘年，忽生三條，皆長三尺餘，甚鮮茂。（隋五行志。）大業四年，燕、代緣邊諸郡旱。（隋五行志。）

唐

武德九年七月，幽州慶雲見。（冊府元龜。）貞觀三年五月乙丑，幽州麟見。（冊府元龜。）十三年八月，幽州獻嘉禾，一莖九穗。（冊府元龜。）幽州桃谷山，地常有火。（文獻通考物異。）十五年十一月，幽州言：五色雲見。（冊府元龜。）龍朔二年夏四月，無終戍城火災，門樓及人家屋宇並煨燼。唯二精舍及浮圖并佛龕上紙簾、蘧蒢等，但有佛像，獨不延燒。（法苑珠林。）延和元年六月，幽州都督孫佺，帥兵襲奚。出軍之日，有白虹垂頭于軍門，其夜大星落于營内。幽州界内鵶烏鴟鳶等並隨軍去。朝野僉載。開元二年七月，蝗。三河陳志。二十二年八月，幽州奏：千秋節日有慶雲見于夷軍。又安次縣百姓家，産連理樹，及大麥一十八莖，穗秀兩歧。册府元龜。二十五年四月丁卯，幽州慶雲見。册府元龜。天寶九載八月，五星聚于尾、箕，熒惑先至而又先去，尾、箕，燕分也。新書天文志。天寶中，幽州謡曰：舊來誇載竿，今日不堪看。但看五月裏，清水河邊見契丹。新書五行志。建中元年，幽鎮、魏博大雨，易水、滹沱横流，自山而下，轉石折樹，水高丈餘，苗稼蕩盡。新書五行志。貞元八年秋，大水害稼。幽州平地水深二丈。涿、薊、檀等州皆深丈餘。新書五行志。十三年九月甲子，幽州奏：甘露降。册府元龜，祥驗集。長慶二年七月，幽州奏：道有李樹，兩根並生，相去七寸，連理，去地二尺，合爲一幹，向上一體，外分枝葉，高一丈三尺，有實二百二十一顆。文獻通攷物異門。寶歷二年春，范陽節度使朱克融獵鹿，膽中得珠如彈丸，黑色，初輭後硬，如石光明。祥驗集。開成五年夏，幽州螟蝗害稼。新書五行志。光啟元年正月，幽州坊谷，地常有火。新書五行志。大順二年六月乙酉，幽州市樓災，延及數百步。新書五行志，文獻通考。

五代

漢乾祐二年四月丁丑，幽州地震。舊五代史五行志。

後周

廣順二年，大水，安次流民入塞者四萬口。東安李志。

宋

太平興國七年七月，易水溢。宋太宗本紀。端拱元年三月，霸州大雨，雹殺麥苗。宋五行志。大中祥符元年，幽州旱。宋真宗紀。九年九月，雄、霸州界河泛溢。宋五行志。按：真宗紀作九月癸卯，雄、霸河溢。嘉祐元年六月，渾河決劉家莊隄。東安李志。二年，幽州地大震，大壞城郭，覆壓者數萬人。宋五行志。按：仁宗紀，二年下多四月丙寅四字。熙甯元年秋，霸州山水漲溢，保定軍大水害稼，壞官私廬舍城壁，漂溺民居。宋五行志。宣和五年，燕山府路旱。宋五行志。

遼

會同四年冬十月辛丑，燕薊大熟。遼太宗紀。慶歷三年冬，南京水。遼穆宗紀。統和元年九月丙辰，南京留守奏：秋霖害稼。遼聖宗紀。統和九年六月，南京霖雨傷稼。遼聖宗紀。九年，南京地震。遼聖宗紀。十一年七月己丑，桑乾河溢居庸關西，害禾稼殆盡，南京居民廬舍多墊溺者。

遼聖宗紀。十二年正月癸丑，朔，漷縣鎮水，漂溺者三十餘村。遼聖宗紀。三月己巳，涿州木連理。遼聖宗紀。開泰六年六月，南京諸縣蝗。遼聖宗紀。十月丁卯，南京路饑。遼聖宗紀。太平六年二月己巳，南京水。遼聖宗紀。景福元年七月庚戌，薊州饑。遼興宗紀。清甯三年七月甲申，南京地震。遼道宗紀。按：考異長編載，四月丙寅，契丹幽州地震，大壞城郭，覆壓死者萬人。與遼史所載日月，前後不同。十年，南京大熟。遼道宗紀。咸雍三年，南京旱蝗。遼道宗紀。四年七月，南京霖雨地震。遼道宗紀。十月，永清、武清、安次、固安諸縣水。遼道宗紀。太康二年二月癸丑，南京路饑。遼道宗紀。九月戊午，南京蝗。遼道宗紀。十一月，南京地震，民舍多壞。遼道宗紀。三年五月，安次蝝傷稼。遼道宗紀。九月，南京大熟。遼道宗紀。七年五月，永清、武清、固安三縣蝗。遼道宗紀。八年七月，南京霖雨，沙河溢，永清、安次、武清、香河傷稼。遼道宗紀。大安四年正月，南京饑。遼道宗紀。八月，永清、宛平蝗爲飛鳥所食。遼道宗紀。八年十一月，通州潦水害稼。遼道宗紀。壽隆三年二月，南京水。遼道宗紀。壽昌四年十月，水。固安陳志。按：遼史有壽隆，無壽昌，順天方志各載之，與遼碑合，是遼史之誤。七年五月，蝗。固安陳志。乾統三年二月，武清大水。遼天祚帝紀。七月，南京蝗。遼天祚帝紀。

金

皇統八年四月，中京小雨，大雷，羣犬數十争赴土河而死，所可救者纔二三耳。大金國志。

正隆二年六月壬辰，蝗飛入京師。（金熙宗紀。）秋，中都蝗。（金熙宗紀。）六年六月壬戌，大風，壞承天門鴟尾。（金熙宗紀。）大定二年閏月辛卯，太和、厚德殿火。（金世宗紀。按：金五行志載，世宗大定二年閏二月辛卯，神龍殿十六位焚，延及太和、厚德殿。）三年五月，中都蝗。（金世宗紀。）四年三月庚子，夜，京師地震。七月辛丑，大風雨，拔木。十一月辛丑，尚書省災。（金五行志。）五年六月甲辰，大安殿楹産芝，其色如玉。丙午，京師地震，有聲自西北來，殷殷如雷，地白毛。七月戊申，又震。十一月癸酉，大霧，晝晦。（金五行志。按：金世宗紀，載大定五年六月甲辰，芝産大安殿柱。丙午，京師地震，雨毛。七月戊申，朔，京師地復震。十月丁丑，朔，地震。與此微異。）九年，中都水。（金世宗紀。）十三年八月丁丑，策試進士於憫忠寺，夜半忽聞音樂聲，起東塔上，西達於宫。攷官完顔蒲揑、李晏等，以爲文運始開，得賢之兆。（金五行志。）十六年，中都旱，蝗。（金五行志。）十七年七月，大雨，盧溝水溢。（金五行志。）二十年四月己亥，大甯宫門火。五月丙寅，京師地震，生黑白毛。（金五行志。）二十一年夏，三河大水。（三河陳志。）二十三年正月辛巳，廣樂園燈山焚，延及熙春殿。三月乙酉，氛埃雨土。四月庚子，亦如之。五月丁亥，雨雹，地生白毛。（金五行志。）二十七年四月辛丑，京師地微震。（金五行志。）二十九年五月丁未，地生白毛。（金五行志。）明昌四年三月，太白晝見，京師地震。北方有赤氣，遲明始散。（金史五行志。）六年二月丁丑，京師地震，大雨雹，晝晦，大風，震應天門右鴟尾壞。（金史五行志。）八月，大雨震電，有龍起於渾儀鼇趺，臺忽中裂而摧，儀仆於臺下。（金史五行志。）泰和四年三月丁卯，大風，毀宣陽門鴟尾。四月，旱。

壬戌，萬甯宮端門災。金史五行志。三月，中天以北，其色殷紅如血。大金國志。五年九月戊子，金中都西北方黑雲間，有赤氣如火色，次及西南、正南、東南方，皆赤，有白氣貫其中，至中夜，赤氣滿天，四更乃盡。續通鑑。八年六月戊子，飛蝗入京畿。八月乙酉，有虎至陽春門外，駕出射獲之。時又有童謠云：易水流，汴水流，百年易過又休休。兩家都好住，前後總成留。金五行志。大安二年十一月，京師民周修武宅前渠内火出，高二丈，焚其板橋。又旬日，大悲閣幡竿下石隙中火出，高二三尺，人近之卽滅，凡十餘日。自是都城連夜燔爇二三十處。金五行志。三年二月，大風，通元門重關折，東華門重關折。三月，大悲閣災，延及民居。有黑氣起北方，廣長若大隄，内有三白氣貫之，如龍虎狀。金章宗紀。崇慶元年七月辛未，未時有風從東來，吹帛一段，高數十丈，宛轉如龍，墜於拱辰門内。金五行志。至甯元年八月癸巳，海水不潮，寶坻鹽司懼其虧課，致禱無應。九月丙午，乃潮。金五行志。貞祐二年六月，潮白河溢，漂古北口鐵裹關門至老王谷。金五行志。帝詣蓬萊閣觀音祠燒香，過浮碧池，望池南有二狐相攜以過，逐之，各登樹而走。内侍曰：幾日此物甚多，有戲舞于宣華殿前者。帝拊髀曰：怪變如此，不去可乎！時宫殿妖異多此類。大金國志。四年，東安大饑，人相食。東安李志。

元

中統二年，固安王得林妻張氏，懷孕五月，生一男，四手，四足，圓頭，三耳，一耳附腦後，生而即死。元五行志。四年六月壬子，燕京諸路蝗。元世祖本紀。七月，昌平縣雨雹害稼。元五行志。至元三年三月，寶坻饑。元世祖紀。五年十二月，固安州饑。元世祖紀。六年十二月，固安饑。固安陳志。七年四月，檀州隕霜。元五行志。八年五月，京師大霖雨，都城崩圮。元五行志。六月，中都等縣蝗。十月己未，檀、順等州風潦害稼。元世祖紀。九年四月，京師饑。元五行志。十五年春，薊州雨血。元五行志。十七年八月，大都水。元世祖紀。二十年十月，涿州巨馬河溢。元五行志。二十一年四月己亥，涿州巨馬河決，衝突三十餘里。元世祖紀。九月戊子，京師密雲地震。元五行志。二十三年，霸州、漷州蝗。元五行志。五月，京畿旱。元五行志。六月，大都涿、漷、檀、順、薊五州水。元五行志。十一月丙子，涿、易二州，良鄉、寶坻二縣饑。元世祖紀。三十四年三月，大都饑。元世祖紀。六月乙亥，霸州、益津縣霖雨傷稼。十一月，大都路水。元世祖紀。二十五年七月，霸、漷二州霖雨害稼。元世祖紀。二十六年八月壬子，霸州大水。辛酉，大都路霖雨害稼，漷州饑。十月，通州河西務饑，民有鬻子去之他州者。丙申，寶坻屯田大水害稼。閏十月，檀州饑。元世祖紀。二十七年三月，薊州、漁陽等處稻户饑。元世祖紀。八月，昌平地大震。昌平宋志。二十八年七月癸酉，京師赤氣滿天，如火照人，自寅至辰，氣燄方息。（元五行志。）二十九年二月，東安、固安、薊州、寶坻縣饑。（元世祖紀。）二月，東安、固安、薊、棣四州饑。（元五行志。）三十年六月壬子，大興縣蝗。（元世祖紀。）十月，京師饑。（元五行志。）三十一年五月，大都路武清縣雹。（元世祖紀。）六月，東安州蝗。（元五行志。）嘉禾生京畿，一莖九穗。（元五行志。）元貞元年七月，大都路雹。（元成宗紀。）二年六月，大都路蝗。（元成宗紀。）大都路益津、保定、大興三縣，水損田稼七千餘頃。（元五行志。）五年癸亥，三河大水。（三河陳志。）六年夏五月，太廟寢殿災。（通鑑輯覽。）八年春正月，京師地震。（通鑑輯覽。）大德元年七月，大都涿、順、固安三州蝗。（元五行志。）十二月，大都之檀州等水。（元成宗紀。）二年二月，大都檀州雨雹。（元成宗紀。）三年五月，通、薊二州水。（元五行志。）八月，大都水。（元成宗紀。）五年四月，大都等蟲食葉。六月、七月，大都路水。（元成宗紀。）六年五月，東安州渾河溢，壞民田一千八百餘頃。（元五行志。）七月，大都諸縣蝗。（元成宗紀。）九年春二月，隕霜，殺桑。（昌平宋志。）五月，大都旱。六月，武清蝗。（元成宗紀。）八月，涿州、良鄉等縣蝗。（元五行志。）十年四月，大都真定等郡蝗。（元五行志。）五月辛未，大都旱，復蝗。（元成宗紀。）漷州水害稼。（元五行志。）至大元年六月戊戌，大都饑。（元成宗紀。）二年六月，霸州、檀州、涿州、良鄉等處蝗。（元武宗紀。）涿州、范陽縣、東安州、宛平縣、固安州、霸州、益津、永清等縣，雨水害田稼七千六百九十餘頃。（元五行志。）懷柔蝗。（懷柔吳志。）三年五月，密雲蝗。（密雲丁志。）懷柔蝻。（懷柔吳志。）四年六月，大都三河、潞縣雨水。元五行志。八月，芝生國學大成殿。元五行志。皇慶元年二月，東安渾河決黃堝隄。東安李志。通、漷州饑。元仁宗紀。三月壬子，隕霜，雨毛。續通鑑。二年五月，檀州蝗。元仁宗紀。六月，涿州、范陽縣、東安州、宛平縣、固安州、霸州、益津、永清等縣，雨水壞田稼。元五行志。京師地震。通鑑輯覽。九月，京畿大旱。元五行志。冬，京師大疫。元五行志。延祐元年，大都檀、薊等州，冬無雪，至春，草木枯焦。元五行志。六月，涿州范陽、房山二縣河溢，壞民田四百九十餘頃。元五行志。八月，薊州地震。薊州沈志。二年春，檀、薊、漷三州旱。元五行志。三月，芝生大成殿。元五行志。七月，畿內大雨，漷州、昌平、香河、寶坻等縣水沒民田廬。元仁宗紀。三年五月，薊州雹，積三尺。元五行志。四年十月己巳，大都南城産嘉禾，一莖十一穗。元仁宗紀。五年七月，芝生大成殿。元五行志。六年，滹沱河決，文安、大城等縣渾河溢，壞民田廬。續通鑑。七月，霸州、大城縣雨，害稼三千餘頃。元五行志。七年，霸州蝻。元五行志。五月，渾河決落垈村隄。東安李志。八月，霸州文安、大城二縣滹沱河溢，害稼。元五行志。至治元年五月丁丑，霸州蝗。元英宗紀。六月，霸州大水，渾河溢，被災者三萬餘户。元五行志。渾河溢，被災者二萬三千二百餘户。時大雨，滹沱河及巨馬河俱溢。通鑑輯覽。七月戊寅，通州潞縣水決。庚辰，范陽縣巨馬河溢。乙酉，大雨，渾河防決，薊州、平谷、漁陽等縣大水。元英宗紀。十二月，通州水。元英宗紀。二年四月，霸州饑。元五行志。正月，漷州、霸州、固安州、永清縣饑。元英宗紀。五月，密雲大風，雨雹，柳林行宮内大木拔。密雲丁志。九月，京師地震。通鑑輯覽。三年五月，東安州水壞民田一千五百餘頃。六月，大都永清縣雨水，損田四百頃。七月，漷州雨水，害稼。元五行志。泰定元年夏四月，大風，地震。通鑑輯覽。昌平大旱。昌平宋志。七月，檀州雨雹，房山、寶坻等縣大風，雹折木傷稼。元五行志。漷州、固安州水。七月，大都路固安州清河溢。元五行志。大都蝗。元五行志。二年正月，大都寶坻縣雨水。元五行志。二月庚戌，通、漷州、薊州、寶坻縣饑。元泰定帝紀。四月，涿州，房山、范陽二縣水。元五行志。五月，大都路檀州大水，平地深丈有五尺。元泰定帝紀。懷柔大水。七月大雨。懷柔吳志。六月，通州、三河縣大雨，水丈餘。續通鑑。八月，檀州雨雹。元泰定帝紀。霸州、涿州，永清、香河二縣，大水，傷稼九千五十餘頃。元五行志。三年正月，大都路屬縣饑。元泰定帝紀。夏四月，昌平大饑。昌平宋志。七月，大都諸路水，大風，雨雹，涿、霸等州蝗，檀、順等州兩河決溢。元泰定帝紀。寶坻、甯河、房山大風折木。元五行志。八月，大都昌平等縣大風一晝夜，壞民居九百餘家。元五行志。四年四月，檀、薊等州，漁陽、寶坻、香河等縣饑。元泰定帝紀。六月，大都蝗。元泰定帝紀。大都東安、固安、通、順、薊、檀、漷七州，永清、良鄉等縣雨水。元五行志。十月，大都路諸州縣霖雨水溢，壞民田廬。續通鑑。致和元年四月，大都薊州蝗。元五行志。天歷二年，涿州、房山、范陽等縣饑。元五行志。五月戊午，大都之東安、薊州、永清、益津、潞縣，春夏旱，麥苗枯。元文宗紀。六月，大都東安、通、薊、霸四州雨水害稼。元五行志。三年二月，京師大霜，晝霁。元五行志。至順元年六月，漷、薊、固安等州蝗。元五行志。七月，順州、東安州風雹害稼。元五行志。二年二月，檀、順、昌平州饑。元五行志。三年五月戊寅，京師地震，有聲。元五行志。八月，大都寶坻縣饑。元五行志。京師地震。通鑑輯覽。元統元年夏五月，京師地震。通鑑輯覽。六月，京畿大霖雨，水平地丈餘。元五行志。二年春三月，旱，秋八月，地震。昌平宋志。三年夏六月，昌平大霖雨，凡十三日。昌平宋志。四年夏四月，昌平大雨紅沙，晝晦。昌平宋志。後至元二年八月，大都至通州霖雨，大水。元五行志。三年八月辛巳，夜，京師地震。壬午，又大震，損太廟神主。西湖寺神御殿壁傾，祭器皆壞。元五行志。按：續通鑑云：三年八月壬午，京師地大震，太廟梁柱裂，各室牆壁皆壞，壓損儀物。文宗神主及御床盡碎。西湖寺神御殿壁傾。三日，御河、沁河、渾河皆溢，没人畜田廬，不可勝計。十二月，中都蝗。元順帝紀。歲大饑。元五行志。四年四月辛未，京師雨紅沙，晝晦。元五行志。八月丙子，京師地震，日凡二三，至己酉乃止。元五行志。京師白虹亘天。元五行志。壬寅，三河雨雹害稼。十九年，蝗食苗稼草木俱盡。三河陳志。五年秋，芝草生於中書工部之屋梁，一木七幹。元五行志。八月，京師童謡云：白雁望南飛，馬札望北跳。元五行志。六年二月，京畿大水。元五行志。冬，京師無雪。元五行志。至正元年二月，大都寶坻縣饑。三月，涿州、范陽、房山饑。四月，漷州河西務饑。元順帝紀。二年十二月，京師地震。元五行志。三年夏，大都桑果葉皆有黄色龍文。元五行志。四年五月，霸州大水。元五行志。五年正月，薊州地微震。元順帝紀。六年十月，國子學大成殿松柏樹，有甘露降其上。元五行志。七年春正月甲辰，朔，大寒而風，朝官仆者數人。通鑑輯覽。八年五月丁酉，朔，大霖雨，京城崩。續通鑑。十年春，麗正門樓斗栱内有人伏其中，不知何自而至，遠近聚觀之。門尉白留守，達於都堂，上聞。有旨，令取付法司鞫問。但云薊州人，問其姓名，詰其所從來，皆惘若無知，唯妄言禍福而已。乃以不應之罪笞之，忽不知所在。元五行志。十三年六月，薊州大水。元順帝紀。十一月庚戌，京師無雲而雷。元五行志。十四年，京師大饑，加以疫癘，民有父子相食者。續通鑑。六月，薊州雨雹。元五行志。秋，薊州大水。元五行志。冬十二月，大都大饑，疫民有父子相食者。通鑑輯覽。十五年，京師童謡云：一陣黄風一陣沙，千里萬里無人家。回頭雪消不堪看，三眼和尚弄瞎馬。元五行志。薊州雨血。續通鑑。十六年，薊州地震。續通鑑。十七年秋七月，大都晝霧，自旦至午，昏暝不辨人物，如是旬有五日。通鑑輯覽。薊州大水。元順帝紀。十八年春，薊州旱，蝗。元五行志。七月，京師大水，蝗，民大饑。續通鑑。秋，京師及薊州皆大水。元五行志。十九年，京城有鵂鶹百羣，夜鳴至曉，連月乃止。居庸關子規啼。續通鑑。正月至五月，京師大饑，通州民劉五殺其子而食之。元五行志。大都霸州、通州，蝗食禾稼草木俱盡，所至蔽日，礙人馬不能行，填坑塹皆盈，饑民捕蝗以爲食，或曝乾而積之，又罄，則人相食。元五行志。五月，通州雨雹害稼。元五行志。永清縣蝗食禾稼草木皆盡，人相食。永清周志。二十年五月，薊州雨雹終日。元五行志。通州旱。元五行志。二十一年，霸州饑民多莩死。元五行志。二十二年，京師有白氣如小索，起危宿，長五百丈，掃太微。元五行志。七月，涿州河決范陽縣，漂民居。涿州吴志。二十三年五月，霸州民王馬駒妻趙氏，一産三男。六月，豪家務李閏妻張氏，一産三男。元五行志。七月戊辰，朔，京師大雨雹，傷禾稼。續通鑑。二十五年五月甲子，京師雨氂，長尺許，如馬鬃。元五行志。六月戊申，京師大雨，有魚隨雨而落，長尺許，人取而食之。元五行志。秋，薊州大水。元五行志。二十六年秋，薊州四縣大水害稼。元五行志。二十八年二月癸卯，京師武器庫災。元五行志。六月甲寅，雷雨中有火自天墜，焚大聖壽萬安寺。七月癸酉，京城紅氣滿空，如火照人。乙亥，京城黑氣起，百步不見人。續通鑑。二十九年，寶坻大饑。寶坻洪志。

明

洪武四年，北平旱。明五行志。五年五月癸丑，夜，中都皇城萬歲山雨水雹，大如彈丸。明五行志。六年七月，北平蝗。明五行志。七年夏，北平旱。北平所屬州縣饑。明五行志。八年夏，北平蝗。明五行志。十一年七月，北平府大水，壞城垣。明五行志。十五年，北平大水。明五行志。十七年，北平水。明五行志。十八年，文安、保定旱。文安楊志。二十四年，北平水。明五行志。二十九年二月辛丑，通州火，燔屋千九百餘。通州高志。三十三年，文安大水，平地水三尺。文安楊志。建文元年三月乙卯，夜，燕王營於文安蘇家橋，大雨，平地水三尺，及王臥榻。明五行志。七月癸酉，燕王起兵，風雲四起，咫尺不辨人。少焉，東方露青天尺許，有光燭地，洞徹上下。明五行志。永樂元年十一月甲午，北京地震。明五行志。二年八月，霪雨壞北京城五十餘丈。明五行志。五年，順天饑。明五行志。七年六月，渾河決固安。明五行志。十年七月，盧溝水漲，壞橋及隄岸，溺死人畜。保定縣決河岸。明五行志。十一年八月甲子，地震。明太祖紀。十二年九月，密雲後衛，霪雨壞城。明五行志。十三年，順天饑。明五行志。正月壬子，北京午門災。明成祖紀。九月壬戌，北京地震。明成祖紀。十四年七月丁酉，遣使捕北京州縣蝗。明成祖紀。九月，北京地震。通鑑輯覽。十八年六月丙午，北京地震。明成祖紀。大城、文安大水。文安楊志。十九年四月庚子，奉天、華蓋、謹身三殿災。明成祖紀。二十年閏十二月，乾清宮災。明成祖紀。二十二年四月，霪雨壞密雲及薊州城。明五行志。永樂間，北京得白鵲。舊聞攷。洪熙元年正月癸未，京師一冬不雪。明五行志。六月，驟雨，白河溢，衝決河西務、白浮、宋家等口隄岸。明五行志。七月，渾河決盧溝橋東狼窩口，順天水。明五行志。閏七月，京師大雨，壞正陽、齊化、順成等門城垣。九月，久雨，壞密雲中衛城。明五行志。宣德元年七月癸巳，京師地震。明宣宗紀。三年六月，渾水溢盧溝河隄百餘丈。明五行志。四年正月，京師地震。明宣宗紀。春三月，文安饑。文安楊志。六月，順天州縣蝗。明五行志。十二月，京師地震。明宣宗紀。五年六月，近畿蝗。明宣宗紀。六年六月，渾河溢，決徐家等口，順天水。明五行志。九年二月庚午，京城東南樓火。明五行志。六月甲子，雷震大祀壇外西門獸吻。明五行志。渾河決東岸自狼河口至小屯廠，順天水。明五行志。正統二年，文安蝗。文安楊志。閏六月，順天大水。明五行志。七月，順天霪雨傷稼。明五行志。二年，京師旱，街巷小兒爲土龍禱雨，拜而歌曰：雨帝雨帝，城隍土地。雨若再來，還我土地。明五行志。又有羣兒環繞一人，按月問云：正月裏狼來咬羊，齊拒之；至八月，則放狼入。水東日記。三年三月己亥，京師地震。庚子，又震。甲辰，又震者再。六月乙未，復震。八月己亥，又震。明五行志。通州白河溢。明五行志。八月辛酉，順天貢院火，席舍多焚，改期再試。明五行志。四年五月壬戌，京師大雨雹。明五行志。京師大水，壞官舍民居三千三百九十區。明五行志。居庸關城壞。昌平宋志。六月乙未，京師地震。明英宗紀。丁酉，京畿水。明英宗紀。八月己亥，京師地震。明英宗紀。白溝、渾河溢，決保定安州隄。明五行志。五年夏，順天蝗。明五行志。六年夏，順天蝗。明五行志。七月，白河決武清、漷縣隄。明五行志。七年五月，順天蝗。明五行志。八年五月戊寅，雷震奉先殿鴟吻。明英宗紀。六年，渾河決固安。明五行志。九年閏七月壬寅，雷震奉天殿鴟吻。明英宗紀。冬，京畿內外無雪。明五行志。十年二月丁巳，京師地震。明英宗紀。五月癸巳，通州右衛倉火。明五行志。十一年二月辛酉，異氣見華蓋、奉天殿。明英宗紀。夏六月，京師地震有聲。明英宗紀。渾河溢固安。明五行志。十二年，文安、涿州蝗。文安楊志，涿州吴志。十三年，寶坻縣民周本家馬生角，長二寸。寶坻洪志。京師盛唱妻上夫墳曲，婦女童幼俱習之，其聲悽惋，静夜聽之，疑身在墟墓間。野獲編。又童謡曰：牛兒呵莽著，黄花地裏倘著。你也忙，我也忙，伸出角來七尺長。清俊小後生，青布衫，白直身，好个人，屈死在鶏兒嶺。二申野録。四月，雨水壞順天古北口邊倉。明五行志。秋七月，京師飛蝗蔽天。通鑑輯覽。十四年春正月，文安、大城地震。文安楊志，大城張志。二月六日，大風，黄塵蔽天，騎驢過大通橋者，風吹人、驢皆墮水中溺死。五月，京師烈風，晝晦。二申野録。夏，順天蝗。明五行志。景泰二年，順天饑。明五行志。七月癸丑，京師地震。明五行志。三年，宛平縣民福祥妻一産三男。二申野録。六月庚寅，雷擊宫庭中門，傷人。明五行志。五年，文安大旱。文安楊志。七月，京師久雨，九門城垣多壞。明五行志。十月庚子，京師地震，有聲起西北，迄東南。明五行志。六年六月，順天大水。明五行志。七年，文安饑。文安楊志。天順元年，涿州大饑。涿州吴志。正月丁亥，殺少保于謙、都督范廣於市，是日陰霾四塞。童謡云：京城老米貴，那里得飯廣？鷺鷥冰上走，何處覓魚嗛！二申野録。六月己亥，大風，雨雹，壞奉天門鴟吻。明英宗紀。按：五行志，元年六月己亥雨雹，大如雞卵，至地經時不化。奉天門東吻牌摧毁。通鑑輯覽：六月大風震雷，發屋拔木，雨雹大如雞卵，擊毁奉天門東吻。正陽門下馬牌飛擲郊外，都人震恐。七月丙寅，承天門災。明英宗紀。二年六月己卯，雷震，擊大祀殿鴟吻。明五行志。三年四月，順天連日烈風，麥苗盡敗。明五行志。四年六月癸丑，雷毁薊州倉廒四。明五行志。五年九月壬戌，京師地震有聲。明英宗紀。六年四月，大城大水，壞屋溺人。大城張志。七年，北畿旱。明五行志。二月戊辰，會試天下舉人，火作於貢院，御史焦顯扃其門，燒殺舉子九十餘人。明五行志。按：二申野録作百有十六人。七月，密雲山水驟漲，軍器、文卷、房屋俱没。明五行志。八年，京畿連月不雨，運河水涸。明五行志。成化元年五月，京師大風，皇牆以西，有聲如雨雹，視之皆黄泥丸子，堅浄如櫻桃大，破之，中有硫黄氣。二申野録。六月，畿東大雨，水壞薊州城堡。八月，通州大雨，壞城及運倉。明五行志。二年冬十一月朔，京都有若霧者從東來，著樹並草莖皆白，少頃，堆積枝柯間，玲瓏如花，雕鏤莫狀。二申野録。四年戊子五月，京師大旱。二申野録。八月癸巳辰刻，京師地震有聲。二申野録。六年庚寅，二月二十八日爲清明節，節後三日辰時，都下大風，從西北起，下雨如血，天色如絳紗，日色如暮夜，空中非燈燭不能辨，直至午未間始開朗。野獲編補遺。四月，順天大水。采訪册。五月，通州張家灣等處被水，軍民二千六百六十户漂損房舍六千四百九十處。二申野録。七年辛卯，盤山有龍與蜘蛛鬭，蜘蛛斃，其皮如車輪然。二申野録。八年四月，京師久旱，運河水涸。明憲宗紀。九年，文安旱。文安楊志。大城蝗。大城張志。七月庚戌，東直門災。明五行志。十一年四月壬辰，乾清門災。明憲宗紀。十二年正月十三日，上方南郊，忽陰晦大風，郊壇燈燭俱滅，執幡麾并樂官俱凍死。野獲編。七月庚戌，京師黑眚見，民間男女露宿，有物金睛脩尾，狀如犬貍，負黑氣入牖，直抵密室，至則人昏迷，偏城驚擾，操刃張燈，鳴金鼓逐之，不可得。帝嘗朝，奉天門侍衛見之而譁。帝欲起，懷恩持帝衣，頃之乃定。明五行志。十月辛巳，京師地震。明憲宗紀。大城、通州、薊州等處亦震，有聲。二申野録。十三年正月，妖狐出見朝房。二申野録。四月，京師大旱。明五行志。六月壬子，雨錢於京師。明五行志。九月甲戌，京師三震。明五行志。十四年八月戊申，早朝，東班文官中若聞有甲兵聲，衆皆辟易，不復成列。衛士皆露刃，以備不虞。久之始定。野獲編。十五年，京畿大旱。明五行志。十七年七月己亥，雷震郊壇承天門脊獸。明五行志。十八年七月，昌平大水，決居庸關水門四十九，城垣鋪樓、墩臺一百二。明五行志。十九年，密雲旱。密雲丁志。二十年正月庚寅，京師地震，明憲宗紀。天壽山、密雲、古北口、居庸關城垣墩堡多摧，人有壓死者。二申野録。二十一年五月壬戌，京師地震。十一月丙寅，又震。明憲宗紀。二十二年七月，順天蝗。明五行志。二十三年夏五月，星隕，京師大旱。二申野録。秋，文安大水。是年兒童多爲獨脚跳鬭，謂之撞拐，卽古商羊讖也。秋果大水。文安楊志。成化間，武清縣民家石臼，與鄰家碌碡，皆相滚至麥地上跳躍相鬭。鄉人聚觀，以木隔之，木皆損折，鬭不可解，至晚方息。鄉人以臼沈於汙池中，以碌碡墜深坎，相去各百餘步。其夜，碌碡與臼復鬭於池邊地上，麥苗俱壞。乍前乍卻，或磕或觸，砰然有聲，火星炸落，三日乃止。二申野録。弘治元年四月，天壽山震雷、風雹，樓殿瓦獸多壞。明五行志。二年六月，京師大水。二申野録。香河鬼兵動。潞河東忽見人馬蔽野，竟無兵。香河劉志。七月，京師霪雨。明孝宗紀。八月，盧溝河隄壞。明五行志。大城大雨雹。大城張志。三年，保定大水。保定成志。十二月己未，京師地震。明孝宗紀。四年五月，密雲蝗。密雲丁志。六月辛亥，京師地震。明孝宗紀。五年，有異鳥三，鳴於禁中。野獲編。六年，甯河鬼兵動。潞河以東村落居民，奔駭渡河，多溺死者。甯河關志。五月，北京東廠内地，無故陷二三丈，廣亦如之。又本月在京明時坊舖内，白晝見二人進舖，久之不出，管舖者疑之，但見二衣委地，傍有積血，竟不見二人蹤跡。野獲編。閏五月丁未，薊州大風雷，拔木偃禾，牛馬有震死者。明五行志。秋八月，京師大雨雹。通鑑輯覽。七年七月乙巳，京師地震。明孝宗紀。十一月壬子，京師地震。明孝宗紀。八年，文安大旱，饑。文安楊志。保定蝗。保定成志。十二月，京師大震電，天鼓鳴。野獲編。九年八月，有黑熊自都城蓮池緣城上西直門，官軍逐下，不能獲，嚙死一人，傷一人。明五行志。十年，京營開操，中軍大旗曳之不起，墜死引繩千户。野獲編。十年正月戊午，京師地震。明五行志。三月丁卯，通州雨冰，深一尺。明五行志。五月，大城風霾，地震，大城張志。十一年六月，有熊自西直門入城。是年城内多火災。明五行志。十月甲戌，清甯宮災。明孝宗紀。十二年五月己亥，夜火，隕都察院獄，旋轉久之始滅。明五行志。七月己巳，京師地震。十月，又震。明孝宗紀。十三年秋七月庚申，居庸關石縫出火，東西四十餘里，南北七十餘里，延燒七晝夜。昌平宋志。十四年，順天饑。明五行志。文安夏蝗，秋大水。文安張志。十六年夏，京師大旱。明五行志。十七年五月癸巳，正陽門内西廊火，燔武功坊。明五行志。十八年春正月，朝鐘新成，紐絕。奉天門座下階石，無故自裂。二申野錄。六月至八月，京畿連雨。明五行志。正德元年正月，大城地震。大城張志。六月辛酉，大風雨，壞郊壇獸瓦。明武宗紀。九月，宛平棗林莊李花盛開。明五行志。二年，東安地震。東安李志。四年秋，東安雹災。東安李志。六年春，保定地震，一夜十餘次。保定成志。八月，霸州桃李華。明五行志。十一月戊午，京師地震。明武宗紀。霸州尤甚，三日中十有九震。霸州朱志。七年六月壬戌，黑眚見涿州，大者如犬，小者如貓，夜出傷人，有至死者。尋見於京師，形赤黑，風行有聲，居民夜持刀斗相警達旦，逾月乃止。明五行志。冬，密雲無雪。密雲丁志。八年癸酉正月，薊州大雨雹，厚甚。薊州沈志。夏，固安黑眚見月餘。固安陳志。九年，順天旱。明五行志。正月庚辰，乾清宮災。明武宗紀。八月乙巳，京師地震。明武宗紀。十年閏四月甲申，薊州賺狗崖、東墩及新開嶺關雷火，震傷三十餘人。明五行志。七月，文安水忽僵立，是日大寒，結爲冰柱，高圍俱五丈，中空，旁穴。數日而賊至，民避穴中，生全者甚衆。明五行志。十二年春，順天大水，饑。明五行志。夏四月，昌平裕陵神宮監火。昌平宋志。十三年正月，車駕還京，令朝臣用曳撒大帽、鸞帶。明五行志。十四年春，東安大疫。東安李志。二月丁丑，京師地震。明武宗紀。三月戊午，風霾，晝晦。明五行志。宮城内海子水溢四五尺，坼橋下鐵柱。二申野錄。秋九月，昌平地震。昌平宋志。十五年十二月，帝平宸濠還京，俘從逆者及懸諸逆首於竿，皆標以白幟，數里皆白。時帝已不豫，見者識其不祥。明五行志。嘉靖元年，京師民米鑑妻，二月十一日生一子，十二日生一子，十三日生一子。童謡云：太廟香爐跳，午門石獅吼。好羣黑頭蟲，一半變蛤蚧，一半變人龍。二申野録。正月己未，清甯宮後殿災。明世宗紀。二月己亥，通州城樓火。明五行志。二年二月二十三日，薊州狂風大作，吹沙蔽天，行人壓埋於沙中。薊州沈志。永清、武清、香河、通州同日災。采訪册。五月丁丑，雷擊觀星臺。明五行志。八月二十八日，薊州地震有聲，自卯至午，又震。未時雨雹如栗大。薊州沈志。三年六月，順天蝗。明五行志。秋，三河大水。三河陳志。四年，密雲大水。密雲丁志。懷柔大水。懷柔吴志。三月壬午，仁壽宫火。明世宗紀。五月戊子，固安雨雹。明五行志。六月，固安又雹。固安陳志。五年，涿州大饑。涿州吴志。春，文安地震。文安楊志。四月戊寅，雷擊阜城門城樓南角獸吻，及北九舖旗杆。明五行志。六年，固安旱，蝗。固安陳志。東安大旱，蝗蔽天。東安李志。五月甲午，京師雨錢。明五行志。通州西北海噴，平地水高丈餘，漂没不可勝計。二申野録。十月戊辰，京師地震。明五行志。七年，涿州大旱。涿州吴志。夏五月辛未，朔，京師大冰雹。二申野録。東安大風，晝晦，地震。九月，大水。東安李志。八年春二月甲申，京師旱，躬禱於南郊山川社稷，不雨。二申野録。夏五月，文安隕霜。文安楊志。冬十月，乾清宫内西七所房災。二申野録。香河縣軍民餘牛文家園中桃樹開花。香河劉志。九年，保定、固安大水。保定成志。通州饑。通州高志。十年六月丁巳，雷擊德勝門，破民屋柱，斃者四人。癸亥，雷擊午門角樓及西華門城樓柱。明五行志。秋，文安大水。文安楊志。十一年，懷柔星隕。懷柔吳志。九月二十七日，東安星隕如雨。旱，蝗。東安李志。十二年八月丁酉，京師地震。明五行志。十月，三河星隕如雨。三河陳志。密雲星隕如雨。密雲丁志。十四年，文安霪雨。文安楊志。冬，東安地震，有聲如雷。東安李志。十五年十月庚寅，京城地震，如雷。明五行志。十六年，東安大水傷稼。東安李志。夏五月，雷震謹身殿。通鑑輯覽。京師雨，自夏及秋不絶，房屋傾倒，軍民多壓死。明五行志。十八年，駕將南幸，有軍人孫堂從御路中橋至奉天門下，登金臺，坐久，守門官役無知者。升堂大呼，覺而捕之，乃病狂者。明五行志。固安旱，麥苗盡枯。固安陳志。夏六月，雷震奉先殿。二申野録。秋，文安大水。文安楊志。二十年，密雲蝗。密雲丁志。懷柔飛蝗蔽天，食禾幾盡。懷柔吳志。夏四月，九廟焚。二申野録。二十一年，順天饑。明五行志。二十三年夏五月，東安縣北十里許宣義鄉，巨石長博約丈餘，一日風雨交作，石乃特立，聲聞數里。二申野録。二十四年，順天饑。明五行志。二十五年，順天饑。明五行志。六月，永清、寶坻、武清大水，居民漂溺甚衆。隆興寺殿前一木忽拔去，不知所止。武清蔡志。六月至七月，大雨，水深數尺，禾稼俱没，城垣民舍傾覆甚多。順天府志。七月癸酉，醴泉出承華殿。明世宗紀。八月，京塔出煙三日。石河小記。二十六年春二月，京師王健兒家豬生五子，其一人首，後二蹄人足，生卽能行。二申野録。冬十二月，大内火。通鑑輯覽。二十七年正月，京師大風霾。二申野録。七月戊寅，京師地震。明世宗紀。八月，京師地震。二申野録。大城地震。大城張志。

二十九年庚戌春，薊州雨螻蛄，屋瓦門窗，飛打有聲。薊州沈志。正月，固安村人曉起，見東郭何家莊有城郭樓臺之狀，日出乃隱。二月復見於北隱村。東安李志。三月，東安大風，雨沙。密雲日旰，黑氣亘天，大風發屋瓦。密雲丁志。六月，東安頭畜疫死。東安李志。七月，東安學圃産芝一本。東安李志。密雲地震。采訪冊。八月，東安東南方天鼓鳴。東安李志。三十年九月乙未，京師地震。明世宗紀。香河飛蝗蔽天，食禾盡，民間男女捕蝗作餔。香河劉志。三十一年，通州火。大城地震。采訪冊。三十二年秋，固安、霸州、文安、保定、大城大水，文安決沙口隄，平地水深丈餘，四門用土屯，人皆上城、登舟。采訪冊。通州霪雨，運河衝決張家灣麯店，皇木廠大木漂流，甚爲民害。懷柔大水，平地丈餘，禾稼漂失殆盡，西北水與潘家莊、觀音堂山齊。談者謂有龍居之，數日始退。采訪冊。三十三年春，文安大饑，逃亡殆盡，人相食。通州大饑，民剥樹皮以食。東安自春至冬疫，人死過半。春夏永清饑，民採樹皮爲食。采訪冊。四月，都城内外大疫。明五行志。六月，京師大雨，平地水數尺。明五行志。盧溝橋口潰海子牆，大水無涯，直至武清，縣堂文卷盡爲浸没。通州渾河決，禾稼盡没，米貴大疫。采訪冊。秋，東安、永清大水，禾盡没，男女疫亡大半。永清周志。密雲大雨，潮河北決，壞城東南隅、西北隅。密雲薛志。懷柔大水，水中湧出口外大木若鋸截者不可勝數，低下村莊皆被水衝漂。傳聞兩月前臨邊山中不見人形，而斧鑿之聲不絶，聞者疑之。後果霪雨大水，水上有人形如塑龍王像，又見大鐙籠二盞，如人手執，往來水面，或謂建龍宮云。采訪册。三十四年，密雲、懷柔大饑，米價增十倍，民多餓死者。密雲薛志。文安大水。文安楊志。三十五年四月丁酉，通州西倉火。通州高志。密雲大雨，河溢。四月，冶山鳴。密雲丁志。懷柔大雨，河漲。大城大水。采訪册。三十六年四月丙申，奉天、華蓋、謹身三殿災。明世宗紀。通州、漷蝗蝻黑蟲食苗幾盡。通州高志。三十七年夏秋，通州霪雨，漕河溢，害稼。通州高志。永清、文安大水。采訪册。涿州大雨，壞民廬舍。密雲、懷柔蟲食禾稼。采訪册。三十八年二月，雷擊奉先殿。二申野録。固安、大城大水。涿州旱饑。采訪册。三十九年四月，雨雹。八月，星隕如雨。密雲丁志。順天蝗，大饑。明五行志。三河蝗自南來如水，越城北飛，碍人馬不得行，坑塹皆盈，禾草俱盡。三河陳志。四十年十一月辛亥，萬壽宮災。明世宗紀。密雲、懷柔大旱，蝗蝻。大城疫，大水。采訪册。四十一年，香河蝗蝻黑蟲食田禾殆盡。香河劉志。四十二年八月，御苑龜生卵者五。城東觀象臺忽崩陷，臺土移填於城外某潭。二申野録。四十三年閏二月，京師雨雹。四月，大雪。通州民家牛生三首。二申野録。八月辛亥，通州漕艘火。通州高志。四十四年正月，京師饑且疫。明五行志。三月，大明門内西千步廊火。二申野録。六月，有白芝生於獻帝舊廟。野獲編。順天饑。明五行志。四十五年，涿州大饑。涿州吴志。隆慶元年春三月癸亥，黄霧四塞。清明日，京師甚和暖，晚間風雪交作，寒冽異常。次日，九門報：城外凍死者一百七十人。崇文門下，乘轎婦人，母子俱死轎中，而轎夫亦死轎下。四月，京師黃霧四塞。二申野錄夏，京師大水。明五行志五月，日初暾，東安馬頭村民見村西四五里外白氣如流水狀，逾時而滅。冬十月，京師如盛夏，雷震。次日大寒，夜將半，雷震達旦。二申野錄東安地震有聲。東安李志二年三月乙亥，乾清宮、坤靈宮一時俱燼。戊辰，京師地震。采訪册四月，承運庫火，累朝寶器皆燬。二申野錄三年，霸州夏蝗。秋，霸州、保定大水。采訪册十一月庚辰，京師地震有聲。明穆宗紀三河螻蛄食苗幾盡。三河陳志四年夏，三河大旱。三河陳志四月戊戌，京師地震。明穆宗紀五年春正月己丑，京師大風，揚塵四塞。二申野錄東安大旱。東安李志夏四月戊午，京師大冰雹。二申野錄六月，雷震圜丘廣利門，碎之。二申野錄辛卯，京師地震者三。明穆宗紀東安自六月至九月，霪潦爲災，渾河溢，壞廬舍田禾，歲大饑。東安李志冬十一月庚午，京師天鼓鳴。二申野錄六年夏，通、潞大旱，煙氣蔽野，月色赤如血。七月，運河水溢，害稼。冬，民饑。通州高志萬曆元年夏四月，翰林産白燕，内閣生嘉蓮。二申野錄十一月己亥，慈甯宮後舍火。明五行志二年夏，昌平大雨，壞昭陵祾恩殿。昌平宋志東安大水，漂人畜。東安李志三年四月甲戌，工部後廠火。明五行志六月己卯，雷擊建極殿鴟吻。壬辰，雷擊端門鴟尾。明五行志九月，三河地震。三河陳志四年秋，密雲、懷柔大霧，傷棗。懷柔吴志五年冬十月朔，大内火。二申野錄七年七月戊午，京師地震。明神宗紀八年春，東安旱，無麥。夏秋渾河溢，傷禾稼，歲饑。

東安李志。文華殿西内角門柱礎，有天下太平字，拭之不滅。二申野録。武清隆興寺産芝草九本，每本二三莖，遠近觀者如堵。武清蔡志。九年夏四月，京師旱。通鑑輯覽。十年四月，京師疫。通州、東安亦疫。明五行志。霸州、文安、大城、保定，患大頭瘟症死者枕藉，苦傳染，雖至親不敢問弔。采訪册。十一年夏四月，昌平旱。昌平宋志。十二月庚午，慈甯宮災。明神宗紀。東安渾河決堤口，水失故道。東安李志。十二年二月丁卯，地震。五月甲午，又震。明神宗紀。十月己酉，無逸殿災。十二月癸卯，又災。明五行志。十二年至十七年，懷柔俱春旱、秋澇，米麥斗價至一錢八分，蕎秫斗價至八九分，城内外争掃草子食。懷柔吴志。十三年五月乙酉，旱，大雩，自去年八月不雨至是月。明五行志。五月乙酉，宛平大雨雹，傷人畜千計。明五行志。七月戊子，雷震郊壇廣利門，震傷榜題利字及齋宮北門獸吻。明五行志。八月乙酉，京師地震。明神宗紀。十四年三月乙巳，京師旱。明五行志。四月癸酉，京師地震。明神宗紀。夏五月，灤縣雨雹，屋瓦皆碎。通州高志。六月，武清霪雨，山水大至，決河西棉花市及河東丁家圈等口，水抵城外，遂通舟楫，直至河西、楊村各處地方，略無阻礙，禾黍盡淹，月餘方退。武清蔡志。七月，京師大風，土霾四塞。二申野録。昌平旱，災傷疊見。昌平宋志。十五年四月，京師旱，大疫。明神宗紀。六月，京師大雨，溺人民無算。通鑑輯覽。永清先旱後蝗。七月，香河大水，平地丈餘。永清續志。六月三日，暮，通州大雨雹，自西北方來，大者如雞卵，間有如杵、如升者，壞民房屋牲畜。秋，大水。通州高志。金臺有婦人，以羊毛徧鬻於市，忽不見。繼而都人身生泡瘤，漸大，痛死者甚衆，瘤内惟有羊毛。有道人傳一方，以黑豆莜麥爲粉塗之，毛落而愈，名羊毛疔。寄園寄所寄引名醫類案。京師明智草場火發，薪芻如山，一夕盡爲煨燼。餘焰中小者如拳，大者如柈，盎色正黑有光，叩之聲甚清越，絶類英石之佳者，第質稍輕耳。其狀或爲筆架，或爲硯山，或爲立屏，俱可供玩。又有作人、馬、犬、豕諸色者，無不畢肖。野獲編。十六年正月，鼓樓内火龍飛上草垛，又見大蝦蟆口銜火毬。又鐘樓内火龍飛出，草垛隨雲而起，草廠六垛俱焚。二申野録。春，香河民饑，剥樹皮以食。香河劉志。六月庚申，京師地震。明神宗紀。十七年，香河大旱。香河劉志。十八年春夏，通州旱。七月七日，大雨三晝夜，山水湧發，瀞東兩家店隄決，田禾淹没殆盡。通州高志。十九年閏三月己巳，昌平州地裂，畿内蝗。采訪册。二十年二月，大内災。二申野録。保定大水，蟲食禾。保定成志。二十二年六月己酉，雷雨，西華門災。明神宗紀。七月壬辰，雷擊祈穀壇東天門左吻。明五行志。二十三年春，三河民家生八豕，一類人形，手足俱備，額上有一目。明五行志。三月，京師震。五月，京師地又震。明神宗紀。密雲、懷柔大雨冰雹，二麥俱傷，秋禾亦被損。采訪册。二十四年三月乙亥，乾清、坤甯二宫災。明神宗紀。二十五年春正月，雷火焚長陵明樓。蟲食諸陵松柏。大雨，水逆行，神路石橋及諸邊牆臺塌損者過半。二申野録。二月戊寅，京師風霾。明五行志。六月戊寅，皇極、中極、建極三殿災。明神宗紀。秋七月庚寅，朔，雷燬黄花鎮臺垣及火器。昌平宋志。八月，京師地震。明神宗紀。二十六年四月壬申，京師旱。明神宗紀。八月丁丑，京師地震。明神宗紀。文安蝗災。文安楊志。二十七年二月，永清風霾大作，晝晦如夜。永清續志。四月，雷擊太廟。二申野録。密雲、懷柔大雨雹，傷禾，二麥俱無。采訪册。十一月壬申，内廟火，延燒尚寶司印綬監、工部廊，至銀作局山牆而止。明五行志。文安蝗。文安楊志。二十八年二月戊寅，京師地震，自艮方西南行，如是者再。明神宗紀。二十九年春三月，雷擊折天壇燈竿。長陵明樓火。二申野録。六月，京師自去年六月不雨，至是月乙亥始雨。明神宗紀。三十年六月，京師大水。明五行志。三十一年五月戊寅，京師地震者再，自東北向西行。明神宗紀。秋七月，京師大雨雹。通鑑輯覽。九月戊寅，通州漕艘火。明五行志。三十二年春正月，大雨，都城崩。二月，厚載門外皇城一帶牆下，忽影出城郭、山川、樹木、人物諸狀，有鐵騎數百臨城，城上豎旗幟，與畫圖無異，移時乃滅。二申野録。通州旱。通州高志。五月癸酉，雷火焚長陵明樓，又燬薊鎮松棚路墩臺。明五行志。六月，昌平大水，壞長、泰、康、昭四陵石梁。明神宗紀。通州霪雨五十餘日，山水湧發。通、漷房舍盡傾。三冬大雪，民多凍死。保定大水決隄。采訪册。七月，京師霪雨，兩月不止。正陽、崇文二門城牆中陷者七十餘丈，民居多壞。綱目三編注。九月，三義廟杏樹花。香河劉志。武清棉花市口衝決，浸城數版，屋宇盡頽，居民以樹爲棲。文安杏葉口決，禾盡淹没，災同。采訪冊。三十三年春，通州大饑。通州高志。正月，京師地震。二申野録。二月乙丑，御馬監火。五月辛巳，洗白廠火。明五行志。雷擊圜丘望燈高杆。明神宗紀。九月，京師地震。通鑑輯覽。甲午，昭和殿災。明神宗紀。丙申，官軍於盔甲廠支火藥，藥年久，凝如石，用斧劈之，火突發聲，若震霆，刀鎗火箭迸射百步，軍民死者無數。十一月丁卯，刑部提牢廳火。明五行志。三十四年，自正月至夏，不雨。順天文安、永清、三河、寶坻諸縣大蝗。綱目三編注。七月丙戌，大風，拔朝日壇樹。明五行志。三十五年四月丁酉，通州西倉火。明五行志。閏六月，霪雨一月，平地水湧，通惠河隄閘莫辨。張家灣皇木廠大木盡行漂流。通州高志。七月，京師大雨，晝夜不息。京邸高廠之地，水深二三尺，各衙門皆成巨浸，平陸爲河，内外城垣傾塌二百餘丈，甚至大内紫禁城亦塌壞四十餘丈。雨霽三日，正陽、宣武二門外猶然波濤洶湧，輿馬不得前，城堙不可涉。有巨人從北來，著白衣白幘，耳有墜，高二丈餘，兩目炯炯，火光射地，望南而去。二申野録。冬十二月，順天巡撫劉四科奏言：擦捱子關在本臺根底起霹靂雷火一塊，進十八號臺，碎旗杆一根，擊死本臺百總湯明之子。又提小孩子一名在臺外放下，未死。二申野録。香河、昌平、文安、大城、保定大水，廖家口決，四鄉民房衝毀，城垣𡑞塌殆盡。采訪冊。三十六年二月戊辰，京師地震。七月丁酉，又震。明神宗紀。内臣輩建西頂娘娘廟於内府内織染局時，都中忽興進士之説，一切男婦，不論貴賤，或車運，或馬載，以至豔婦處女，亦坐兩人小輿，懷中各抱一土袋，以香楮隨其後，入廟獻之，久之始漸衰。又數年，宮中忽作掠城之戲，其法畫地爲八方，令大璫輩以八寶投之，自十兩至三兩，能入者卽爲賞。野獲編。三十七年正月初九日，民間訛傳警，至九門盡閉。二申野錄。八月甲寅，雷劈西城上旗杆。明五行志。三十八年春三月，昌平大風霾，旱。昌平宋志。四月丁丑，夜，正陽門箭樓災，至次日辰刻未熄。綱目三編注。京師風霾蔽天，旱魃爲虐。二申野錄。燕河路營生豕，一身二頭，六蹄，二尾。明五行志。三十九年夏，京師大旱。明五行志。四月，昌平霪雨經旬，苗禾損。昌平宋志。六月，大城、保定陡發大水，雷雨交作，決隄，大饑。保定成志。固安大水。固安陳志。文安黑牛口決，五穀盡壞。文安楊志。四十一年六月，通惠河決。七月，京師大水。明五行志。四十二年五月，連雨四十日，東西兩河水漲，没城牆六尺餘，民饑。通州高志。四十三年春，東安大旱。東安李志。二月，密雲黑霧，晝晦。密雲丁志。夏四月，昌平黃花鎮柳溝大火，延燒數十里。昌平宋志。六月，大旱。明神宗紀。八月，東安繁霜。東安李志。閏八月辛亥，通州糧艘火。明五行志。十月辛酉，京師地震。密雲、潮河川等處同時震，有聲。綱目三編質實。四十四年正月，京師大雪。二申野錄。三月，京師大旱。二申野錄。春，東安渾河徙逼縣城。東安李志。十月甲子，烈風壞正陽橋坊。綱目三編質實。十一月己巳，隆德殿災。明神宗紀。四十五年春二月，蝗旱。昌平宋志。東安旱蝗。東安李志。夏六月，東安暴雨，渾河溢西城下。東安李志。七月初六日，京師怪風。二申野録。八月，東安天鼓鳴於東方。東安李志。四十六年四月，宣武、正陽門外水赤，三日如血，一月乃止。明五行志。六月壬午，京師地震。明神宗紀。九月壬子，茂陵火。昌平宋志。乙卯，京師又震。明神宗紀。薊州大水，兩山爲岸，民房倒塌，人巢於樹。薊州沈志。四十七年春二月十九日巳時，武清風霾大作，晝晦如夜，至申乃微熄。武清蔡志。二十日，京師風霾，晝晦，黄塵四塞，有頃，赤光射人如血。明季北略。四月，宣武門外響聞至東御河水俱赤。明五行志。癸酉，盔甲廠災。明神宗紀。秋七月，昌平大風霾，晝晦，赤光射人如血。昌平宋志。四十八年春三月，昌平暴風揚沙。昌平宋志。密雲大旱。大城大風霾，晝晦。采訪册。京師天鼓鳴。綏寇紀略。寶坻出一水獺，至旱不見。寶坻洪志。有道士歌于市曰：委鬼當頭坐，茄花滿地生。北人讀客爲楷，又轉音爲茄，魏忠賢、客氏之兆。明五行志。泰昌元年十月丁卯，噦鸞宫災。明光宗紀。天啟元年二月戊戌，昭和殿災。明熹宗紀。七月，順天蝗。明五行志。冬十月，東安地震。東安李志。永清地震，自寅至辰，城垛半頹，民房盡壞。永清續志。二年四月，京師旱。明熹宗紀。昌平陰雨怒號，雹如卵，壞屋瓦，禾木偃拔。昌平宋志。密雲大風，雨雹，壞屋瓦，傷禾稼。密雲丁志。八月二十八日卯時，演象所内火藥房燬。二申野録。文安雹雨傷麥。文安楊志。三年四月庚申，朔，京師地震。十月乙亥，又震。明熹宗紀。薊州民楊禮家，母彘生子，人面豕耳，額上一目，頰上微有鬚，身無毛，四蹄類牛。二申野録。四年二月丁酉，薊州地震，壞城郭廬舍。甲寅，京師地震，宮殿動摇有聲。明熹宗紀。三月丙辰戊午，又震。庚申，又震者三。大城地屢震，屋瓦動摇，夜不敢寢，多有露宿者。明五行志。四月，又震。時方詣太廟行祀典，蹕旋，至夜二更，地忽大震，屋壁動摇，踰更止。五月，京師旱。二申野録。六月，京師大雨雹，六科廊災。京師一日三地震。乾清宫之震尤甚。八月，薊州于中秋驟然暴風，大雨滂沱，迅雷霹靂，聲匝響震，空中黑暗，四望晦冥，宇舍摇動，屋瓦飛擲，大樹吹折者過半，四面城樓與寺觀牌坊俱吹隕落。兼之冰雹，凍死男女無算。二申野録。癸亥，乾清宫東丹墀旋風驟作，内官監鐵片大如屋頂者，盤旋空中，隕於西墀，鏗訇若雷。明五行志。五年六月，東安地連震，聲如霹靂。東安李志。固安蝗。固安陳志。六年五月壬寅，朔，厚載門火神廟火毬滚出。前門城樓角有數千螢火，并合如車輪。明五行志。初六日巳時，天色皎潔，忽有聲如吼，從東北方漸至，京城西南角灰氣湧起，屋宇動蕩，須臾大震一聲，天崩地塌，昏黑如夜，萬室平沈。東至順城門大街，北至刑部街，長三四里，週圍十二里，盡爲齏粉，屋數萬間，人二萬餘。王恭廠一帶糜爛尤甚，僵屍層疊，穢氣薰天。瓦礫盈空而下，無從辨别衙道門户。震聲南至河西務，東自通州，北自密雲。昌平告變相同。城中屋宇，無不震烈，舉國狂奔。象房傾圮，象俱逸出。遥望雲氣有如亂絲者，有如五色者，有如靈芝黑色者，衝天而起，經時方散。明季北略。癸亥，朝天宫災。明熹宗紀。六月丙子，京師地震。

明熹宗紀。閏六月，大雨，西山洪水驟發，城中水深六尺，新舊屋宇傾倒不計其數。盧溝橋人家被水衝去。良鄉城俱傾，勢若江河，尸横徧野，直至涿州而止。二申野録。詔獄土地廟前樹，於六月間生黄芝。碧血録。孟秋下旬四日，白氣如匹布，長數百丈，起尾、箕間，貫紫宫，掩天樞五星。碧血録。冬十月，皇極殿成，帝御殿受賀，忽有聲如怒濤，自殿中出，羣臣班亂。通鑑輯覽注。七年八月，懷宗卽位，將就寶座，大聲忽發于殿之西，若天崩地塌然，仗馬皆驚。二申野録。崇禎元年十月，密雲大風。密雲丁志。五鳳樓前獲一黄袱，内襲小函一卷，題云：天啟七，崇禎十七，還有福王一。綏寇紀略。文安旱。六月方雨。八月，飛霜，地震。文安楊志。三年正月辛巳，朔，京師大風霾，晝晦。明季北略。八月癸酉，昌平頭道關災，火器轟擊無餘。昌平宋志。固安旱。固安陳志。大城大水。大城張志。五年春三月二十一日，大通橋下有聲如雷，有白物，狀如犬，擁波而馳，至小聖窩而伏。二申野録。八月，霪雨損山陵，昌平地動。明懷宗紀。九月，順天二十七縣霪雨害稼。明五行志。十二月，祈雪。明五行志。六年，京師旱。明五行志。七年九月庚申，火藥局忽然震響，煙起如雲，將製火藥石碾，飛擲于泡子河城牆下，又一石碾自空中落于民家屋上，打透至坑，坑上有小兒，但墜地依然無恙。又一人，其腰繫挂梁上，首與足俱下垂，衣皆脱去，止有皮存其中，並無肉無骨，形狀比生時增長多許。二申野録。京師饑。明五行志。九年十月，昌平大風，損折陵樹。昌平宋志。文安、大城大水。文安楊志。

十年正月，京師石塊生火，延燒倉場等屋。綏寇紀略。四月乙亥，薊州雷火焚東山二十餘里。明五行志。夏，京師大旱。明五行志。宣武門外民家白雞，喙距純赤，重四十斤。或曰此鷙也，所見之處國亡。明五行志。大城旱，蝗。大城張志。十一年四月戊戌，新火藥局災，石板平起空中，民家醬瓿移至屋極，醬不動。乘驢過者，人驢飛至半空，驢腸腹潰，而人墮地無損。綏寇紀略。己酉夜，熒惑逆行尾八度，爲月所掩。五月初五日丁卯，退至尾初度，漸至心。二申野録。六月癸巳，安民廠災，震毁城垣，傷萬餘人。二申野録。七月，永清、武清蝗飛蔽天，食禾殆盡。武清蔡志。九月，順天雨雹。明五行志。京師有黑眚，狀如狸，入民家爲祟，半歲乃止。明五行志。十二年春，昌平明倫堂梁産黄芝二，大如扇。昌平宋志。二月癸巳，京師地震。明五行志。六月，密雲蝗蝻食禾幾盡。密雲丁志。己卯秋，薊州大饑，骨肉相食。薊州沈志。七月，雷擊破密雲城舖樓，所貯礮木皆碎。明五行志。九月二十日，京師草場失火。綏寇紀略。十月，昌平雷電雹，大雨。昌平宋志。涿州大饑。涿州吴志。十三年春二月，昌平風霾，旱。昌平宋志。永清大饑。三月，大風，京營大將旗吹墮永清縣。永清周志。五月，昌平蝗。昌平宋志。六月，昌平蝻。昌平宋志。武清大饑，斗米千錢，樹皮草根，食之殆盡，人相食。武清蔡志。寶坻大水。寶坻洪志。密雲大饑饉。密雲丁志。文安飛蝗蔽日而下，一人捕數石。文安李志。大城旱，蝗。大城張志。薊州饑愈甚，餓死者無數。薊州沈志。十四年四月癸丑，雷火起薊州西北，焚及趙家谷，延二十餘里。明五行志。七月，京師大疫。明懷宗紀。寶坻旱，飛蝗蔽空，邑令漆園捕蝗三十石，民之饑者食之。寶坻洪志。昌平、大城大饑，人相食，道殣相望。大城張志。薊州旱，蝗。薊州沈志。十五年四月，順天三河境内，忽於空中墮一龍，牛頭而蛇身，有角，有鱗，宛轉叫號於沙土中，以水沃之，則稍止，如是者三晝夜乃死。烈皇小識。夏，大城蝗如煙似霧，木葉草根一過如掃，疫染者卽死。大城張志。七月，京師鐵礮自鳴。二申野録。昌平介山村生嘉禾盈畝。昌平宋志。皇極殿鴟吻出煙，近察之，乃細赤蠓，如是飛者三日。物理小識。奉先殿鴟吻忽落地作披髮鬼，哭出宮。又周后宮中忽傳云：接駕。因具袍笏伺之，見鹵簿嚴肅，及近前，乃一老年女子。舊閹云：此李太后也。良久，寂然。座右編。十六年正月二日，大風，晝晦。五鳳樓前門拴，風斷三截。又風吹建極殿廡簷榱桷俱折，殿瓦皆碎。綏寇紀略。初五日，大内諸殿脊及各門樓煙起，閹臣皆出，疑有火災，視之，冉冉若炊煙而微淡，久而乃息。明五行志。二月二十四日戊子，京師大風霾。明季北略。京師大疫，自二月至九月止。明五行志。五月，大雨，沾衣如血，雷霆通夕不止。次日，見太廟神主或横或倒，諸銅器爲電火所擊，融而成灰。六月二十三日夜，雷震奉先殿廟脊鴟吻碎，中有劍削，拔去不知落在何所。廟門玲瓏雕刻處皆損壞，有龍爪痕。綏寇紀略。八月，皇極殿内忽一聲爆裂，見腥血如注，出自殿廷，一沾衣，穢氣難聞。二申野録。冬，建極殿妖氛眯目難當，白晝卽覺昏憒。凡朝臣以及内監、宮妃，莫不恐怖。

鴟吻中有聲似鵓鳩，曰：苦苦！其聲漸大，後作犬吠聲，三日夜不止。綏寇紀略。昌平大疫。十月，鞏華城羣鬼夜號，月餘乃止。昌平宋志。十一月，火藥庫災，震驚遠邇，傷三十餘人。藥之所激，空棺飛過數十家。庫梁墮入錦衣衛堂上。二申野録。京師黑眚見，宮中常見如豕如犬者，黑色，行作鬼聲。綏寇紀略。舉塲左右，人鬼錯雜，薄暮人屏不行。一時貿易，多得紙錢，乃置水，投之有聲則錢，無聲則紙，大疫定後乃已。綏寇紀略。上將祭廟，鹵簿已設，忽見黑氣自空而墜，如有婦人衣白者，疾飛入宮，軍人皆見之。是年人見太廟中鬼皆嘯呼而出。綏寇紀略。十七年春正月乙酉，朔，京師大雨霧。二申野録。昌平、密雲大風霾，晝晦。三月，大風霾，晝晦。密雲丁志。二月，大學士魏藻德夜聞刀兵之聲入其寢室。三月初，舉家聞哭泣。綏寇紀略。乙卯，上餞李建泰於正陽門。建泰頓首拜謝，印綬花怒張如斗。是日大風揚沙。建泰肩輿，不數武杆折。識者以爲不祥。先是，内殿奏：章房多鼠盜食，與人相觸而不畏。元旦後，鼠忽屏跡。帝嘗御乾清宮，空中墜一鸛，頸穿一箭，至地飛鳴，俄而鸛死。又乾清宮後廡有青霞居、遊藝齋，皆陳設寶玉重器於御几，物忽自移，彼此互易其處，或顛倒錯亂，失而復得。守者懼得罪，伺之，御榻重茵中，有溺而旋者，狐毛零落，其氣尚温。二申野録。三月十五日癸卯，風霾，日色益暗。正陽門外關神廟中棋杆劈爲兩半，撞于道上。一時聞傳關帝厭世，已出都門。于三日之先，託夢於聖上。（明季北略。）

國朝

順治二年，東安大水。（東安李志。）三年四月，文安大雨雹，傷毁麥田。（文安楊志。）五年，密雲大水，白河堤決。（密雲丁志。）霸州大水。（霸州朱志。）六年，文安、大城大水。（文安楊志，大城張志。）九年，文安、大城、薊州大水。（采訪册。）永清大旱。（永清續志。）十年夏六月，霪雨，壞城垣民舍。（昌平宋志。）東安、霸州、文安、大城、保定大水。（采訪册。）冬，武清大雨雪，平地二三尺，人民凍餒。（武清蔡志。）密雲饑。（密雲丁志。）十一月，東安大饑。（東安李志。）文安蝗災。（文安楊志。）耍兒渡口決，直注寶坻，淹没田廬。（寶坻洪志。）五月，文安、大城、保定大雨如注，連十晝夜，諸隄盡決，平地水深二丈。（大城張志。）十二年，固安河溢，壞城舍。（固安陳志。）九月九日，永清地震。（永清周志。）香河河水爲害。季冬大雪，相繼積而不消。（香河劉志。）十三年，固安霪雨，波濤遍野。（固安陳志。）七月，昌平、密雲蝗。八月蝻。（密雲丁志。）東安饑。（東安李志。）十四年，固安、大城水災。（固安陳志，大城張志。）秋，東安蝗。（東安李志。）九月二十日夜，昌平地震。次日復震。（昌平宋志。）

康熙元年七月，保定栢木橋隄決。（保定成志。）二年二月十九日，京師天鼓鳴，隨隕星十一，城外七，城内四。次朝拾視，熱如熾炭。（東華録。）河決大城分汛。（文安楊志。）東安地震。（東安李志。）四年三月二日，京師地震有聲。東華録。東安、昌平、順義地震，連二次。頭次有聲如雷，房歪牆倒，窪池水出；二次微聲。采訪册。七月初七日，大城地震，霪雨五晝夜，城垣倒壞十之六七，縣境民房坍塌，不下數萬間。大城張志。五年五月，保定蝗自東來，蔽日傷禾。地震有聲。六月，雨下如注，平地水深三尺。保定成志。六年六月，香河天陰，黑雲四合，疾風暴雨，冰雹大注，平地深數尺，大者如碗，田禾盡傷，屋瓦皆碎，遠近數十里，城内及城東尤甚。香河劉志。秋七月，昌平産嘉禾，一莖二穗。昌平宋志。七年夏四月，昌平奎樓火。昌平宋志。五月癸丑，子時，京師地震。初七、初九、初十，三日，未時皆震。東華録。六月十七日，香河地震，從西北起，戛戛有聲，房屋摇動。七月初七日，陰雨連日，河水汎濫，凡開口岸三十餘處。城四面水圍，西城水淹三十八行，北城淹十行，大雨傾盆，晝夜不止。村落當衝處，房屋漂没，淹死男女屍骸並頭畜等，蔽滿水面。水凡七漲，計二十餘日，民房多圮，無所棲止，男女襍聚廟宇中。香河劉志。秋七月，昌平大雨，漂民舍禾稼。昌平宋志。盧溝水溢，從鳳河至城下，平地深丈許，三門俱塞，水暴入城，不能禦，東城樓坍墜，其流始障。武清蔡志。文安地震，河決。文安楊志。八年九月甲午寅時，京師地震有聲。東華録。九年春，武清、大城大旱，無麥禾。武清蔡志，大城張志。九月二十五日巳時，武清隕星一，其大如斗，從空墜落有聲，屋櫄摧折，入地尺許。武清蔡志。十年，霸州春旱，夏潦，霸州周志。文安水災。文安楊志。大城旱。大城張志。十一年，東安、文安旱，蝗。東安李志，文安楊志。十二年九月乙亥，京師地震。東華録。武清地震。武清蔡志。十三年九月九日，東安地震。東安李志。十四年乙卯，三月二十六日，異風自巳至戌，黄霾蔽天，瓦飛如燕，茅屋盡揭。薊州沈志。十五年五月初一日，京師大風，晝晦，有人騎驢過正陽門，御風行空中，至崇文門始墜地，人驢亡恙。又有人在西山皇姑寺前，比風息，身已在京城内。宸垣識略。十六年，三河蝗。三河陳志。十七年七月二十八日，京師地震。毛西河詩集。十八年七月庚申，京師地震。通州、三河、平谷、香河、武清、永清、寶坻、薊州、固安等處尤甚。采訪册。薊州地内聲，響如奔車，如急雷，天昏地暗，房屋倒塌無數，壓死人畜甚多。地裂深溝，縫涌黑水甚臭。日夜之間頻震，人不敢家居。薊州沈志。寶坻各村莊見白兵抄掠，捕之，寂不見。寶坻洪志。二十三年，東安蝗。東安李志。二十四年正月二十三日，大風霾，白晝如夜。文安楊志。五月二十八日，密雲大風。密雲丁志。六月，固安大雨，壞民舍。固安陳志。二十五年七月，河決文安下五哥莊。文安楊志。丙寅，薊州大水。薊州沈志。二十六年九月丁亥，丑時，京師地震。東華録。二十八年，東安旱。東安李志。二十九年庚午，薊州大水。薊州沈志。寶坻大水。寶坻洪志。武清旱，蝗。武清蔡志。三十年，順天府屬夏旱，秋歉。漢名臣傳。三十二年，大城廣安村河決，洪波流入文邑，田廬淹没。文安楊志。寶坻大水。寶坻洪志。三十四年六月初五日至初九日，固安大雨如注，環城水深丈餘。固安陳志。蝗起武、寶界。寶坻洪志。乙亥，薊州水至南門城下。薊州沈志。三十五年八月，文安河決路疃，平地水深丈餘，城垣倒壞，民逃殆盡。文安楊志。九月辛巳，京師地震。東華録。三十六年，蝗。七月，河決大城次花口。文安楊志。三十八年夏六月，尊經閣産異菌，大如盤，一莖百顆。夏秋大雨水，河決灰堝口等處。武清蔡志。三十九年五月十二日大雷雨，麥已熟未刈，悉淹没，秋禾無穫。武清蔡志。七月，子牙河水漲溢，由大城之次化漫堤而入，害及文洋，百里田禾盡没。文安楊志。四十年五月，内包人張兆龍妻馬氏一産三男。文安楊志。四十一年十月乙酉，京師地微震。東華録。四十二年癸未六月，薊州大水，水至南城門下三次。薊州沈志。寶坻西河水漲，禾稼盡淹。寶坻洪志。十月，密雲星隕。密雲丁志。四十四年四月，密雲蝻。至九月不絕。八月，雨雹，傷禾稼。九月十六日夜，地震四次。密雲丁志。八月丁酉，朔，京師地微震。東華録。三河蝗，不爲災。三河陳志。四十五年二月二十七日丙辰，京師地微震。東華録。四十六年，寶坻北河口隄決，村落皆淹。寶坻洪志。四十八年四月，東安蝗，六月，水。東安李志。秋，昌平蝗蝻爲災。昌平宋志。五十年五月，固安旱。固安陳志。五十一年六月，固安蝗。固安陳志。五十二年四月初一日，固安蝗。固安陳志。寶坻水。寶坻洪志。五十三年五月初七日，固安西雨雹，拔木損禾。凡所損皆復生，收穫無異。固安陳志。五十四年六月，順義大風，樹木盡拔。順義黃志。五十五年閏三月，順天府饑。漢名臣傳。夏，密雲、懷柔大旱。密雲丁志，懷柔吳志。五十六年，密雲雷震冶山塔。密雲丁志。五十八年六月初一日，武清地震。武清蔡志。

二十九日夜，寶坻疾雷飛雹，大風拔木。寶坻洪志。文安雷雨大作，大風拔木。東安李志。五十九年六月初七日，巳時地震。初八日，申時復大震，有聲自西北來，少刻搖撼簸蕩，人不得坐立。城牆北面倒塌一十六丈，城垛搖落。大半民居，傾壞無數，夜皆露宿。後連次微動，數日乃止。懷柔新志。八日，東安地震。東安李志。密雲地震，越一日，大震聲自西北來，毀鼓樓及民居。連日累震。密雲丁志。六十年三月，黃霧四塞，霾沙蔽日。東華録。懷柔自春不雨，至五月，二麥無收，小米每倉斗價銀二錢三分。懷柔吴志。密雲自春至夏旱。密雲丁志。六十一年七月，密雲大雨，毀城白堤。密雲丁志。

雍正元年秋七月，密雲蝻生，逾夕抱黍自死。密雲丁志。二年，東安冰雹傷禾。東安李志。三河大水。三河陳志。寶坻大水。寶坻洪志。三年，寶坻水。寶坻洪志。六月，武清大水，河西務堤潰，平地水深數尺，浸東門城甎十數層。武清蔡志。七年六月，武清山水陡發，河西務浸決。武清蔡志。八年八月十九日，東安、武清、薊州地震，有聲自西北來。采訪册。十一年冬十二月乙卯，京師夜氛如霧，重之以霜，凝於木上。全祖望霧淞賦。東安、三河、甯河、薊州水。采訪册。

乾隆二年春，東安旱，無麥。東安李志。順天合境大水。漢名臣傳。三年，東安大水，渾河溢，秋禾被災一百九十村。東安李志。四年，永定河漫溢。武清蔡志。五年，三河飛蝗來境，抱禾稼枝葉而斃，不爲災。三河陳志。寶坻水。寶坻洪志。七年四月，涿州雨雹，大如雞子。涿州吴志。八年閏四月，大雨雹，盤山雲罩寺塔被震倒塌。五月，大熱，人多暍死。薊州沈志。五月，三河大暑，人多病暍。三河陳志。六月丙辰，京師盛暑。續東華録。九年四月，武清旱。武清新志。十年夏四月，京師旱。續東華録。五月，涿州雨雹。涿州吴志。三河旱。三河陳志。十一年六月丁丑，京師地微震。續東華録。十七年，三河蝗，不成災。三河陳志。十八年，涿州旱。涿州吴志。二十四年春二月初七日，天雨，土旱，有螣傷禾。秋九月二十六日夜，大雪。薊州沈志。二十八年六月，霸州、文安等處飛蝗。漢名臣傳。三十年，薊州大水。五月三十日夜至六月初一日旦，雷電風雨交加，郡北山中蛟水陡發，冲去山内二十里舖房屋，淹斃人畜甚多。運糧船隻漂没七號，人、米、船、板，一概無踪。薊州沈志。三十三年閏五月，武清蝗。武清蔡志。甯河水。甯河關志。三十八年秋七月十九日，薊州大風雨，拔木，熟禾盡偃。薊州沈志。五十四年，永清水。永清續志。五十五年，薊州大水，冲出城南，沽河舊石橋九空。薊州沈志。六十年六月二十一日，薊州地震。薊州沈志。

嘉慶元年五月二十五日，平谷大雨雹，形大如雞卵，無麥，秋禾大熟。平谷陳志。二年閏六月十三日，薊州地震，有聲。薊州沈志。三年二月丙子，京師缺雨。續東華録。乾清宫災。仁宗聖訓。五年，薊州春無麥。薊州沈志。六年六月己酉，京師大雨。壬子，永定河溢。續東華録。武清、昌平、涿州、薊州、平谷大水。采訪册。七年夏四月癸丑，京師旱。續東華録。七月，平谷蝗。平谷陳志。十年六月丁丑，永定河溢。續東華録。十二年，薊州饑。春三月十二日，大風霾，有火隨風，著物有然有不然。八月二十三日早刻，大雨雹，有如鵞卵者，屋瓦皆碎，木葉盡脱。薊州沈志。十四年夏四月十五日，薊州雨雹，傷麥。薊州沈志。十五年秋七月，永定河溢。續東華録。十六年夏四月戊辰，京師旱。續東華録。十七年夏四月，薊州大雷電，震盤山之塔。秋，大水。薊州沈志。十八年七月，長星見於北斗旁，先及紫微垣。九月朔，三環套日。采訪册。二十一年永清水。永清周志。二十二年夏，薊州復震盤山之塔。秋，大旱。薊州沈志。固安大旱，饑。固安陳志。永清水。永清周志。涿州旱，霜。涿州吴志。二十四年四月初八日酉時，有怪風自東南來，陰霾蔽天，晝晦。京師尤甚，室内皆燃燭。七月初八日，平谷縣西南七里西高材莊，午後有怪風兼雨自西南來，遥望如颶風，由村内斜過，其過處房屋摧敗，甚有將屋之上蓋連樑掀至街外者。莊北高處有關帝廟，西向，風過處，殿之南山牆刮去一半，樹木或倒或折，損折者不一。莊外自西南至東北一里，禾盡偃，其平如掃。平谷陳志。固安渾河南五工決，漫溢知子營等一百一十六村。固安陳志。永清水。永清周志。

道光元年四月，朔，日月合璧，五星連珠。七月，轉筋霍亂，時疫大作。直至八月，死者不可勝計。是年恩科鄉試，改期九月初八日。采訪册。三年，固安、武清、平谷大水。采訪册。昌平霪雨，禾稼盡傷。昌平宋志。四年，平谷自春徂秋，瘟疫大行，又兼三年秋禾不登，人多無食，死者不可勝計，甚有全家病没無人埋葬者，有因年荒無資棺殮而藁葬者。平谷陳志。五年六月，昌平蝗。昌平宋志。七年夏，昌平大熱，人有暍死者。昌平宋志。十年六月初一日未時，平谷雷震邑南城樓。平谷朱志。十二年春，昌平大旱，饑。六月始雨。昌平宋志。十二年春夏，平谷大旱。近城十餘里，於六月二十八日始雨。其他處有於七月初旬得雨者，有於七月十四、五日得雨者。人別無可種，至有種丸豆、大麥者，亦獲微熟。其他禾稼，直至後九月尚未盡熟，經霜而枯，歲大饑。平谷陳志。十三年春，昌平大饑，有路死者。昌平宋志。武清旱。武清蔡志。十四年，固安渾河北三工決，漫溢北十里舖等八十七村。固安陳志。十七年七月十三日酉刻後，平谷大雹如卵，城東、南、北如碗者。由城内至城西二十餘里，接連三河縣界，秋禾盡平，城内外屋瓦碎其大半。平谷陳志。八月十四日，昌平大風，傷稼拔木。昌平宋志。十八年秋七月十八日酉刻後，平谷雨雹，大如卵，城東、南、北亘二十餘里。北自北山後，不知起自何地；南至南山薊州界；東西寬五、六里，秋禾盡損。平谷陳志。二十年，自六月十八日至七月十七日，平谷霪雨連綿，大水。平谷陳志。二十八年秋，武清禾被水災。武清蔡志。

咸豐三年，固安渾河南三工決，漫溢東西楊村一百二十八村。固安陳志。四年，固安、武清昌平旱。六月大雨水，傷人。昌平宋志。

蝗。六月初一日，龍見於固安石各莊西南，俄而升，大雨如注。采訪冊。五年夏五月，昌平雨雹，傷麥。昌平宋志。六年夏六月，固安渾河北三工決，上北四工決。固安陳志。昌平大雨。昌平宋志。

秋，武清禾被水成災。武清蔡志。八月初七日至初十日，平谷飛蝗自南大至蔽天，早田無傷，晚田損。聞自江南、河南、山東、直隸、關東皆然，後卽於田中生子，依次小孔，田地如篩。平谷陳志。昌平蝗。昌平宋志。七年，固安蝗。固安陳志。春，昌平旱，蝗。昌平宋志。平谷蝻生，無麥，秋禾熟。平谷朱志。八年，昌平旱，斗豆鐵錢四千。昌平宋志。六月，平谷蝻，自西南三河境至大王務霽沱莊，秋禾半傷。八月初八日，蝗自南大至，過一宿而去，不傷禾。平谷陳志。十年春二月，昌平怪風傷人。昌平宋志。同治元年三月初三日，武清風霾，晝晦，人有死者。武清蔡志。七月朔，日月合璧，五星聯珠。續東華録。六年，武清先旱後潦，秋禾被水成災。武清蔡志。夏，昌平大旱。秋七月，雨雹。昌平宋志。七年，昌平城西玉虛觀松生黄花。昌平宋志。十年，武清水災。武清蔡志。夏，平谷大水，凡山居，水勢尤猛，田皆沖損，人被沖溺者甚多，有不得其尸者。平谷陳志。十一年秋，武清禾被水。武清蔡志。十三年秋，武清禾被水成災。武清蔡志。光緒元年秋，大暑，人暍死。采訪冊。三年，武清蝗。武清蔡志。夏，昌平旱，蝗。昌平宋志。四年，昌平霪雨，膰。昌平宋志。五年五月，武清水鬭。武清蔡志。七年六月，武清蝗，以米易蝗二千四百石，乃不爲災。武清蔡志。九年七月，大水，闔境成災，永定河決於永清境。采訪冊。

華陽吴祖椿校